Algena

Psychodrama einer jungen Frau

Werner Braun

Algena

Psychodrama einer jungen Frau

Roman

BoD – Books on Demand, Norderstedt

Bibliografische Information der Deutschen Nationalbibliothek:

Die Deutsche Nationalbibliothek verzeichnet diese Publikation

in der Deutschen Nationalbibliografie; detaillierte bibliografische

Daten sind im Internet über http://dnb.de abrufbar

© 2019 Herstellung und Verlag

BoD – Books on Demand, Norderstedt

ISBN 9783750408241

Zum Inhalt:

Algena Wellhöfer wuchs in einem strengen bieder-spießigen Elternhaus in tiefer Provinz auf und zog mit Anfang Zwanzig nach München. Dort begann sie ihre Ausbildung zur Modedesignerin und startete erfolgreich in ihr Berufsleben. Trotzdem verliefen diese ersten Jahre nicht ohne Enttäuschungen, weil das wenig einfühlsame Elternhaus nur mäßige Selbstsicherheit der jungen Frau zur Folge hatte und sie wohl auch deshalb das konservative provinzgeprägte Weltbild ihrer Jugendjahre kaum überwinden konnte.

Als bildhübsche junge Frau standen ihr zwar alle Türen offen, aber sie stolperte oft – zu oft – über ihre eigenen Unzulänglichkeiten.

Nachdem sie einen erfolgreichen eloquenten Vertriebsleiter kennenlernte, ihn heiratete und glückliche Jahre mit ihm verbrachte, schien es, als wäre die unselige Vergangenheit überwunden.

Ein tödlicher Autounfall ihres Mannes zerstörte nach fünf Jahren Ehe alle ihre Träume. Ihre leidvolle, weil belastende Vergangenheit holte sie in ihrem neuen Status als junge Witwe wieder ein. Dieser Tod sowie seine verstörenden Begleitumstände setzten der jungen Frau gewaltig zu und verlangten von ihr – jetzt wieder Single – mühsam ein neues tragendes Gleichgewicht zu suchen. Dies fiel ihr umso schwerer, als etwa ein halbes Jahr nach dem Tod ihres Mannes ihr der einstige Studentenfreund Harry wieder über den Weg lief, in den sie vor zehn Jahren schwer verliebt war. Damit brach in ihr eine langwierige Auseinandersetzung zwischen wieder erwachten Gefühlen und ihrem Verantwortungsbewusstsein auf, weil der inzwischen längst verheiratet und Familienvater war, aber ihre neuerliche Bekanntschaft weiter pflegen wollte …

Auf welche Weise sie sich der Zerreißprobe ihrer Gefühle und der psychischen Belastung daraus stellte, davon handelt dieser Roman.

Eine ehrliche Stütze fand sie in ein paar wohlwollenden Freunden und der verständnisvollen Freundin Isabelle, die auch in schwierigen Phasen zu ihr hielt und versuchte, ihr Mut zu machen.

Ein paar Worte über mich, den Autor:

Seit etwa fünfzig Jahren lebe ich in München, betrachte diese Stadt als meine Heimat, auch wenn ich in den Bergen, am Tegernsee aufgewachsen bin. Ich bin 1942 in Wien geboren, bin verheiratet, habe einen erwachsenen Sohn und bin seit vielen Jahren Rentner.

In meinem Arbeitsleben war ich Ingenieur und habe mich bis Anfang des sechsten Lebensjahrzehnts nur wenig ums „Schreiben von Texten" gekümmert (von gelegentlichen tagebuchartigen Notizen bei wichtigen Ereignissen abgesehen). Es gab eben andere Prioritäten. Erst in diesen Jahren hat sich nach und nach eine Freude am Schreiben, Formulieren und Schildern entwickelt. So habe ich mich, noch deutlich vor der Pensionierung beginnend, zunächst mit biografischen Texten (aus früheren rudimentären Tagebuchaufzeichnungen zusammengestellt) befasst, später dann, schon als Rentner, in loser Folge lebendige Reiseberichte eigener Reisen und solcher zusammen mit meiner Frau Roswitha geschrieben.

Aus allen diesen Erzeugnissen sind bisher nur private Ringbücher entstanden. Eine Veröffentlichung war nie vorgesehen, obwohl sie im weiten Freundeskreis stets gut angekommen sind. Als Schriftsteller und Autor fühle ich mich nach wie vor als reiner, wenngleich laut Aussagen meiner Freunde begabter Laie, der „die Schreiberei" als Hobby betreibt.

Im Jahr 2018 habe ich allerdings erstmals eine Art biografischer kurzer Erlebnisschilderungen mit dem Titel „auf Menschen treffen" herausgegeben.

Der vorliegende Roman „Algena, Psychodrama einer jungen Frau" ist ein umfangreicheres Erstlingswerk, das ich der Öffentlichkeit zugänglich machen will.

Werner Braun

Ein Prolog zum Geleit
(statt der hier üblichen Widmung)

Dass das Leben nicht nur Sonnenseiten bietet, sondern bisweilen auch auf dunklen, sogar sehr dunklen Wegen verlaufen kann, ist eine Binsenweisheit, die alle Menschen in ihrem Leben irgendwann mal in unterschiedlicher Härte und Dauer erfahren müssen.

Wie man das *eigene* gelebte Leben dereinst bewerten wird, wenn man, am Lebensende angekommen, seiner Bilanz ins Auge sehen und sie akzeptieren muss, weiß keiner. Dann aber ist die „Aufführung" vorbei. Es gibt keinen „Probelauf", kein „zweites Leben" wie im Computerspiel.

Und in den Jahrzehnten zwischen Geburt und Tod, gewissermaßen unterwegs? Geschieht es: *„leben eben"*, in fortlaufender Gegenwart mit seinen ungezählten Kontakten zu anderen Menschen, dem permanenten inneren Gedankenstrom, den Motiven, Hoffnungen und Handlungen aber auch Ängsten, alles den Menschen jeweils im aktuellen kurzatmigen Alltag bewusst, selten jedoch in seinen Auswirkungen auf den eigenen großen, zeitlich langräumigen Sinnzusammenhang. [1])

Stellen Sie sich vor, liebe Leserin, lieber Leser: Sie wären in Ihren mittleren Dreißigerjahren voller Lebenselan und -plänen und schauten auf die bisherigen Lebensjahre zurück: Wo würden Sie sich selbst verorten im Geschick dieses ersten Lebensdrittels?

---

[1]) *Marcel Proust* hat in seinem gigantischen siebenbändigen Romanwerk *„Auf der Suche nach der verlorenen Zeit"* diesen Effekt höchst eigenwillig definiert: „Verloren" sei die Zeit im fortlaufendem „Jetzt" mit seinen Abermillionen einzelnen Handlungen während des ablaufenden Lebens. „Wiedergefunden" habe man die Zeit, wenn man alles Vergangene des *gesamten* gelebten Lebens mit dem späten „Jetzt" des Alters zu einem Gesamtbild eines Menschen zu vermengen vermag (nachzulesen im letzten Band *„Die wiedergefundene Zeit"*).

7

Bei den glücklichen Gewinnern, denen bisher alles gelungen ist und nichts gegen ein *weiterso* spricht, oder den Gebeutelten, die von unguten Startvoraussetzungen oder unbarmherzigen Schicksalsschlägen heimgesucht wurden oder bei den vielen Menschen mit einer durchschnittlichen Biografie ohne auffallende Glanzpunkte oder hässliche Heimsuchungen in ihrem Leben, die meist erstaunlich zufrieden, ja glücklich sind mit ihrem *mittleren* unscheinbar wirkendem Los?

Ehrlichkeit ist gefragt: „Sich in die Tasche lügen" gilt nicht, meine Lieben!

Ich würde mich freuen, wenn Sie Herz zeigen, Empathie entwickeln für diejenigen, denen in ihrem noch jungen Leben schon harte Prüfungen zugesetzt haben oder derzeit zusetzen, egal, ob sie Opfer äußerer Umstände oder Opfer innerer Schwächen oder beides zugleich sind oder waren. Die Auswirkungen ähneln einander.

Mit dieser Einstellung werden Sie die Lebensumstände der Hauptprotagonistin *Algena Marzahn (geb. Wellhöfer)* in diesem Roman verstehen und mit ihr mitfühlen können, auch wenn Ihnen manche ihrer Vorstellungen, Handlungen und Motive eher suspekt sein dürften, deutlicher gesagt: Sie niemals so denken oder handeln würden oder könnten oder es nicht verstehen können, wie man so denken oder handeln kann.

Man kann, denn das Leben ist ungemein bunt und vielfältig.

Wohlan: Nehmen Sie Anteil an Algena, freuen Sie sich mit ihr, leiden sie mit ihr und fiebern Sie mit ihr ihrem Geschick entgegen.

Teil 1

D as höchste Entwicklungsziel, welches junge Menschen von frühen Kleinkindertagen an bis in die Zeit ihres Jungerwachsenenlebens erwerben können, ist eigenständiges Denk- und Urteilsvermögen, verbunden mit aufgeschlossener Neugier auf alles, was ihnen auf diesem Weg begegnet. Ein kleines erstes Indiz dafür, auf gutem Weg zu sein, sind in der Kinderzeit ständige Fragereien, das unendliche „ein Loch in den Bauch fragen", was Eltern einerseits freut, andererseits nerven kann oder auch mal nachdenklich werden lässt („wie erklär ich's meinem Kind").

Und wenn dies alles jeweils alterstypisch in gesunder Wechselbeziehung mit allen weiteren geistigen und körperlichen Entwicklungsschritten erfolgt, einschließlich der Fähigkeit zu Empathie, Aufgeschlossenheit und Kommunikationsfähigkeit gegenüber dem sich ständig erweiternden sozialen Umfeld, haben die Eltern in ihrer Erziehung, getragen von der Liebe zu ihren Kindern, alles erreicht.

Von allen Seiten wird der junge Mensch unter die Fittiche genommen. Alle wollen für ihn das Allerbeste, ihn vorbereiten auf sein Leben als Erwachsener. Es sind die ineinandergreifenden Wirkungen von Erziehung, Atmosphäre und Vorbild im Elternhaus und Familienleben sowie der Einwirkung von Schule, Klassenkameraden, Freunden und Freundinnen auf die Heranwachsenden, die wesentlichen Einfluss haben auf die Entwicklung junger Menschen. Bald gegen Ende des ersten Lebensjahrzehnts beginnen sich eigene Interessen herauszubilden wobei auch die Sozialen Medien fortan eine zunehmend massivere Rolle ausüben. Nicht zu unterschätzen sind aber auch nicht beeinflussbare genetische Anlagen.

Ob alle diese Beeinflussungen tendenziell schließlich den ersehnten Erziehungserfolg gewährleisten, bleibt während der langen Jahre der Kinder- und Jugendzeit mehr oder weniger im Dunkeln.

Dass man als Eltern gehörig Nerven braucht für gedeihliches familiäres Zusammenleben mit Kindern, wissen alle Eltern, die bisweilen ihre liebe Not haben, die junge ausgelassene „Bagage" zu bändigen. Sehr oft brauchen sie geradezu Engelsgeduld, denn Kinder neigen ungeniert dazu, sich voll auszuleben, weshalb das mitunter nicht ohne Geschrei, Tränen, urplötzlichem Ausflippen und sonstigem kindtypisch-egoistischem „Beleidigt-sein" abgeht. Eltern müssen dabei stets und immer eine gewisse Contenance wahren, die trotzdem auch mal lautstarkes Schimpfen auf die Unbotmäßigen einschließt. Bei aller Liebe oder gerade wegen ihr müssen Lob und Tadel und bisweilen strenge Grenzen jeden Tag aufs Neue austariert werden. Nicht immer gelingt das, denn Eltern sind selbst von ihrer Herkunft und ihren Lebensverhältnissen Geprägte, weshalb sich auch bei ihnen mitunter Defizite einschleichen können.

Mit einem Wort: Eltern haben zu funktionieren, was ihnen in der Regel zu allermeist auch gelingt, denn die Liebe zu ihren Kindern ist stets unbedingt, egal was ist, war und sein wird. Eltern wollen stets das Beste für ihre Kinder.

Aufmerksamkeit, vor allem Gelassenheit aller an der erzieherischen Begleitung Beteiligter ist hilfreich, ja notwendig, weil in den Schwellenjahren die Heranwachsenden eben noch ausschließlich ihrem naturgegebenen egozentrischen Weltbild folgen und ihnen erst im Lauf fortschreitender Reife dämmert, manches hinterfragen zu müssen. Das verstärkt sich dann rapide in den ersten Erwachsenenjahren, wenn die Wünsche des eigenen Egos an die Grenzen anderer, vor allem anderer junger Menschen, stoßen und somit revidiert, sozusagen „eingehegt" werden müssen.

Und wie verlaufen die ersten Jahre der flügge werdenden Jungerwachsenen unter solchen idealen Bedingungen?

Sie spüren, wie sich viele Türen fast wie von selbst öffnen. Noch als Jugendliche finden sie recht schnell den ihren Interessen entsprechenden Ausbildungsberuf bzw. später dann das geeignete Studium heraus, bewältigen meist ohne größere Blessuren die kleinen Verwicklungen und Verstimmungen der *Ersten Liebe* (deren Vorläufer schon kurz nach der

Pubertät eingesetzt haben), die selten hält, aber die jungen Leute erstmals erotisch-emotional gewaltig aufwühlt und es sind auch keine gravierenderen Probleme beim späteren Kennen- und Liebenlernen potenzieller Lebens- und Liebespartner zu erwarten. Es winken ihnen, abgesehen von unvorhersehbaren Schicksalsschlägen, viele glückliche Jahre als Erwachsener …

Leider gibt es aber auch junge Biografien, in denen sich aus welchen Gründen auch immer, irgendwo gröbere Defizite durch ungünstige Einflüsse oder Verhaltensmuster eingeschlichen und festgesetzt haben. Dann könnte dieser Start empfindlich beeinträchtigt sein, wenig gedeihlich, einer negativen Hypothek vergleichbar.

* * *

Endlich raus aus der miefig-spießigen Kleinstadt in der tiefsten Provinz! Das ferne München leuchtete wie ein geschliffener Diamant, als die große Verheißung: Freiheit, Selbstbestimmung, Lebenschancen, vor allem neue Menschen. Der Umzug. Für Algena die lang ersehnte konkrete Befreiung. Schluss mit der Gängelung im Elternhaus! Ihre Berufsträume hatten immer etwas mit Mode zu tun, die entsprechenden Akademien gab es in München. Den provinz-geprägten Eltern wars nicht recht, das Töchterchen nach dem Abitur ziehen lassen zu müssen, aber nach einigen Kämpfen gaben sie nach und ihre Zustimmung. Jetzt durfte sie weg und eine kleine bezahlbare Studentenbude war zum Glück bald gefunden.

Hier in ihrem kleinen Provinznest von wenigen tausend Einwohnern kannte jeder jeden, vor allem unter den mehr oder weniger Gleichaltrigen, – die Lebenswege vieler ihrer Freunde und Freundinnen folgten üblichen Mustern – was bei der etablierten Erwachsenenwelt für ihren flügge werdenden Nachwuchs stets mit Gedanken von *unter die Haube kommen* verbunden war. Und ihre Eltern machten in dieser Denke keine Ausnahme: Sie sind hier voll integriert. München interessierte sie wenig. Akademisch gebildete Eltern setzten natürlich auch hier in der Provinz schon immer alles daran, ihre Sprösslinge aufs nächstgelegene Gymnasium zu bugsieren, egal ob mit oder ohne allfällige Nachhilfe, denn in ihrer Sicht vertragen sich „nur mittlere" Bildungswege nicht mit ihrer eigenen (als selbstverständlich angesehenen) Akademikerwelt.

Sie und ihr älterer Bruder Leon hatten in der Grundschule mit besten Noten und Bewertungen geglänzt und man riet ihren Eltern, die beiden unbedingt auf eine höhere Schule zu schicken. Begabungen bzw. Intelligenz dürfe man nicht brachliegen lassen, hieß es drängend. Die Eltern hingegen dachten eher an spätere, vermutlich hohe Kosten für Unterkunft und Studium ihrer beiden Sprösslinge, egal wo. Und überhaupt: Vor allem bei Algena stand nicht selten die naiv-unbedarfte Frage im Raum, ob das denn wirklich sein müsse? (und unausgesprochen: Sie heirate ja doch irgendwann …)

Algena spürte alsbald die zwei Seelen in ihrer Brust: Die tiefsitzende Prägung durch die angestammte vertraute soziale Umgebung kontrastierte mit dem Bildungseinfluss der höheren Schule. Sie erkannte bald: Ihre Welt durfte sich nicht nur auf die Provinz beschränken …, jedenfalls nicht auf Dauer. Für sich, das war Algena bald klar, musste sich spätestens nach Abschluss der Schule was ändern: Sie strebte raus aus der Enge. Ausbrechen! München! Wo wäre das besser möglich? – Ihr permanentes unterschwelliges Sehnen.

Algena begann ihr neues Münchner Leben mit ausgesprochenen Hochgefühlen, lebte, den Fesseln des einengenden Elternhauses entronnen, geradezu auf, war engagiert, genoss ihre neue örtliche und soziale Umgebung, ihre Unabhängigkeit, knüpfte Kontakte zu Gleichaltrigen und ließ sich gerne motivieren von all den Anregungen, die ihr begegneten. Alles paletti sollte man meinen, allerdings ging trotzdem nicht immer alles so glatt über die Bühne. Schon nach wenigen Monaten fiel ihr mehr so en passant an tausenderlei Kleinigkeiten auf, dass doch nicht alles Gold war, was hier in ihrer neuen sozialen Umgebung vermeintlich so glänzte. Sie spürte bei sich überraschend viele kleine ungewohnte, vor allem unerwartete Vorbehalte gegenüber so manchen ihrer neuen Bekanntschaften, nicht nur, weil „Andere eben anders ticken", sondern auch, weil ihre meist studentischen Kreise hier in der Großstadt sich generell irgendwie „anders" verhielten, eloquenter oder erfahrener oder was auch immer, als die Gleichaltrigen in ihrem wohlbekannten, gewohnten Kleinstadtmilieu.

Erst nach und nach regte sich in ihr die zweifelnde Erkenntnis, sich nach dem vertrauten früheren Leben in ihrer kleinen überschaubaren Stadt zu sehnen – trotz gewisser hässlicher Umstände damals während ihrer Zeit als heranwachsendes junges Mädchen und der pubertären Probleme, die sie am liebsten vergessen würde. Dass es auch die unterschwelligen und unbewussten Maßstäbe ihrer Inkulturation, ihrer einstigen familiären Prägung in ihrem Heimatstadt-Milieu waren, die so zäh weiterzuleben schienen, kam ihr noch mit keinem Gedanken in den Sinn. Nicht dass sie zurückwollte, um Gottes willen, keinesfalls, aber der doch rauere Wind hier in München irritierte eben. Sie spürte den Druck, sich anpassen zu müssen – und das fiel ihr bei aller Freude, jetzt in München zu leben, doch recht schwer.

Nicht überall kam sie mit ihren Ansichten und ihrem Gehabe gut an: *Das könnt ihr* (wen auch immer sie meinte) *doch mit mir nicht machen*, dachte sie öfters enttäuscht, bisweilen verärgert, wenn ihr etwas so richtig gegen den Strich ging. Sie meinte dann glatt, die seien doch alle blöd, oder? Und merkte nicht, dass *„das Anderssein Anderer"* das wichtigste Merkmal in der Vielfalt menschlichen Lebens ist, vor allem keinesfalls als Affront gegen sie betrachtet werden durfte.

Algenas erste Münchner Jahre waren somit mehr als ihr bewusst war, wesentlich geprägt von den erst wenige Jahre zurückliegenden, gravierenden Unausgewogenheiten während ihrer reifenden Jugendzeit, einer wohl mehr oder weniger verkorksten Pubertät, und mündeten in stillen Stunden unweigerlich in der fassungslosen Feststellung: *Warum bin ich so wie ich bin? Warum komme ich mit meiner Art so oft nicht richtig an bei „den Anderen"?*

In ihrer karg eingerichteten Studentenbude grübelte sie über diese Frage bisweilen vorsich hin. Stets mischte sich die entscheidende und folgerichtige, ängstliche Frage dazu hinein: *Oder liegts an mir?*

Ja, natürlich ..., fatale Erinnerungen stiegen ihr wider Willen auf: Ihre Kindheit und Jugendzeit war nicht immer einfach gewesen. Da gabs so Einiges, an was sie gelitten hatte. Aber was hat das mit heute zu tun? überlegte sie. Ist doch alles Schnee von gestern! Oder doch nicht? Ist doch längst alles ad acta gelegt! Trotzdem und seltsam: Ihr bevorzugtes Handeln in so manchen heutigen Situationen kam ihr irgendwie bekannt vor. Sollten so manche der einstigen Dramen bis heute in ihr (nach)wirken samt der (damaligen) unguten Gefühle? Aber welche? So richtig durchschaute sie das alles nicht. Vieles des einst Erlebten floss bisweilen chaosartig in ihr durcheinander, weil seit damals noch nicht genügend Gras darüber gewachsen war.

Aber sie hatte doch erreicht, was sie sich erträumt hatte, sinnierte sie. Ist eigentlich heute alles nicht mehr aktuell, sind doch abgelebte Zeiten. Oder doch nicht?? Aber was dann?

Als heranwachsende Jugendliche war sie als ausgesprochene Spätentwicklerin stets hintendran gewesen, ob es die berühmten „Tage" waren, die bei ihr erst ein gutes Jahr später einsetzten als bei den meisten Schulkameradinnen, oder die ersten Freunde im Gymnasium. Weil sie als ausgesprochen hübsches Mädchen galt, dem die Burschen doch nachlaufen müssten, unterstellten ihre Freundinnen ihr besonders „ergiebige" einschlägige Erfahrungen. Sie hört die fiesen Anzüglichkeiten fast wörtlich heute noch: Nun rück doch endlich raus damit, was da neulich war mit dem Typ von der 11b, hieß es drängend, so wie der auf dich steht? Da gabs aber kein „neulich", du liebe Zeit, ja, sie erinnert sich genau: Der hatte sie am Abend nach irgendeinem Treffen mit den engeren Freunden nach Hause begleitet. Und dann? Unverschämt aufdringlich ist er geworden, der an sich geschätzte Schulkamerad. Sie hat sich vehement zu Wehr gesetzt und ihm die Meinung „gegeigt". Nichts, absolut nichts „war" da. Was der wollen mochte, wollte sie nicht ..., weswegen dann postwendend einige

Burschen gehässig verbreiteten: Die Wellhöfer Algena? Is' 'ne Zicke, kannste vergessen! Bild' sich wunder was ein wer sie ist. Solcherart unfreiwillig in den Mittelpunkt zu geraten – abwehren musste sie ihre ungläubigen Freundinnen – hatte sie zutiefst gehasst, sie fühlte sich zu Unrecht regelrecht bloßgestellt – und das passierte ihr immer wieder mal. Schwieriges Fahrwasser, geradezu ein Horror für sie damals: In dieser Zeit hatten die anderen angeblich längst schon den einen oder anderen Schulkameraden geküsst, ihn großspurig „ihren Freund" genannt (denn einen solchen musste man haben. Andernfalls hätte man ja als verklemmt gegolten) oder hatten irgendwo abseits geknutscht, während sie noch völlig unbedarft rumlief, nichts Einschlägiges erlebt hatte. Heute weiß sie klar und deutlich: Sie war einfach noch nicht so weit gewesen damals! Stets von Neuem rettete sie schließlich ein Balanceakt zwischen heucheln, abwehren, sich verstellen, notfalls manches schlicht erfinden, um aus dem Fokus des Scheinwerferlichts endlich rauszufinden und den Zumutungen ihrer super-neugierigen Kameradinnen zu entgehen.

Schamhaft schlüpfrige Reden der Anderen auf dem Pausenhof über deren Erfahrungen, oft aufgebauscht oder angeberisch-kundig, mehr getuschelt als konkret erzählt, interessierten stets alle, auch sie. Sie dagegen quälte zugleich die Leere der noch unbedarften Außenseiterin. Das durfte aber keiner merken, keinesfalls. Kam nicht in Frage! Notfalls eben wie gesagt, bisschen flunkern: An sich (noch) außen vor sein aber mimen, trotzdem dabei und „in" zu sein, das war einige Zeit ihre zweifelhafte Lösung gewesen. Eine tragische Zwiespältigkeit. Sie erinnert sich genau an diese ihre Gefühle in dieser Zeit.

Lebhaft erinnert sie sich auch an ihre Enttäuschung über die unverständigen Eltern. Sonderlich gesprächig zu Hause war sie eh nicht, oft genug raubauzig und aufmüpfig wie üblich in der Pubertät, aber die Eltern verstanden das alles nicht. Und wenn sie dann doch mal über ihre „Probleme mit den Anderen oder den Jungs" klagte, weil der Druck zu groß geworden war (diese, ihre „kleinen Nöte" eben für sie riesengroß waren), gabs selten ein tröstendes in-die-Arme-nehmen, verständnisvolles Einfühlen oder

15

Hinhören oder ein bisschen Reden miteinander. Noch nicht mal beim einsetzenden Monatszyklus mit Bauchkrämpfen und Unwohlsein. Ihre resolute Mutter bügelte mit verantwortungsloser Nonchalance alles zumeist regelrecht platt. Ist halt so, gehört dazu, das wird schon wieder, paar Tage, wirst sehen, jetzt biste 'ne Frau geworden, hieß es ungerührt und ohne sonderliche Empathie, da müsse man eben durch (als ob ihr selbst das ganze Thema „beginnende Geschlechtlichkeit ihrer Tochter" unangenehm sei). Glatte Fehlanzeige, würde sie heute sagen.

Auch der Vater blies in ein ähnliches Horn. Immer hatte sie sich zu beherrschen. Ständige Drangsaliererei. Stets gabs ein „aber ..." bei ihm, nie war er zufrieden mit ihren Handlungen. Auch an ihrer in seinen Augen zu freizügigen Jungmädchenkleidung hatte er stets was rumzumäkeln, vor allem im Sommer, wenn die in seinen Augen „unzüchtig" spärlich war. Sie erinnert sich an seinen albernen Spruch: „willste vor der Schule noch auf'm Laufsteg schaulaufen", falls mal das Décolleté in seinen Augen viel zu offen war. Dabei wollte sie schon damals flott und modisch rumlaufen. Jegliches „über die Stränge schlagen" wurde streng geahndet. Als wollte er sein aufblühendes Töchterchen von aller Unbill in diesem Alter bewahren – und verunsicherte es dabei nur noch mehr.

Was hatte sie bisweilen die Eltern, beide, verwünscht für deren Unverstand, inzwischen würde sie es Borniertheit nennen. Dass das damalige Verhalten der Eltern sie schwer und nachhaltig verletzt haben könnte, wurde ihr erst heute langsam bewusst. Und sie erschrak darüber, wie stark dieses Gefühl nach wie vor in ihr verankert war und sicher einer der Gründe für ihr leicht distanziertes Verhältnis zu den Eltern sein musste. Sich dem deutlich älteren Bruder anzuvertrauen, war damals auch keine Option gewesen. Der hatte seine eigenen Sorgen.

Während ihrer Anfangs-Studentenjahre in München an der Mode-Akademie lernte sie in Studentenkreisen, auch an der Uni, immer wieder neue Menschen kennen, junge Mitstudentinnen sowieso, aber naturgemäß vor allem junge Männer, die auf ihre attraktive Erscheinung flogen, zumal Algena, nicht nur gesegnet war mit einem ungemein einnehmenden

Gesichtsausdruck samt leuchtender Augen, was ihre Anmut in allen ihren Gefühlslagen zum Ausdruck brachte, darüber hinaus stets top gekleidet auftrat. Das zog! Nur dass die meist schnellstens mit ihr schlafen wollten, irritierte sie. Klar: Sex lockt, ungemein sogar, aber bei ihr brauchte es eben seine Zeit und irgendwie sollte ja schon auch Liebe mit im Spiel sein, nicht nur körperliche Befriedigung, romantisierte sie gerne.

Sehr bald in dieser ersten Zeit lernte sie Harry kennen, in den sie sich Hals über Kopf „unsterblich" verliebte: Ein gutaussehender Student von der Technischen Hochschule mit männerkantigen Gesichtszügen, Sex-Appeal ausstrahlend. Algena war hingerissen von seinem fast weiblich zunennenden, wohlgeformten Mund mit den vollen Lippen, dazu seiner männlich sonoren Stimme – ein betörendes Timbre. Er war zudem ein schnell-reagierender, humorvoller und intelligenter junger Mann, der es wunderbar verstand, sie zu unterhalten, sie mitzunehmen in seine Vorstellungswelt. Er weckte Vertrauen und Visionen in ihr, redete von Liebe (darauf sprang sie sofort an), meinte aber (natürlich) Sex. Das merkte sie aber nicht, denn er räumte diesem vordergründig und geschickt erst mal eine scheinbar minder wichtige Rolle ein, weil er intuitiv erkannte, wie seine Freundin hier „tickte", nämlich zunächst mal ungewöhnlich restriktiv. Harry fiel nicht mit der Tür ins Haus, sondern ließ ihr die Zeit, die sie brauchte. Er beobachtete sie, spürte gleichsam, wann sie bereit sein könnte. Eine erstaunlich geschickte Fähigkeit dieses jungen Mannes, mit der er unbewusst vor allem Algenas seltsame Ambivalenz in ihrer Vorstellungswelt von Liebe und Sex „auszutricksen" vermochte.

Ihr Zusammensein dauerte knapp zwei Jahre, bis sich Algena nach fundamentalen Meinungsverschiedenheiten von ihm lossagte, lossagen musste, um nicht untergebuttert zu werden, wie sie damals befand, weil er von ihr stets Zustimmung zu allem, was er so initiierte, erwartete. Widerspruch, selbst begründeten, ertrug er schlecht und konnte dann schon mal pampig werden. Bei aller Einfühlsamkeit in Liebesdingen ein junger patriarchalischer Typ durch und durch.

Wenn sie heute über Harry nachdachte: *Gabs da womöglich Parallelen zu ihrem despotischen Vater? Hatte sie womöglich unbewusst genau nach diesem (unseligen) Vorbild gesucht, trotzdem ihr das in ihrer Jugend gar nicht gut bekommen war? Was war da abgelaufen in ihr?*

Monatelang hatte die schmerzhafte Trennungs-Arie gedauert, schmerzhaft deshalb, weil sich die Sehnsucht ihres Körpers nach diesem jungen Mann kaum bändigen ließ. Lange Zeit hatte sie dieser unglücklichen, zerbrochenen Liebesbeziehung nachgetrauert, sie selbst nach Jahren nie wirklich vergessen, auch als sie längst um ihre beiderseitige damalige Unreife wusste.

Unbewusst verglich sie in der Körperlichkeit alle seine Nachfolger mit ihm, seinem Habitus, letztlich seiner erotischen Anziehungskraft. Sie war sich dessen bewusst, es war ihr suspekt, aber sie konnte nicht anders, konnte dieses Moment in ihr nie abstreifen.

Inzwischen war sie Mitte zwanzig, lebte schon an die fünf Jahre in München, vieles hatte sich gut angelassen, nur in ihren Liebesbeziehungen war sie nach wie vor geprägt von einer gewissen Unsicherheit, wie ein Hemmschuh wirkend. Die wenigsten, eigentlich niemand, verkörperten Harrys vergötterte Eigenschaften. Ein ständiger Zweifrontenkrieg: Mit den Anderen, den möglichen Partnern und einem beständigen mit sich selbst (bzw. gegen sich) „ringen", immer wieder von Neuem!

Natürlich: Ihr Ideal war, eine erfolgreiche selbstsichere junge Frau zu sein, denn das kam überall an. Nur klafften im Äußerlichen ausgedrückter Anspruch und ihre innere Wirklichkeit auseinander. Den allerwenigsten ihrer Freunde, Freundinnen und Bekannten, später dann schon gar nicht den Arbeitskollegen, gar dem Chef, fiel diese innerliche Instabilität auf. Sie mimte ihren Part überall scheinbar souverän, tabuisierte strikt ihre inneren zwei Gesichter für die soziale Umwelt. Nur ja nicht negativ auffallen, gar eine schlechte Figur abzugeben – seit der Jugendzeit bis heute ihre unumstößliche Devise.

***

Der eingeschlagene Berufsweg einer Modedesignerin war dagegen von Erfolg gekrönt. In ihrer ersten festen Anstellung konnte sie sich bestens einbringen, wurde schnell zu einer tragenden Mitarbeiterin, durfte bald auch selbst neue Modelle kreieren, designen und entwerfen. Im Umsetzen von neuen Ideen zeigte sich ihr großes Talent und die Arbeit machte ihr Spaß. Die Anerkennung ihres Chefs blieb nicht aus, er wurde ihr bester Fürsprecher in der Firma.

Einst im Dorf bei jungen Leuten ab Anfang zwanzig (aber auch den neugierigen Erwachsenen, vornehmlich den Eltern) gab es ein permanentes Thema: Und wann wird geheiratet?? Hier in München fragte da keiner.

Auch für Algena war es ein längerfristiges Lebensziel, irgendwann mal zu heiraten. Ehe und später Familie mit Kindern? Ja warum denn nicht? Für sie jedenfalls kam auf Dauer nur eine feste eheliche Bindung in Frage. Typisch provinzlerisch? I-wo, sagte sie sich, absolut nicht! Auch in der Stadt heiratet man. Freilich: Das Beispiel der Lebensführung ihrer Eltern animierte wenig: Deren von Spießigkeit und purer funktionierender Gewohnheit geprägte Ehe und Lebensgestaltung ohne die geringsten Anzeichen wirklich liebevollen Umgangs miteinander, von auch nur anklingender Erotik ganz zu schweigen (sicher gabs die mal früher, als sie jung waren … das übliche Schicksal so vieler Liebesbeziehungen in einer späteren Ehe), schreckte eher ab. So würde sie nicht leben wollen, ganz bestimmt nicht, auch in einer fortgeschrittenen Ehe müsse doch noch Liebe und Zuneigung spürbar sein, so ihre romantischen, idealisierten Vorstellungen …

Auch scheinbar im Liebesleben nicht gerade mit Rosen Bedachte, ziehen mal ein Glückslos: Sie lernte einen beeindruckend smarten, weltgewandten Mann kennen, der überraschend interessiert auf sie, die Jungdesignerin, einging, dem sie, die bildhübsche junge Frau mit dem wallend langen, brünetten Haar, den guten Umgangsformen, dem natürlich wirkenden Gebaren, ausnehmend gut gefiel. Nach nicht mal einem Jahr des näher kennenlernens waren sie sich ihrer sicher geworden und heirateten. Algena musste schmunzeln bei dem provinzlerischen Gedanken, jetzt, mit bald sechsundzwanzig, eben auch *„unter der Haube gelandet zu sein"*.

Fünf wunderbare lange Jahre sind mit diesem einfühlsamen Ehemann seither vergangen, Jahre, in denen ihre früheren Defizite zu verblassen schienen, spielten sie ja auch kaum mehr eine Rolle. Ja, manchmal schimmerte das alte Verhalten ein wenig durch, aber an der Seite ihres Mannes fühlte sie sich sicher. Wenn wirklich mal aus verschütteter Gewohnheit alte Denkmuster an der Oberfläche ihres Lebens sichtbar wurden, fing er sie immer liebevoll auf. Er konnte gut beobachten und ihre bisweilen Defizite waren ihm bald nicht mehr fremd.

Jetzt jedenfalls spielte sie in der ersten Liga einer glücklich verheirateten Ehefrau in dieser wohltuend harmonischen Ehe ...

Bald nach ihrer Heirat hatten sie eine komfortable großzügige Dachterrassenwohnung in Solln in der Nähe des Isarhochufers bezogen. Ihr neuer Ehemann bekam als Vertriebsleiter des Öfteren hohe Provisionen, galt damit als gut betucht und konnte sie sogar kaufen.

Manchmal kannte ihre Euphorie keine Grenzen: Sie fühlte sich rundherum zufrieden, ja glücklich, genoss ihren kreativen Beruf, die gemeinsame freie Zeit mit ihrem Partner, Theaterbesuche, kleine und größere Reisen, Treffen mit guten Freunden und Freundinnen bei einem Glas Wein und paar Kanapees, aber auch geruhsame Abende zu zweit, bisweilen ein ausgesuchter Fernsehfilm ..., das alles hatte sich auf dem beglückenden Zusammensein mit „ihm", dem erfolgreichen Mann, aufgebaut. Der einzige Schatten, wenn man davon als Schatten sprechen konnte, war, dass ihn sein anspruchsvoller Beruf öfters auf Dienstreisen führte, manchmal ein bis zwei Wochen lang und es auch immer mal wieder Abende gab, an denen er geschäftlich unabkömmlich war.

Mehrmals im Jahr gaben sie größere Feste, vor allem im Sommer, und Algena als Modefachfrau schätzte es, wenn die Eingeladenen im langen

Abendkleid erschienen, auf der Terrasse in wechselnden Grüppchen zusammenstehend, gemeinsam bei bestem Rotwein die edle Atmosphäre genossen, die unweigerlich auch mit ausgesuchtem äußerlichen Outfit verbunden war. Algena fand Gefallen daran – ganz gegen ihr einst zurückhaltendes Verhalten in der Jugendzeit – als strahlender Mittelpunkt der Gesellschaft zu gelten. Manchmal wurde sie sich dieser wunderbaren Metamorphose bewusst, die sie in diesen Jahren erlebte. Aber auch bei externen Unternehmungen wurde sie von den gemeinsamen Freunden beachtet, von den Frauen bisweilen sogar beneidet, an der Seite eines solchen Bilderbuchmannes leben zu dürfen.

An lauen Sommerabenden hielten sich die beiden bevorzugt auf ihrer weiträumigen mit Koniferen und attraktiven Terrakottagefäßen aus der Toskana hübsch und ansprechend gestalteten Terrasse auf, während im Winter die diskret beleuchtete Schneepracht auf eben all diesen durch die raumhohen und breiten Terrassentüren hindurch sogar das geräumige Wohnzimmer in eine nahezu mystische Wohnlandschaft zu verwandeln vermochte.

Fünf lange Jahre durfte sie, durften sie beide diesen Traum leben, bis das Schicksal brutal an ihre Tür klopfte …

* * *

Es war der dritte März, ein Montag, ein freundlicher, sonniger, aber noch reichlich kühler Tag, sie erinnert sich genau …

Nach dem frühabendlichen Besuch im nahe gelegenen Fitnessstudio richtig durchgewalkt und frisch geduscht, war sie durch die vorfrühlingshafte, aber bereits wieder recht kühle Abendluft nach Hause geeilt und machte es sich auf der bequemen Couch gemütlich, hatte sich hingefläzt, Beine auf die Polster, eines der Designerkissen hinter den Nacken gestopft und überlegt, wie der weitere Abend wohl gestaltet werden könnte.

Seit knapp zwei Wochen war ihr Mann auf Dienstreise, zunächst im Norden Deutschlands und dann noch ein paar Tage in Düsseldorf, wo er, wie er sagte, bei einigen Konferenzen anwesend sein sollte. Sie hatte die Tage, besser gesagt, die Abende meist mit kurzweiligen Unternehmungen gefüllt. Öfters ratschte sie mit Laura oder sie traf Isabelle in der Stadt, beides gute Freundinnen, oder ging auch mal mit ihren ledigen Arbeitskolleginnen ins Kino oder nach Geschäftsschluss noch was trinken.

Und heute? Vom Fernseher berieseln lassen, den obligatorischen Zu-Bett-geh-Krimi schon jetzt zur Hand nehmen oder mit einer ihrer beiden besten Freundinnen am Telefon ratschen? Das reizte sie mehr. Isabelle oder Laura? Heute hatte sie Lust auf Laura, die hatte meist Interessanteres, Spritzigeres, bisweilen Schlüpfriges zu erzählen, denn sie war ein begehrtes, ausnehmend hübsches Mannequin mit entsprechenden „einschlägigen" Erlebnissen.

Algena probierte es, tastete ihre Festnetznummer in das Mobilteil, ließ es klingeln – nur der Anrufbeantworter meldete sich. Etwas enttäuscht beendete sie den Anruf, ohne eine Nachricht zu hinterlassen. Offenbar war sie nicht da, immer noch nicht, denn vor ein paar Tagen hatte sie es schon mal versucht. Sie weiß, ist nichts Besonderes bei ihr. Laura musste in ihrem Beruf viel verreisen und nicht immer erfuhr Algena davon. So eng war ihre Freundschaft nun auch wieder nicht. Schade. Dann eben nicht, Laura ...! Am Handy probierte sie es erst gar nicht, denn Laura nahm Anrufe so gut wie nie unmittelbar entgegen. Und außerdem: Zum lockeren Ratsch sollte auch sie entspannt zu Hause auf dem Sofa räkeln und nicht irgendwo zwischen Tür und Angel weilen.

Für Isabelle hatte sie jetzt keine Lust mehr, stellte stattdessen nun doch den Fernseher an und zappte ein wenig herum ... Viel langweiliger Kram, bzw. Themen, die sie nicht interessierten.

Da wäre ein Ratsch mit Laura viel ergiebiger gewesen und sie stellte sich die Freundin zugleich vor: Eine wohlproportionierte bildhübsche Erscheinung, wie eine Filmschönheit, mit mächtiger weißblonder Haarmähne, ausdrucksstarken dunklen Augen und anmutig geschwungenen sinnlichen Lippen, man möchte ihn Kussmund nennen ... Eine Frau jedenfalls, die jeden Mann um den Verstand bringen könnte (falls der es „schaffte", von ihr überhaupt beachtet zu werden …, denn anspruchsvoll war sie schon). Sie erlebte berufsbedingt so manches hinter den Kulissen und hatte vor allem Freude daran, alles haarklein zu erzählen.

* * *

Algena ging die Leere in ihrer großzügigen Penthouse-Wohnung langsam auf die Nerven. Der Fernseher wirkte nur als Zeittotschläger. Philipp fehlte ihr. Philipp, ihr Mann. Nicht nur das kuscheln, ja, das auch, klar, aber … Algena träumerischer Blick folgte schon lange nicht mehr den Handlungen auf dem Fernsehbildschirm. Die Sehnsucht ihres Körpers keimte auf, ihr Herz begann schneller zu schlagen …, so viele Augenblicks-Glücksmomente hat sie schon mit ihm erlebt, sinnierte sie gedankenverloren … Ein glückliches Lächeln umspielte ihre Lippen.

Bald verlor sie sich in tagträumerischen Schwelgereien mit ihrem abwesenden Liebsten im Zentrum …

Einfach seine Anwesenheit genießen, egal ob er Geschäftspapiere ordnete, sich in Steuerunterlagen vertiefte und dabei Algena gelegentlich höchst unromantische Fragen stellte, sich in ein Buch vergrub, (meist klassische) Musik hörte oder eben auch mal gemeinsam mit ihr durch das Fernsehprogramm zappte, beide ihr Glas Rotwein in Griffnähe. Stets rechnete sie damit: Von Zeit zu Zeit würde der Abend eine gewohnt-ungewohnte Wendung nehmen und sie wusste natürlich, worauf es hinauslaufen sollte, weil sofort ihre Fantasien, basierend auf bisher erlebten Szenen, hell in ihr aufloderten. Aber es war Teil ihrer zweiten Natur, erst mal so zu tun, als bemerke sie nichts. Ein ganz klein wenig leichtes Spielverderbergebaren könnte ihn doch anstacheln, meinte es unwillkürlich in ihr. Für sie gehörte das dann sozusagen mit zum Spiel, durch Gestik oder Themenwechsel, seine sich (vermutlich) anbahnende Annäherung scheinbar hintertreiben zu wollen („wollte" sie natürlich nicht …).

Ob sie mit dieser Allüre womöglich seine Ambitionen (mit ihr) gefährdete, bis hin zum leichten Frust bei ihm, war ihr nicht bewusst. Und über Ursprünge dieses eher „unromantischen Pseudo-Abwehrverhaltens" und deren möglicherweise auf Dauer fatalen Auswirkungen in ihrer Liebesbeziehung nachzudenken, weil es bisweilen wie ein leicht linkisches Verhalten in Liebesdingen wirken könnte, kam ihr auch nicht in den Sinn ... Eigentlich unverständlich, denn sie hat dieses „Spiel" schon früher bei so manchen anfangs vielversprechenden Neubekanntschaften angebracht und diese damit bereits in den Anfangsphasen prompt verstolpert, bevor die Beziehung überhaupt richtig beginnen konnte. Aber die waren eh noch reichlich grobschlächtig gewesen.

Natürlich kapitulierte sie schließlich (im Grunde rechtzeitig, weil „geplant", und die Annäherung ja auch ihr Ziel war ...) – alles Weitere geschah praktisch ohne ihr Zutun wie von selbst bei seinen dezent aber dringlichwirksamen (weil gekonnten) Avancen ...

Allerdings kannte sie bestens die „Achillesseite", den eigentlichen Grund ihres Verhaltens: Stets (und immer schon) dauerte es verhältnismäßig lange, bis sich ihr Feuer entzündete und auch dann führte es nie zu völliger kontrollloser Enthemmung, wie es Männer (sicher auch ihre einstigen früheren Liebespartner) gerne erleben würden bei ihrer Partnerin. Dass ihrem Philipp dieser „besondere" Zustand in der Liebeseuphorie seiner Partnerin fehlen könnte, oder nicht ausgeprägt genug war, kam ihr erst nach und nach, nachdem sie erfühlte, dass er irgendwie „mehr" von ihr erwartete und alles dransetzte, sie weiter zu animieren, bis sie in eine ihr bisher nur rudimentär erfahrene besondere Euphorie, ja Ekstase, verfiel, wie wenn ihre anscheinend permanent leicht angezogenen Handbremsen nun endgültig gelöst worden seien und ihr zugleich bewusst wurde, dass in ihr Vorbehalte gegen totales Sich-Hingeben gewirkt haben mussten. Ihr wunderbarer Ehemann konnte sie mit seiner Engelsgeduld davon befreien – ja, sie spürte Befreiung – von sich! Dass die Liebe bei früheren Liebhabern trotzdem meist geklappt hatte, schien ihr heute wie ein Wunder. Sie

waren wohl anspruchsloser oder mehr auf eigene Befriedigung aus gewe-
sen. Philipp dagegen erwartete mehr von seiner jungen Frau ...

Meisterhaft und unerschöpflich schien seine Fantasie zu sein, seine bis-
weilen irgendwie abwartende oder unentschlossen wirkende attraktive
junge „Ehegespielin" in der Liebesanbahnung gekonnt so zu verführen,
dass es lange Zeit danach aussah, als wolle er ihr nur einen wunderbaren
angenehmen Abend bereiten, indem er sein eigentliches weiterführendes
Wollen geschickt so kaschierte, dass sie, Algena, sich oft erst spät, aber
dann erfreut eingestand, gleichsam weich gekocht worden zu sein für die
Freuden im Bett. Andererseits gab es genügend gemeinsam verbrachte
Abende, die trotz gewisser einschlägiger Aufmerksamkeiten ihres Mannes
für sie ohne diesen letzten Akt abliefen, weshalb sie nie wirklich im Voraus
abschätzen konnte, was passieren würde, passieren könnte, passieren
sollte. In seiner Gegenwart durfte und wollte sie sich gleichsam in sich
selbst hineinfallen lassen, wohl wissend, dass es im Grunde egal sei, ob der
Abend mit einem Glas Wein und einem Gute-Nacht-Kuss oder mit Sex en-
den würde. Sie liebte ihren Philipp über alles, gerade für diese seine Ei-
genschaft, dafür, dass er sie mit all ihren Macken eben liebte wie sie war.
Obwohl ihre Ehe schon ins fünfte Jahr ging, behandelte er sie nach wie vor
wie ein geschickter Don Juan! Es schien ihm offenbar die einzig richtige
Methode zu sein, Sex mit seiner Frau anzustreben und dabei mit ihrem
leicht sprunghaft-exzentrischen Wesen umzugehen.

* * *

Heute Vormittag hatte er im Atelier angerufen, ihr mitzuteilen, leider
doch erst am Donnerstag, den sechsten März, wieder zurückkommen zu
können. Es ginge nicht anders, weil der dortige Betriebsleiter erst morgen,
Dienstag, wieder greifbar wäre und die entscheidenden Besprechungen im
größeren Rahmen folglich erst anschließend stattfinden könnten. Sie solle
nicht traurig sein, meinte er noch, bevor er sich mit liebevollen Worten von
ihr verabschiedete. Mehr denn je wusste sie, als sie ihn in der Leitung hörte,
wie sehr sie ihren Philipp liebte. Nochmals drei Abende wird sie ohne ihn

verbringen müssen (denn tagsüber lenkte sie ihr Job ab). Immer diese langen Dienstreisen mehrmals im Jahr, zürnte sie bisweilen insgeheim. Immer nach Nord- und Westdeutschland und oft auch Düsseldorf. Manchmal, eher selten, wenn sie Urlaub bekam, begleiteter sie ihn, diesmal nicht. Sie war im Atelier unabkömmlich gewesen. Immer fuhr er im schweren Firmenwagen, den er auch privat nutzen durfte. Obwohl im Grunde derzeit nur Vertriebsleiter, räumte man ihm dieses nicht allübliche Privileg ein. Sicher würde er in seiner Firma irgendwann noch weiter aufsteigen, Karriere machen.

* * *

Algena dachte daran, sich langsam bettfertig zu machen, als es gegen zweiundzwanzig Uhr klingelte. Jetzt um die Zeit? Sie hatte noch ihren aktuellen Schmöker in der Hand, das, nur zu einem Drittel gefüllte, dickbauchige Rotweinglas mit dem Chianti von der letzten Kurzreise in die Toskana wartete noch, ausgetrunken zu werden. Sie legte das Buch weg. Wer mochte das sein, um diese Uhrzeit? Auf dem Weg Richtung Korridortür warf sie im Vorbeigehen am Garderobespiegel einen schnellen Blick auf ihre Frisur. Das brünette lange vollbauschige Haar floss wie gewohnt schmeichelnd über ihre Schultern hinweg. Man kann ja nie wissen ... Der kurze Blick durch den Türspion verriet wenig. Offensichtlich zwei Männer, aber wer? Keine Ahnung. Sie gehörte nicht zu den forschen Menschen, war eher zurückhaltend, aber direkte Ängstlichkeit konnte man ihr nicht nachsagen, weshalb sie beherzt die Tür öffnete. Noch während sie ein leicht unwirsches „Ja bitte?" wegen der Störung des späten Abends hervorstieß, irritierte sie sofort die Polizeiuniform der beiden Männer.

„Was ..., was kann ich für Sie tun?", ihre Stimme klang deutlich kleinlauter, sogleich die betretene, ja unheilvolle Stimmung der beiden spürend. War irgendwas vorgefallen? Ihr noch ratterndes Hirn wurde unterbrochen durch die gedämpft klingende Stimme eines der beiden Beamten.

„Sind Sie Frau Algena Marzahn?"

„Ja, das bin ich," hörte sie sich fast mechanisch antworten. Der Sprecher der beiden räusperte sich, rang betreten nach Worten.

„Wir müssen Ihnen leider eine traurige Nachricht überbringen."

Beklemmende Pause. Algena schluckte.

„Ihr Mann, Philipp Marzahn, ist bei einem Autounfall Nähe Düsseldorf ums Leben gekommen." Und ergänzte, um der furchtbaren Mitteilung die Alleinstellung zu verwehren, nach einer kurzen Pause leise, von der dortigen Polizei die Heimatadresse des Verunglückten übermittelt bekommen zu haben. Der andere Uniformierte informierte weiter, sichtlich ebenfalls um Fassung ringend, eine solche Meldung werde stets umgehend an die Angehörigen weitergegeben. Bei dem Verunglückten waren null Promille im Blut gemessen worden. Alkohol sei also nicht im Spiel gewesen. Er habe aber eine Linkskurve wohl zu schnell genommen und der schwere Wagen sei wegen des vermutlichen leichten Eisfilms von der Straße abgekommen, habe einen Alleebaum touchiert und sich dann mehrmals überschlagen. Der Fahrer war, obwohl angeschnallt, sofort tot.

Unheilvolles Schweigen. Algena war zur Säule erstarrt und fixierte die beiden mit aufgerissenen Augen, unfähig, auch nur ein Wort zu sagen.

Der Erste der beiden ergriff wieder das Wort und meinte, informative Vernunft-Routine ausstrahlen zu müssen:

„Eis ist Anfang März zwar nicht typisch, aber derzeit ist es für die Jahreszeit zu kalt und die Großwetterlage ziemlich schlecht. Deshalb muss man immer damit rechnen", und eher in sich gekehrt, „eine Bundesstraße mit Alleebäumen …, da hats schon so manche Unfälle gegeben."

Algena immer noch völlig erstarrt, überhörte diese letzten Erklärungen, wankte dann, schien zusammenzubrechen, taumelte betäubt ein, zwei Schritte zurück in ihren Flur. Der erste Sprecher der beiden stürzte nach vorne und fing sie gerade noch rechtzeitig auf, stützte sie und führte sie ins Wohnzimmer … Damit war der Auftrag erfüllt.

Mit der höflichen Bitte, sich morgen an der hiesigen Polizeistation zu melden, verabschiedeten sich die beiden dezent.

Die Wohnzimmereinrichtung verschwamm vor Algenas erstarrtem Blick. Sie bekam die ins Schloss fallende Korridortür nicht mehr mit. Im

Schock der Ausdrucksleere saß sie zeitlos wie gelähmt auf dem Sofa, die Gedanken im irren Wirbel um einen Punkt kreisend: Philipp tödlich verunglückt! Sie musste mit irgendwem reden und rief tief in der Nacht ihren älteren Bruder Leon an, den es nach Osnabrück verschlagen hatte und mit dem sie ein vertrauensvolles Verhältnis verband. Nach der ersten schockierten Überraschung fand der rasch die für sie in dieser akuten Lage richtigen Worte. Beruhigen konnte er sie selbstverständlich nicht, aber das Telefonat öffnete ihre Versteinerung und ließ sie hemmungslos schluchzen. Kurz vor dem Morgengrauen fiel sie vor Erschöpfung auf ihrem Sofa in einen traumlosen Schlaf.

An das weitere Geschehen der folgenden Tage kann sie sich heute, einige Wochen später, nur rudimentär entsinnen. Sie stand neben sich, war konfus, konnte kaum einen klaren Gedanken fassen, reagierte auf der Polizeistation am nächsten Tag immer noch so, als könne nicht sein, was nicht sein durfte. Sie funktionierte wie ein Uhrwerk, meldete sich in ihrem Atelier ab wegen einer privaten Angelegenheit – die Wahrheit brachte sie nicht über die Lippen. Nur an den Abenden kam sie zu sich und der Schmerz überkam sie brutal: Sie weinte hemmungslos. Tagsüber hielten sie die zwangsläufigen Notwendigkeiten auf Trapp und einigermaßen in der Spur: Zuerst das Beerdigungsinstitut, dann, in den anschließenden zwei…drei Wochen, Behördenkram, Geldinstitute, Versicherungen etc.

Sie waren beide schon lange aus der Kirche ausgetreten, pflegten aber dennoch gute Kontakte mit dem örtlichen Pfarrer. Der war neben seiner christlichen Profession eine Art gutmütiger Freidenker und erklärte sich bereit, am Grab, zwar nicht in seiner offiziellen Funktion als Seelsorger, aber als guter Freund der beiden, ein paar warme Worte zu sprechen. Ansonsten könne das übliche Zeremoniell am Grab ablaufen.

Am Tag nach der nächtlichen Unglücksmeldung, es war der vierte März, hatte sie ihre beiderseitigen Eltern informiert. In ihrem aufgelösten Gemütszustand fiel ihr das unendlich schwer, denn schon zu normalen Zeiten war sie nie das unterschwellige Gefühl losgeworden, ihre und ihres Mannes Lebensweise erklären, bisweilen gar verteidigen zu müssen, und zwar gegen beide Eltern, wenn auch mit unterschiedlichen Argumenten. Bei den ihren vor allem wegen des bisher ausgebliebenen Kindersegens. Ältere Generationen hegen meist deutlich konservativere Vorstellungen als Jüngere.

Furchtbare Telefonate.

Zuerst die eigenen Eltern: Die wider ihren Willen pur mechanisch erteilte Information löste minutenlanges unheilvolles Schweigen in der Hörmuschel aus, bis zaghaft zitternd nach Näherem gefragt wurde. Und warum er denn *schon wieder* habe auf Reisen gehen müssen. Oh, wie hasste sie solche dumm-blöde argumentierenden Allgemeinplätze … (selbst von den eigenen Eltern). Als ob das für das Schicksal von Bedeutung sei. Ein Unfall kann immer passieren.

Dann seine Eltern, zu denen sie ein korrektes, aber kein liebevoll-herzliches Verhältnis hatte. Hier musste und wollte sie noch abgeklärter wirken. Durch die Ohrmuschel hörte sie ihre Schwiegermutter am anderen Ende der Leitung lauthals aufheulen. Die ließ ihrem Schmerz so freien Lauf, dass sie nicht mal nach den näheren Umständen fragte. Irgendwann nach ein paar mühsam rübergebrachten Informationen endete das Gespräch.

Algena fühlte sich wie ausgebrannt …

* * *

Noch eine gute Woche bis zur Beerdigung. Ihre Eltern wollten sofort nach dem Telefonat am nächsten Tag anreisen, um ihr beizustehen. Sie sagte energisch ab, wollte mit ihrem Schmerz allein sein, nicht das Lamentieren anderer und sei es das der eigenen Eltern, anhören. Es reiche, am Tag vor der Beerdigung zu kommen, beschwichtigte sie sie.

Ihre Freundin Laura wollte sie erst zwei…drei Tage nach dem Unglückstag anrufen. An dem unglückseligen Montag war sie ja eh nicht erreichbar gewesen und auf die Mailbox wollte sie nicht sprechen.

Dann, zwei Tage später erreichte sie sie endlich. Sie war wieder in München. Algena schilderte ihrer Freundin schluchzend und warmherzig, was vorgefallen war und wie sehr sie leide. Laura wirkte am Telefon unerwartet redearm. Die Mitteilung schien ihr unter die Haut zu gehen und sie wirkte seltsam abgeklärt, wie neben sich stehend. Ein unbekanntes Moment in ihrer Reaktion war unübersehbar. Nicht typisch für sie, aber unter diesen Umständen verstand Algena ihre Freundin. Allerdings war sie offenbar schon kundig.

„Ja, ich habe es schon gehört, einer meiner Bekannten, der auch Philipp kannte, hat es mir schon mitgeteilt."

Dann drückte sie in ihrer stets leicht funktional wirkenden Art ihr Mitgefühl für Algena aus, was in ihr sogleich erneut Tränen fließen ließ.

„Er ist so ein wertvoller Mensch gewesen", fügte Laura nach einer Kunstpause etwas gedankenverloren hinzu. Und nach einer weiteren kurzen Pause kam ein knappes beiläufig-trocken dahingesagtes „Schlimm, schlimm ist das alles", bevor sie meinte, wegen eines Termins nur sehr wenig Zeit zu haben. Für Algena nicht überraschend. Ihre Freundin stand meistens irgendwie unter Strom. Nach einem kurzen Danke für die Info und ein paar weiteren nichtssagenden Floskeln endete das Gespräch.

Algena blieb nachdenklich und deprimiert zurück. Normalerweise sprudelt Laura sofort heraus, was sie gerade bewegt. Aber diesmal herrschte eher Einsilbigkeit vor. Einen Reim konnte sie sich daraus nicht machen. Ja, natürlich, eine solche Nachricht könnte sogar die gewandte Laura aus der Fassung gebracht haben, sagte sie sich. Aber dieses trockene „Schlimm schlimm ist das alles", mehr rausgepresst aus den Lippen als mitfühlend gesagt? Algena schwankte zwischen Irritation und Enttäuschung, versuchte aber die Freundin zu verstehen. Die wirkte oft etwas seltsam in ihrem Verhalten und es war nun mal eine höchst ungewöhnliche Situation.

Sie kannte Laura seit etwa vier...fünf Jahren. Sie waren sich damals in Düsseldorf auf einer Modemesse, zu der sie geschickt worden war, durch puren Zufall begegnet, hatten sich im lockeren Fachgespräch (Modedesignerin mit Mannequin) näher kennengelernt und Gefallen aneinander gefunden. Als sich rausstellte, dass Laura wie sie aus München stammte, verabredeten sie sich in ihrer gemeinsamen Heimatstadt und wurden bald recht vertraut miteinander. Algena erwies sich als perfekte Zuhörerin und interessierte sich durchaus für die vielen Storys und einschlägigen Erlebnisse ihrer neuen Freundin aus der Modeglitzerwelt, vor allem deren Hintergrund. Laura hielt auch nicht hinterm Berg mit ihren diversen Kontakten zu „Mannsbildern", wie sie sich respektlos ausdrückte. Frauentratsch, den jede interessiert ...

Laura erzählte viel von Ihrem Job als Mannequin und dass sie diese Tätigkeiten und auch Fotoshootings oft nach Düsseldorf führten, dort säßen wichtige Auftraggeber. Und das wäre höchst praktisch für sie, denn ihre Eltern besäßen in Düsseldorf ein kleineres Mietshaus in Citynähe, in dem sie ihr eine der beiden kleinen Dachwohnungen zur Verfügung stellten. Sie zöge ihr eigenes Reich jedem unpersönlichen kalt-funktionalen Hotel vor. Und sie nutze es auch aus, ja, freue sich geradezu, sich in ihrem kleinen Appartement von den strapaziösen Arbeitsstunden erholen zu können und könne auch mal einen Tag zur Erholung dranhängen, wenn es zeitlich ginge. Ihr Job wäre ungemein anstrengend.

Irgendwann hatte Algena sie auch mal zum Abendessen nach Hause eingeladen. Bald war sie eine gute Freundin von ihnen beiden, also auch ihrem Mann Philipp, geworden. So manche feuchtfröhlichen Abende verbrachten sie in ausgelassener Stimmung miteinander. Lauras exzentrisches Leben gab viel Stoff für Unterhaltung und die ganze Bandbreite menschlicher Beziehungen ließ diese Themen nie langweilig werden ...

Algena hielt sehr große Stücke auf ihre Freundin, die so ganz anders „gestrickt war" als sie. Vor allem um die souveräne Selbstsicherheit, die sie an den Tag legte, und das anscheinend in allen Lebenssituationen – dafür beneidete sie diese Frau.

Laura verkehrte nicht nur privat bei ihr und Philipp, sondern schloss sich bald auch ihrem und ihres Mannes großem Freundeskreis an. Bisweilen brachte sie neue (männliche) Bekanntschaften mit. Da schien sie äußerst wählerisch zu sein: Draufgänger, blasierte Casanovas oder Männer, die in ihrem Adoniskörper schon die halbe Miete bzgl. ihrer Wirkung auf Frauen sahen, waren ihr ebenso suspekt wie verknuste Angsthasen oder nichtssagende Nobodys, farblose „Adabeis" sowieso. Ungepflegte Typen oder Bierbäuche existierten für sie schlicht nicht. Auch mit „Gestrüpp" im Gesicht brauchte man sich bei ihr gar nicht erst zu bewerben. Männer mit guten Manieren dagegen, einem verbindlich humorvoll-lockerem Kommunikationsstil, mit einer angenehm klingenden Stimme beschenkt, hatten bei ihr dagegen Chancen. In ihrer unbeirrbaren Souveränität hielt Laura die Herren freundlich, aber gnadenlos geschickt an der langen Leine, was die gar nicht merkten in ihrem Hingerissensein von Lauras umwerfender Erscheinung. Wer ihr gefiel, egal ob verheiratet oder nicht, wurde von ihr hemmungslos vernascht.

Sonderlich lange hielt sie es mit den Typen aber nicht aus. Kaum einen sah man öfters als zweimal auftauchen: Sie warf sie regelmäßig über kurz oder lang, meist kurz, wieder raus aus ihrem Leben. Mag sein, dass sie dieses Verhalten in diesem Job nach bald zehn Jahren bewusst so kultiviert hatte, kultivieren musste, um sich ihre Unabhängigkeit zu bewahren. Laura umgab stets eine gewisse Aura der Rätselhaftigkeit.

* * *

Nach dem trocken-spröden im Grunde frustrierenden Telefonat mit Laura, musste sich Algena erst mental erholen, brühte sich eine Tasse Kaffee auf, setzte sich auf ihre Couch und wandte lustlos-sinnend den Blick durch die raumhohen Fenstertüren auf die Terrasse mit den vielen Frühlingsblumen in Terrakottatöpfen und neben und unter die dunkelgrünen Koniferen, bevor sie die nötigen Pflichttelefonate mit entfernterer Verwandtschaft und einigen Bekannten von Philipp erledigte. Das trotz der schlechten Nachricht, von der sie erzählen musste, noch vermutlich angenehmste Telefonat hob sie sich zum Schluss auf, nämlich mit Isabelle, ihrer weiteren Freundin.

Die wusste noch von nichts, fiel aus allen Wolken bei dieser Nachricht und reagierte mit ungemein warmherziger Einfühlsamkeit, ganz im Gegensatz zu der seltsam und unmotiviert distanzierten Kühle Lauras. Isabelle fand jedenfalls die richtigen Worte für sie, Worte, die nicht trösteten, wo kein Trost sein konnte, aber ihr das Gefühl echter Anteilnahme vermittelten.

Isabelle, gleicher Jahrgang wie sie, zeichnete ein einfaches, aber herzliches Gemüt aus. Sie waren gemeinsam auf die Modeakademie gegangen, dort hatten sie sich kennengelernt. Sie schaffte auch den Abschluss, erkannte aber schon nach wenigen Monaten bei einer Modefirma reichlich spät, dass die konkrete Arbeit dort nun doch nicht so recht ihre Profession sei und war längst wieder ausgestiegen. Inzwischen verdiente sie ihr Geld als Chefsekretärin in einer internationalen Speditionsfirma. Ein Allerweltsjob, wie Algena insgeheim abschätzend fand. Wäre nichts für mich, schauderte sie. Aber Isabelle schien dort glücklich zu sein, zumal sie inzwischen ihre Wohnung mit einem gleichaltrigen Typen namens Georg teilte. Den kannte sie schon länger, aber von heiraten war (bisher) nie die Rede.

Mit Isabelle teilte sie im Wesentlichen den Klatsch der Boulevard-Nachrichten, viele der beiderseitigen größeren und kleineren Sorgen und Nöte in ihren so unterschiedlichen Jobs, so manche Freizeitaktivitäten, die man als weiblicher „Normalo" so unternimmt. Algena genoss den Kontakt zu der recht bodenständig lebenden Isabelle, der so viel unkomplizierter war als ihr und Philipps bisweilen reichlich elitär wirkender Bekanntenkreis, zu dem Isabelle nie wirklichen Zugang gefunden hatte. Algena hatte sie mal mitgenommen in ihre Kreise, aber Isabelle hatte bald schaudernd abgewunken. Ohne viel zu überlegen und ein bisschen verächtlich-pauschal nannte sie diese Typen dort kurz und bündig Münchner Bussi-Gesellschaft, einen Ausdruck, den Isabelle natürlich nur aus der Boulevardpresse kennen konnte. War zwar übertrieben, wie ihr Algena widersprach, aber etwas blasiert-elitär wirkten die Leute manchmal tatsächlich. Algena war ihr nicht böse deswegen (sie gehöre ja auch dazu, gestand sie sich ein), konnte ihre Kritik und ihre Abneigung sogar nachvollziehen, denn sie selbst entstammte ja ebenfalls einfachen, eher biederen Kreisen und war mehr durch Zufall in diese andere, sogenannte „höhere" Gesellschaftsschicht, eine Art Hautevolee, geraten und hatte mehr mühsam als innerlich engagiert gelernt, sich in diesem Kreis gut zu bewegen und zu präsentieren.

33

* * *

An einem der Abende dieser zermürbenden Zwischenzeit, in dem ihr
Philipp sozusagen noch unter den Erdbewohnern weilte, weil noch nicht
begraben, verlor sie sich in Erinnerungen. Wie lang kannte sie Philipp?
Etwa sechs Jahre (oder warens schon sieben?) rechnete sie zurück. An den
Abend des Kennenlernens erinnerte sie sich lebhaft.

*Sie war schon knapp zwei Jahre bei ihrer Firma, zu der ihr Atelier ge-
hörte, als die wieder mal einen größeren Empfang organisierte. Ein teurer,
aber wirkungsvoller Trick der Marketingleute, den Bekanntheitsgrad der
Firma zu steigern und evt. neue Kundenbeziehungen zu generieren. Nur
alle drei Jahre gabs ein solches Event. Für Algena war es das erste seit
ihrer Einstellung. Sie freute sich drauf. Angeblich ließen sich die Verant-
wortlichen stets was Neues einfallen. Um Kunden, Fachkräfte und Interessierte zusammenzubringen, gab die Firma reichlich Geld aus. Klotzen statt
kleckern hieß die Devise, was sich in der Vergangenheit stets bewährt habe.
Im Verlauf des gesellschaftlichen Abends gab es natürlich Kontakte mit externen Besuchern vom Fach (was ja die Intension der Firma war ...), aber
schließlich blieb man dann doch am liebsten unter sich mit Kollegen und
Kolleginnen, die man schon aus dem Effeff kannte, die kaum Neues zu sagen
wussten oder sich in langweiligen Fachsimpeleien verloren. Für die Altge-
dienten abschätzend oft „schwadronierende Kollegeninzucht" genannt –
stocklangweilig eben, nicht jedoch für Algena, die solch ein Fest das erste
Mal erlebte.*

*Die Organisation hatte es immerhin verstanden, den Abend mit seinen
unvermeidlichen Vorträgen der Leitung durch ein buntes Unterhaltungs-
programm aufzulockern. Dazwischen traf man sich im Foyer an den runden
Bistrotischen zu Kanapees und Sekt. Und natürlich: Man musste ja nicht
bei den eigenen Kollegen herumstehen, konnte auch mal andere Tische aufsuchen, was Algena stets etwas Überwindung kostete, weshalb sie dann
doch wieder bei den altvertrauten Gesichtern hängen blieb.*

34

Hier hatte sie ihren späteren Mann kennengelernt. Er war als fachfremder Gast von einem einflussreichen Kunden mitgebracht worden. Keiner kannte ihn. Urplötzlich stand er mitten in ihrer kleinen Kollegenrunde und wurde wegen seines gefällig-verbindlichen Auftretens auch schnell in die leichte Unterhaltung einbezogen. Ein groß gewachsener schlanker Mann im eleganten dunkelblauen Geschäftsanzug mit auffällig topmodischer Krawatte, in seinem ganzen Habitus Selbstbewusstsein ausstrahlend. Er erwies sich als wahrer Meister des Small Talk über gerade Angesagtes in der Gesellschaft, war sozusagen auf vielen Gebieten en vogue. Informiert zu sein, schien seine Devise zu lauten. Langweilige Fachsimpeleien hatten am Tisch bald kaum mehr Chancen, erstarben an ihrer eigenen Drögheit. Der Neue brachte es fertig, wie auch immer, die Themen der Unterhaltung auszuweiten, vielleicht trug auch seine angenehme sonore Stimme dazu bei, dass man ihm gespannt zuhörte. Plötzlich spielten gesellschaftliche Fragen, Kultur und natürlich auch Kommerz eine Rolle, sogar Politik, alles normalerweise kaum angeschnittene Themen. Er wirkte unter den in ihr übliches langweilendes Einheits-Geschäfts-Geplapper Vertieften wie ein Zündfunke. Algena war geradezu geflasht von seiner ganzen Erscheinung, seinem Aussehen, dem männlich wirkenden anziehenden Gesicht mit flotter Kurzhaarfrisur und war hingerissen von seinem souveränen Auftreten. Sie gab sich sofort allergrößte Mühe, im Kreis der Kollegen und Kolleginnen eine gute Figur abzugeben, keine Befangenheit zu zeigen, die sie in solchen außergewöhnlichen Fällen bisweilen befiel. Es hat sich mehr oder weniger zufällig so ergeben, dass sie in der Runde am kleinen Bistrotischchen neben ihm zu stehen kam. Das tischweite lebhafte Geplapper hatte sich nach und nach dann doch wieder in Einzelgespräche aufgelöst und dieser elegante, sich weltläufig gebende Herr schien sich ausgerechnet ihr, seiner Nachbarin am Tisch, mehr zuzuwenden als den paar anderen Damen. Es reichte nur für wenige Worte, dann wurde zum nächsten Programmpunkt geklingelt. Schade, dachte sie resigniert, das würde diese so interessant gewordene Runde am Bistrotisch unweigerlich wieder auseinander reißen und ob die sich nach der folgenden Show hier wieder so einfinden würde, stand in den Sternen ... Unvermittelt fragte er sie rasch und recht unverblümt, ob er

sie denn mal anrufen dürfe, um sie zum Essen einzuladen oder ins Theater
– sie wäre doch solo, nehme er an (einen kurzen Blick auf ihre rechte Hand
werfend), um dann mit strahlender Miene hinzuzufügen: „Ich bin Philipp,
Philipp Marzahn." Sie brachte nur ein stammelndes „Ja ..., bin ich ..., solo
– ja ..., natürlich dürfen sie ..." heraus und setzte, von seiner Direktheit
geradezu erschlagen, ein leicht linkisch hölzern wirkendes „Ich würde mich
freuen und ..., ach ja und ich bin die Algena Wellhöfer" hinterher. Die Zeit
reichte gerade noch, Visitenkarten auszutauschen. Dann, nach kurzem
Händedruck und verbindlichem Lächeln, das er auch den anderen Tisch-
nachbarn entbot, entfernte er sich rasch und verschwand in der Menge.

Würde sich lohnen, diese Dame mal näher kennenzulernen, sinnierte er
im Weggehen. Ihre anmutige Figur, das bildhübsche, unvergleichlich aus-
drucksvolle Gesicht mit ihren offenherzigen, geradezu engelsgleichen Augen, umrahmt von üppiger weicher brünetter bis über die Schulterpartie
hinunter schmeichelnder Haarpracht, war ihm sofort aufgefallen. So einen
entwaffnend-offenen Blick, geradezu zur Kontaktaufnahme oder Unterhaltung einladend wie bei ihr, hatte er noch nicht gesehen. Wirkte ungemein
bestrickend, gestand er sich ein ... Und ihre warmen sinnlichen Lippen, die
betörenden Augen sowieso, ihr ganzer Look ... Eine strahlende junge Frau
von unschuldiger Schönheit und wohlgefälligen Körperproportionen. Und
sie schien was auf dem Kasten zu haben, denn was sie äußerte, hatte Hand
und Fuß, dazu gute Umgangsformen in dem Wenigen, was er sah, konstatierte er auch. Eine Frau mit einem unverbraucht wirkenden Habitus (der
sich damit höchst vorteilhaft von allen seinen bisherigen Bekanntschaften
abhob). Allerdings kam sie ihm bisweilen ein wenig schüchtern oder unsicher vor, irgendwie provinzlerisch geprägt, fast mochte er es mit *ungeübt*
umschreiben, was andererseits ihre Natürlichkeit besonders begründen und
unterstreichen könnte – solange sie – hoffentlich jedenfalls – in ihrer Weiblichkeit nicht zur Verklemmung neigte ... Als erfahrener Mann spürte er
deutlich ihr Bemühen, zu gefallen. Mal sehen, wie die sich im näheren Kontakt verhalten wird. Bei so mancher früheren Freundin war ihm deren kaum
verhohlenes Klammern auf die Nerven gegangen, oder ihre Vorstellungen

von Partnerschaft passten irgendwie nicht zusammen (was man an konkreten Feststellungen durchaus festmachen konnte …) oder die beiderseitigen generellen Interessen waren letztlich zu unterschiedlich … Ja, er war wählerisch, kannte sich: Es musste schon mehr oder weniger alles stimmen. Er wünschte sich die perfekte Frau, auch wenn er längst wusste, von seinen Ansprüchen gewisse Abstriche machen zu müssen. Sollten sie sich näherkommen, würde sich vieles ja rasch zeigen, und die Initiative lag bei ihm, er hatte ja ihre Karte … Die würde sich eh niemals zuerst melden, war er überzeugt, dazu dürfte sie dann doch zu zurückhaltend, besser, konservativ geprägt sein, wie er annahm – was ja trotzdem, vielleicht gerade deshalb, durchaus positiv zu sehen wäre. Entspannt erwartete er den angekündigten nächsten Programmpunkt, eine witzige Kabarettnummer.

Ein Freund hatte ihm von einer Modefirma erzählt, zu deren Fest für Kunden er als Fachmann eingeladen sei und er dürfe jemanden mitbringen. Das Fest fände in edler Atmosphäre statt, dazu kulinarische Köstlichkeiten und ein abwechslungsreiches Programm. Da sagte er zu und jetzt hatte er sogar die Aussicht auf ein nettes Date mit einer bildhübschen jungen Frau – was will man mehr? Er war bester Stimmung.

Der Neue, der interessante Fremde, war längst weg, die restliche Runde am Bistrotisch löste sich langsam auf. Noch über die letzten Gedanken schwatzend, hatten es die Kollegen nicht eben eilig, den Saal wieder aufzusuchen. Gedankenversunken und mechanisch lief Algena hinter ihnen her. Die Visitenkarte in der hohlen Hand wie eine schützenswerte Blüte, seine Stimme noch im Ohr verklingend, wurde sie sich erst jetzt des Prickelns zwischen ihnen (bei ihr jedenfalls) bewusst, was sich offenbar schon nach seinen ersten Worten an sie eingestellt hatte.

Es war nicht ihr Debüt, einem wirklich interessanten Mann zu begegnen, aber stets haderte sie anschließend selbstkritisch mit ihrem Verhalten. Auch von diesem Mann fühlte sie sich angezogen. Ihr imponierte die stattliche sportive gutaussehende Gestalt mit den souveränen Umgangsformen und dem verbindlich offenherzigen Lächeln, einem Mund entspringend, dessen

Lippen weibliche Weichheit mit männlicher Entschlossenheit zu verbinden schienen (manche Männer waren mit solchen gesegnet und sie hatte auch früher schon darauf gestanden ...).

Auch war ihr der ungemein gekonnte Stil aufgefallen, mit dem er sich in die ihm doch unbekannte Runde wirkungsvoll und immer ein wenig humorvoll einzubringen wusste. Schon stieg leichte Betroffenheit in ihr auf, womöglich „wieder mal" ihre Rolle nicht optimal gespielt zu haben. Hatte sie irgendwie unsicher gewirkt, oder was? Hoffentlich, hoffentlich nicht, betete sie insgeheim. Andererseits aber hatte er um ihre Karte gebeten, um sie anzurufen.

Algena folgte der kurzweiligen Kabarettnummer, die in diesem Moment begann, nur hinter einem Gedankenschleier, war nicht so ganz bei der Sache. Jetzt war er weg und wegen des allgemeinen Gedränges hatte sie ihn auch schnell aus den Augen verloren. Später spähte sie immer wieder in die Menge der Menschen im Saal, aber er war wie vom Erdboden verschluckt. Spätnachts ließ sie sich von einer Kollegin in ihr kleines Einzimmer-Appartement bringen, das sie kurz nach Eintritt in die Firma bezogen hatte. Auch an den nächsten Tagen war ihr dieser bemerkenswerte Mann nicht mehr aus dem Kopf gegangen, erinnerte sie sich. Nicht dass sie ungeduldig auf seinen Anruf wartete, nein, sie hatte ein wahrlich erfülltes Leben mit großem Kreis von Bekannten und Freunden und ihre kreative und gut dotierte Arbeit als Modedesignerin füllte sie nicht selten sogar noch in der Freizeit aus, vor allem wenn Termine drückten. Ja, sie war solo damals, kein fester Freund. So manche ihrer männlichen Bekannten bemühten sich zwar durchaus auffällig um sie, aber bei keinem hatte es bei ihr gezündet.

Nach zwei langen Wochen – sie hatte ihn schmerzlich innerlich längst abgeschrieben – war er am Abend, für sie völlig unerwartet, am Apparat und umgehend begann ihr Herz wie wild zu pochen. Nur kurz dauerten ihre hingestotterten Überraschungsworte, dann siegte die Routine beim telefonieren und die Situation war gerettet. Sie fand rasch den ihr eigenen verbindlichen Ton „an der Strippe" (die man längst nicht mehr hat,

heutzutage ...), musste ja auch nicht, wie stets ihren Eltern gegenüber, ir-
gendwas vorspielen ... Und die erste Verabredung war beschlossen. Al-
gena, ganz in Gedanken, löste die Verbindung erst deutlich, nachdem ihr
neuer Verehrer das Gespräch längst beendet hatte. Sie nahm ihr Rotwein-
glas in die Hand und sinnierte ... Jedes Wort rekapitulierte sie, ihre Fanta-
sien schwelgten in neuen Dimensionen. Sie fühlte sich glücklich ...

Nach ein paar weiteren Abendeinladungen mit langen Gesprächen und
von gutem Wein gelöster Zunge, mehreren Treffen zu Spaziergängen im
Englischen Garten, im Café und auch mal kurz zwischendurch in der Stadt,
kamen sie einander näher und fanden zusammen ... Noch kaum ein Mann
hatte ihr solche Freuden schenken können ... Nach einem knappen Jahr
gabs bei beiden kein Zögern mehr. Es wurde geheiratet. Beide waren sich
ihrer großen Liebe sicher ... Weniger behagte ihr die viele Neuverwandt-
schaft. Man heiratet eben nicht nur seinen Liebespartner, sondern irgend-
wie auch seine ganze Mischpoke, was alles umgekehrt natürlich ebenso gilt.
Ihr Kontakt zu dieser neuen Verwandtschaft blieb folglich eher dünn. Ihren
Mann schien das weniger zu stören. Er fand mit ihrer Familie sofort ein-
fühlsamen Kontakt und die richtigen Worte. Ihre Eltern mochten ihn von
Anfang an, waren tief beeindruckt von ihrem neuen Schwiegersohn. Mit
Freude stellte Algena fest, wie selbstverständlich ihr Philipp ihren durch-
aus biederen, manchmal sogar einfältigen Eltern gegenübertrat. Der ver-
stand es tatsächlich, sich auf alle Charaktere einzulassen.

Alles in allem ein verheißungsvoller Start in eine Zukunft als Ehepaar
und vielleicht später als Eltern. Da hegten die beiden jedoch vorerst kei-
nerlei Pläne (ja, irgendwann ..., wenn wirs genau spüren ..., es an der Zeit
ist usw.). Sie logen sich – wie so viele wirtschaftlich erfolgreiche Paare –
erst mal in die eigene Tasche, hatten schlicht und ergreifend noch keine
Lust auf Kinder, wollten das aber andererseits nicht so deutlich bekunden,
vor allem vor ihren Eltern in Niederbayern, die recht konservativ dachten
und lebten und schon mal fragten, wie es denn mit Nachwuchs aussehe. Das
brachte die Tochter nicht selten auf die Palme. Seine Eltern dagegen

blieben eher indifferent in diesen Fragen. Es schien sie nicht übermäßig zu
interessieren, ob und wann ihr Sohn mal Vater werde.

Und jetzt??? Alles aus. Alles vorbei. Hirngespinste, diese ganze Lebens-
planerei! Wie fatal grausam das Schicksal spielen konnte. Wie aus einer
längeren Trance wachte Algena wieder auf, ließ erneut ihrem Schmerz
freien Lauf, schluchzte sich in den Schlaf ...

***

In zwei Tagen sollte die Beerdigung auf dem Waldfriedhof im Süden
Münchens stattfinden. Das Institut hatte ihr so gut wie alle Arbeit abgenommen. Trotzdem gab es noch einiges zu organisieren. Die ferne Verwandtschaft in Hotels unterbringen, das Mittagessen nach der Beerdigung bestellen etc. etc. Zum nachdenken kam Algena nicht, und das war auch gut so.
Beschäftigung stülpte sich wie ein dichtes Netz über die Trauernde.
 Am Grab versammelte sich eine große Menschenmenge. Die beiderseitigen Eltern samt nächster Verwandtschaft waren zugegen und ihre gemeinsamen engeren Freunde hatten sich nahezu vollständig eingefunden. Auch
aus Philipps Firma schienen etliche Kollegen gekommen zu sein. Eine
große Anzahl wildfremder Leute blieb mehr im Hintergrund stehen. Philipp
war ein bekannter Mann gewesen. Einen allerdings glaubte sie in der
Menge entdeckt zu haben: Harry, ihren einstigen Freund aus lange vergangenen Studententagen, in den sie damals unsterblich verliebt war – lang
lang ists her. Immerhin ließ er sich jetzt zu Philipps Beerdigung sehen, blieb
aber im Hintergrund, suchte auch nicht die spätere Kondolenzmöglichkeit.
Sie wussten voneinander, hatten aber in den Jahren ihrer Ehe kaum noch
Kontakt. War ja auch verständlich ...
 Sie war froh, nicht nur ihre Eltern in ihrer Nähe zu wissen, sondern auch
Isabelle, die dezent hinter ihr stand. Algena empfand sie wie einen Schutz-
schild vor einer Menge Menschen, die ihre Blicke auf das Grab, die Zere-
monien dort, aber eben auch auf sie, die Hauptbetroffene, richteten. Die
Rolle war ihr peinlich, aber es gab kein ausweichen aus dieser Situation.

Nach dem knappen Ritual, einigen kurzen Laudatios und Grabreden, verrichtete sie (vor „aller Augen"!) als erste mehr mechanisch als bewusst die Zeremonie mit Blumen und dem Schäufelchen schwarzer Erde, dann folgten die Familie und die Trauergäste. Auch ihre Freundin Laura war zugegen und begab sich ans Grab, um Philipp ihre letzte Referenz zu erweisen. Durchaus merklich länger als üblich, blieb sie stehen, nachdem sie den mit anmutigem Schwung hineingeworfenen kleinen Strauß roter Rosen mit einer Schaufel Erde symbolisch bedeckt hatte. Algena konnte ihr Gesicht nicht sehen. Als sie sich aber umdrehte und rasch aus dem engen Kreis heraus schritt, war ihr, als sähe sie ein paar Tränen ihre Wangen herunterkullern. Laura schien so betroffen zu sein, dass sie vergaß oder es vermied, ihr zu kondolieren. Algena registrierte es mehr unbewusst. Dann war sie auch schon in der Menge verschwunden.

Die beiden Großfamilien und wenige enge Freunde, auch Isabelle, trafen sich zum Mittagessen in einem nahen Restaurant. Laura hatte leider abgesagt, hatte keinen Grund genannt. Algena war enttäuscht angesichts ihrer guten Freundschaft mit ihr und Philipp.

Am nächsten Tag, beim Revue passieren der vergangenen Beerdigungszeremonie, kamen ihr so manche Gedanken: Warum hatte Harry ihr nicht kondoliert, sondern war diskret verschwunden? Einen mitfühlenden Händedruck hätte er ihr schon geben können. Und dann Laura. Auch ihr Verhalten war rätselhaft. Sie war länger als andere am Grab gestanden und hatte ein kleines Rosensträußchen dabeigehabt. Rote Rosen? Ja, schon, aber rot? ... Anderseits warum nicht ...? Man sollte da nicht zu viel hineininterpretieren. Ist nicht mehr zeitgemäß. Aber die kaum sichtbaren, aber unzweifelhaft vorhandenen Tränen in ihrem Gesicht? So energisch-bestimmt sie in ihrem Alltagsleben auch sein konnte, ja musste, eine gewisse Weichheit, Fühligkeit in besonderen Situationen konnte man ihr offenbar nicht absprechen. Nur dass auch sie sich ohne Kondolenz ebenfalls diskret entfernte, nahm sie ihr doch ein bisschen übel. Algena schob es schließlich verstehend auf die stets leichte Exzentrik ihrer Freundin.

***

41

Alles, aber auch absolut alles, begann sich in den folgenden Wochen in ihrem Leben zu verändern. Befremdlich sah sie, wie normal und unbeeindruckt rundherum alles weiterging. Ungerührt und unerschüttert. Das Leben ging weiter und nahm auf Einzelschicksale keinerlei Rücksicht. Was für die Zurückbleibenden, von ihr als Witwe, aber auch vom Familienclan als großes Unglück, als Schicksalsschlag, empfunden wurde, wurde in der großen Lebensumtriebigkeit kaum, jedenfalls nur wenige Tage registriert. Es schien ein gewisses soziales Verfallsdatum für jede Art persönlichen Unglücks zu geben. Und das war anscheinend schon sehr nahe, bei vielen gar schon überschritten. Algena fühlte sich irgendwie allein gelassen in ihrem Kummer in dieser weiterhin emsig aktiven Welt. Sie versuchte sich damit abzufinden, wusste sie doch, dass sie letztendlich selbst mit ihrer neuen Lebenslage fertig werden musste. Andere konnten ihr da nur sehr bedingt helfen. Und sie wollte hier nicht versagen, keinesfalls. Es musste weitergehen. Diese dramatische Wendung ihres Lebens durfte sie nicht aus der Bahn werfen. Trotz dieses gewissermaßen *Sich-selbst-an-die-Kandare-Nehmens,* fühlte sie sich überaus fragil in ihrem mentalen Zustand. Natürlich nahm man Anteil an ihrem Schicksal, versuchte mehr oder weniger geschickt zu trösten, wo's nichts zu trösten gab, aber bald verflachte bei den meisten das aktive Mitgefühl. Die eigene Lebensmitte ist eben Dreh- und Angelpunkt jedes Einzelnen, wo Schicksalsschläge auch im allernächsten (nicht-familiären) Umfeld kaum mehr als oberflächlich an der eigenen Befindlichkeit kratzen. Deutlich spürte sie, wie ungeübt die meisten Mitmenschen, selbst ihre engeren Freunde und Bekannte, in wirklich mitfühlender Anteilnahme waren.

Und dann das überall durchklingende, wohlmeinende Ansinnen, doch zu versuchen, weiter am gewohnten gesellschaftlichen Leben teilzunehmen. Klar. Ist notwendig, ehrenwert und gut gemeint, aber im Augenblick (noch) nicht passend. *Es wäre wichtig für sie in dieser Lage*, meinten manche wenig einfühlsam. Solches Allgemeinplatzgerede ging ihr bald ordentlich auf die Nerven. Leise geäußertes Verständnis und Empathie hätte sie jetzt gebraucht, aber das kam selten. In unserer schnelllebigen Zeit scheint vielen Menschen das Gefühl abzugehen, dass vor jeglicher zwangsweisen Neuausrichtung eines Lebens zunächst das alte verarbeitet, sozusagen „verabschiedet" sein muss. Und dass das mitunter länger dauert, als einem zugestanden wird, dachte sie bitter. Früher kannte man das Trauerjahr – viel Zeit fürs Verarbeiten von Schicksalsschlägen. Das ist in der Hektik heutigen Lebens verschüttgegangen.

Philipp und ihr bisheriges gemeinsames Leben war vorbei, aus und vorbei, waren Vergangenheit. Dem hatte sie sich zu stellen, ohne Wenn und Aber. Sie tat sich schwer mit dem Loslassen dieser einst ungefährdeten, golden erscheinenden Lebensvision. Ihr Inneres fuhr Achterbahn mit ihr. Das Gebot des Lebens hieß klar und deutlich: Wieder mitspielen im großen Konzert ihres Lebensumfeldes. Sie fühlte die innere Zerrissenheit ihrer Gefühle. Mal brach es ungestüm in Verbindung mit ungewollt schlechter Laune aus ihr heraus, mal fühlte sie Bedrücktsein aufsteigen, mal wollte sie am liebsten die Welt bestrafen, die ihr so etwas angetan hatte, mal würde sie so einfach nicht mehr weiterleben wollen. Dieser letztere Gedanke erschreckte sie zutiefst und dann musste, wenn sie zu Hause war, Rotwein, das Glas ex getrunken, nachhelfen, die schlimmen Gedanken zu vertreiben – und oft genug reichte eines nicht, es bedurfte eines zweiten, dritten … Ihr mentales Gleichgewicht geriet dabei meist restlos aus den Fugen.

Bald erkannten nur noch wenige engere Freunde und Bekannte die wirklichen Gründe für diese, ihre virulente Stimmung. Als sie ein paar Tage nach der Beerdigung wieder im Büro erschien, war dort längst normaler Alltag eingekehrt. Konnte auch gar nicht anders sein. Das Business musste weitergehen. Allenfalls hieß es beiläufig, pseudoeinfühlsam, sie möge doch jetzt nach vorne schauen. Trauer, ja natürlich, verstehen wir ja…, aber das Leben gehe doch weiter. In ihrer derzeitigen Stimmungslage waren das kontraproduktive Aussagen und sie konnte nur mit Mühe ihren Ärger, oder wars Enttäuschung? verbergen. Algena fühlte sich, weil sie im Tagesgeschäft jetzt oft recht mürrisch daherkam, zunehmend isoliert. Veränderungen, die sie frösteln ließen …

Erneut bestätigte sich ihr, was sie in ihren Anfangsjahren im Atelier mühsam hatte lernen müssen: Kollegen und Kolleginnen sind keine Freunde, obwohl man mit ihnen die produktivsten Zeiten des Tages teilt. Jeder spielt Theater, um den anderen was vorzumachen, sich selbst ins beste Licht zu rücken. Man mag noch so vertrauensvoll, sich einander duzend, an den gleichen Projekten arbeiten – außerhalb dieser und der gemeinsam verbrachten Zeit bleibt man sich überraschend fremd. Kollegen und Kolleginnen sind im Grunde vor allem Konkurrenten und falls das nicht im Vordergrund steht, nur äußerlich jovial, unterschwellig und persönlich jedoch reichlich *wurschtig*. Der Chef allerdings, ein einfühlsamer Mensch, verstand sie. Ihm konnte sie deshalb auch anvertrauen, immer noch unter dem Verlust des Ehemannes zu leiden.

***

Nach verhältnismäßig kurzer Zeit schwenkte das Leben auch in ihrem Freundeskreis wieder in seinen gewohnten Gang ein. Algena mühte, ja zwang sich geradezu, trotz des inneren Zwiespalts, so oft es ging, bei den gemeinsamen Unternehmungen dabei zu sein. Sie gehörte nolens volens jetzt formal wieder dem *Club der Ungebundenen*, der Singles, an – so wie Laura, oder auch die beiden einstigen Praktikantinnen in Ihrer Modefirma, Claudia und Rebekka, beide hübsche junge Frauen, Algena kannte sie näher aus ihren Anfangszeiten in der Firma, aber sie hatten bald gekündigt. Sie sah die beiden eigentlich nur noch im großen Kreis, privat kaum mehr.

Sie spürte deutlich: Die neue Rolle als Singlefrau, ihr durchs Schicksal auferlegt, lag ihr gar nicht. Manchmal fühlte sie sich unsicher, weil allein. Alte Ängste, alte Unsicherheiten klopften wieder in ihr an. Das Selbstverständnis fehlte. Es gab keinen Mann mehr zum Anlehnen.

Weil ihr menschlich-einschlägige Nähe derzeit jedenfalls zuwider war, mied Algena so manche Unternehmungen, z.B. die Treffen im P1, der Nobeldisco in München. Sie war dann recht erstaunt und bald auch enttäuscht, als sie merkte, dass ihr diese Abstinenz nur wenig verständnisvoll-wohlwollend ausgelegt wurde (wie sie es eigentlich angesicht ihrer besonderen

Lage erwartet hatte). Algena zog sich etwas zurück und der Kreis derer, die zu ihr engere Beziehung hielten, dünnte merklich aus. Jetzt, nachdem das Schicksal unbarmherzig ihr Leben auf den Kopf gestellt hatte, schieden sich wirklich wohlmeinende, mitfühlende, von nur vermeintlich „guten" Bekannten. Die aufregende, aber höchst stabile Lebensphase an der Seite ihres Ehemannes begann einer Zeit innerer Wirrnis und Irritation zu weichen, verbunden damit, sich lieber ein wenig zu isolieren, statt ständig mit guter Miene mitspielen zu sollen.

Natürlich blieb es nicht aus, mal von dem einen oder anderen, alle nur Mitläufer im großen Kreis ohne gesellschaftliches Showtalent (wie die *das-große-wort-schwingenden* Meinungsführer, die es in allen Kreisen gibt) zum Abendessen oder ins Kino eingeladen zu werden. Andererseits kannte sie die Leute schon lange – aufgeschlossene und vor allem verständige Männer – und erwartete einfach nur Ablenkung, sonst nichts; Einen netten Abend mit guter Unterhaltung und reden, plaudern, scherzen und diskutieren ohne Hintergedanken. Und gegen eine Umarmung und einen knappen Kuss zum Abschied hatte sie auch nichts einzuwenden. Warum auch? Nur mit Henning Oberländer, einem Augenarzt in einer Gemeinschaftspraxis und ledigem Anfangsdreißiger, erst vor einem halben Jahr zu ihrem Kreis hinzugestoßen und damit ein noch unbeschriebenes Blatt, lief das ein bisschen anders – es hatte sich einfach so ergeben vorige Woche. Sie konnte es sich eigentlich gar nicht recht erklären, wie sie in diese sonderbare Nacht mit ihm hineingerutscht war. Sie waren ein…zwei Stunden an einem lauen Frühlingsabend durch Schwabing gebummelt, dann in einem der vielen kleinen Lokale hängen geblieben …, verstanden sich und es entwickelten sich in ihr – weil sie ihn noch wenig kannte – völlig unbeabsichtigt, temporäre Nebel eines Hingezogenseins zu diesem adretten Mann, ja sogar unterschwelliges, kaum sich eingestandenes Verlangen nach ihm (als unbewusste Reaktion des Vergessens ihres Leides?). Es mag das eine Gläschen Wein zu viel gewesen sein oder einfach eine stimmungsmäßige Anwandlung bei ihr, sie ließ sich treiben ohne viel nachzudenken, was da gerade ablief, fügte sich dem sympathischen Henning (der sicher ahnte, was kommen könnte, aber es in keinster Weise forcierte …). Er hatte sie schließlich nach Hause begleitet (das machten alle) und sie hatte ihm noch einen Espresso bei sich angeboten, worüber er sich freute, beiläufig die elegante Wohnung bewundernd, die er im Gegensatz zu anderen noch nicht kannte. Dann war sie – alles ergab sich wie von selbst, wohl wegen ihrer inneren Bereitschaft – neben ihm auf der Wohnzimmercouch gesessen – pikanterweise exakt gegenüber einem großen Konterfei Philipps auf der Anrichte. Henning kannte ihn natürlich bestens aus dem Freundeskreis als den Ehemann Algenas, hatte aber offenbar das Bild, den Blick Philipps auf ihm, auf ihnen beiden ruhend, erfolgreich negiert. Ihr dagegen war Philipps Blick aus dem Bild in dieser Situation höchst unangenehm. Ihr Philipp!! Der jetzt tot war. Und sie in den Armen eines anderen. Hätte sie geahnt, heute Abend mit Henning hier zu sitzen, sie hätte das Bild sonst wohin verbannt … Jetzt war es zu spät dazu und auch zu spät, wegen dieses kurzen Bewusstseinsaufblitzens von Skrupel die Situation zu ändern. Algena ließ seine Umarmung zu, erwiderte seine Küsse, setzte seinem drängenden Verlangen keinen nennenswerten Widerstand entgegen und gab sich ihm schließlich wie eine Ausgehungerte überwältigt hin. Spät in der Nacht verabschiedete er sich. Algena hatte nichts dagegen. Auf ein gemeinsames Frühstück wäre sie eh nicht eingerichtet gewesen. Weder kulinarisch noch mental. Der Rest dieser Nacht gehörte seligem, zufriedenem Schlummer …

Das Porträt von Philipp war noch nicht alt. Eine überaus gelungene Fotografie, die sie voriges Jahr bei einem Kurztrip in die Toskana geknipst hatte. Das „wo" musste man wissen, denn das Bild zeigte kaum Hintergrund bzw. nur verschwommenen. Algena erinnerte sich lebhaft an die Umstände damals, an den spätnachmittäglichen Spaziergang durch die mediterrane Landschaft. Es war Herbst gewesen, ein sonniger Tag und allüberall hatte es nach frischen Trauben, nach Traubenmaische und ersten Gärungen gerochen. Sie hatten die Weinbauern an ihren Pressen hantieren gesehen (bisweilen waren sie mit ihnen ins Gespräch gekommen und zwei Probiergläschen des köstlichen Weins vom Vorjahr waren bald auf einem provisorischen schmalen Tresen gestanden …). Sie erinnerte sich an schöne Blicke auf umliegende Hügel mit oft kleinen verträumten Dörfern auf ihren

Kuppen. Dort irgendwo hatte sie das Bild von ihm geknipst. Sie waren bester Stimmung gewesen und dem lauschigen weinseligen Abend war eine romantische Nacht gefolgt, an die sie sich noch lange erinnerte.

Ihr träumender Blick auf das Bild feuchtete ihre Augen, ließ ihr die vorangegangene Nacht mit Henning noch mehr als verbotenen Ausrutscher erscheinen, über den sie sich schämen müsste ... Aber Philipp war tot ... Dass sie so oft an ihn denken musste?

Algena hatte damals darauf bestanden, das gelungene Foto zu vergrößern und aufzustellen – trotz des Protests von Philipp. Er hatte gemeint, das Wohnzimmer nicht beherrschen zu wollen, hatte aber schließlich seiner drängenden schwärmerischen Frau nachgegeben, die gerade dieser Umstand erfreute. Seither wachte Philipp in dem Foto über den großen Raum neben ein paar hübschen teuren Terrakottavasen und -schalen aus einem Kunstmarkt in eben diesem Urlaub. In die Schalen pflegte Algena regelmäßig jahreszeitlich passendes Obst zu legen. Ein gediegenes Stillleben, das ganze Ensemble mit Bild, Vasen und Obstschale.

Algena hatte sich längst an den Fotoblick gewöhnt, im Gegenteil. Oft blieb sie kurz stehen und widmete ihrem geliebten toten Ehemann einen schmerzlich-lieben Blick. Wie ihre Besuche, vor allem die männlichen, dieses *Überwacht-werden-durch-ein-Foto* auffassten, war eine ganz andere Frage. Es mochte neutral auf jene wirken, die Philipp nicht kannten, aber all die anderen?? Henning jedenfalls war's ganz offensichtlich egal gewesen. Er sah eh nur sie …

Folgen hatte der kleine Ausrutscher für beide nicht. Dieses kurze Aufblitzen von heißem Begehren hatte keine Dauer, war die Frucht eines lustvoll-launigen Abends geblieben, der sie beide in die körperlichen Freuden geführt hatte. Sie war ein wenig verwirrt, wusste nicht recht, was sie wollte, und ob er …? Henning machte keinerlei Anstalten, ihr nächtliches Tête à Tête wiederholen zu wollen. Seltsam irgendwie, fand sie. Ob er, der angeblich passionierte Junggeselle, eben doch inkognito eine Freundin hatte? Musste wohl so sein, sinnierte Algena, den charmanten Henning sich in ihrer Liebesnacht vorstellend. Andererseits, nüchtern betrachtet, zweifelte sie ernsthaft, ob der überhaupt ihr Typ wäre. Wohl eher nicht, befand sie. Trotzdem aber, wie alle Frauen, hätte sie es durchaus geschätzt, von ihm noch wenigstens andeutungsweise umworben und hofiert zu werden. Das blieb aber aus. Sie war enttäuscht, ja sogar ein bisschen pikiert ..., es fühlte sich an, als hätte sie, eine Frau, einen handfesten Korb bekommen (normalerweise die „Domäne" abgewiesener Männer). Der Abend blieb einerseits unerwähnt zwischen ihnen beiden, andererseits begegneten sie einander mit ausgesuchter Höflichkeit und Zuvorkommenheit: Eine Art platonische Liebe, die nur ein einziges Mal alles andere als platonisch gewesen war. Im Grunde war es gut, dass es bei der Einmaligkeit geblieben war. Sie musste sich immer noch „fangen" und das schien länger zu dauern als gedacht.

Was Algena nun tatsächlich verwunderte, ja Sorge machte, war Lauras reserviertes Verhalten ihr gegenüber seit einiger Zeit. Waren sie nicht lange Jahre beste Freundinnen gewesen? Laura machte sich auch bei Treffen der Freunde ziemlich rar. Daher trafen sie hier nur noch ab und an aufeinander. Was mochte denn in diese Frau gefahren sein? Während ihrer seltener werdenden Telefonate kam es ihr vor, als ob Laura eine Art innerer Metamorphose durchmachte oder gemacht hatte. Sie war nicht mehr so gelöst wie früher. Jetzt blockte sie einst so vertraute Themen energisch ab. Algena konnte sich das beim besten Willen nicht erklären. Alles war plötzlich so viel nüchterner geworden. Vor allem bei intimen Erlebnissen, die seinerzeit gewissermaßen das Salz in ihrer Unterhaltungssuppe gewesen waren, hielt sich Laura neuerdings seltsam bedeckt. Wie ist das alles zu erklären, fragte sich Algena betroffen.

Auch Lauras Verhalten beim Begräbnis neulich ließ ihr nach wie vor keine Ruhe. Sie fragte Freunde, die damals dabei waren und Laura näher kannten, nach *deren* Eindrücken. Die Antwort war zumeist dieselbe: Man wisse doch, wie Laura sei, was erwartest du denn von einer solch exzentrischen Frau? Da hatten sie natürlich recht, befriedigen konnte sie diese Aussagen nicht, aber das war jetzt nicht mehr zu ändern.

„Oder hatte das alles womöglich doch mit mir zu tun?", grübelte sie so manches Mal nach einem unerquicklichen Telefonat. War sie mit irgendeiner Bemerkung bei ihr „ins Fettnäpfchen" getreten? Nachtragend war Laura noch nie gewesen, an der prallte normalerweise alles ab, was ihr gegen den Strich ging. Aber was dann? So konnte es nicht weitergehen. Algena spürte, sich soweit wie möglich von ihr fernhalten zu müssen. Alles vorbei. Sogar Laura, stellte Algena resigniert fest.

Aber zum Glück gabs ja Isabelle, mit der sie nun häufiger verkehrte. Die war um einfühlsame Worte nicht verlegen und warb auch um Verständnis, dass es halt im Job weitergehen müsse und sie deshalb von den Kolleginnen keine umfassendere Anteilnahme erwarten dürfe.

Missbilligend wies sie jedoch auf den in ihren Augen zweifelhaften Freundeskreis hin (Algena hatte erzählt, wie wenig sensibel viele dort seien). Von denen und ihrem Gehabe erwarte sie nichts anderes, meinte Isabelle geringschätzig. Algena genoss die harmlosen, aber beruhigenden Gespräche mit Isabelle und hörte sich auch wohlwollend ihre Sekretariatsüblichen kleinen Sorgen und Nöte an ebenso wie das eine oder andere Erzählenswerte über ihren Freund Georg, der, wie sie stets von Neuem betonte, ein herzensguter Mann sei. Wie schön für sie, dachte Algena insgeheim und durchaus neidisch. Ihr Glück ist latent und wenn sie heiratet, würden sie sicher bald Kinder bekommen und die beiden eine *unheimlich normale* Familie spielen, nein: sein! Und sie, Algena? Ihre Zukunft war offener denn je. Nichts war auch nur annähernd im Lot ... Im Beisein der Freundin, ihrem warmen Mitfühlen, kamen Algena oft wieder die Tränen. Isabelle umarmte sie dann, nahm sanft ihre Hand, drückte sie und ließ der Freundin ihren Kummer herausbrechen, denn jedes Wort wäre zu viel gewesen.

„Isa, ich fühl mich so allein. Kannst du dir vorstellen, wie das ist? Alleinsein? Wann wird dieser ungute Zustand enden?", schluchzte Algena.

Isabelle fand die richtigen Worte und versuchte, ihr gut zuzureden.

„Algena, ja, natürlich bist du jetzt allein. Es ist alles noch zu frisch, zu früh, die Situation zu neu, du bist noch viel zu belastet von der Vergangenheit. Du musst einfach dran glauben: Irgendwann wirst du dich wieder gefangen haben und dann bist du auch wieder offen für eine neue Beziehung, ganz bestimmt. Gib dir noch etwas Zeit, ja?"

Die tröstenden Worte taten Algena sichtlich gut.
„Tu ich ja, Isa, tu ich. Danke dir!"

***

Nach wie vor verfolgte sie der liebende Schatten ihres einfühlsamen Ehemannes und zog ihre Gedanken an so manchen Abenden des Alleinseins zurück in ihre gemeinsame Vergangenheit, vor allem die Zeit vor ihrer Hochzeit. Erinnerungen blühten lebhaft auf … Sie seufzte.

Sie hatten sich oft getroffen, man sagt recht sinnig: „jede freie Minute", und viel miteinander geredet und gequatscht über Gott und die Welt, auch über seine Arbeit – und waren dabei immer vertrauter miteinander geworden – und ganz beiläufig hatte sich Liebe und Zuneigung eingestellt und war stetig weitergewachsen.

Längst hatte Algena festgestellt, intellektuell durchaus mit ihrem erfolgreichen und gewandten Ehemann mithalten zu können. Sie waren beide belesen, konnten sich über viele Themen auf Augenhöhe unterhalten und austauschen und brachten auch mal dialektische Diskurse über strittige Grundsatzfragen zustande.

In seiner Arbeit im Außenvertrieb eines namhaften Industriebetriebes, war er höchst erfolgreich, strich oftmals hohe Erfolgsprovisionen ein und es wurde ihm über kurz oder lang eine Karriere bis zum Geschäftsführer vorausgesagt. Solche Vorstellungen hatten sie beflügelt. Vielversprechende Aussichten, fürwahr – und jetzt? Alles vorbei.

Seine besondere Stärke schien vor allem in seiner Fähigkeit zu liegen, Kunden zu überzeugen. Er wusste sie einzunehmen für sich, und damit, und wichtiger, für die von ihm vertretene Sache, konnte sich bestens auf sie und ihre manchmal unausgegorenen Wünsche einstellen, konnte trotz ihrer oft nur Anwender-orientierten, halb-professionellen Sachthemensprache gut mit ihnen parlieren und das in unterschiedlichsten Kreisen. Ob seine offenkundig generelle Begabung zur Eloquenz auch in alle privaten sozialen

Kontakte hineinreichte und -wirkte oder umgekehrt wegen seines – man ist versucht zu sagen – natürlichen Charmes bei jeder Art von Kommunikation sich auch der geschäftliche Erfolg einstellte, vermochte Algena nicht zu sagen. Darüber dachte sie auch selten nach. War ihr unwichtig! Es zählte nur, dass er war wie er war, dass er so wie er sich gab, ihr Sicherheit, Selbstverständnis und Gradlinigkeit schenken konnte, die für sie so eminent wichtig waren und dass sie ihn nicht zuletzt deswegen abgöttisch liebte. Er, dieser wunderbare Mann, wäre ihr die „starke Schulter" gewesen, die sie so lange gesucht, ja geradezu gebraucht hatte ...

Und mit diesem wunderbaren erfolgreichen Mann durfte sie zusammenleben – leider nur paar Jahre, bis vor wenigen Monaten das Schicksal urplötzlich allem ein Ende setzte. „Wie grausam das Leben doch zuschlagen kann", sinnierte sie. Und aus ihren Augen quollen erneut Tränen.

Völlig außerhalb ihrer, man möchte sagen, naiven Vorstellung, lag aber eine ganz andere Gefahr: Männer seines Formats, seiner Eloquenz und Sicherheit im Umgang mit anderen Menschen beherrschen zumeist auch die komplette Klaviatur, Frauen für sich einzunehmen und dabei höchste Raffinesse an den Tag legen zu können.
Weder ihr Bauchgefühl noch ihr weiblicher sechster Sinn fanden Grund zur Warnung vor dem immerhin Möglichen, weil sie in dem kaum irgendwas ernsthaft hinterfragenden Elternhaus-Credo aufgewachsen war, „sowas" käme nur bei anderen vor, „aber doch nicht bei uns"? Und sie war sich ganz sicher: Philipp war ungefährdet, dafür liebte er sie viel zu sehr.

Und jetzt?? Ein einziger Scherbenhaufen, nicht wegen Untreue, sondern wegen eines tödlichen Unfalls. Algena griff in einer unheilvollen Melange aus Melancholie, Depression und Wut energisch zu ihrem Rotweinglas, leerte es in einem Zug um aufsteigenden Frust und Kummer zu ersticken und füllte es mit dem Rest der Rotweinflasche ... – und glitt erneut in die Kiste einstiger Zeitläufte vor ihrer persönlichen „Zeitenwende" hinein. Die Erinnerungsstimmung hatte sie fest im Griff ...

Was hatte sie ihrem Philipp nicht alles zu verdanken?

Vor allem ihrer unstet-unsicheren Lebensweise in München während ihrer Solozeit entkommen zu sein. Ihn kennen und lieben gelernt zu haben, war ihr wie eine Art Befreiung, wie aufgleißendes Licht, ein Startschuss, eine Grenzüberschreitung in eine verheißungsvolle, ganz neue Zukunft, die all ihre bis dato nur herumirrlichternden, unerfüllten Lebensträume verwirklichen hätte können. Es schien ein Übertritt ins Glück gewesen zu sein.

Sie erinnerte sich lebhaft, dass gerade in ihrer Münchner Anfangszeit ihre Beziehungen zu jungen Männern (vor allem Studenten) meist im heftigen Dissens geendet hatten. Heute, mit dem Abstand von bald einem Jahrzehnt fragte sie sich ernsthaft, ob nicht schon in ihren Jahren als Teenager ihr Schicksal bzgl. ihrer problematischen Verhältnisse zur Männerwelt gelegt worden war. Ja, aber da gabs doch auch Harry? Der war die einzige rühmliche Ausnahme gewesen, aber von dem hat sie sich trotz ihrer Liebe zu ihm aus anderen Gründen trennen müssen.

Komplimente? Ja, die waren ihr immer willkommen gewesen, sie freute sich darüber, konnte aber auch hier nie die zugleich aufkommenden Zweifel an deren Ernsthaftigkeit zurückdrängen. Das war eingestifteter Teil ihres Charakters. Stets hatten sie Vorstellungen geängstigt, ihr könnten nur Spielchen vorgeführt werden (klar doch ..., um sie „rumzukriegen", was sonst?).

Warum wirkte in ihr ein so exzentrisches krudes Credo im Vergleich mit anderen jungen Menschen? Algena suchte bei ihren potenziellen Liebhabern Liebe, Zuneigung, Einfühlungsvermögen, Wohlwollen, Sicherheit in Beziehungen, vor allem Ernsthaftigkeit. Weil das nie so vollkommen und unbedingt gegeben war, plagte sie oft Eifersucht, womöglich nicht die Einzige zu sein. Denn wenn die Kerle wegen ihr einer Anderen untreu wurden, so könnte dieses Spiel ja auch andersrum ablaufen, dann auf ihre Kosten. Treue und Zuverlässigkeit hatten einen hohen Stellenwert in ihren Vorstellungen von guten Beziehungen.

So waren ihre Anfangszwanziger dahingelaufen. Algena hatte ein in der Liebe etwas holpriges ansonsten durchaus abwechslungsreiches Leben geführt, trotz der knapp bemessenen monatlichen finanziellen Unterstützung ihrer Eltern. Kostspielige Sondersprünge verboten sich, aber es reichte und sie war zufrieden. Mit reduzierten Ansprüchen zu leben hatte sie im Elternhaus gelernt. Mit dreiundzwanzig nach Beendigung ihrer Ausbildung hatte sie sich erfolgreich um eine Stellung als Modedesignerin in einem Atelier (eine Außenstelle einer internationalen Modefirma) beworben und fühlte sich wohl – auch heute noch. In ihren Anfangsjahren dort fand jenes illustre Bankett statt, auf dem sie Philipp kennengelernt hatte.

***

Und Jetzt? Fünf Jahre später? Sie war inzwischen einunddreißig geworden. Von einem Tag zum anderen hatte sich alles total gewandelt. Nicht ihr Beruf, dort arbeitete sie natürlich weiter und hatte Erfolg: Auf lange Sicht winkte der Posten einer Chefdesignerin. Nur unbeschwerte Freude, wie sie sie einst kannte, wollte nicht mehr aufkommen. Sie arbeitete mechanisch, ließ ihr Können heraus, ohne sich mit ihm sonderlich zu identifizieren, war eine kalt berechnende Kollegin geworden. Sie lebte und arbeitete gleichsam von ihrer Substanz und bemerkte deren Endlichkeit nicht. Sie ahnte nur, dass sie derzeit ohne Vertrauen in die Zukunft lebte, fühlte instinktiv, wie wenig tragfähig der Boden unter ihren Füßen geworden war.

In ihrem bisherigen Freundeskreis fand sie sich nach wie vor selten ein, sie mied ihn zwar nicht, schränkte aber die Kontakte stark ein. Das stets leicht blasierte Volk dort behagte ihr nicht mehr so recht und außerdem wollte sie Laura, wenn möglich, nicht begegnen.

Nach wie vor gelang ihr nur schwer, ihre angeschlagene Psyche in ruhigere Bahnen zu lenken. Ihr virulentes Gefühlsleben fuhr mit ihr Achterbahn. Sie schwankte in ihren mentalen Zuständen wie ein sturmumtostes kleines Boot, hielt nur mühselig Kurs in allen Anforderungen ihres Alltags und ihren nur noch aufflackernden Ambitionen an die Freuden des Lebens.

Ob sie mit Isabelle öfters als bisher was unternehmen sollte, sich abzulenken, auf andere Gedanken zu kommen? Ins Café gehen, mal ins Kino oder eine Ausstellung besuchen, spazieren gehen im Englischen Garten, wandern im Isartal oder auch mal shoppen in der Stadt, bummeln in Schwabing oder was auch immer.... oder vielleicht für ein verlängertes Wochenende wegfahren, nur sie beide, zwei Frauen, unternehmungslustig und aufgeschlossen.

„Mit Georg ist das überhaupt kein Problem", beruhigte sie Isabelle, „der weiß ja um unsere Frauenfreundschaft und warum die derzeit besonders gepflegt werden muss."

Immerhin. Schon mal ein paar Ansätze für eine bessere Bewältigung ihrer Zukunft. Wieder Fuß fassen in einer neuen Existenz ohne Philipp. Solche Aussichten mit Isabelle machten Algena wieder zuversichtlicher bald die Kurve zu kriegen. Dann würde sich auf Dauer sicher auch ihre angeschlagene Stimmung verbessern, hoffte sie.

Das Leben schritt eben unbeirrt fort, aber den folgenden Satz zu beherzigen, fiel ihr trotzdem schwer in diesen Monaten:

Permanente Veränderung ist das einzig konstante im Leben.

Sie wollte lernen, diese Aussage als Trost zu betrachten, dass nämlich, wenns im Leben mal nicht gut läuft, gar Schicksalsschläge zu verdauen sind …, es sich alles auch wieder zum Guten wenden kann.

Dass auf sie jedoch ein beispielloser weiterer Tiefschlag warten würde, ahnte sie nicht …

***

Es war bald Ende Mai, Fronleichnam, ein hoher katholischer Feiertag in Bayern, der Algenas Schicksalstag werden sollte, ein Tag an dessen Ende sie jeden Glauben verlor und jegliche leise in Ansätzen wieder aufkeimende Zuversicht brutal ausradiert wurde.

Sie hatte sich auf das verlängerte Wochenende gefreut, Freitag als Fenstertag freigenommen. Nur spielte das Wetter nicht mit. Draußen regnete es aus Kübeln, weshalb sie sich den halben Donnerstagnachmittag wohlig und selbstvergessen in das reichlich exzentrische Thema des Romans *„Ins Freie"* von *Joshua Ferris* hineinlas. [2]) Dieser Roman faszinierte sie. War ihr vor Kurzem von Claudia aus dem Freundeskreis empfohlen worden. Und da Algena von ihrer Belesenheit wusste, hatte sie sich ihn in der Bibliothek ausgeliehen. Am späteren Nachmittag nach einer Tasse Kaffee erfasste sie Bewegungsdrang, hatte genug vom schmökern und begann in der Wohnung herumzukramen, bei Regenwetter draußen eine gute Alternative. Obwohl ihr Heim stets einen insgesamt adretten Eindruck machte, sah man, dass in ihr aktiv *gewohnt und gelebt* wurde, das heißt, dass immer irgendwelche Sachen herumlagen, die ihrer Erledigung harrten oder sonst was mal „nicht gleich aufgeräumt wurde". Nur bedingt hätte man sie deshalb als passionierte Anhängerin einer stets penibel aufgeräumten Wohnung ansehen können. Aber immerhin erfasste sie oft der Rappel, zum Beispiel an Tagen wie solchen, den unabdingbaren Erfordernissen nachzugeben und dieWohnung wieder picobello aufzuräumen …: Liegengebliebenes aufarbeiten, ablegen, wegwerfen, einordnen etc. war angesagt, auch in Philipps kleines verlassenes Arbeitszimmer wollte sie mal schauen. Das war bis heute unangetastet geblieben – eine innere Sperre in ihr verhinderte, hier etwas zu verändern – als ob Philipp jeden Augenblick zur Tür hereinkommen könnte.

Schon vor zwei Wochen war ein Schreiben von Philipps Firma ins Haus geflattert, sie möge doch die Simkarte aus Philipps Diensthandy zurücksenden. Es müsse sein, um den geschäftlichen Vertrag ordnungsgemäß zu kündigen, denn er durfte ja es ja auch privat nutzen, was ja jetzt entfallen sei, hieß es im trockenen Geschäftsdeutsch. Das Handy könne sie behalten. Aber wo war das? Wohl bei seinen privaten Sachen, die sie damals in

---

[2]) Joshua Ferris: „Ins Freie": Der Roman handelt vom unbeherrschbaren Freiheitsdrang eines Mannes, der unter einem unerklärlichen psychischen Defekt leidet und aus beliebigen Situationen, sogar während geschäftlicher Besprechungen zwanghaft ausbüxen und hinaus „ins Freie" (wohin auch immer) rennen musste.

Düsseldorf in Empfang genommen hatte. Vermutlich hatte sie es in eine der Schreibtischschubladen gelegt und seither nicht weiter beachtet. Inzwischen war es wohl restlos entladen. Gedankenverloren drehte sie das heutzutage so zentrale Kommunikationsgerät zwischen ihren Fingern, unschlüssig, was jetzt als erstes zu tun sei. Klar, die wollten nur die Simkarte, das Gerät war neuwertig und sie dürfe es behalten. Auch nicht schlecht, es war wesentlich moderner als das ihre....

Jetzt und heute hatte Sie Zeit – und folgte einer Eingebung: Ans Netz hängen, aufladen und währenddessen nachschauen, ob sich hier noch Nachrichten aus der Zeit vor seinem Tod fanden. Das Handy würde ihres werden und alte gespeicherte Einträge könnten eh raus. Also erst mal rumblättern im Email- und SMS-Speicher ... Dann könne man den Kram löschen, die Simkarte herausnehmen und durch ihre aus ihrem vorsintflutlichen, alten Gerät ersetzen.

Es fanden sich tatsächlich noch Meldungen im Handy. Ein paar kurze Emails wohl an Kollegen, etliche knappe SMS, die sie nicht verstand – alles fachchinesisch eben, Firmenjargon. Sie löschte alles. Dann fanden sich auch paar SMS an sie und Freunde, die ihr bekannt waren. Sie erinnerte sich dunkel sogar an die Anlässe im vergangenen Winter. Mit einer weiteren SMS meldete er, erst am späten Abend heimzukommen. Schnee von vielen Wochen vor seinem Tod. Alles hinfällig. Jetzt sogar endgültig, dachte sie bitter. Sie löschte alles. Aus. Vorbei. Wie vollzogene Todesurteile. Weg. Im Eintauchen in diese gestrige vergangene Welt kam ein seltsam schicksalsergebenes Gefühl in ihr auf: Sie löschte damit auch einen Teil ihres eigenen bisherigen Lebens ..., und zwar endgültig. Hier noch eine SMS an sie: Schmerzhaft entnahm sie den wenigen Worten, die eine SMS zuließ, Sehnsucht nach ihr und Freude auf die freien Tage an Weihnachten und zwischen den Jahren.... Sie erinnerte sich an diese SMS am Ende dieser Dienstreise, an sein abendliches Heimkommen, sie hatte aufgetischt für ihn, neben dem obligatorischen Wein gabs diesmal auch noch Aperitiv ... Und gedachte kurz der nächtlichen intimen Stunden mit ihm nach der langen Dienstreise. Mit feuchten Augen drückte sie erneut, aber deutlich zaghafter den Löschknopf. Weg. Muss weg. Aus. Vorbei. Erneut diese grausamen Worte. Die nächsten geöffneten SMS überdeckten gnädig diese kurze gefühlsauflodernde Erinnerung. Sie durfte sich nicht mehr erinnern, zumindest nicht „so", nicht an „das", das wusste sie nur zu gut. Sie musste vergessen. Philipp vergessen? Nein, geht nicht, aber vorwärtsschauen, *das vergangene Leben mit ihm ruhen lassen als etwas Gewesenes, Abgeschlossenes* ... Noch ein paar messages, alle im Telegrammstil, manche verstand sie nicht, waren zu kryptisch verfasst aber längst in der Zeit versunkene Lebensaugenblicke, kurz aufleuchtend. Weg damit. Nur noch weniges, dann war dieser kurzweilige Ausflug in die letzten Wochen seines Lebens vorbei. Algena löschte weiter, jede SMS einzeln, als ob sie die Erinnerung an ihren Grund (der ihr meist, aber nicht immer, bekannt war) ebenfalls mit auslöschen wollte. Konkrete Erinnerungen waren perdu, machten keinen Sinn mehr, was solls?

Bei der wirklich allerletzten SMS stutzte sie: *„Wurde aufgehalten, komme heute erst gegen 20 Uhr. i. L. D. Ph."* 03.03.2012 18:33. Musste das letzte Lebenszeichen von Philipp gewesen sein, denn just am dritten März gegen 19 Uhr 30, erinnerte sie sich, war er verunglückt, so stand es im Polizeibericht. Diese Message war ihr unbekannt. Keinerlei Erinnerung, nur dass er sie noch am Morgen im Geschäft angerufen hatte, leider erst am Donnerstag, also am sechsten März, wieder in München sein zu können. Nie und nimmer hatte sie ahnen können, dass sie in diesem Telefonat zum letzten, zum allerletzten Mal, seine Stimme hören würde … Düsseldorf war, wie so oft, seine letzte Station gewesen. Algena wusste, dass er hier regelmäßig mehrmals im Jahr einen Kundenbesuch absolvierte und stets ein paar Tage hier verblieb. Was zwar einerseits verwunderlich war, denn Philipp pflegte seine Kundengespräche recht effizient zu gestalten, so wenig Zeit wie möglich darauf zu investieren. Worüber sie sich aber nie weiter Gedanken gemacht hatte. Warum auch. Geschäft war Geschäft. Seit Jahren schon kannte sie das. Er war eben ein begabter leitender Vertriebler, den man auch zu schwierigen Kunden schickte. Näheres über all die Kundenkontakte, die Philipp pflegte, pflegen musste, wusste sie nicht, allenfalls die Städte, in die er reiste. „Nicht überall würde er gerne hinfahren", meinte er mal, manche Verhandlungen oder auch Kunden wären eben schwierig …

Aber Kundenbesuche am Abend? Merkwürdig. Nein, sicher nicht. Vielleicht wars ein Geschäftsessen, vor dem er sich nicht drücken konnte und er irgendjemandem melden wollte, später dazuzustoßen. Sonderlich viel lag ihm an solch abendlichem Zusammensitzen nicht, denn stets standen dann doch wieder nur Geschäftsfragen im Vordergrund. Die Worte dieser SMS passten aber eh nicht recht zu einer solchen Mitteilung. Wieder fiel ihr Blick auf den Text, klebte geradezu magisch an den Buchstaben „i. L.". Sonderbar. Oben im Fenster stand klein die Zielrufnummer. Sie starrte auf diese, rieb sich die Augen, starrte wieder wie hypnotisiert auf die einzelnen Ziffern und ihre Abfolge …, das war nicht irgendjemand …, die Nummer kam ihr bekannt vor, nein, die kannte sie! – Eine Art innere Negation weigerte sich, die gesehene klare Abfolge der einzelnen Ziffern anzunehmen. Sekunden des Glaubens an einen Irrtum: Sicher nur eine fatale Ähnlichkeit der Ziffernfolge … Nein! Kein Zweifel möglich! Eine brutal-kalte Hand umklammerte ihr pochendes Herz. Sie buchstabierte laut die Nummernfolge. Nein, absolut kein Irrtum: *Lauras Handynummer.* Laura!!! *Laura???* Ihr sicherer weiblicher Instinkt erriet umgehend die ausgeschriebene Bedeutung dieser SMS: „*... komme heute erst gegen 20 Uhr. in Liebe! Dein Philipp".* In Sekundenbruchteilen vermischte sich diese dramatische Erkenntnis mit blanker Fassungslosigkeit über das ganze Ausmaß der Bedeutung dieser Worte: Philipp hatte mit einem kurzen Liebesgruß Laura, ihrer besten Freundin, gemeldet, dass er erst gegen zwanzig Uhr bei ihr sein könne … *Bei IHR??* Sie ließ das Handy langsam auf den Schoß sinken. Ihr leerer Blick schaute ins nirgendwo.

Wie vom Schlag getroffen sank Algena in sich zusammen, als ihr blitzartig die weiteren Zusammenhänge klar wurden: Laura verbrachte berufsbedingt oft ein paar Tage in Düsseldorf, lebte dort während dieser Zeit in ihrer kleinen Mansardenwohnung. Und die beiden werden es so eingerichtet haben, dass Philipp stets dann in Düsseldorf zu tun hatte, wenn Laura gerade dort weilte, Termine hatte. Dann hatten sie es sich in ihrer Wohnung gemütlich gemacht, ihre Zweisamkeit genossen und sich auf ihre Kosten sicher nächtelang vergnügt, was heißt vergnügt, sie nach Strich und Faden betrogen!

Bei diesen sich selbst durchanalysierenden Gedanken lief es Algena eiskalt über den Rücken und nur ein allerletzter Vernunftimpuls hielt sie zurück, aufschreiend durchzudrehen, sobald die Vorstellung von den beiden
im Bett in ihrer Fantasie flammende Realität annahm. Ihr Philipp! Und ihre
schamlos-ungenierte Freundin Laura, die in diesem Moment zu ihrer aller-
größten Feindin mutierte.

Ja. Jetzt!!!! Jetzt klärte sich auch, warum Philipp in Düsseldorf stets
mehrere Tage bleiben musste. Ein Doppelleben hat er geführt, der Schuft,
ihr in München großes Liebestheater aufgeführt und sich womöglich schon
seit Jahren in Düsseldorf mehrmals im Jahr tagelang mit ihrer besten Freundin vergnügt. Das war kein Seitensprung mehr, das grenzte an waschechtes
Parallelleben. Im Liebesnest von Laura. Aufgeführt in Lauras Wohnung.
Die angeblich mehrtägigen Kundenkontakte mit Besprechungen usw. erwiesen sich jetzt posthum als glatte Lüge. Gut, da mögen sogar tagsüber
welche stattgefunden haben, aber die Abende? War er bei Laura. Bei
Laura!!! Und sie konnte ihn nicht mal mehr zur Rede stellen! Neben den
puren Fakten war das besonders bitter zu ertragen.
   Sie stöpselte das Handy vom Netzteil ab und nahm es samt seinem bedeutungsschweren Inhalt mit ins Wohnzimmer. Diese SMS wollte sie vorerst nicht löschen. Vielleicht brauchte sie sie noch. Unsinn, dachte sie, Philipp ist tot! Die SMS hinfällig … Trotzdem bleibt sie erst mal, entschied
Algena entschlossen! Um sie Laura zeigen zu können, falls …, weiter
dachte sie nicht. Die Firma musste jedenfalls noch warten. Nur höchst mühsam fand Algena zu einem fragilen Gemütszustand zurück, ging kurz in die
Küche, es war Abendessenszeit, aber der Appetit war ihr gründlich vergangen, suchte und griff geistesabwesend im Schrank nach Knabberzeug, holte
einen vorgestern angefangenen Rotwein und schaltete im Wohnzimmer den
Fernseher ein. Das Vorabendprogramm eines Feiertags unterscheidet sich
nur wenig von gewöhnlichen Tagen: Nachrichten, Kommentare, Wetter,
dafür keine der Daily Soaps – aber auch in anderen Filmen gehts stets um
die Liebe – solche Szenen konnte sie heute nun schon gleich gar nicht

ertragen, zappte weiter, weiter, immer weiter, nur um endlich abgelenkt zu werden. Funktionierte natürlich nicht.

Unbarmherzig verlor sich ihr Blick durch die quirligen Fernsehbilder hindurch in die Ferne auf eine einzige statische Gestalt: *Laura!!* Dieses durchtriebene Weib! Waberte in ihren Gedanken wie ein Erdbeben. Philipp musste mit Laura ein jahrelanges, enges Liebesverhältnis gehabt haben. Er war ja auch sonst öfters abends weg, angeblich Überstunden in der Firma oder mit Kunden beim Essen. Nie hat sie genauer nachgefragt, ärgerte sie sich jetzt. Aber er hätte ihr eh das Blaue vom Himmel runtergelogen. Wie viele Termine mag er wohl vorgeschützt haben, um bei Laura zu sein? Sie hatte nicht die geringste Ahnung, wann das angefangen haben könnte, wann und wie die beiden zueinandergefunden haben könnten. Sie war in ihrer totalen Vertrauensseligkeit nicht eines einzigen verräterischen Blickes der beiden gewahr geworden, nie! Perfekte Tarnkappen hatten die übergezogen. War sie so naiv oder er (und Laura!!!) so raffiniert gewesen? Sie war sich der Treue ihres Philipp felsenfest sicher gewesen. Ein *glaubendes Vertrauen*, das ihr im Elternhaus vorgelebt worden war. Und jetzt gabs keinerlei Möglichkeit mehr, diese Situation zu klären, gar zu bereinigen, keine Möglichkeit einer Versöhnung, ihn gar zur Reue zu bewegen, nichts … Philipp war tot. Sie wird mit dieser furchtbaren Aufdeckung leben müssen. Wütend drückte sie den Abschalteknopf der Fernbedienung. Die hektischen Szenen des Fernsehbildes und das penetrante Quasseln der Menschen darin erstarben umgehend, verhallend bis zur Stille, die bald in Leere überging.

Erneut flackerten die Ereignisse an diesem unseligen Montag in ihrem Kopf herum und ließen sie nicht los – sie wollte am liebsten diesen Tag für immer verbannen aus ihrem Gedächtnis. Vergeblich.

Philipp hatte sie vormittags angerufen und seine Rückkehr für den Donnerstag angekündigt. Sie hatte das, wie so oft, ohne nachzufragen bedauernd hingenommen. Sie freute sich einfach wie immer über seinen Anruf, und dass er an sie dachte und dass alles in Ordnung war bei ihm. An Philipp auch nur im Geringsten zu zweifeln, kam ihr gar nicht in den Sinn.

Und jetzt wusste sie, welch ganz böses Spiel mit ihr gespielt worden war …

Sie erinnerte sich auch, an jenem unglückseligen Abend versucht zu haben, Laura anzurufen, am Festnetz. Wollte locker ratschen mit ihr. Und die war nicht da … Natürlich, wie denn auch! Aber damals wusste sie es nicht, wusste nicht wo sie war. Heute reimt sich alles zusammen. Die war natürlich ebenfalls in Düsseldorf. Algena wusste allerdings nicht seit wann. War auch egal, der Grund sowieso, wahrscheinlich Fototermine oder Vertragsverhandlungen oder Kundenakquise oder sonst was.

Tatsache blieb jedenfalls, dass die beiden ihre Aufenthalte in Düsseldorf stets koordiniert haben mussten. Lauras Termine waren vorgegeben, aber Philipp, und das hatte er ihr immer gesagt, war ziemlich frei in seiner Terminplanung, weshalb Abstimmungen mit Laura kaum Schwierigkeiten gemacht haben konnten. Und dann lebten die beiden beschwingt etliche Tage – besser nächtelang, dachte sie bitter! – ihre traute Zweisamkeit – im Bett, wo sonst?

Algena schauderte.

***

Mechanisch griff sie nach dem halb vollen Rotweinglas, leerte es in einem Zug. Ein bestürzender Gedanke machte sich in ihr breit, brutal und rücksichtslos: Messerscharf und kristallklar wurde ihr bewusst, dass ihr gemeinsames Leben für Philipp nur *sein halbes* gewesen war. Das mit ihr war sein öffentliches, war reinste Makulatur, eine geschauspielerte Liebe. *Die andere Hälfte hatte Laura gehört.* Gelang ihm das womöglich deshalb so perfekt, weil da ein anziehendes Model auf ihn wartete, und zwar mit dem überlegenen Nimbus einer in diesen Dingen absolut souveränen Frau? Das konnte doch alles nicht wahr sein …! Oder doch? Sie wehrte sich, sich mit Laura zu vergleichen, trotzdem sich in ihrem Unterbewusstsein genau diese Unterschiede manifestierten.

Schöne, anziehende Frauen, vor allem wenn sie sich weltoffen geben, mit ihren Reizen zu spielen verstehen, stellen prinzipiell eine immense

Gefahr für Männer dar, selbst für an sich treue Ehemänner. Diesen Grundsatz kannte sie bisher nur vom Hörensagen, hatte ihm deshalb nie weitere Gedanken gewidmet, auch weil sie von ihrem Philipp überzeugt war. War das ein fundamentaler Fehler? Hätte sie es überhaupt fertiggebracht, ständig mit solchen Gedanken, besser, Ängsten herumzulaufen? Keinesfalls!

Vielleicht war ihm sogar gleichgültig gewesen, wer für ihn Haupt- und wer Nebenfrau gespielt hatte. War Philipp eine Art *Frauen-Nimmersatt*, fragte sie sich resigniert und zugleich entgeistert-aufgelöst? Algena fühlte ein völliges Vakuum in sich entstehen. All ihre beidseitige beschworene Liebe … nur Hirngespinste, nur Show? Theater, das man ihr vorgespielt hatte? Von Laura in ihrer Rolle als Freundin ebenso wie von Philipp? Dass er immer sagte, sie „wie seine Königin" zu behandeln, war eine einzige raffinierte Farce, ein ihr dargebotenes Schauspiel, wohl um sie in Sicherheit zu wiegen. … und sie war so leichtgläubig, so einfältig-naiv gewesen, sich einen Seitensprung bei ihm nicht mal vorstellen zu können. War das der Preis dafür, einst einen so außergewöhnlichen Mann gefunden und geliebt zu haben? Wieder dachte sie an den unglaublichen Eindruck, den er ihr gemacht hatte damals bei diesem Empfang – und verfluchte zugleich, in diesen Tagen nicht krank oder sonst wie verhindert gewesen zu sein. Dann wäre sie ihm gar nicht erst begegnet …

Und jetzt? Quälend langsam, aber unerbittlich vollzog sich in Ihrer Psyche eine Art Metamorphose von beispielloser Enttäuschung und Traurigkeit hin zu grenzenloser Wut, abgrundtiefem Hass und rasender Eifersucht auf die andere Frau. Denn war es wirklich nur ihr Philipp, der ihr das angetan hatte? Ja, es gab eine Art Entlastung, eine Art aktiv sich breitmachende Ungläubigkeit über Schuld und Unschuld: Philipp war mit weiblichen Reizen gekonnt verführt worden, versuchte mühsam ihr Verstand das Herz zu beruhigen… Sie wollte und wollte sich einfach nicht damit abfinden, dass Philipp von sich aus untreu geworden sein könnte.

Laura …!!! Laura, ausgerechnet Laura, ihre beste Freundin! War sie mal …

Sich hintergangen zu fühlen, war noch das harmloseste aller emotionalen Eruptionen, die sie bei dieser Erkenntnis heimsuchten. Sie war einem so gewaltigen Gefühlssturm ausgeliefert, dessen Intensität sie bis dato nicht kannte, sich nicht mal vorstellen konnte: Rache! Sie musste und wollte Rache üben, mit Laura abrechnen. Solche destruktiven Gedanken beruhigten sie einigermaßen.

***

Ja. Jaaa!!! Sie würde Laura zu Rede stellen. Sie würde es machen müssen, um halbwegs Frieden finden zu können. Jetzt verstand sie ihre auffallende Reserviertheit in den letzten Monaten und auch ihr seltsames Gebaren am Grab, ihre damals kaum verborgenen Tränen, ihren raschen grußlosen Abgang. Alles sonnenklar jetzt. Ihr Geheimnis mit Philipp würde ja einerseits auf ewig unerkannt geblieben sein, weil er ja tot war, andererseits fehlte er auch ihr offenbar, was bei Laura die Trauer der durch den Tod verlassenen Liebhaberin ausgelöst haben mochte, an sich völlig untypisch bei ihrem normalen „Männerverschleiß" – nicht so anscheinend mit Philipp. Der schien sogar ihr so über alle Zweifel erhaben, dass sie ihn bedenkenlos ihrer Freundin ausspannen wollte (wenn sie einen bestimmten Mann haben wollte, war ihr auch bisher schon egal, ob der verheiratet war oder nicht). Und jetzt sah sie in Algena eine Art lebender Mahnung an das Unberechtigte ihrer Liebe zu Philipp. Auch für sie war der Schmerz seines Todes groß, auch sie musste sich von den Jahren ihrer Liaison mit diesem Mann lösen und weil seine Frau jahrelang ihre Freundin gewesen war, musste auch die aufgegeben werden.

Algena zweifelte am Sinn ihres Lebens. Was blieb ihr an schönen Erinnerungen? Sicher die Zeit des Kennenlernens und die erste Zeit bis zu ihrer Heirat, das war etwa vor fünf Jahren. Und sie würde Laura fragen, seit wann sie sich nähergekommen waren, war sich aber zugleich sicher, keine Antwort zu bekommen, wohl mit Ausflüchten abgespeist zu werden.

Natürlich. Äußerlich hatte sich durch diese Aufdeckung rein gar nichts geändert. Sie musste im Leben wieder Fuß fassen und an eine Zukunft ohne Philipp denken. Aber dass sich die fünf Ehejahre als reine Lebenslüge, als Schimäre entpuppt, ihr Zusammenleben keinerlei inneren Wert gehabt hatte, war für sie äußerst schwer zu ertragen, auch und vielleicht gerade nach Philipps Tod. Dass Laura von guter Frauenfreundschaft zu ihrer ärgsten Feindin mutiert war, war vor dem eigentlichen Hintergrund nur noch eine Fußnote wert. Sie hielt das leere Rotweinglas noch in der Hand, füllte es erneut. Krampfhaft und kampfbetont stellte sie sich das nötige Telefonat mit Laura vor. Von Angesicht zu Angesicht wollte sie sie nicht treffen. Sie würde womöglich durchdrehen. Wie Laura bei einer Konfrontation mit dieser Wahrheit reagieren würde, konnte Algena nicht ermessen. Massive Streitgespräche hatte sie mit ihr bisher nie geführt und führen müssen. Auf den Mund gefallen war Laura allerdings nicht, sie konnte im Fall des Falles hart zurückkeilen, das wusste sie. Und angreifen konnte sie auch, sehr wortgewandt sogar. Sie bezweifelte standhalten zu können, weil sie, Algena, kein Streittyp war und deshalb auch nie von anderen direkt angegriffen wurde. – Algenas Herz zog sich abermals zusammen: Wie oft hatte Laura sie wohl angelogen? Über uninteressante Märchen von Beziehungen zu angeblich tollen Männern gequatscht, die sich jetzt – neben Philipp – als nullachtfünfzehn Typen herausstellten? Waren nur Nebenbeifreuden. In Wirklichkeit interessierte sie nur einer – Philipp, der Ehemann einer anderen, nämlich der ihrer Freundin!

Tagelang sinnierte sie, wie sie Laura mit all dem konfrontieren könnte. Dann stiegen erneut Zweifel empor und nochmals überprüfte sie die Mobilnummer im Handy. Es war Laura. Die SMS ging an ihre Rufnummer – glaubs doch endlich, Algena, forderte sie sarkastisch von sich. Sie versuchte sich den Eingangsdialog mit Laura so plastisch und wortgenau wie möglich vorzustellen, aber so oft sie auch nachdachte, stets änderte sie ihre (vermeintliche) Taktik – und wurde darüber immer nervöser. Es hatte keinen Sinn, das spürte sie. Sie müsste den für sie mental besten Augenblick abpassen, wenn sie sich gerade stark fühlte – und hoffen, dass Laura dann auch da war, abheben würde und nicht nur der blödsinnige Anrufbeantworter ihre salbungsvolle, jetzt verhasste Stimme wiedergeben würde.

So zogen ein paar Tage ins Land. Algena ging ins Geschäft, vertiefte sich in ihre Entwürfe, diskutierte mit Kolleginnen so manche Details, vergaß vorübergehend gnädig ihren heiklen Auftrag. Äußerlich konnte man ihr innerliches aufgewühlt-sein kaum ansehen. Dann, eines Abends, fand sie sich bereit.

Wild entschlossen wählte sie Lauras Festnetznummer. Jeder Klingelton peitschte in ihr Herz. Es klingelte fünfmal und Algena hoffte bereits auf Entlastung, darauf, dass sie nicht da sei …, panische Angst vor ihrer eigenen Courage schnürte sie ein. Die Entscheidung jetzt zu suchen, war von der Sorge, Laura nicht standhalten zu können überdeckt. Aber dann hob sie ab …

„Ja, hier Laura …"

Algena meldete sich knapp.

„Ach du bists, Algena?"

(Algena telefonierte stets mit Rufnummernunterdrückung.)

„Laura, ich …", Algena stockte.

„Ja, was gibts denn??", tönte es verbindlich und freundlich aus dem Hörer.

„………."

Algenas Körper verkrampfte sich. Totalblockade.

„Bist du noch da?"

„Laura, ich……., ich…., äh…., ich muss…., ich…... ich muss mit dir reden."

Algena hörte sich stammeln und fühlte zugleich mit dem Kloß im Hals einen harten inneren Imperativ wirken: Jetzt oder nie!

„Ach du lieber Gott, das klingt ja geradezu dramatisch! Was ist passiert?"

„Es ist nichts passiert! Aber ich möchte dich was fragen!"

„Ja? – Na dann schieß los! Was hast du denn auf dem Herzen?"

„Wo warst du Anfang März?

„Anfang März?? Anfang März, du liebe Zeit …, das ist ja schon paar Monate her? Keine Ahnung. Wie kommst du denn da drauf? Klingt ja fast wie ein Verhör? Anfang März …, Anfang März …, ach ja, natürlich, da war ich ein paar Tage in Düsseldorf für ein Fotoshooting für den neuen Katalog einer meiner Vertragsfirmen. Jetzt erinnere ich mich. Die Kollektion hat mich nicht sonderlich angesprochen, aber ich musste sie präsentieren und die zahlen stets recht gut. Konnte und wollte mich daher auch nicht drücken davor. Wird im Herbst in den Katalogen präsentiert ... – Aber ..., was soll daran so besonders sein?"

Algena spürte ihren Adrenalinspiegel steigen, die aufsteigende Wut verharrte noch unter der Oberfläche, war aber schon deutlich zu spüren ... „Was daran besonders sein soll, fragst du? Sehr viel. Anfang März ist Philipp verunglückt. Am dritten März ..., und zwar in Düsseldorf – ebenfalls in Düsseldorf!"

„Ja, ja, das war allerdings höchst tragisch damals. In Düsseldorf war das, ja, ich erinnere mich ... Und ich war ja auch paar Tage später auf seiner Beerdigung in München. Musste damals schnell weg, am Spätnachmittag zum Abendzug nach Berlin ..." Kurze Pause.

„Aber ..., was hab ich damit zu ..."

Weiter kam sie nicht, denn Algena schnitt ihr hart das Wort ab.

„Sehr sehr viel, Laura!!! Sehr viel hast du damit zu tun, Laura! Ich habe auf Philipps Handy eine SMS entdeckt, die ganz offensichtlich an dich gerichtet war. Erinnerst du dich ...?" Algena erwartete keine Antwort. „Soll ich sie dir mal vorlesen, ja?"

Erneut sprudelte Algena ungebremst weiter ...

„... Ja, ich les sie dir vor, um dir und deinem Gedächtnis auf die Sprünge zu helfen!"

„Algena, was soll ..."

„Hör gut zu: *Wurde aufgehalten, komme heute erst gegen 20 Uhr. In Liebe, Dein Philipp.* Diese SMS ging an DEINE Nummer, Laura. Kannst du mir das erklären, bitteschön? Nein, du brauchst es gar nicht ..., ich weiß Bescheid, der Fakt ist sonnenklar. Er wollte dich am Abend in deinem Appartement besuchen, hat dir eine SMS geschickt, weil man dich ja nicht anrufen kann, du aber garantiert mal in dein Handy geschaut hast, ob vielleicht 'ne message da ist, oder bist per Alertton aufmerksam geworden. Du hattest ja auf ihn gewartet. Nur war nicht eingeplant, dass er auf dem Weg zu dir verunglücken würde. Das passte nicht in ..."

Algena war in voller Fahrt.

Geradezu freundlich unterbrach Laura Algenas Redeschwall. Ruhig und gefasst klang es aus dem Telefon:

„Algena, ja, zugegeben, ich wusste, dass er in Düsseldorf war. Wir hatten uns für diesen einen Abend verabredet, er wollte mich abholen und wir wollten essen gehen … Ja, stimmt, sorry, ich hab das nicht mehr erwähnt, weil ja Philipp tot ist und damit dieses ausgefallene Treffen eh keine Bedeutung mehr hat. Mehr war wirklich nicht und dein unterschwelliger Hinweis auf mein Appartement völlig …"

Algena flippte fast aus.

„Keine Bedeutung mehr?? Und ob!!! Was soll diese verharmlosende Litanei, diese Märchen, die du mir hier auftischst, dieser alberne Versuch, dich rein zu waschen? Lüg mich doch nicht an! Natürlich war da mehr, – er hatte sich nämlich erst für Donnerstag, sechsten März, wieder in München angekündigt. Und bis dahin? – wolltet ihr gemeinsam in Deinem Appartement paar schöne Tage verbringen, Zeit füreinander haben! Und es pfeifen die Spatzen von den Dächern herunter, dass Philipp auch schon vorher ein paar Tage bei dir weilte. Bin mir da ziemlich sicher. Und du willst mir weismachen, dass ihr nur diesen einen Abend zusammen verbringen wolltet? Ich glaub doch nicht an den Weihnachtsmann, meine Liebe. Jetzt, wo mir die Augen geöffnet sind!"

Emotionslos und brutal ruhig klang es aus dem Telefon.

„Okay. Dann weißt du's eben jetzt. Aber beruhige dich! Ja, Philipp war ein paar Tage bei mir. Ich gebs ja zu … Aber Philipp ist verunglückt und tot. Es ist alles aus. Aus und vorbei!"

„Laura", schrie Algena in den Hörer, „Ja. Klar. Mein Mann ist verunglückt! Er ist tot. Wie eiskalt du mir das entgegenschleuderst … Nichts ist aus und vorbei. Im Gegenteil. Ich war mir sicher, und du hasts ja eben auch zugegeben, dass er schon Tage vorher in Düsseldorf war, und dass er bei dir wohnte. Und habt Euch schon vor seinem Unfall ein paar hübsche Tage und Nächte fleißig im Bett vergnügt und mich betrogen! Stimmts???? – Na? Stimmt doch, oder …???"

Algena stöhnte schmerzerfüllt auf.

„Algena, ich …"

Weiter kam sie nicht.

„Und das Schlimmste? Das war doch nicht das erste Mal! Das läuft doch seit Jahren so, Laura, seit Jah--ren!! Gibs doch wenigstens zu! Philipp konnte seine Kundenbesuche in Nord- und Westdeutschland terminlich stets selbst festlegen und hat seine Aufenthalte in Düsseldorf mit den deinen koordiniert. Was war ich blauäugig! Nie ist mir aufgefallen, dass er bei seinen angeblichen Düsseldorfer Kunden stets mehrere Tage zu tun hatte, während andere Kundengespräche meist an einem Tag erledigt werden konnten … Nichts von alledem scheint wahr zu sein. Es gab weder Düsseldorfer Kunden noch einen anderen Grund dort zu verweilen, außer dir. Und diese obskuren Düsseldorf-Aufenthalte gabs x Male in den letzten Jahren – nur seltsamerweise nie, wenn ich ihn mal auf seinen Dienstreisen begleiten konnte. Klar! Weils dort gar keinen Kunden gab. Hab da blöderweise nie weiter nachgefragt. Warum auch. War sein Job. Nie und nimmer hab ich mir vorstellen können, deine Tätigkeiten in Düsseldorf mit Philipps angeblichen Kundenbesuchen dort in Verbindung zu bringen … In Wirklichkeit habt ihr mich seit Jahren hintergangen, vertrauensselig und einfältig wie ich war."

In Algena brodelte es im Überdruck. Sich oft wiederholend, schrie sie wie von Sinnen ihre Anklagen heulend ins Telefon. Sie hatte vollkommen die Contenance verloren und wollte nichts anderes, als das volle Eingeständnis von Laura.

„Algena …! Al-ge-na!!! Philipp ist tooo-ot!!! Was soll …"

Die trotz ihrer eindringlichen Worte beklemmend klar gefasste Laura brachte Algena nur noch mehr auf. Sie war nicht zu bremsen.

„Du und ihr beide habt mich seit Jahren betrogen", wiederholte sie heulend. „So wie's ausschaut fast während der ganzen Zeit unserer Ehe. Ja, Philipp ist tot, aus deinem Mund brauch ich mir das wirklich nicht anhören zu müssen. Ich weiß nicht mehr was, wie und wohin ich denken soll. Ich war felsenfest von unserer guten Ehe überzeugt. Alles sprach dafür. Was für ein fataler Irrtum! In Wirklichkeit hatte Philipp eine Nebenfrau, eine Freundin, noch dazu ein Model, nämlich dich …, die ganz nebenbei auch

noch die Freundin seiner Ehefrau war. Gott, was war ich mit Blindheit geschlagen!"

„Algena, das stimmt doch so gar nicht! Wir waren erst …"

Algena kannte keine Grenzen mehr zwischen wissen und vermuten.

„Und überhaupt …, ich weiß ja gar nicht, wann das angefangen hat, wie
oft ihr euch sonst noch hier in München getroffen habt."

Dass sie das gerade jetzt vielleicht erfahren hätte, wenn sie Laura hätte
ausreden lassen, ist in ihrer Wut völlig untergegangen.

„Wie Schuppen fällts mir von den Augen, wenn ich an so diverse Tage
und Abende denke, wo Philipp aus welchen Gründen auch immer außer
Haus war, Überstunden machen musste, angeblich, oder eine Abendbespre-
chung in der Firma hatte. Gelegenheiten *en masse*, um sich mit dir treffen
zu können. Und ins Bett steigen kann man auch ohne zu übernachten. Was
war ich naiv …"

Laut schluchzte Algena.

„Unsere Ehe dauerte gerade mal fünf Jahre und war eine ebenso fünfjährige Lebenslüge, wenn ich mir das alles richtig zusammenreime."

Und herrschte sie jetzt in scharfen Worten fordernd an:

„Ach ja … Und wie hast du eigentlich meinen Mann mir damals abspenstig gemacht, wenn ich dich fragen darf? Antworte!"

Laura blieb in ihrer beherrschten Stimmungslage, die mit Algenas *Au-
ßer-sich-Sein* hart kontrastierte.

„Abspenstig gemacht …, abspenstig gemacht? Blöde Frage! Warum
wirfst du eigentlich MIR vor, wenn DEIN Mann DIR untreu wird? Das waren seine Wünsche. Damit hab ich erst mal nichts zu schaffen! Allerdings
meinte er, die häusliche Atmosphäre wäre ihm oft zu banal, zu etabliert-
konservativ, zu hausbacken. Ja, er hat mir den Hof gemacht, mich umgarnt,
mich regelrecht verführt! Er war eben ein Könner. Und die Unschuld vom
Lande spielen liegt mir nun gar nicht und das weißt du auch! Was kann ich
dafür, dass ausgerechnet dein Mann mir auf diese Weise begegnen
musste?"

Lauras ungeschminkte Offenheit und Chuzpe, einfach Philipp verantwortlich zu machen und sich reinzuwaschen, ließ Algena auch noch den

letzten Rest an Hemmungen vergessen. Dass sie vor allem in puncto Männer ein eiskaltes Weib war, hatte sie bisher an Hand vieler Indizien vermutet, ja sogar gewusst, aber nie in dieser Direktheit erlebt … Ihre Männergeschichten sprachen allerdings alle diese Sprache. Das war ihr nicht neu. Aber der Vorwurf, die Stimmung zu Hause wäre ihm zu hausbacken und so weiter, traf sie mitten ins Mark, ins Selbstverständnis. Und kein Wort von ihr, wann das angefangen hatte …

„Also das ist doch das absolut Allerletzte!", brüllte Algena in die Muschel. „Kein Wort glaub ich dir! Sein Verhalten hatte nie auch nur im entferntesten Anlass gegeben zu glauben, dass er sich zu Hause nicht wohlgefühlt hätte. Ja, aber ich weiß wohl, was du bist, Laura: In deinem Verhalten Männern gegenüber bist DU das Allerletzte, lässt sie tanzen wie Puppen, um sie dann zappeln zu lassen, wenn sie angebissen haben, dir hörig sind, du ihre Gier nach Sex genug angestachelt hast, manchmal erfolgreich, wenns dir gerade passt. Du nimmst sie aus, wenn sichs lohnt und gibst ihnen brutal den Laufpass, wenn sie dir lästig werden, zu sehr auf die Pelle rücken. Ich hab deinen Eskapaden stets gut zugehört. Nicht selten taten mir die Typen leid! Und mein Philipp war anscheinend der Erste, den du dir ernsthaft krallen wolltest, wie?? Eine gottverdammte Schlampe bist du, dass du's weißt!"

Zugleich und während das alles aus ihr heraussprudelte, spürte sie in nie gekannter Eifersucht Zweifel in sich aufsteigen: Philipp? Mein Philipp? Konnte das möglich sein? Dass er der weiblich-durchtriebenen Anziehungskraft dieser brutalen Hyäne nicht hatte widerstehen können? Stattdessen mir eine perfekt inszenierte Liebesshow vorgespielt hatte, um seinen Seitensprung zu tarnen? Sollte sie sich tatsächlich so fundamental in ihrem Philipp getäuscht haben? Kurz wankten ihre Sinne … Nein! *Sie* wars … *Sie*! Und nicht er!

„Algena, es reicht …, es rei …"

„Und was das *verführen* betrifft: DU hast ihn verführt, nicht er dich, DU hast ihn heißgemacht, ihn mit einschlägigen Avancen umgarnt. DU hast mein Vertrauen, unsere Freundschaft, schändlich missbraucht, hast mich nach Strich und Faden hintergangen, du schamloses Luder du …, und zeigst nicht den kleinsten Hauch von Reue. Wie ein Flittchen, dem er verfallen ist, Laura, ein unglaublich unverfrorenes Flittchen, das sich ihn geangelt hat, ohne jedes Ehrgefühl im Bauch. Du hast mir jahrelang die treue gute Freundin vorgespielt, aber im Hintergrund so oft wie möglich mit meinem Mann gevögelt. Und du fragst, was du damit zu schaffen hast? Palaverst von Banalität in unserem Alltag und quatschst von seinem angeblichen Erlebnisdefizit und so. Eine unglaubliche Frechheit ist das. Was hast du mich angelogen all die Jahre, Laura!"

In die kurze anschließende Verschnaufpause konterte Laura sofort, aber nicht mehr so gelassen wie bisher.

„Nun halt mal ordentlich die Luft an, Algena! Wenn DU deinem Mann in eurem gemeinsamen Leben nicht die Atmosphäre bieten und geben konntest, die er erträumt hatte, die er brauchte und verdiente, dann mach ihm nicht den Vorwurf, sich das anderswo zu suchen. Weil du anscheinend blauäugig und blind keinen Dunst von einer Ahnung von der wirklichen Gefühlslage, den wirklichen Bedürfnissen deines Mannes hattest. Er brauchte jemand ihm ebenbürtigen, eine souveräne weltgewandte Frau und kein bieder-kleinkariertes sich ewig zierendes Hascherl. Ich konnte jedenfalls seine Visionen besser erfüllen als du, leider immer nur für kurze Zeit! Algena, jetzt ist er tot! TOT, verstehst du?? Tot!!! Philipp ist tot!!! Ich habe keine Lust mehr auf weitere Diskussionen!"

Diese jetzt pure Offenheit, dieses Bekenntnis, das nichts verniedlichte, oder relativieren wollte, raubte Algena die weitere Kampfeslust und sie fasste sich geradezu bedrohlich ruhig in ihrer als Quintessenz emporsteigenden Gewissheit.

„Laura, du hast mein und unser ganzes Lebensglück der letzten fünf Jahre auf dem Gewissen. Du hast es kaltblütig zerstört, dich dem Mann Deiner besten Freundin an den Hals geworfen, seine angeblichen Herzensvisionen angehört und ihm im Bett sicher den tollen Sex geboten, den ein Mann seines Formates nach deinen Worten nur von dir bekommen konnte. Und mich stellst du als naiv-einfältiges treudoofes Dummchen hin. Was für eine grenzenlose Infamie!"

Algena merkte nicht, diese letzten Worte in eine tote Leitung gesprochen zu haben. Laura hatte das Gespräch beendet.

Fassungslos und völlig übererregt saß Algena auf ihrer Couch und konnte sich kaum beruhigen. Andererseits: Es war vollbracht. Sie war ihre Anklage losgeworden und das Wichtigste: Laura hatte wenigstens alles zugegeben. Freilich nicht zerknirscht und schuldbewusst, sondern selbstsicher wie stets, hatte im Grunde die Affäre Philipp in die Schuhe geschoben, letztlich ihr, Algena, wegen angeblich unerfüllter Ehevisionen. Unglaublich! Welch ein ungeheuerlicher, unverschämter Vorwurf!

Und das Allerschlimmste: Philipp war tot und dieses durchtriebene Weib lebte. Keine Chance mehr auf Versöhnung mit Philipp, stattdessen wusste sie um eine Laura, die den Verlust bald ad acta gelegt haben und entspannt weiterleben würde. Sie hingegen musste die ganze Last weiter ertragen. Umbringen könnt ich sie, fauchte Algena innerlich.

Von Laura jedenfalls würde sie eine echte, bedauernde Entschuldigung für ihr Verhalten, ein zerknirschtes Eingeständnis, nie und nimmer bekommen. Das wusste Algena. Es wäre der einzige Balsam gewesen, ihrer abgrundtiefen Wut ein wenig Linderung zu verschaffen.

Auch wie sie ihr jemals wieder in die Augen sehen konnte, war ihr völlig unklar. Laura, dieses Biest, gehörte zum Kreis ihrer Freunde und nahm, wenn sie nicht beruflich außer Haus war, an vielen Unternehmungen teil wie Theater, Partys und bei Wanderungen der Gruppe. Sollte, musste das jetzt alles für sie, Algena, perdu sein? Musste sie gar diesen ganzen illustren, aber doch gewohnten Kreis aufgeben? Es könnte so kommen, auch wenn sicher einige, die Lauras ungenierte exzentrische Eskapaden bisweilen nervten, zu ihr halten würden.

Von der entdeckten Schlüssel-SMS und auch ihrer telefonischen Auseinandersetzung mit Laura hatte sie in den anschließenden Wochen niemandem erzählt – weil es ihr so peinlich war, weil sie sich schämte, bekennen zu müssen, dass Philipp und Laura sie auf ganzer Linie betrogen hatten. Wie wäre sie, Algena, dann dagestanden? In diesem oft so blasierten Umfeld? Man hätte sie schnell als diesem Traum-Mann nicht ebenbürtig abstempeln können. Wäre wie Spießrutenlanfen gewesen. Im Boden hätte sie versinken müssen. Und Attribute wie *Naivität*, *Biederkeit* und eben *unfähiges Dummchen* wären bald an ihr hängen geblieben. Für sie das Allerschlimmste. Durfte keinesfalls geschehen. Sie spürte, alles letztlich mit sich selbst ausmachen, sich selbst, ohne Hilfe durch andere aus dem Dreck ziehen zu müssen. Höchstens Isabelle könnte sie einweihen, aber auch da hatte sie gewisse Hemmungen. Sich zu trennen ist längst gesellschaftsfähig geworden (auch wenn ihr Elternhaus noch altem Denken nachhing), aber auf solch umfängliche infame Weise betrogen worden zu sein, lässt Betrogene richtig schlecht aussehen, das ist das eigentliche Problem. Deshalb das zu bekennen, dafür reichte selbst die Vertrautheit zu Isabelle nicht aus. Laura hingegen konnte entspannt bleiben: Es gab keinerlei Veranlassung für sie, irgendwas von ihrer heimlichen Liaison rauslassen zu müssen. Niemand ahnte ja auch nur das geringste davon, weil Laura darauf achtete, dass ihre zur Schau getragene Unabhängigkeit nie angezweifelt wurde. Und Philipp hatte das geschluckt. Und jetzt war er tot und über alles konnte das berühmte Gras wachsen. Was für ein eiskalt-berechnendes Weib!

Mit nicht gelindem Entsetzen wurde ihr bewusst, im Grunde niemanden zu haben, mit dem sie über dieses jahrelange Parallelleben ihres Mannes reden konnte. Auch Leon, ihr Bruder, mit dem sie sich gut verstand, würde ihr nicht helfen können. Der wohnte nicht nur weit weg in Osnabrück, sondern hatte auch kaum Einblick in ihre Freundschafts- und Bekanntschaftsbeziehungen. Er würde sie sicher verstehen, keine dummen Fragen stellen, sie ehrlich bedauern. Aber helfen? Tragbare Ratschläge geben oder sie trösten? Wohl nicht. Nicht weil er's nicht wollte, sondern weil er mit seiner Lebenseinstellung kaum hätte verstehen können, dass so was „Verwerfliches" in ihrer Familie vorkommen könnte und die Schwester das nicht mal bemerkt hatte. Und obendrein würden es über kurz oder lang die Eltern erfahren…. Und das durfte nun absolut nicht sein.

Philipp war tot, und zu diesem Tiefschlag, der ihr bisheriges zuversichtliches Leben bereits vor wenigen Monaten beendet hatte, war noch ein nicht auslöschbarer, furchtbarer weiterer dazugekommen. Es war die Kehrtwendung aller hoffnungsfroher Visionen, die sich mit ihrer Heirat und Ehe verbunden hatten und ihr bisweilen nicht unproblematisches Verhältnis zur Männerwelt einst als Single jetzt wiederaufleben lassen könnte. Wie ein Cocktail, den sie freudig getrunken hatte, bevor er sich nachträglich als ungenießbare Gift-Mischung erwiesen hatte. Und jetzt stand sie vor dem Scherbenhaufen fünf verlorener Jahre!

Eine attraktive, lebensbejahende junge Frau von einunddreißig Jahren mit vielen Plänen für die Zukunft verwandelte sich über Nacht in ein um seine Lebensvisionen kämpfendes Menschenleben.

In dieser schicksalsträchtigen Nacht brachte Algena kein Auge zu und meldete sich am nächsten Morgen in ihrem Atelier krank.

Teil 2

S chon vor zwei Wochen überlegte Algena, ob sie ihren zweiunddreißigsten Geburtstag am zehnten Oktober, einem Freitag in diesem Jahr, überhaupt feiern sollte und, wenn ja, wie das dann ablaufen könnte. In den vergangenen Jahren hatte Philipp sie meist genau an
diesem ihrem Ehrentag regelmäßig in ein edles Lokal zum Abendessen ausgeführt. In diesem Unglücksjahr war alles anders und nach Feiern war ihr
eigentlich absolut nicht zumute. Für den Freundeskreis galten Geburtstage
stets als willkommener Anlass, am darauffolgenden Wochenende privat in
den „heiligen Hallen des Geburtstagskindes" zu feiern – willkommene Anlässe für Partys. Und die Freunde ließen sich nicht lumpen …, brachten tolle
Köstlichkeiten mit. Die Gastgeber sollten keine Arbeit haben. Zweimal im
Jahr gabs in den vergangenen Jahren also eine ausgelassene Fete bei ihnen,
im Sommer für Philipp und Mitte Oktober eben für sie. Bei trockenem, vor
allem warmen Wetter wurde auch die großzügige Terrasse einbezogen samt
Schwingen des Tanzbeins. Das waren immer Highlights gewesen. Zu Philipps Geburtstag im August (er war „Löwe") hatten zwar einige der Freunde
angerufen, Algena hatte sich aber nur recht förmlich für das Gedenken an
ihren Mann bedankt. Sie wollte keinesfalls „Schalmeiengesänge" über ihn
hören oder gar bedauert werden von Uneinfühlsamen und die Freunde deuteten dieses ansich ungewohnte kurz angebunden sein als Trauer über ihren
toten Mann. Für sie jedoch war der Grund ein ganz anderer: die unglaubliche Enttäuschung über ihn. Das wusste aber niemand.

Nach den Ereignissen dieses Jahres wäre eine solche Groß-Festivität zu
ihrem Geburtstag ein wahrer Horror für sie – und völlig unpassend. Am
besten schwerhörig sein gegenüber unterschwelligem Anklopfen einiger

Gedankenloser. Letztlich hoffte sie auch hier auf stillschweigendes Verständnis.

Obendrein fürchtete sie panisch, Laura könnte die Chuzpe haben, locker lässig hier in der Wohnung ihres einstigen verheirateten Freundes mit aufzukreuzen und sich wie üblich ohne viel Hemmung aufzuspielen, als ob nichts gewesen wäre (für alle anderen *war ja auch nichts vorgefallen*). Das hätte ihr gerade noch gefehlt, am Geburtstag gute Miene zum bösen Spiel machen zu müssen: Lauras „Spiel" war bei der sicherlich längst ad acta gelegt, ihre, Algenas Verletzungen dagegen waren es nicht. Die nahmen, seit das furchtbare Geheimnis gelüftet war, eher noch zu, vor allem weil Laura ihr gegenüber nicht die geringsten Anzeichen von schlechtem Gewissen erkennen ließ, im Gegenteil. Die war fast immer in bester Stimmung. In Wirklichkeit war ein nahezu unmöglich gewordenes, reserviertes Frauen-Verhältnis entstanden. Die beiden begegneten einander in ambivalenter „herzlicher Abneigung", aber bewahrten aus unterschiedlichen Motiven strengstes Stillschweigen über ihre fatale Verstrickung.

Also keine große Geburtstagsparty! Jedenfalls nicht mit der Gesellschaft der Freunde und Bekannten. Überall, wo Stimmung, Ausgelassenheit, Feiern eben angesagt war, hielt sich Algena schon seit längerem reserviert zurück. Der ganze oberflächliche Small Talk, das locker-flockige Herumalbern allenthalben, jeder den anderen geistreich übertreffen wollend, ödete sie an, derzeit wenigstens, und ihre nach wie vor angeknackste Befindlichkeit interessierte eh kaum noch einen.

Auch den gemeinsamen Oktoberfestbesuch Ende September hatte Algena sausen lassen. In ausgelassener Stimmung auf den Bänken herumhopsen, feierseliges Verbrüdern und schmierige Bier-Flirts – all das wollte sie sich nicht antun, keinesfalls. Albert hatte sie schon Mitte September von den reservierten zwanzig Plätzen in der Box „Chiemsee" im Bräurosl-Zelt informiert – alles wie gehabt, jedes Jahr dasselbe. Sie hatte spontan abgesagt. „Albert, versteh mich bitte. Du erinnerst dich, wie gern Philipp und ich immer dabei waren auf der *Wiesn*, aber jetzt ist alles anders!" Mit Albert und seiner Frau Eleonore verstand sie sich gut, beides erfolgreiche, distinguierte Freunde, dabei aber ohne jegliches elitäre Gehabe. Albert hatte auch das meiste Verständnis für ihre Not in den Wochen nach Philipps Tod gezeigt. Er war alles andere als ein seichter Leichtfuß. Trotzdem: Geburtstag haben und allein sein? War auch nicht der Hit, denn dann wären depressive Gedanken an diesem Abend geradezu vorprogrammiert. Tagsüber war sie eh im Geschäft und für den Abend lud sie kurz entschlossen Isabelle samt ihrem Georg auf ein Glas Wein und ein paar Snacks ein. Die beiden, vor allem Isabelle, taten ihr gut, sie lachten gerne miteinander, verstanden sich. Erst dachte sie daran, ihre einstige und nur kurzzeitige Kollegin Claudia mit dazu zu nehmen, aber die würde das dann Rebekka erzählen und Sylvia, einer Kollegin, mit der sie sich recht gut verstand ... Es würde Kreise ziehen und gerade das wollte sie nicht dieses Jahr. Also nur Isabelle und Georg. War okay.

Der zehnte Oktober kam und in ihrer Arbeitsstelle nahm sie Glückwünsche am Geschäftstelefon entgegen oder an ihrem Handy, darunter natürlich von ihren Eltern und dem fernen Bruder Leon, aber auch von Freunden und Bekannten. Sogar Laura hatte sich per SMS gemeldet, reichlich unpersönlich mit einem kurzen Gruß und der nichtssagenden Formel *Glückwunsch zum Zweiunddreißigsten! Hoffe, es geht dir gut, Laura.* Einige Sekunden verweilten ihre Augen auf dem Display mit den wenigen Worten, dann drückte sie entschlossen die Löschtaste. Ihr Hass auf diese Frau war ungebrochen. Philipp war tot und Laura lebte ..., ihre Wut über diese Infamie des Schicksals kannte keine Grenzen, unerbittlich immer wieder aufs Neue.
Zum Glück sprach keiner der Gratulanten sie auf ihre innere Verfassung an. Man lebte im Jetzt und Philipps Tod lag ja auch schon an die sieben Monate zurück. Sie war froh, nicht Rede und Antwort stehen zu müssen über innere Nöte, die sie nach wie vor plagten. Ansonsten hatte sie sich im Atelier wieder einigermaßen gefangen. Die Stimmung war wieder aufgehellt, die KollegInnen nett zu ihr – was ihr gut tat bei all der sonst üblichen stressbedingten Funktionsunpersönlichkeit. Der Chef, heute ausgesprochen spendabel, ließ am späteren Nachmittag Sekt springen und nach einer knappen Stunde Zusammenstehens mitten im sonst so betriebsamen Entwurfsstudio trollte sich einer nach dem anderen oder das (Geschäfts-)Handy

klingelte oder es gab noch dringende Erledigungen für morgen. Die üblichen Verhältnisse gegen Ende kleiner privater Feiern am Arbeitsplatz. Die Runde dünnte zunehmend aus und löste sich schließlich bald auf. Feierabend.

Algena verabschiedete sich leicht benebelt und schloss eine Dreiviertelstunde später gegen achtzehn Uhr, wieder in Solln angekommen, ihre Wohnungstür auf. Etliche Geburtstagspost, nichts Aufregendes, ein paar Anrufe auf dem Anrufbeantworter.

***

Gegen halb sieben Uhr klingelte das Telefon.

„Hallo Algena, hier ist Harry …, Harry Waldner …, erinnerst du dich an mich?"

Algena hatte seit Jahren kaum mehr was von Harry gehört. Auf Philipps Beerdigung hatte sie ihn unter den vielen Menschen kurz ausgemacht, aber er hatte nicht kondoliert. Sie wusste nicht mal, ob er inzwischen verheiratet war, gar Kinder hatte. Und jetzt? Diese vertraute sonore Stimme, wie früher! Sofort glimmte längst erloschen geglaubte, alte Erinnerungsglut in ihr wieder auf. Was hatte sie diesen jungen Studenten einst geliebt, mehr als alle anderen, gerade auch wegen dieser betörenden Stimme … Ungefähr acht oder neun Jahre muss das her sein.

„Harry??? Du? Na, das ist ja mal 'ne Überraschung. Jaaa, …" Kunstpause, „Wie gehts dir denn so?" Mehr als diese Allerweltsfloskel brachte sie nicht heraus.

„Erst mal wollte ich dir zum Geburtstag gratulieren. Den weiß ich nämlich noch, auch wenn ich mich die letzten Jahre nicht mehr gemeldet hatte. Du hattest mir damals erzählt, demnächst zu heiraten und dann hatte ich nicht mehr den Mut, bei dir anzurufen. Das Unglück mit deinem Mann im März hatte sich rumgesprochen und deshalb war ich dann auch auf der Beerdigung. War schon ein rechter Schicksalsschlag für dich, wie gehts dir denn inzwischen?"

„Danke, lieber Harry, erst mal für die Geburtstagswünsche. Kann ich brauchen. Ach Harry, es geht solala, das mit meinem Mann ist eine unerquickliche Geschichte. Ich bin immer noch dabei, wieder Fuß zu fassen in einem Leben alleine und es fällt mir außerordentlich schwer. Übrigens danke, dass du damals zur Beerdigung gekommen warst. Du hättest mich ruhig ansprechen können. Aber ich weiß, kondolieren am Grab fällt keinem leicht."

„Ja, hätte ich. Irgendwas hat sich in mir gesperrt damals, weiß auch nicht recht was und warum." Er machte eine kurze Pause. „Weißt du, dass ich vor knapp zwei Jahren auch geheiratet habe und wir sogar schon ein Kind, einen Sohn, den Maximilian, haben? Fünfzehn Monate ist er alt, ein aufgewecktes Kerlchen!"

„Nein, wusste ich nicht. Wie heißt denn die deinige und wie hast du sie kennengelernt?"

„Ach, reiner Zufall. Bei der Party eines Freundes. Rosi ist eine zuverlässige, betriebsame Person, keine Filmschönheit, aber gut anzusehen und anfangs hatte ich sie fast ignoriert. Dann im Lauf des Abends sind wir ins Gespräch gekommen, haben uns auch mal verabredet. Na ja, so kommt der Zug halt in Fahrt."

Algena hörte wieder fasziniert in den Hörer hinein. Erinnerungen stiegen ziemlich eruptiv aus ihrem Unterbewusstsein auf, wie Lava aus einem nur scheinbar erloschenen Vulkan. Diese erregend dunkel-männliche, lange nicht mehr gehörte Stimme. Längst trennten sich in ihrer Aufmerksamkeit Stimme und Inhalt. Vermutlich bekam sie nur die Hälfte dessen mit, was Harry zu berichten wusste.

„Harry …, ähm …, sag maaal …, ich weiß, ist super kurzfristig, aber…, äh…, hättest du heute Abend zufällig Zeit? Eine Freundin und ihr Freund kommen gegen neunzehn Uhr auf ein Glas Wein zu mir. Hättet ihr beide nicht Lust vorbeizukommen?"

Algena war unschlüssig, aber hatte nicht übel Lust, ihn wieder mal zu sehen …, zu sehen was aus ihm geworden war nach all den Jahren. Das letzte Mal gesehen …? Wann das war? Keine Ahnung, vor ihrer Heirat, das schon, sicher, aber wann genau? Keine Erinnerung mehr.

„Oh, das ist allerdings knapp! Wir sind zu Hause, warum also nicht? Ja …, du …, ich komm gerne, aber natürlich allein. Der Nachwuchs, du verstehst. Rosi ist recht zurückhaltend in diesen Dingen, man könnte auch sagen: häuslich. Wir gehen zu zweit nur noch aus, wenn mal zufällig die Großeltern aus Regensburg zu Besuch da sind."

„Verstehe. Aber wenn du kommst, freu ich mich, Harry. Es ist ja schon nach halb sieben. Und wenns ein bisschen später wird – macht nix. Die Freundin, die noch kommen wird, ist übrigens Isabelle. Erinnerst du dich an sie? Du müsstest sie gekannt haben, sie war schon meine Freundin, als wir beide noch zusammen waren."

„Isabelle? …, Isabelle …, ach ja, war das nicht das Mädchen, das irgendwann, glaube kurz vor Abschluss oder wars in den Monaten drauf, weiß nicht mehr, den Modeberuf geschmissen hat und dann Sekretärin geworden ist?"

„Genau. Du erinnerst dich also. Na, das verspricht ja geradezu eine kleine Wiedersehensparty zu werden. Du wirst sehen, mit Georg, ihrem Freund, wird man auch schnell warm."

„Na dann bin ich ja gar nicht so fremd in eurer erlauchten Runde. Also abgemacht. Deine damals neue Adresse in Solln steht noch in meinem alten Telefonbuch. Ihr seid doch nicht umgezogen seither?"

„Nein. Ich lebe immer noch hier. Komm halt, sobald du wegkannst, ja?"

„Alles klar, na bis dann, tschüss, Algena!"

„Tschüss Harry, bis später."

Algena war leicht benommen. Die Nachwirkungen des Sektes vom Nachmittag und jetzt dieses unerwartete Telefonat, ja diese illustre Wendung ihrer Vorstellungen für diesen Abend … Wie schön, dass Harry angerufen hatte. Und so unverhofft. Algena spürte einen Anflug von Euphorie. „Wird sicher ein interessanter Abend", sinnierte sie – und dachte zugleich an ihren einstigen flotten Freund: „Eine Rosi hat er jetzt also. Wie kann ein Mann wie Harry *eine Rosi* heiraten? Der Name klingt schon so super-brav". Algena schluckte. *Nomen est omen.* „Sie heißt eben Rosi …", wiederholte sie innerlich und sie dürfte auch „*eine Rosi"* und „*wie eine*

Rosi sein" ..., hausbacken, häuslich und bieder-konservativ eben, wie er ja auch angedeutet hatte. Sagt alles!

***

Gegen neunzehn Uhr fünfzehn trudelten Isabelle und Georg ein. Die beiden waren bester Laune, wünschten ihr alles alles Liebe und Gute und Georg drückte Algena einen großen Blumenstrauß mit einer noch größeren Herzmanschette rundherum in die Hand, das zerknüllte grüne Schutzpapier diskret in Isabelles mächtiger Frauentasche verschwinden lassend.

„Hi, da seid ihr ja, pünktlich wie die Maurer. Oh, wie schön ist dieser Blumenstrauß und das wunderbare Herz ...", freute sich Algena, „und vielen vielen Dank für eure guten Wünsche, na die kann ich brauchen, da kann man nie genug davon bekommen", lachte sie.

„Ich hab übrigens auch 'ne Überraschung für euch, zumindest für dich, Isabelle."

„Und die wäre?"

„Harry Waldner wird kommen und mit uns mitfeiern. Erinnerst du dich an ihn?"

„Harry Waldner? Harry ..., der war doch mal ..., hm, dein Freund gewesen, vor langer Zeit. Mein Gott, was warst du verknallt in den. So ganz hatte ich dich damals nicht verstanden. Ihr habt meiner Meinung nach nicht so recht zusammengepasst, fand ich. Da gabs doch immer wieder mal Knatsch zwischen euch, oder? Manchmal, erinnere ich mich, hat er dich schon reichlich selbstherrlich rumkommandiert, oder? Wie so 'n kleines freches Früchtchen, fand ich, oder nennt man sowas nicht Pascha-Allüren? Wie bist du wieder auf ihn gekommen?"

Stimmt natürlich, bekannte Algena innerlich, schon richtig, aber er war trotzdem mein absoluter Traummann damals, das konnte sie halt nicht ahnen, auch weil ich das schon damals nicht so hoch hängen wollte.

„Ganz einfach. Er hat mir erst vor 'ner knappen Stunde zum Geburtstag gratuliert und ich hab ihn kurzer Hand gefragt, ob er heute Abend Zeit hätte, mit uns zu feiern – und er hat zugesagt. Vielleicht wirds 'ne Stunde später."

Isabelle freute sich, aber einen kleinen Schuss nachdenklicher Skepsis konnte sie nicht verbergen.

„Harry also …, ich weiß nicht so recht …, ausgerechnet Harry? Na ja, warum nicht? Kommt der allein? Oder hat er 'ne Freundin, die er mitbringt?"

Algena beschwichtigte die nachdenkliche Isabelle:

„Keine Sorge, Isa, der ist inzwischen verheiratet und bereits Vater eines Sohnes mit eineinhalb Jahren. Stell dir vor, das hat er mir gleich zu Anfang brühwarm verraten."

„Verheiratet …? Der …? Ehrlich??? Na ja, und das trotz seiner gelegentlichen Luftikus-Allüren. Vor allem, wenns um hübsche Mädels ging, war er kein Kostverächter."

Algena gabs einen winzigen Stich im Herzen. Allerdings …, manchmal hatte sie als seine Freundin Kummer wegen allzu offensichtlicher „Stielaugen" gehabt …, erinnerte sie sich.

Isabelle, realistisch: „Aber klar, der wird eben auch älter. The show must go on … Ist ja interessant …, der Harry …, als etablierter Familienvater …, kaum zu glauben."

Isabelle kehrte ein ganz kleines bisschen in sich, versetzte sich offenbar in die damalige Zeit zurück und, etwas bedächtig gesprochen, wie wenn sie seine Ernsthaftigkeit prüfen wollte: „Jaaa …, und bringt er denn die Seinige mit?"

„Nein, weil ihr Sohn noch zu klein sei und Rosi, so heißt seine Frau, mehr häuslich gepolt sei." Und nachdenklich, mehr zu sich: „Sie hätten ihn ja mitnehmen können …" Algenas Stimme verriet deutlich abwertend ihre Gedanken zur Häuslichkeit. „Aber das wollte er ihr wohl nicht zumuten." (Den Vorschlag hatte sie ihm allerdings erst gar nicht gemacht).

„Na ja, kann man auch verstehen." Isabelle beendete entschieden und verständnisvoll dieses Thema.

Georg kannte Harry nicht. War lange vor seiner Zeit. Aber er hatte genauestens zugehört, machte sich seine eigenen Gedanken über die drei und erkannte vor allem messerscharf, dass Isabelles Freundin, so wie's aussah, von dem keineswegs schon gänzlich „geheilt" war, trotz der fünf Ehejahre dazwischen, und noch ein paar ohne ihn davor. Versprach jedenfalls, ein interessanter Abend zu werden.

Im Essbereich des Wohnzimmers war der Tisch gedeckt. Großbauchige Rotweingläser standen neben kleineren Gläsern fürs Wasser und in der Tischmitte lockten zwei silberne Platten mit Kanapees und Snacks. Hatte sie beim Partyservice in Solln kurzfristig bestellt. Nur eine kleine Menge. Dazwischen standen noch ein paar edle Porzellanschalen mit diversem Knabberzeug, Erdnusskernen und Oliven. Zwei attraktive dreiarmige Kerzenleuchter (die hatte einst Philipp während einer Dienstreise in einem Antiquitätengeschäft erstanden) schmückten den Tisch und die farblich auf die hellblaue Tischdecke abgestimmten Servietten deuteten auf guten Geschmack und Auswahlsicherheit der Hausherrin. Es sollte ein würdiges kurzweiliges Zusammensein im ganz kleinen Kreis werden, wünschte sich Algena.

Algena bat die Freunde ins Wohnzimmer und, wie bei jedem Besuch, faszinierte Isabelle das edle Ambiente dieses geschmackvoll eingerichteten Raumes.

„Sag mal, dort drüben auf dem Sideboard stand doch immer dieses große Standbild mit einem Porträt von Philipp. Es ist nicht mehr da. Hast du es weggelegt? Hm … Und warum?"

Isabelle nahm im Allgemeinen kein Blatt vor den Mund. Wenn sie was wissen wollte, fragte sie ohne Umschweife.

„Ach …, es ist vor Kurzem beim Putzen runtergefallen. Das Glas ist kaputt. Ich musste es zum Glaser bringen. Bei dem dauert das immer."

Wie locker ihr diese reichlich platte Lüge über die Lippen kam, wunderte Algena selbst. Bei dem unverhofften Schäferstündchen mit Henning vor einigen Wochen hatte sie das Bild äußerst irritiert und es gleich am nächsten Tag entfernt. Sie wollte in solchen Situationen seinem Blick nicht mehr schutzlos ausgesetzt sein. Und außerdem: Genauso wie das Bild jahrelang zu ihrer Freude und aus Liebe zu ihm das Zimmer beherrscht hatte, so stieß sie es jetzt nach ihrer Riesenenttäuschung über ihn vehement ab, nur dass sie davon niemandem auch nur ein Sterbenswörtchen gesagt hatte, nicht mal ihrer Freundin Isabelle. Ihre fünfjährige Ehe als große Lebenslüge zu bekennen, war zu bitter. Stets, wenn sie nach dem Verbleib des attraktiven Bildnisses gefragt wurde, bewahrte Algena nur mühsam die Contenance. Niemandem waren zum Glück bei diesem Thema ihre inneren Nöte bisher aufgefallen. Auch Isabelle nicht … Rasch wechselte sie das Thema.

„Kommt ihr rüber zum Esstisch?", rief sie, „Ich hab was hergerichtet für uns. Kanapees, Snacks und Rotwein aus Südfrankreich. Ich weiß, dass ihr den schätzt." (Insgeheim hoffend, dass das Thema Philipp erst mal ausgestanden war …)

Schnatternd und fröhlich in lebhafte Gespräche verwickelt, setzten sie sich. Das Übliche, was sonst? Geschäft, aktuelle Pläne, Urlaub, der neueste Tratsch usw. Algena genoss die beiden unkomplizierten Menschen, die gerne lachten und ihr so richtig guttaten. Immer wieder spürte sie das. Hier gabs kein falsches Rollenspiel, dessen sie so überdrüssig war. Hier war man direkt und authentisch – und absolut ehrlich zueinander (na, ja, bis auf das mit Philipp vorhin, schränkte sie innerlich bitter ein …).

∗∗∗

Es klingelte. Algena raste zur Haustür – und stand dem groß gewachsenen Harry gegenüber. Lockere legere Kleidung, flotte helle Hose im modischen Jeansschnitt, eine dunkelblaue Anzugjacke über einem rotlila Hemd – gewagt durchaus, „aber kann man", wertete ihr kundiger Modeblick – offener weiter Kragen, man sah ein paar Brusthaare hervorlugen. Ob ihr ihre Verlegenheit anzusehen war, wusste sie nicht – einen leichten verräterischen Rotanflug in ihrem Gesicht meinte sie jedenfalls zu spüren. Aber sie gab nichts darauf, nahm sich zusammen, begrüßte ihn fröhlich: „Schön, dass du gekommen bist!", nahm seine Glückwünsche und einen Strauß Nelken in verschiedenen Farben in Empfang. Nelken … Über Blumen freute sich Algena immer. Wie schön. Zum Glück war er nicht auf die Idee gekommen, Rosen mitzubringen, sondern Nelken … Drücken auch Verbundenheit aus, aber ohne die klare, allseits bekannte Botschaft von Rosen … Dann erschienen die zwei im Wohnzimmer. Herzliche Begrüßung. Isabelle musterte Harry durchaus sichtbar interessiert und stellte ihm auch Georg vor. Ihren forschenden Blick schien Harry gar nicht zu registrieren oder er war ihm gänzlich egal. Algena bat Georg, sich um den Wein zu kümmern, und bald waren die vier vergnügt und gut im Gespräch miteinander verwickelt. Die beiden Männer fanden Gefallen aneinander, beide waren Ingenieure und kamen schnell auf technische Themen zu sprechen, was aber in einer Runde mit Frauen wenig dauerhafte Chancen hatte. Brav widmeten sie sich bald den von den Frauen aufgeworfenen Themen: Wer mit wem und wann und wo …, und kennt ihr …, sagt mal, habt ihr auch gehört …, mein Gott, was soll man dazu sagen …, also ich hätte längst … Bald gings auch um Haushalt, die Arbeit, ob und wann die beiden denn heiraten wollten ("ja …, irgendwann schon"). Harry erzählte, wie er Rosi kennengelernt hatte und gab nette kleine Babygeschichten zum Besten. Er schien in seiner Rolle als Familienvater aufzugehen, staunte Isabelle durchaus überrascht … Schließlich landete man bei den teuren Mieten hier in München, die schon ein Graus seien, ein längeres Thema bot dann gesunde Ernährung. Vor allem Isabelle fühlte sich hier kompetent und hatte ihren Georg schon ziemlich beeinflusst. Da kamen keine maulfaulen Menschen zusammen!

Algena verhielt sich etwas zurückhaltender, betreten sogar, denn sie musste sich eingestehen, von Harry immer noch fasziniert zu sein, oder wieder bzw. erneut oder überhaupt von diesem Typ Mann und Harry hatte seit damals durchaus an Statur gewonnen, wie sie feststellte. Mühsam folgte sie wie durch einen Schleier hindurch den Gesprächen, wobei ihr gerade in Bezug auf Harry durchaus nicht bewusst war, was sie mehr interessierte: *was* er erzählte oder *wie* er es erzählte …, denn das rührte völlig unterschiedliche Saiten in ihr an. Sie beteiligte sich nur verhalten an Diskussionen, bei denen sich die drei anderen mit je eigenem Temperament, aber vollem Engagement ins Zeug legten. Vor allem als man auf so manch gemeinsame einstige und aktuelle Bekannte zu sprechen kam. *Am meisten interessiert Menschen das Schicksal anderer Menschen*, erinnerte sich Algena kurz an diese bekannte Aussage, die sehr vielen Unterhaltungen zwischen Menschen unbewusst zu Grunde liegt. Schließlich zückte Georg seinen Fotoapparat und schoss ein paar feuchtfröhliche Bilder. Allgemeines Gelächter beim Betrachten der Fotos auf dem Monitor der Digitalkamera.

Georg erinnerte sich an den kurzen Dialog Isabelles mit Algena, beobachtete diese und Harry unauffällig und fand Anhaltspunkte für seine Mutmaßungen. Er war gespannt, wie die beiden das inkognito zu managen gedachten, wobei er das Gefühl nicht loswurde, dass Algena die Gefährdetere der beiden war.

Mit einigermaßen erstauntem Entsetzen spürte Algena Bilder und Situationen von früher, aus der Tiefe vergangener Zeiten aufsteigen, als ob Harrys Habitus, seine betörende Stimme aus einem Mund mit vollen sinnlichweichen Lippen die Jahre unverändert überbrückt hätten. Und den hatte sie einst unendlich geliebt und viele heiße Nächte mit ihm verbracht? Dass viele dieser anfangs verschwommenen Erinnerungsbilder so unverblümt und vor allem konkret wiederauftauchten, ihre fünf Ehejahre anscheinend mühelos überwindend, ließ sie frösteln. Sie gab sich einen inneren Ruck: Ist doch alles längst Schnee von vorgestern, abgelebte Vergangenheit, nicht mehr relevant, vorbei, weg, abgehakt …! Und überhaupt: Der hat seine Rosi (*eine Rosi…!*) und Familie, rief sie sich innerlich zur Räson.

Algena stand urplötzlich auf, entschuldigte sich kurz und verschwand in der Toilette. 'Ne Minute allein sein, durchatmen wollte sie, die Dämonen zurückdrängen … Nun reiß dich gefälligst zusammen, Algena. Der innere kategorische Imperativ half. Bald saß sie wieder in der Runde und versuchte erst etwas krampfhaft, dann zunehmend lockerer und engagiert sich in die ausgelassenen Gespräche erneut einzubringen. War der Spuk vorbei? dachte sie ins allgemeine Geschnatter zwischenhinein. Ja, befahl ihr *Über-Ich* ihrem „*es*", um die Emotionen zu unterdrücken.

Manchmal meinte sie, Harrys Blick en passant auf ihr ruhend zu gewahren. Mitten im angeregten Plaudern mit gedankenverlorenen Augen. Oder bildete sie sich das nur ein? Im hellen Spiegel ihrer eigenen Befangenheit? Andererseits mögen ihm ja auch so manche Erinnerungen emporgestiegen sein. Algena konnte und wollte nicht darüber nachdenken, aber entspannte Neutralität wollte sich ihm gegenüber nur mühsam einstellen …

Harry war der Erste, der aufbrechen wollte. Er wolle Frau und Kleinkind nicht zu lange allein lassen, meinte er ganz familienfürsorglich, außerdem sei es schon bald Mitternacht.

Algena begleitete ihn hinaus. Sie verabschiedeten sich mit einem liebevollen Wangenkuss und Algena beteuerte erneut, wie sehr sie sich über seinen Besuch gefreut habe.

„Ganz meinerseits", meinte Harry entspannt, „wir könnten doch in Verbindung bleiben und du könntest uns ja mal besuchen, wie wärs?" usw. Sie schieden in guter Stimmung und Algena kehrte, durchaus eine kleine Spur zu aufgekratzt, wieder zu den beiden Verbliebenen zurück. Auch die wollten dann bald aufbrechen.

Auf dem Heimweg konnte Georg nicht an sich halten.

„Du sag mal, Isa, hast du auch bemerkt, wie die beiden miteinander umgehen? Als wenn sie sich nur mit Glacéhandschuhen anzufassen trauten."

„Allerdings. Ich hab an sich gleich sowas geahnt, als Algena erzählte, dass der kommen wollte. Mein Gott, der ist verheiratet und für so obertreu halt ich den nicht, kenne ihn ja von früher. Solche Eigenschaften kann man nicht einfach ablegen. Sind in einem fest eingraviert, können auch von einer treusorgenden Gattin nicht ohne weiteres ausgemerzt werden. Die waren ja mal schwerstens ineinander verliebt, ist zwar schon mindestens acht…neun Jahre her, aber immerhin. Hoffentlich kommt der auf keine dummen Gedanken, denn Algena ist zwar formal Witwe, aber faktisch solo. Und derzeit macht sie mir einen eher leicht verunsicherten Eindruck. Klar: Der Tod ihres Ehemannes ist erst wenige Monate her und da kann sie noch nicht so richtig frei und souverän sein. Da könnte sie bei entsprechenden Avancen durchaus umfallen, denk ich mal. Sollte Harry immer noch leichte Hallodri-Anflüge haben, so käme es auf Algena an, sich klar abzugrenzen, ihm zu bedeuten, dass Verheiratete tabu zu sein haben. Jedenfalls, dass da nochwas da ist zwischen den beiden, war jedenfalls klar erkennbar. Wenn der seine

Verführungskünste noch nicht auf dem Ehealtar geopfert hat, seh ich schon Gefahren für sie."

„Ja, glaub ich auch, selbst wenn Harry ansonsten ein patenter Kerl zu sein scheint. Finde ich wenigstens. Hab ihn ja heute erst kennengelernt."

„Jedenfalls werde ich bei nächster Gelegenheit bei ihr mal vorfühlen, wie die Gute in dieser Hinsicht so tickt, innerlich, meine ich …, möglichst bevor sich ungute Kontakte anbahnen könnten!"

Nach Mitternacht lag Algena noch länger wach im Bett, fand keinen Schlaf. Wie anders war doch dieser Abend gelaufen, als ursprünglich geplant. Ein illustrer kleiner Kreis, der sich gut verstanden und unterhalten hatte. Und Harry? Algena wusste glasklar und akzeptierte es auch, hier keinerlei Aktien mehr zu besitzen, wusste, sich hier zurückhalten, neutral bleiben zu müssen, vor allem zu wollen. Und doch geisterte er dann noch mehrere Tage in ihrem Kopf herum, kaum verblassend. Er hatte Frau und Kind und was hatte sie? Nichts. Genauer: Sie hatte nichts mehr, war verwitwet, in ihrem Alter und ohne Kinder, solo eben.

***

Am nächsten Morgen, am Samstag, fand sie erst spät aus den Federn. Starker Kaffee musste jetzt her. Draußen schien die Sonne – ein goldener Oktobertag. Man könnte sich ja die Beine vertreten und unten im Isartal spazieren gehen, sozusagen *open end*, einfach losziehen und schauen, sich der Natur hingeben, durchatmen nach der anstrengenden Woche, sich nach dem gestrigen kleinen Geburtstagsfest im Freien auslüften und den Ausflug in einem Café beschließen, vielleicht in der nahen Waldwirtschaft in Großhesselohe oder, falls ihr nach längerem Laufen der Sinn stünde, am Brückenwirt in Grünwald.

Zunächst aber die Haushaltsfron. Die Überreste von gestern Abend mussten aufgeräumt werden, im Schlafzimmer wartete ein Korb Bügelwäsche. Bügeln – nicht gerade ihre Lieblingsbeschäftigung. Und im

Kühlschrank fehlte auch so einiges, von irgendetwas Lukullischem ganz zu schweigen. Da müsste sie noch kurz zum Supermarkt. Der Vormittag versank somit in reizloser Routinearbeit. Die allgemeine Stimmungsaufhellung überließ sie dem Küchenradio, auf dem derzeit Ö3 eingestellt war. Von Zeit zu Zeit wechselten ihre Radio-Vorlieben. Putzarbeit blieb ihr dagegen zum Glück erspart. Erna, die treue Seele, kam jeden zweiten Donnerstagnachmittag und kümmerte sich. Sie war als Raumpflegerin in Philipps Firma angestellt gewesen und er hatte sie damals gefragt, ob sie nicht an einem ihrer freien Wochentage regelmäßig einen halben Tag privat auch zu ihnen kommen könne. Und seit ein paar Jahren, putzte sie vormittags die Wohnung des pensionierten älteren Ehepaares Helmstedt unter ihnen und nachmittags die ihre. So war sie einen ganzen Tag im Haus beschäftigt und verdiente sich gutes Geld. Mittags bekam sie Mittagessen von den älteren Herrschaften, die sie fast schon wie eine Tochter behandelten. Und auch das Schlüsselproblem war sogar in doppelter Hinsicht gelöst: Helmstedts hatten einen Zweitschlüssel, falls sie sich mal ausgesperrt haben sollten und Erna konnte Donnerstag nachmittags in ihre Wohnung, obwohl niemand zu Hause war.

Erna war absolut zuverlässig und sie vertrauten ihr ihre tagsüber leere Wohnung an. Philipp rundete ihr Salär stets großzügig auf. Erna gehörte seither zum Inventar. Das blieb auch nach Philipps Tod, denn Geldprobleme kannte Algena glücklicherweise nicht.

Endlich fertig mit den lästigen Haushaltspflichten. Immerhin war es inzwischen schon vierzehn Uhr geworden. Höchste Zeit loszumarschieren, falls das heute noch was werden sollte. Extra Wanderkluft anzuziehen, war unnötig für einen allenfalls zweistündigen Spaziergang. Nur Wanderschuhe, die sollte man schon anhaben, fand sie. Ansonsten: Auch Algenas normaler Freizeitdress hatte immer eine topmodische Note. Sie fühlte sich ihrem Beruf verpflichtet, aber den hatte sie ja gewählt, weil sie ein Faible für gute Kleidung hatte.

Gedankenverloren schloss sie die Korridortür, trat aus dem Haus und machte sich auf den Weg. Weil sie die Strecke runter an die Isar schon im

Schlaf kannte, drifteten ihre Gedanken bald weg vom eigentlichen Geschehen und Isabelles Vorhaltungen neulich geisterten wieder durch ihren Kopf, denn die hatten sie schon nachdenklich werden lassen.

Sie müsse mehr rausgehen aus ihrem Bau, meinte sie vorige Woche bei einem Cafétreff, und das sei was ganz anderes als nur spazieren gehen (wie jetzt im Moment). Sie müsse sich unter Leute mischen, sich zeigen, mal nicht im Beisein anderer, sondern mutterseelenallein, solo sozusagen und, da musste sie schmunzeln, „Freiwild" spielen, in Ausstellungen gehen, Vernissagen, Kulturveranstaltungen, Volkshochschul-Vorträge besuchen, allein im Café sitzen und und und, einfach im öffentlichen Raum mitmischen. Gerade wegen ihrer attraktiven Erscheinung würde sie da nicht lange alleine bleiben und hätte trotzdem stets das Heft in der Hand, ob sie aufgeschlossen reagieren wollte, oder zugeknöpft, falls ihr ein Typ nicht behagte. Der tägliche neunstündige Aufenthalt im Atelier gelte jedenfalls nicht als rausgehen aus dem Bau, dozierte sie langatmig.

Wusste Algena alles längst und machte es auch, allerdings noch viel zu selten, das schon.

Auf der anderen Seite zweifelte sie im Gegensatz zu Isabelles Meinung daran, auf diese Weise bzw. dort „zufällig" an potenziell mögliche „Geeignete" zu geraten. Sie wurde den Verdacht nie endgültig los, nur wegen ihrer äußerlichen Attraktivität angesprochen zu werden. Dieses Misstrauen kannte sie aus früheren Zeiten, aber dass das jetzt aus ihren Bewusstseinstiefen wieder emporgestiegen kam, verwunderte sie doch. Es fiel ihr schwer, es abzulegen …

Selten genug, aber gelegentlich gelang das eben doch und sie lernte so manche Männer kennen, die vielversprechenden Umgang verhießen und mit denen sie sich auch einließ, aber ihre wahren Sehnsüchte blieben so gut wie immer unerfüllt. Sex befriedigt, aber erfüllt eben nicht. Sie hungerte nach Liebe, nach angenommen werden, sehnte sich nach ehrlicher Empathie – und blieb damit so gut wie immer über kurz oder lang allein, denn die Typen, so ihr Eindruck, schützten geschickt ehrliches Interesse an ihr nur vor. Die wenigen, die ihr das dann scheinbar doch annehmbar vermittelten, vergeigten es im Lauf des Treffens meist wieder durch unpassende

Äußerungen oder sonstwas, was ihr gegen den Strich ging. Ihre leicht ver-klausuliert vorgetragenen Anregungen nach längerfristiger Beziehung – also letztlich nach Bindung, fester Liaison – trafen zu guter Letzt eben doch auf Schwerhörigkeit. Nur das Bett als Bindemittel? Geht nicht. So jeden-falls nicht. Lieber rechtzeitig Schluss machen. Ihr feines Gespür ließ sie nicht im Stich.

Ohne ehrliche Liebe, ohne erwiderte ehrliche Liebe, würde sie auf Dauer vertrocknen, zermürbt, mürrisch und verhärtet werden, haderte sie. Davor hatte sie große Angst.

Die Mär von der *Liebe auf den ersten Blick* ist ein romantischer Irrtum, denn sie baut auf körperlicher Anziehung, gar unmittelbarem Verlangen auf und auf sonst nichts. Und ob sich dauerhafte Empathie und Wohlwollen einstellen würden, ist „auf die Schnelle" nicht testbar. Regelmäßig verfing sie sich, an dieser Stelle angekommen, wieder in den eigenen Seilen. Durchhalten wäre also angesagt. Kein Mensch, kein Mann, keine Frau ist ein Idealtyp. Aufgeschlossen sein und anpassungsfähig. Das Erstere ging leidlich, bei Letzterem haperte es …

Kurz kam ihr ihre einstige Freundin Laura in den Sinn: Deren „Erfolgs-rezept?" Ein ganz anderes: Coolness von A bis Z. Die Männer nur tanzen zu lassen, lief letztlich auf deren grenzenlose Entwürdigung hinaus. Algena hatte Laura oft vehement widersprochen. Ihr taten die armen Kerle, die in ihre Fänge geraten waren, manchmal schlicht leid.

Längst spazierte sie mit umgehängter, kleiner Wandertasche mit dem Nötigsten auf dem Isar-Radweg Richtung Großhesselohe und grübelte in Gedanken vor sich hin. Manchmal scheuchte wütendes Geklingel heranrau-schender Radler sie beiseite, wenn sie versonnen die Wegmitte blockierte …

Wie eine Allee aus hohen Bäumen und Buschwerk zog sich der Weg in Flussnähe entlang, vom lieblichen leisen oder mal lauteren Rauschen der rasch fließenden Wasserwellen über die kleinen felsigen Stromschnellen hinweg begleitet. Die Herbstsonne tauchte die bunt angefärbten Blätter in mystisch-farbiges Licht, Vogelgezwitscher, die angenehm milde spätherbstliche Luft. Algena atmete tief ein, liebte solche Augenblicke, konnte aber immer nur kurz darin verweilen, weil ihre innere Gedankenwelt stets von Neuem ihre Aufmerksamkeit beeinträchtigte … Sie merkte es: Sie sollte mehr in der aktuellen Gegenwart leben, mehr ihre Umgebung, egal wo, wahrnehmen, offen sein für das, was sie gerade umgab – und sich nicht ständig mit inneren Problemen beschäftigen. Immer noch hatte Isabelle ihr das versprochene Buch „*Jetzt!*" von dem Weisheitslehrer Eckhart Tolle nicht mitgebracht. ³)

Algena war nie berechnend mit männlichen Bekanntschaften umgegangen, besser umgesprungen. War nicht das ihre. Als Studentin wollte sie die Typen zwar ernsthaft prüfen, zugleich aber den eigenen Gefühlen, falls sie sich angezogen fühlte, meist vor allem aus Neugierde, bald nachgeben. Und das spürten die jungen Männer, in der Regel auch Studenten. Und weil die noch wenig Übung hatten, Frauen „herumzukriegen", fielen sie zu allermeist reichlich unsensibel mit der Tür ins Haus. Das tötete umgehend ihre Gefühle und dann wars gleich wieder aus bei ihr. So eben gerade nicht! Ein Teufelskreis, der ihr damals aber noch nicht so recht bewusst war, nur dass damals „so viel schieflief", ließ sie nachdenklich werden.

Heute dagegen kämen eh nur Männer ihres Alters oder älter für sie in Frage, auch Geschiedene, warum nicht, solange nicht bereits Kinder mit im Spiel wären. Studentengemüse war jedenfalls out.

Nach über einer Stunde Wandern fiel ihr das Hinweisschild zur Waldwirtschaft in Großhesselohe auf. Ein schmaler Fußweg führte steil durch den Wald hinauf bis zur Kante des Isar-Hochufers, wo die Wirtschaft mit prächtiger Aussicht auf das Isartal und die fernen Berge liegt. Sie war mit Philipp oft dort gewesen. Eigentlich reichte es und die Waldwirtschaft war ein guter Abschluss. Es gab Musik und Leben dort oben und man konnte an diesem angenehmen sonnigen Oktober-Samstag gut draußen sitzen. Auf

---

³) Eckhart Tolle: „Jetzt". Die vorstehenden Gedanken sind diesem Buch entnommen.

Bier und was Deftiges hatte sie keinen Bock, aber dort gabs auch Kaffee und sicherlich was Süßes …

Relativ voll wars, die meisten Tische gut belegt, aber es hielt sich in Grenzen. Bald saß sie inmitten des Trubels vor ihrer Tasse Kaffee und einer Schmalznudel genau gegenüber der zentralen Bühne in Form eines Pavillons und gab sich der Stimmung von Geschirrgeklapper, Geschnatter und Geplapper der Gäste und dem Summenduft der vielen Speisen, vor allem Gegrilltem, rund um sie hin. Alles untermalt von einfühlsamer Musik. *„Moonlight Serenade"* spielte die kleine Combo dort vorne unter dem Pavillon gerade. Sie lauschte dem Text, der von vergangener einstiger Liebe erzählte. Ihr wurde ganz wunderlich, elegisch zu Mute und erinnerte sich: Voriges Jahr saß sie mit Philipp hier, allerdings drüben im Bedienteil an Tischen mit Tischdecken. Hier ists zünftiger, fand sie.

***

„Ist hier noch ein Platz frei, darf ich mich mit an ihren Tisch setzen?" Algena schreckte aus inneren Träumen und der so vertrauten „Waldwirtschaftstimmung" geradezu auf.

„Ja, ja, bitte sehr", und deutete auf die Bank ihr gegenüber hin. Am anderen Ende des langen Biertisches saßen zwei Pärchen, die sie nicht weiter beachtet hatte.

Ein Mann, schon etwas älter, so um die fünfzig herum, setzte sich, sein kleines Bier und eine Breze gegenüber ihrer Kaffeetasse und dem Teller mit der bereits angebissenen Schmalznudel hinstellend. Schaut zusammen aus wie ein schlecht zusammengestelltes Stillleben, fand Algena. Da fehlte doch noch was Herzhaftes, 'ne Scheibe *Leberkäs* oder ein Schälchen *Obazter* … Der Mann war kein Wanderer, sondern trug ein dunkles Sakko unbestimmbarer Farbe samt rötlich in sich gemusterter Krawatte und eine helle Hose mit Bügelfalte. Deutlich erkennbare Geheimratsecken schoben sich links und rechts in sein bereits etwas schütteres, aber noch einigermaßen dunkles Haar hinein. Charaktervoll geschnittene männlich herbe, sympathische Gesichtszüge. Jung war der jedenfalls nicht mehr, bekräftigte

Algena ihren ersten Eindruck, vermutlich ein Anfangs-Fünfziger. Ein paar Denkerfalten auf der Stirn unterstrichen seine Reife und ließen Intellekt ahnen. Warm-weiche, aber markant geformte Lippen.

Der Mann sah auf und ihr direkt ins Gesicht, nur zufällig verharrend oder sie unverblümt musternd, so ganz klar konnte sie das nicht entscheiden, weshalb ihr auch nicht so recht wohl war in ihrer Haut. Sie war es gewohnt, kannte diesen taxierenden Blick von Männern ... Wollte der was? Nein, sicher nicht, es gab heute nicht viel freie Plätze. Also Zufall. Ihr Gleichmut kehrte zurück und sie widmete sich ihrer Nudel, ihr langes brünettes Haar mit sicherer Geste beiseite streichend.

„Sind sie öfters hier?" Er sah sie immer noch an. Algena schaute auf und musterte nun ihn, den interessanten Fremden hier am Tisch.

„Ach nein, eigentlich nicht, obwohl ich im Süden Münchens wohne", setzte sie überflüssigerweise hinzu. Sie konnte seinen Blick nicht deuten.

„Ich bin geschäftlich sehr oft in München, manchmal zwei...drei Tage, und schätze die hiesige Biergartenkultur, vor allem diesen hier, weil im Sommer an schönen Tagen immer eine Combo spielt, jetzt im Herbst halt nur am Wochenende, meist Jazz, und dafür habe ich viel übrig, wenngleich ich auch klassische Musik gerne höre." Kurzer Blick zu der Jazz-Combo, dann, sein kleines Bier musternd, fuhr er fort: „In einer Stunde muss ich wieder los, will heute noch nach Frankfurt zurückfahren, mit dem ICE. Muss vorher noch den Leihwagen zurückgeben, aber kurz hier vorbeischauen auf ein kleines Bier, dazu reicht die Zeit allemal."

Was ist dieser Mann redselig, dachte Algena und überlegte nach wie vor, was sie von seinem durchaus aufgeschlossenen Blick zu halten hatte. Ja, natürlich, sie galt als hübsche Frau, nichts Neues, ebenso dass das überall Eindruck machte und interessierte Männerblicke nachsich zog. Aber welchen Eindruck machte das bzw. sie hier bei *diesem* Menschen? Das verrieten seine Gesichtszüge nicht oder wahrscheinlicher, er ließ es sich nicht anmerken. Sie fand es jedenfalls sympathisch und angenehm, wie er sich hier gab, redselig, aber unkompliziert. Die Frage, ob der „ihr Typ" sein könnte, stellt sich bei ihr stets vollautomatisch, wenn sie mit einem Mann redete. Hier blieb sie indifferent, er war eben schon etwas älter und da verändern sich langsam die Kriterien, das wusste sie. Da sind Vergleiche mit jungen oder jüngeren Männern fehl am Platze. Und ältere Männer hatte sie bisher nur wenige kennengelernt.

„Sie ziehen wohl Kaffee vor", suchte er einen neuen Gesprächsanfang, „obwohl doch hier Bier das wichtigste Getränk ist."

„Ich werde auf Bier schnell müde. Das mag am Abend okay sein, aber nicht jetzt, am helllichten Nachmittag", lachte sie.

„Stimmt", ging er auf sie ein. „Im Gegenteil, Kaffee macht sogar noch munter." Unter dem Pavillon spielte die kleine Band eine bekannte flotte Swingnummer.

„Mögen sie Jazz?" erkundigte er sich interessiert.

„Kommt drauf an", bekannte Algena, „Nicht jeden. Für Freejazz und ähnliche moderne Formen und Klänge hab ich wenig übrig. Aber hier hört man das selten. Meist wird Dixie gespielt oder Swing oder jazzige alte Schlager oder so", versuchte Algena zu fachsimpeln.

„Sie sind musikalisch, nicht wahr?"

„Na ja, schon. Ich mag Musik, aber spiele leider kein Instrument", bedauerte sie aufrichtig und machte ein bekümmertes Gesicht.

Inzwischen hatte Algena ihren Kaffee ausgetrunken und die Nudel war vertilgt. Der leere weiße Teller mit den Puderzuckerresten stand vor ihr. Sie lehnte sich zurück und lauschte der Musik, die gerade den alten Schlager *„Am Sonntag will mein Süßer mit mir segeln gehn"* intonierte. Eine schwungvolle Dixienummer. Ihr Tischgegenüber hatte ebenfalls sein Bier ausgetrunken. Beide schwiegen, warfen sich aber gelegentliche Blicke zu, freundlich-aufgeschlossen. Aufdringlich ist der jedenfalls nicht, stellte Algena durchaus erleichtert fest. Die plumpe Anmache, die ihr oftmalig begegnete, egal wo, hatte sie so satt!

„Waren sie schon mal segeln", überraschte er sie mit einer durch die Musik inspirierten Frage.

„Ja, früher mal, auf einer kleinen Jacht. Ein damaliger Bekannter hatte eine. Seither nicht mehr."

„Ich bin jedes Jahr einmal auf dem Wasser. Ein Freund von mir hat eine Jacht in Istrien liegen."

Algena machte Anstalten, aufzustehen. Anmutig erhob sie sich. Auf der Armbanduhr wars schon nach Fünf Uhr. Es war viel später als sie sich eigentlich vorgenommen hatte und es reichte mit dem Nachmittagsausflug. Sie kannte den Weg zur S-Bahn. Nur zwei Stationen und ein paar Minuten laufen, dann war sie zu Hause. Im selben Augenblick erhob sich auch der Fremde.

„Ich werde auch aufbrechen. Muss zum Hauptbahnhof, dort den Leihwagen abgeben und dann in den nächsten ICE nach Frankfurt steigen. Vier Stunden, dann bin ich zu Hause ..., ähm ..., sagen Sie, kann ich Sie irgendwohin mitnehmen?"

Er strahlte sie an als ob nichts anderes als Zustimmung möglich wäre.

Bei Algena klingelten dagegen die Alarmglocken. Nicht Sturm, aber vernehmlich. „Was will der Typ? Will er doch was? Und was? Na, was wohl ..., was alle wollen ..., anbandeln natürlich." Andererseits hatte er sich von Anfang an freundlich Distanz wahrend verhalten. Seltsamerweise keinerlei Komplimente (wie sich alle Männer ihr gegenüber umgehend beeilten, über sie auszuschütten), auch wenn man seine auf ihr ruhenden Blicke durchaus als solche hätte auffassen können. Jetzt sah er sie erstmals in voller Größe vor ihm stehen. Selbst in ihrer modischen Freizeitkluft für längere Spaziergänge sah sie höchst attraktiv und anziehend hübsch aus. Hinter seinen Pokerface-Augen spielten Beeindruckt sein, Nachdenken, Chancen-Abwägen, das klassisch routinierte Spiel aller Männer. So viel konnten selbst erfahrene Pokerface-Augen kaum verbergen, als dass es ihr nicht doch auffiele (Männer sind so – ihre Erfahrung – aber es gilt auch: Frauen haben einen Röntgenblick für das, was in dieser Hinsicht in den Männern vorgeht). Sie ließ sich aber nur sehr selten darauf ein, eigene, das subtile Spiel annehmende Gesten und Blicke auszusenden, denn aktive weibliche Raffinesse, vor allem Durchtriebenheit, gehörten nicht zu ihrem Grundwesen. Dass sie, egal in welchem Outfit, überall Eindruck machte, war einfach so, war sozusagen Standard bei ihr. Sie zögerte.

„Na ja ...", meinte sie gedehnt, „Sie fahren über Solln?"

„Ist der Weg nach München!"

„Und sie würden mich mitnehmen?"
Ob sie es wollte oder nicht, ihr Herz klopfte vernehmlich. Warum denn das? Blödsinn! Dem kannst du, glaub ich, vertrauen, schalt sie sich. Jetzt fahr mit und lass dich vor der S-Bahnbrücke rauswerfen. Dann hat der Spuk ein Ende.

„Ok. Ich fahr mit", bestätigte sie ihre gerade schon verklausuliert gegebene Zustimmung. Der Typ konnte ihre wenige Sekunden dauernden kurzen inneren Zweifel kaum bemerkt haben.

„Ich sehe schon, Sie haben ein wenig mit sich gerungen. Sich zu jemandem, noch vor einer Stunde Wildfremden, gleich ins Auto zu setzen, ist durchaus nicht jedermanns, besser jeder Frau Sache. Versteh ich."

Algena war geplättet. Der hatte sie komplett durchschaut und ihre innere kurze Verunsicherung voll mitbekommen. Jetzt nur nichts anmerken lassen, nicht reagieren. Am besten seine letzte Aussage einfach ignorieren.

Nur wenige Schritte und sie standen auf dem nahen Parkplatz vor einem schwarzen Audi A4, ein Leihfahrzeug der Firma xy, wie sie las. Er hielt ihr galant den Schlag auf.

„Bitte schön, die Dame." Mein Gott, hat der geschliffene Umgangsformen, reichlich altmodisch, ja, aber mit einem beeindruckenden Selbstverständnis, schoss es Algena beim Einsteigen in den Sinn. In die Wolfratshauserstraße einbiegend Richtung München, informierte sie ihn, wo er sie absetzen sollte.

„Sie können mich kurz vor der Brücke in Solln rauslassen. Dann hab ich nur noch wenige Minuten zu gehen."

„Ach was, ich fahr sie natürlich nach Hause", meinte er mit einem jovialen Seitenblick auf sie. „Keine Widerrede, äh …, wie heißen sie eigentlich?"

Stimmt, wir hatten uns nicht mit Namen angeredet, wunderte sich Algena plötzlich. Keiner hatte danach gefragt.

„Algena Marzahn."

„Algena! …, Algena? …, ein schöner Name. Und passt so gut zu Ihnen."

Algena fühlte sich geschmeichelt, strahlte ihn mit ihren unvergleichlich offenen Augen kurz an, wandte sich aber sehr rasch wieder ab. Ihre Blicke hatten sich trotzdem getroffen – und der seine in ihr ein eigentümliches Gefühl hinterlassen, nicht zu deuten.

„Jetzt hier rechts rein", kommandierte Algena, schon in Sichtweite der Brücke. Ihr Herz klopfte vernehmlich. „Nächste links." Brav führte der Fahrer ihre Befehle aus.

„Und ihr Name?", platzte sie recht unvermittelt und zeitlich unplatziert in die aktiven letzten Meter der Wegesuche hinein.

„Hermann Wolkert …", und setzte routiniert hinzu, „wie die Wolke." Dann waren sie da, standen vor dem schmucken dreistöckigen großzügigen Haus mit dem gepflegten, schmalen zaunlosen Vorgärtchen.

„Und wo wohnen sie hier", fragte er, den Kopf schräg nach oben gedreht, um besser aus dem Seitenfenster in die Höhe blicken zu können.

„Ganz oben, in der Dachterrassenwohnung."

„Sie bewohnen eine Dachterrassenwohnung?", staunte er durchaus ehrlich. „Und offenbar eine große …, alle Achtung, hier in dieser eleganten Gegend?"

„Ja, ist sie", bestätigte Algena und griff nach ihrer kleinen Wandertasche in der stillen Hoffnung, dass der jetzt gleich weiterfährt und nicht künstlich länger verweilt, als erwarte er, noch ihre Wohnung sehen zu wollen …, wozu er aber keine entsprechenden Anstalten machte, wie sie erleichtert feststellte. Gewitztere Geschäftsleute könnten da auch anders reagieren, wie sie gehört hatte … Er dagegen legte ein natürlich-zurückhaltendes Verhalten an den Tag. Eben wie ein Gentleman, fällt nicht mit der Tür ins Haus. Wollte mich halt heimbringen, sonst nichts. Sehr angenehm, stellte sie fest. Er stürzte geradezu hinaus und um den Wagen herum. Algena wollte gerade ihre Beifahrertür öffnen, da riss er sie schon von außen auf.

„Was ich noch fragen wollte …, ähm …, Sie sagten vorhin, sich für Musik zu interessieren, nicht wahr?"

„Ja…, warum?"

„Ich würde mit Ihnen gerne mal in die Oper oder in ein Ballett oder ein Musical oder etwas in der Richtung gehen. Mögen Sie das?"

Algena stockte. „Ja … schon!" Er ließ ihr keine Zeit.

„Abgemacht! In drei Wochen bin ich wieder ein paar Tage hier und da gehen wir in die Oper. Um Karten kümmere ich mich von Frankfurt aus. Ist zwar knapp, aber ich hab ein paar Beziehungen, die könnten helfen. Also … einverstanden?"

Algena fühlte sich überrumpelt, aber es fühlte sich nicht schlecht an. Bei einer verklausulierten Andeutung von *noch-'ner-Tasse-Kaffee-bei-ihr* hätte es anders ausgesehen und sie in größere Gewissensnöte gebracht. Wäre unvermeidbar aber unpassend gewesen.

Viel Zeit zum Überlegen blieb nicht … Sollte sie? Warum nicht! Ihr forsches „Gut. Einverstanden!", ließen ihren üblicherweise aufkommenden Zweifeln keine Chance.

„Haben Sie eine Karte oder wie kann ich Sie erreichen?"

Algena kramte nervös in ihrer Tasche. Nicht mal der Schlüssel, nach dem sie oft lange suchen musste (wie in allen ihren Taschen), interessierte im Augenblick. Hier, im Seitenfach … Sie drückte ihm ihre Visitenkarte in die Hand.

„Ah …, danke!"

Er studierte ein paar Sekunden die Karte. „Ah, Modedesignerin sind Sie also. Interessant!" Er hob kurz den Kopf für einen knappen Blick auf sie, möglicherweise auf das Outfit ihrer Wanderkluft, und verabschiedete sich rasch mit gekonnter Selbstverständlichkeit, seine rechte Hand sanft auf ihren Unterarm legend und ihn leicht drückend. Dann umrundete er den Wagen und nahm auf dem Fahrersitz Platz.

„Noch einen schönen Abend wünsche ich Ihnen", warf er ihr freundlich lächelnd durch die geöffnete Seitenscheibe zu.

„Danke, und kommen Sie gut nach Hause", erwiderte Algena. Dann fuhr er.

Wie angewurzelt blieb Algena noch eine Weile stehen. Sein Auto bog gerade um die nächste Straßenecke und verschwand. Ihr war schwummrig. Was war denn hier abgegangen?

***

Nachdenklich schloss sie die Haustür auf und stand alsbald in ihrer Wohnung ... Noch hallten seine und ihre Worte in ihrem Kopf herum. Das musste erst noch verdaut werden. In Gedanken verfangen trat sie auf die Terrasse, reckte und streckte sich, sah in die bereits tief stehende rotgelbe Sonne, die die Koniferen und Rosenstöcke samt ihren vielen Blüten und späten Knospen in ein warmes Spätnachmittagslicht tauchte, genoss die beginnende abendliche Kühle, zupfte versonnen an ein paar verwelkten Blüten herum, ging zwei Schritte zur Brüstung und verlor sich nachdenklich in den nahen Bäumen und fremden Gärten. ... *in die Oper, in drei Wochen* ..., anschließend würde er sie sicher in ein Weinlokal einladen wollen, nahm sie mal mit sicherer Ahnung an, und dann ..., dann ...? Gefiel ihr der überhaupt? Er war sicher über zwanzig Jahre älter als sie ..., sympathisch war er, zweifellos kultiviert und anscheinend auch gebildet. Sich in der Oper mit ihm zu zeigen, konnte sie sich gut vorstellen. Einerseits sperrte sich energisch alles in ihr gegen weiterführende Gedanken, andererseits fühlte sie eine seltsam euphorische Stimmung aufsteigen. Tief in ihr arbeitete es. Und wie! Sie merkte, wie emotional ausgehungert sie war, wie sehr ihr wieder mal eine ehrliche Umarmung und vor allem Zuwendung abgingen! Endlich mal ein Mann mit Format, der weit hinausragte über die bisherigen paar netten, aber oberflächlichen Caféhaus- und sonstigen Bekanntschaften in den letzten ein...zwei Monaten. Und einen schönen Abend hatte er ihr versprochen, dichtete sie flugs als Anhang an seine Worte hinzu, weil sie einen solchen erwartete! Mensch, Algena, nun freu dich doch einfach darauf, ermunterte sie sich. Nicht gleich wieder nach den Haaren in der Suppe fahnden. Die finden sich früh genug, immer! Jetzt gilt: Sich einfach nur freuen, sonst nichts, überhaupt nichts ...

Wieder in der Wohnung zurück, die Wanderschuhe mit Hausschlappen getauscht, stöberte sie herum. Sie musste was tun. Aufgekratzter Aktionismus, das lästige Aufräumen unterstützend, Überholtes in den Papierkorb, anderes ablegen. Einiges liegen lassen zwecks späterer Bearbeitung – vieles schob sie wie immer vor sich her, diesmal den Papierkram wenigstens schön aufeinandergestapelt. Erweckte den Eindruck von Ordnung.

Ablenkung tat not. Runterkommen von einem unbekannten, aber leuchten-den Berg.

Gerade verschwanden draußen die letzten Sonnenstrahlen hinter den herbstbunten Laubbäumen. Sie hielt inne. Es wurde rasch merklich dunkler, düsterer im Wohnzimmer. Ihr Blick verlor sich, vorbei an den Verglasun-gen der raumhohen Terrassentüren mit ihren zunehmend dämmriger wer-denden Naturbildern draußen …, an der jetzt mehr schemenhaft wahrge-nommenen Inneneinrichtung. Innerer Nebel übergoss die gerade noch vor-herrschende aufgekratzte Nachmittagsstimmung und ersetzte sie durch Er-innerungen an vergangene Zeiten: Hier wohnten mal zwei glückliche Men-schen …! In Momenten unklaren Zwielichts, dem Übergang vom Tag zur Nacht überkam sie regelmäßig Trauer und Melancholie. Keine Liebe, keine Zuneigung, kein Partner zum anlehnen …, den einstigen Philipp, den sie abgöttisch geliebt hatte, gabs nicht mehr und den, der sie so bitter enttäuscht hatte, auch nicht … Leere wohin sie auch schaute.

Was unmittelbar an ihn erinnerte, hatte sie weggestellt. Versöhnung, Verzeihen, wenigstens zerknirschte Einsicht? War nicht mehr möglich. Er war tot. Tot! Erneut diese schmerzliche Gewissheit, wie ein Stich ins Herz. Sogar Isabelle musste sie gestern anlügen – und dachte an das große Kon-terfei, dass sie in die unterste Schreibtischschublade verbannt hatte. Jeder Blick darauf war seit Monaten eine Gratwanderung: Die unvergessene Liebe einerseits und zugleich der Hass auf diesen Mann, der sie schamlos betrogen hatte, der alles zerstört hatte. Sie wollte sich diese Seelenpein, den Anblick nicht mehr antun. Sie musste Philipp aus ihren Erlebnisbildern streichen, so schwer es ihr auch fallen mochte, musste der Lebenslüge ins Auge sehen. Sonst würde er sie auf ewig blockieren und ihren Hunger auf Leben, Liebe und Glück gleich dazu.

***

Hunger auf Liebe und Glück? Große Worte! Und nur, weil sie heute einen Mann kennengelernt hatte, der mit ihr in die Oper gehen wollte? Al-gena, schalt sie sich, wo bist du denn mit deinen Fantasien schon wieder?

101

Ein schöner und gelungener Abend in der Oper und vielleicht anschließend ausklingend ein Glas Wein hat doch mit „Glück" noch nichts zu tun. Bleib mal schön auf dem Teppich, meine Liebe, ermahnte sie sich eindringlich. Ja, natürlich, wenn ansonsten nur wenig Attraktives auf einen wartet, mag so ein Highlight schon mal als Glück durchgehen. Wie heißt doch der nette Spruch? *Wenn das Glück bei dir anklopft, stell ihm einen Stuhl hin.* Klartext: Aufgeschlossen sein, ist die Devise!

Egal, ob überhaupt und wie ernst sie diesen Geschäftsmann aus Frankfurt nehmen sollte: Die Oper und die Aussicht auf einen sicher illustren Abend geisterte in ihrem Hinterkopf, lösten sowohl Erwartung als auch Ängstlichkeit vor ihrer eigenen Courage aus. Der war jedenfalls mit Sicherheit im Umgang mit Frauen erfahren. Für sie trotz der fünfjährigen glücklichen Ehe mit Philipp wieder Neuland mit den Männern! Die letzten Erfahrungen als unabhängige Frau lagen lange zurück und betrafen nur (unreifes) Studentenvolk.

***

Und Harry? Ob sie wollte oder nicht: Dessen Auftritt gestern Abend ging ihr auch nicht aus dem Sinn. Auch der wollte sich melden, wollte mit ihr Kontakt halten. Aber genau überlegt: Was sollte das für einen Zweck haben?? Harry war verheiratet, hatte Familie mit Frau und Kind. Ein unverrückbarer Fakt. Alles Träumen von ihm gehört nach Absurdistan! Ja, sie war einst unendlich und rettungslos in ihn, diesen feschen jungen Studenten, verliebt und die Erinnerungen an damals wachten in ihr auf wie Phönix aus der Asche, trotz der inzwischen vielen vergangenen Jahre: Kein Wunder, dass sie sich gestern Abend des Anrennens all dieser einstigen Gefühle in ihre Psyche kaum erwehren konnte. Geradezu penetrant meldeten sich Bilder von damals Erlebtem mit ihm …, ein Kaleidoskop unvergessener Augenblicke, von Harrys samtweichen Lippen (die er heute noch hatte …), seiner männlich sonoren Stimme an ihrem Ohr, seine kraftvollen Umarmungen, seine ……, oh Gott!

Und jetzt gerade? Sie konnte nur mühsam verhindern, dass sich ihre Augen feuchteten.

Vergiss es, Algena, reiß dich am Riemen!! Und zwar sofort. Vergiss das romantische Getue von einst. Ist Schnee von vorgestern, an die acht Jahre ist das her, ist aus und vorbei ... Was soll das jetzt? Der knallharte Imperativ, den sie sich verordnete, wirkte – zumindest im Augenblick.

... na dann statt Harry jetzt eben Hermann! Klassische Substitution, sogar hier im Romantischen. Typisch für mich, dachte sie wenigstens jetzt realistisch: Äpfel und Birnen zusammenwerfen, nur damit man alles unter einen Hut packen kann. Hermann und Harry sind das absolute Gegenteil von *Synonymen*, sie sind *Antipoden*, nicht mal gemeinsam in einem Atemzug zu nennen. Das immerhin zu erkennen, brachte ihre Selbstreflexion auf.

Der Anrufbeantworter zeigte zwei Meldungen. Eine anonyme ohne Mitteilung (Aufgelegt. Feigling!), die andere stammte von Isabelle, die nur kurz wissen wollte, ob sie den gestrigen Geburtstagsabend gut überstanden habe (mag sein wegen Harry, vermutete Algena, könnte schon sein, dass die was gemerkt hat ...). Algena rief nicht sofort zurück. Immer noch schwirrten jede Menge Brummfliegen in ihrem Kopf herum. An Konzentration war nicht zu denken. Sie drückte auf den Fernseher-Einschaltknopf. Isabelle musste warten. Das gerade laufende Programm – eine der bekannten deutschen Unterhaltungsshows am Samstagabend. Immer dasselbe: Alle Mitwirkenden super gut drauf, Selbstdarstellungen in Reinstkultur, das Publikum in der riesigen Halle tobte und die Zuschauer an den häuslichen Bildschirmen in Hauslatschen, mit Bier oder Wein und Chips neben sich, wurden von den Moderatoren nach Kräften mitgenommen, alles einer Art Massenhypnose gleich. Das gemeinsam-gigantische Abheben in selbstvergessene Zeitlosigkeit, *Unterhaltung* genannt (negativ: Zeit totschlagen). Sie konnte und wollte der inszenierten Lustbarkeit nicht folgen, heute jedenfalls nicht ... Sie schaltete kurzerhand wieder ab.

Es siegte ihr Mitteilungsbedürfnis und das Gefühl, das viele Erlebte heute Nachmittag mit jemandem teilen zu wollen.

Sie goss sich ihr geliebtes Rotweinglas voll, Wein aus Frankreich, der Ardeche, der Rest von gestern Abend, noch letztes Jahr von einer Kurzreise mit Philipp mitgebracht, nahm einen kräftigen Schluck des edlen Tropfens und wählte Isa's Nummer ... – und gleich noch einen zweiten, während es bei Isabelle klingelte.

„Hier Isabelle Herting."

„Hallo Isabelle, hier Algena, du hast nachmittags schon mal angerufen?"

„Ja, wollte wissen, ob du gestern alles gut verdaut hast."

„Und wie! War echt schön mit Euch. Und Harry hat bestens reingepasst in unsere Runde, finde ich. Hab heut früh bis halb elf geschlafen, ausgeschlafen sozusagen."

„Na, das ist schön – ich übrigens auch", meinte Isabelle trocken. „Der Harry ist ja 'ne Marke. Hat einerseits schon an Statur gewonnen, aber andererseits...", sie ließ offen, was sie sagen wollte.

„Ja, stimmt, der hat sich schon verändert seit damals. Vielleicht tut ihm Verantwortungtragen sogar gut. Von früherer Leichtfüßigkeit und Unverbindlichkeit ist jedenfalls kaum mehr was zu spüren, ist eben verbürgerlicht", lobte ihn Algena ein wenig zu enthusiastisch, aber auch mit einem winzigen Schuss Verachtung wegen seines Familiengetues (so nannte sie abfällig das, was andere als „Familiensinn" preisen).

„Aber sag mal, Algena, Hand aufs Herz: Ist dir nicht aufgefallen, wie der dich gelegentlich verstohlen gemustert hat, ich fands bisweilen reichlich deutlich, unpassend jedenfalls, um nicht zu sagen, unverschämt."

„Ja, schon, ..., mag sein", wiegelte Algena ab, obwohl es ihr mehr als deutlich aufgefallen war, sonst hätte sie nicht die kurze Auszeit auf der Toilette gebraucht – nur wollte sie das nicht mal Isabelle gegenüber bekennen. „Glaube, das hat nichts zu bedeuten. Ein bisschen Hallodri steckt halt immer noch drin in ihm", meinte sie scherzhaft, „wird ihm seine Rosi sicherlich auf Dauer abgewöhnen, denke ich mir halt." Sie verstummte kurz und wollte dann rasch das Thema wechseln.

„Isa, ich hab dir was zu erzählen, was Neues, was ganz anderes!"

104

„Ach ja? Schieß los!" Isabelle war schon immer neugierig, was in Algenas Kreisen passierte, die nicht die ihren waren. Denn zweifellos würde Algena jetzt wieder von Laura oder irgendwelchen exzentrischen Unternehmungen ihres zweifelhaften Freundeskreises erzählen, da war sie sich sicher.

„Bin heute Nachmittag an der Isar drunten gewandert und schließlich in der Waldwirtschaft gelandet."

„Wie schön", pflichtete Isa überrascht bei. Sie hatte anderes erwartet.

„Das Wetter war ja traumhaft. Und stell dir vor, wie's der Zufall so will: Ich hab einen älteren Mann kennengelernt. Na ja älter …, schätze so um die fünfzig. Es war einigermaßen viel los dort oben, schließlich ist Samstag. Bei mir gegenüber war frei, er suchte einen Platz und fragte mich, ob da frei wäre."

„Ja und weiter?" Isabelle hielt sich ungern bei Vorreden auf. Wollte schnell zum Wesentlichen kommen.

Algena erzählte wortreich, was alles vorgefallen war und vor allem, dass er sie in drei Wochen in die Oper eingeladen habe. Isabelle verschlug es für einen Moment die Sprache.

„Sag mal …", sie stockte …, „ist er verheiratet??"

„Och …, stimmt, danach hab ich ihn gar nicht gefragt, einen Ring trug er jedenfalls nicht. Anfangs wars nicht dran und später hab ich an sowas überhaupt nicht mehr gedacht!"

Algena wurde jedoch die Wichtigkeit dieser Frage schon während ihrer Antwort siedendheiß bewusst.

„Al-ge-na!!!" Isabelle drang eindringlich in sie wie eine Therapeutin, „das ist das Allerallerwichtigste, was du stets so schnell wie möglich rauskriegen musst – die einzige Möglichkeit, vorschnelle Gefühlsinvestitionen zu blocken. Verheiratete Männer sind tabu! Mensch, das weiß doch jede Frau!! Und du bist Witwe, also ledig … Leee-dig!!! Also solo!"

Isabelle hatte zwar stets Verständnis für ihre Freundin, aber bei dieser Frage kannte sie keinen Spaß.

„Ja, ja, ja, ich weiß, aber da war und ist doch nichts, Isa, rein gar nichts", versuchte Algena sich rauszureden und merkte zugleich die veritable Lüge, die sie ihr gerade im Moment auftischte. Natürlich war und ist da was, mehr als sie sich bisher selbst einzugestehen wagte! Das wusste sie längst und dachte nicht nur an den eventuellen Opernbesuch …

„Und wie seid ihr verblieben?", fragte Isabelle neugierig, mühselig wieder Neutralität einziehen zu lassen.

„Er meldet sich nächste Woche telefonisch, ob's mit den Tickets geklappt hat. Hatte ihm meine Karte gegeben. Von ihm weiß ich nur den Namen, Hermann Wolkert heißt er, sonst nichts, keine Telefonnummer oder Adresse, nur dass er ein Geschäftsmann aus Frankfurt ist und alle paar Wochen zwei…drei Tage in München zu tun hat."

„Also …, wenn das alles tatsächlich unverbindlich geblieben ist, wie du sagst …" (Algena fühlte sich plötzlich recht unwohl in ihrer Haut), „na dann freu ich mich für dich. Du solltest eh öfter rauskommen aus deinem Bau. Du sagst mir inzwischen zu viele Termine ab, sogar sonst dir früher wichtige Events, was ich so mitbekomme. Verkriechen gilt nicht, meine Liebe. Du musst raus, raus und unter Leute!", dozierte Isabelle erneut eindringlich. Sie fühlte sich für das Wohl ihrer manchmal labilen Freundin ein wenig mitverantwortlich.

„Hast ja recht, Isa…", stimmte Algena nachdenklich und kleinlaut zu. Nach weiterem Kleinklein verabschiedeten sich die beiden.

***

Wieder mal das Wichtigste zu recherchieren vergessen …! Stimmt schon: Ob verheiratet oder geschieden, getrennt lebend, ob er gar noch Junggeselle war? Wohl kaum. Männer seines Alters hatten ziemlich sicher schon ein „erstes Liebesleben" oder eine Ehe hintersich, mit welchem Ausgang auch immer, und das sollte man unbedingt rausfinden. Bei dem Opern-Event wollte sie ihm geschickt auf den Zahn fühlen – er durfte diese ihre Absicht nur keinesfalls merken. Marotten schien er keine zu haben, zumindest keine, die man schnell erkennen würde.

Sie versuchte ihr inneres Bild von ihm zu verdrängen, weil es im Begriff war, zu konkret zu werden – sie kannte ihn ja kaum, aber es gelang nur halbherzig, geisterte hartnäckig in ihrer Psyche herum. Nervös nestelte sie an ihrem Negligé. Sie hatte sich vor dem Telefonat mit Isabelle schon zur Hälfte bettfertig gemacht, weil sie eigentlich müde gewesen war, aber das Telefongespräch hatte sie wieder aufgekratzt. Recht wenig der Rest Rotwein im Glas, fand sie, weshalb eine weitere Flasche geöffnet werden musste. Heute war Samstagabend und da könnte sie sich das bestens erlauben, entschuldigte sie sich nachsichtig … Und fiel bald in grübelndes Träumen, sah sich im trägerlosen Kleid in der Oper an der Seite Hermanns, der mit Komplimenten die verdorrte Öde ihrer ungestillten Bedürfnisse überschüttete. Der Ursprung gegenwärtiger Sehnsüchte. Sich anlehnen können, liebevolle Zuwendung, getragen werden … *„Nichts investieren bevor nicht Klarheit herrscht“*, hatte sie Isabelle dringlich ermahnt. Geradezu berserkerhaft empfand sie diese brutale Flammenschrift, ihrer vor den inneren Augen waidwunden lechzenden Seele zusetzend, denn die hatte sich, ob sie wollte oder nicht, längst entschieden …, keine Chance der Nüchternheit …, aber ja doch!! Nimms mit! JA! … Oder doch lieber nicht?? Sei offen, Algena, deinen Gefühlen gegenüber ebenso wie deiner Vorsicht, mahnte es in ihr vernehmlich …, und erneut: oder … lieber doch nicht?? Doch! Die widersprüchlichen Gefühle brannten lichterloh in ihr, einerseits angefacht vom Sturm lange vermisster Erfüllungen und der Erinnerung an Philipps Liebe, aber auch der Angst vor ihrer eigenen Courage, diese nicht ablegen zu können. Der innere Zwiespalt mutierte zum Chaos. Liebesbedürftig und ausgehungert war sie – samt einer Tendenz zum Haltlosen allem gegenüber, was sie in dieser Hinsicht befriedigen könnte und vorgeblich ehrlich oder auch dringlichzwingend auf sie einstürmte. Nur: Die in ihrer Fantasie vermeintlich *gewollte* Haltlosigkeit kollidierte stets mit ihrem real wirkenden retardierenden Wesen, was sie vor allem in der Liebe dann bremsen würde, wenns ihr „zu schnell“ ging.

Nein! Weg mit der Zauderei. Ihr Körper hatte sich entschieden: Sie wollte: Aus, basta. Weg mit der *Hin-und-her-Schwankerei*. Was oder wer auch immer, ihr Körper, ihr Verstand, ihr Gefühl, ihr Wollen: Sie hatte sich rettungslos verliebt in ihn, aussichtslos das zu negieren, auch wenn sie ihn praktisch überhaupt noch nicht kannte, von einschlägigen Erfahrungen ganz zu schweigen, nicht im Traume wusste, wie das gerade *mit ihm* denn so ablaufen würde – aber eben wahrscheinlich genau deshalb!

Der Rotwein aus der neuen Flasche, inzwischen insgesamt das dritte Glas, dämpfte nicht, sondern feuerte ihr unterschwelliges Verlangen weiter an. Hermann, noch zu neu auf ihrer inneren Kinoleinwand, ohne reale Erlebnisse, nur unsichere Visionen des immerhin Möglichen, noch nicht gefestigt vor ihrem geistigen Auge, verschwand in einer Nebelwand aus der einer Metamorphose gleich urplötzlich Harrys vertrautes Gesicht auftauchte, sein verführerischer Mund, die bekannten Bewegungen, sein Körper …, oh Gott …, ihr Herz begann schneller zu schlagen. Schaudernd und überwältigt ließ sich Algena treiben. Harry, der Verheiratete! Der mit der einfältigen Rosi. Die nun mal da war – mit Kind! Und doch, um nur zugleich und ohne zu zögern im selben Nebel zu verschwinden, weil kein konkretes Bild *der beiden* sie fesselte. Leben ist immer Chance, man darf sie nicht behindern, nie; ihre Fantasien generalisierten, ließen sich schon nicht mehr bremsen, im Kopfkino loderte ihr einstige reale Liebestrunkenheit penetrant ins Bewusstsein. Harry war nie mit der Tür ins Haus gefallen …, aber *sie* hatte sich fallenlassen können …, in seine Arme …, seine heißen Küsse unhinterfragter Liebe, die in diesen anfänglichen Momenten seinen körperlichen Begierden weit vorauseilten …, Glücksgefühle …, keine überrumpelnde Leidenschaft, er nahm sie mit in seinem gefühlvollen zielstrebigen Vorantasten, war sich ihrer gerade akuten Bedürfnisse, auch wenn die bisweilen schwankten, stets intuitiv bewusst …, ein seltenes männliches Naturtalent in so jungen Jahren. Algena wurde es heiß, ihr Körper brannte leidenschaftlich, sie visionierte, fühlte und lebte sich mühelos in eine verklärte Vergangenheit zurück, erzitterte am ganzen Körper, ließ ihren Händen freien Lauf und erlebte laut stöhnend und ungebremst ihre Orgasmen von damals in ihre heutigen Lebensverhältnisse hinein …

Algena???!!!! Lass das!! Der spielt längst in einer anderen Liga mit Familie, Kindergeschrei, Ikea, anderen Muttis, Krabbelgruppen und Quietscheenten und Oma und Opa zum Nachmittagskaffee. Komm zu dir!! Ihr hoch erregter, noch glasiger Blick verließ die Wohndiele und verlor sich im nirgendwo, sie wusste um ihre inneren Dramen, ihre unstillbaren Sehnsüchte, wollte sich lösen …, es ging unendlich langsam … Ihre Gedanken wandten sich widerwillig und mühselig, vom kalten Imperativ beherrscht, von Harry ab und langsam wieder seinem ursprünglichen Hintergrund, dem noch unvertrauten Hermann zu, den sie plötzlich mitsamt seinem Wagen vor ihrem Haus um die Kühlerhaube flitzen sah, um ihr den Schlag zu öffnen … Warum ausgerechnet diese Szene – keine Ahnung. Oder wollte die ihr imaginieren, dass er auf sie *flog, sie umgarnte*? Unglaublich: Sie kannte Hermann kaum, kannte noch nicht mal seinen Familienstand und stellte sich schon ein Stelldichein mit ihm vor. Genau das, wovor Isa sie so dringend warnte … Ihre Fantasie arbeitete wie geschmiert, malte sich ihren vertrauten Kontakt bereits in allen Einzelheiten aus … Algena wusste: Sobald im persönlichen Kontakt mit ihm Misstrauen, Zweifel und Vorbehalte zu Gunsten purer Verliebtheit erst mal überwunden waren, sie Vertrauen gefasst hatte, würde sie sich innerem Verlangen kaum erwehren können und wollen. Warum war sie nur so abhängig von dieser ambivalenten Psyche, warum zog ihr die *nicht-weichen-wollende seltsame Unstetigkeit ihrer Weiblichkeit* so den Boden weg, dass sie glaubte, nur noch mühevoll souverän-zielführend leben zu können? Sie war eben keine berechnende, kalte und rotzfreche Laura.

Hermann, ich … Sie vollendete den Satz nicht, erlag erneut ihrer Schwäche, sich dabei von konkreten Personen lösend, um wie von Sinnen und urplötzlich ihrer mächtig aufwallenden Lust nachgebend, zugleich und erneut gedanklich den tief vertrauten und verwurzelten Bildern von Harry samt irrealer Vorstellungen nachzuhängen, die Zeitabläufe überspringend und wilde Kapriolen schlagend ...

Ich bin echt verrückt, konstatierte sie entgeistert, plötzlich höchst nüchtern auffahrend aus der selbstinszenierten erotischen Trance. Immer wieder überwältigten sie Gefühlsstürme, denen sie wehrlos ausgesetzt war. Sie kannte sich, aber solch extreme Regungen gabs selten, war sie in dieser Intensität bei sich nicht gewohnt.

***

Sie spürte die tiefgreifende Metamorphose, die im Begriff war, ihrem bisherigen betulichen Weltbild von der Liebe den Garaus zu machen. Jetzt hatten sich angenehme, aber letztlich zweifelhafte, möglicherweise unerfüllt oder unerfüllbar bleibende Begegnungen mit Harry, mit Hermann und ein paar weiteren ihr bisher jedenfalls noch nicht so bedeutungsvoll erscheinenden Männern in ihrem Leben eingenistet – und die Liste würde länger werden. Und Henning gabs ja auch noch … Ja, stimmt schon: Die Annahme einer Freundin „im Hintergrund" hatte sich als falsch erwiesen. Er war tatsächlich freier Junggeselle, Anfang dreißig, eigentlich im passenden Alter für sie, aber damals hatte es bei ihr nicht gereicht. Sex ja, brachte die Situation mitsich, aber in ihn verliebt sein? Da spürte sie nichts.

Bisher hatte sie die schützende Hand ihrer unbedingen Liebe zu Philipp vor sich selbst und ihrer Unsicherheit bewahrt und jetzt ahnte sie, dass Philipp nach seinem Tod indirekt ihre bisherige intuitiv aufrechterhaltene, aber bewusst gelebte Zurückhaltung einschließlich der Abwehr einer allzu plumpen Männerwelt, brüchig machte – indem er sich aus ihrem gemeinsamen Leben verabschiedet hatte. Sie spürte die Gleichwertigkeit von Chancen und Gefahr, nahm sich vor, das eine zuzulassen, ohne die andere zu ignorieren, sich also in jeder Hinsicht zu wappnen – und wusste doch, sich im entscheidenden Moment womöglich nicht auf sich verlassen zu können.

Ja, sie war im Begriff, ihr ganzes Koordinatensystem mit der Liebe im Zentrum zu verändern, ein wahrer Paradigmenwechsel geradezu. Philipp war weg und jetzt musste sie ran, erstmals ungeschützte und unbeschützte Selbstständigkeit zeigen, mit Anfang dreißig eigentlich eine Selbstverständlichkeit – leider nicht bei ihr! Natürlich bedeutete ihr oft genug die weibliche Intuition, wie sie sich verhalten sollte, aber wie oft bereits hatten manche männliche Kurzbekanntschaften diese frech oder auch gekonnt durchkreuzt. Wenn sie sich bezüglich ihres Verhaltens neuen männlichen Bekanntschaften gegenüber zu unsicher zeigte, ahnte sie zugleich, dass damit so manche spätere Chance vertan werden könnte. Diese Erkenntnis belastete sie kolossal bis hin zu veritablen Zweifeln an sich selbst. „Wie kann eine hübsche reife Frau wie ich, sich noch so tollpatschig in allem geben, wo Liebe im Spiel ist?", grübelte sie.

Ein gewisses engagiertes, eigenes, zielbewusstes Verhalten, das letztlich auch erkennbar signalisierte, was man vom Gegenüber erwartete, gehörte unabdingbar zu diesem *Kampf der Geschlechter*. Als Frau war es für sie klar, ihr Interesse nur defensiv durchblicken lassen zu können, ja zu wollen. Trotzdem müsste sie mit ihren latenten Vorbehalten, mit Misstrauen und bisweilen unbegründeter, überdeutlicher Zurückhaltung aufräumen, und zwar gründlich, um der Liebe die Chance zu geben, die sie verdiente. Anders könnte sie auf dem *Markt der Beziehungen zur Welt der Männer* auf Dauer nicht bestehen. Nicht selten übermannte sie eine unglückliche Stimmung wegen dieser immer noch unaufgelösten inneren Ambivalenzen. Sie hatte sich nach fünf Jahren fester Partnerschaft mit ihrem Ehemann wieder dem „freien Markt der Liebe" zuzuwenden, das lang entwöhnte Verhalten eines Singles wieder neu zu lernen oder aufzufrischen. Und es musste sein!

Deprimiert langsam griff sie zum Glas und trank es ex. Ohne es sich einzugestehen, war ihr Rotweinkonsum in den letzten ein…zwei Monaten merklich angestiegen. Sie spürte manchmal den Kopf schwer werden, aber der Rotwein dämpfte eben auch bedrückende Gedanken wie gerade wieder. Zur Ablenkung schaltete sie den Fernseher ein – es war spät geworden, die Unterhaltungssendungen des abendlichen Hauptprogramms waren längst zu Ende und es lief anscheinend gerade noch eine Art Krimi, was aus den Szenen mühelos ersichtlich war, auch ohne die Handlung zu kennen oder den Film von Beginn an gesehen zu haben. Sie ließ sich noch paar Minuten berieseln, dann schaltete sie das Gerät ab und lag nach Mitternacht endlich todmüde im Bett, fand aber trotzdem lange keinen Schlaf.

Es muss inmitten der Nacht gewesen sein: Albträume packten sie, vermischten in wilden Passagen und im Kaleidoskop immerwährender Veränderung alle in letzter Zeit erlebten Szenen in verrückte Einzelschicksale.

Harry als diabolischer Rebell, den engelsgleichen, sanften Hermann zum Duell fordernd, sie als scheues Reh zitternd danebenstehend, weil sich ihnen eine Horde blutrünstiger Wölfe näherte …, um sich bei deren Anstürmen umgehend und unversehens in eine amazonenhafte Anführerin zu verwandeln, unerschrocken und verwegen diese Schar undefinierbarer wilder Fabelwesen – es waren keine Wölfe mehr – zu befehligen, deren rotzfreches Herumballern mit Schießeisen kaum zu bändigen war. Weil sie ein Ziel ausgemacht hatten, eine Kreatur, die es zu erledigen galt, jagten alle mitsamt ihr durch eine Art Hohlweg hell erleuchteter Gassen oder großstädtischer Häuserschluchten oder banal-lächerlicher Reihenhaus-Heimeligkeiten. Sie, äußerlich kaltblütig, aber innerlich voller Angst vor dem unbändigen Ungestümsein ihrer Untertanen, andererseits das unklare Ziel billigend, zugleich dann wieder erschreckend vor ihrer eigenen Rücksichtslosigkeit. „Dorthin geht!" brüllte sie den Weg weisend, aber sich selbst zugleich hinter einem Vorgartenbusch versteckend. Lähmende Stille, unterbrochen nur durch höhnische Schreie der Kreatur. Licht flammte auf …, die Amazone Algena schlotterte. Ihr Herz klopfte zum Zerreißen … Ein Schuss …, augenblickliche Totenstille, sekundenlang … inmitten und samt ihren Spießgesellen flüchtete sie durch steinernen Urwald. Es war vollbracht, aber auf einem seltsam runden Platz wandelt sich die Szenerie vollkommen. Sie sah sich urplötzlich einer drohenden Kulisse gegenüber, selbst als nächstes Opfer der blutrünstigen Meute, schrie gellend auf – und erwachte.

Schweißgebadet, noch in totaler Angstauflösung, jagte ihr Bewusstsein aus den Fängen des Traumes in die rettende reale Existenz: nachts in ihrem Bett. Hochaufgerichtet saß sie da im Dunkel und lauschte … Es hatte doch jemand geschossen, oder nicht? Was war da los? Atemlose Stille in der Wohnung und im Haus. Langsam klarte ihr Bewusstsein endgültig auf und registrierte die Albträume. Nur mühsam erinnerte sie sich an einige Bruchstücke, dass jemand erschossen worden sein musste, aber es blieb unklar, wer und warum und wer eigentlich bedroht wurde und dass sie abhängig im Bann einer Horde Unerklärlicher stand … Und was diese „Unerklärlichen" bedeuteten, was ihre Aufgabe war, warum sie sie anführen sollte und wo und ob es eine irgendwie geartete Verbindung zu ihrem realen Leben gab und und und …, viel mehr wusste sie nicht zu sagen. Ein verworrenes Chaos ineinander verwobener Eindrücke und Bilder. Nicht sezierbar. Sie konnte den Traum nicht deuten. Sie stand auf, machte Licht, ging ins Bad für ein Glas Wasser, nahm, wieder im Bett, ihr Buch zur Hand um sich ein paar Minuten abzulenken und löschte bald darauf das Licht. Der Spuk war vorüber, Gott sei Dank!

Trotzdem kann Schlaf heilen und Chaos klären. Dürfte eh die ureigene Aufgabe der Träume sein, sogar der Albträume. Sie erinnerte sich am nächsten Morgen nicht mehr an Einzelheiten, nur dass sie sich oft äußerst unwohl gefühlt hatte … und froh war, dass *es* vorbei war.

In den folgenden Tagen schien Algena wie verwandelt. Sogar ihre Kollegen und Kolleginnen merkten es und äußerten sich anerkennend. Ob sie denn eine schöne Geburtstagsparty gehabt habe am Wochenende? Algena blieb einsilbig, ließ sich aber nicht hinreißen, irgendwelche Ironien in diese Bemerkungen hineinzudichten, sie nahm sie neutral. Freundschaftliche, entspannte Vertrautheit gab es im Kollegenkreis höchstens beim *business as usual*, wenn alles andere, persönliche wie berufliche Ambitionen mal schwiegen. Dass ihr Leben voller ambivalenter Stimmungen und Spannungen verlief, die Höhen und Tiefen einander nur so jagten, ging niemanden etwas an, war absolut privat.

***

Ob sie denn kommenden Freitag mit in die Vernissage in der Galerie xy kommen würde, fragte Albert aus dem Freundeskreis per Telefon. Albert mochte sie und sie redete gerne ein paar Worte mit ihm. Wer denn noch käme, fragte sie ihn, nicht ohne Hintergedanken. Das wisse er auch nicht, habe halt gestern alle per Email oder Telefon informiert. „Ich geb dir Bescheid, Albert", antwortete sie ihm. Denn das wollte sie sich noch mal gut überlegen. Sie hatte seit mehreren Tagen den PC nicht mehr eingeschaltet, ihre Emails nicht gecheckt. Das holte sie jetzt nach und sah auch sofort aus den Antworten, dass auch Laura gedachte zu kommen … Die zu sehen hatte sie am wenigsten Lust. Wenn sie dennoch zusammen irgendwo auftauchten (oder es mussten), wars immer eine Art Eiertanz … Beide versuchten, den fundamentalen Zwist unter dem Teppich zu halten. Niemand sollte merken, dass sie sich „nicht grün waren", sich soweit irgend möglich aus dem Weg gingen …, Rollenspiele eben.

Algena sagte erst Donnerstagabend zu. Vorher grübelte sie stundenlang, ob oder ob nicht. Aber gelegentlich musste sie mal durch Anwesenheit Farbe bekennen. Und gerade jetzt, mit der rosigen Aussicht auf ein Event demnächst aus ganz anderer Ecke, von dem niemand was wusste, fühlte sie sich stark genug, eine unabhängige Figur spielen zu können. Irgendwann wird Hermann anrufen wegen der Oper, war sie überzeugt.

Laura erschien, wie üblich, erst eine halbe Stunde nach der Eröffnung – der Toast auf die Malerin (die Algena nur vom Hörensagen kannte) hatte noch nicht stattgefunden – mit einem flotten jungen Mann im Schlepptau, allen unbekannt, der sich als Jürgen „Dingsda" (sie verstand es akustisch nicht) vorstellte. Die beiden kamen auch zu Algena, die ihnen mit einer Mischung aus Neugierde auf den jungen Mann und kaum verhohlener Frostigkeit durch übertriebene Förmlichkeit Laura gegenüber entgegentrat.

„Schön, dass man dich wieder mal sieht, Algena, wollte mir schon echt Sorgen machen um dich, aber Albert meinte, es ginge dir gut. Na wunderbar. Im Grunde genommen hätte ich mir das auch kaum anders vorstellen können…, eine Frau von solch strahlender Erscheinung wie du und aufgeschlossen. Sicher hast du dein Leben längst wieder im Griff. Zurückschauen ist doch out, muss ja alles weitergehen, nicht wahr? Aber wem sag ich das. In der Zukunft spielt die Musik. Was treibst du so alles? Wirst sicher nicht an Langeweile leiden, oder? Wir müssen unbedingt wieder mal telefonieren …"

Algena war, paralysiert von dieser unverschämten nach Art einer überengagierten Philippika vorgetragenen „Kampfrede", unfähig zu kontern, versuchte mehrmals vergeblich zu Wort zu kommen, aber Laura ließ sich partout nicht bremsen, gönnte ihr nicht die geringste Chance, redete sie im

Wortsinn in Grund und Boden. Schließlich gab sie entnervt auf und versuchte Lauras Redeschwall zwangsergeben zu überstehen.

„… und später gehen wir übrigens noch in den Nightclub im Bayrischen Hof (Seitenblick auf Jürgen „Dingsda" …). Da kommst du doch sicher mit oder reizen dich Tanzen und die flotte Musik inzwischen etwa doch nicht mehr so wie früher? Könnt ich mir bei dir kaum …"

Algena wandte sich in ihrer Not schließlich unmerklich zur Seite, um, in den Boden schauend, dem akustischen Feuerwerk wenigstens optisch zu widerstehen. Sie war und fühlte sich als angegriffene Adressatin und es war ihr super peinlich den Umstehenden gegenüber, die nach Art eines Kollateralschadens alles betroffen mitbekamen und entweder ein verständnisloses, verwundertes Gesicht aufsetzten oder sich diskret aus der hässlichen Szene entfernten. Dass die beiden Frauen Feindinnen waren, war bei diesem Aufeinandertreffen nicht mehr zu übersehen, aber warum sie sich nicht mochten, wusste keiner und ob im Hintergrund darüber getuschelt wurde, bekam keine der beiden über ihre so unterschiedlich ausgerichteten wahrnehmenden Antennen mit. Eine absurde Situation.

Laura quatschte nicht nur pausenlos, sondern Algena fühlte sich bei so gut wie jedem geäußerten Gedanken dieses Miststücks mit der blonden Mähne beleidigt, ja geradezu impertinent drangsaliert, als ob sie Wachs in ihren Händen sei. Hohles Geschwätz auf ihre Kosten – und die *wollte* diese Wirkung, *wusste* es und wählte ihre Worte mit Bedacht, mit voller Absicht, *wollte sie treffen*, sie subtil niedermachen und – sie sagte es nicht so, aber so kams bei ihr, Algena, an – sie zugleich als im Grunde vertrotteltes Hinterwäldler-Gewächs dastehen lassen. „Telefonieren mit mir wollte sie … Das glaubt die doch selbst nicht! Was lügt denn dieses teuflische Weib da zusammen? An die Gurgel springen könnte ich ihr!", flatterte es in Algenas gepeinigtem Hirn. „Mit der will ich nichts mehr zu tun haben!" – Algena schäumte innerlich vor Wut, stand kurz vor einer Explosion, hätte ihr am liebsten kraftvoll eine gelangt, links und rechts in diese makellos schöne, verhasste Visage – und wäre dann befriedigt abgezogen. Wäre natürlich ein Eklat sondersgleichen in diesen heiligen Hallen gewesen, hier, wo zwar verlogene, aber eben zur Schau getragene Etikette herrschte. Einfach abhauen wäre auch eine Option gewesen, aber das hätte vor den Anderen nach Fahnenflucht ausgesehen. Also ausharren wider Willen.

Schließlich wandte sie sich demonstrativ ab, trat ein paar Schritte zur Seite, ließ sie einfach stehen und reden…, denn nebenan standen Albert und seine Frau, beide betreten dreinschauend. Algena wollte schnellstmöglich einen Themenwechsel, wollte weg von dieser schnatternden Hyäne. Sie hatte ein paar auf der Hand liegende Fragen zu den ausgestellten Bildern parat. Albert ging umgehend auf diese ein. Algena fühlte Dankbarkeit für seine mitfühlende Aufgeschlossenheit. So konnte sie sich halbwegs elegant aus der unseligen Affäre ziehen.

Mit einem Sektglas in der einen Hand, einem Kanapee in der anderen ließ Algena die Laudatio über die Künstlerin über sich ergehen. Laura und sie beachteten einander nicht mehr. Aber die brutale Provokation von vorhin saß trotzdem. Algena verwünschte diese Ausgeburt weiblicher Niedertracht sonst wohin, konnte sich beim kurzen Besichtigungsrundgang kaum konzentrieren.

Nach nur einer Stunde verabschiedete sie sich höchst diskret und ließ sich per Taxi nach Hause bringen. Fiel todmüde ins Bett. Hatte wenig bis nichts gebracht, dieser Abend. Im Gegenteil. Laura hatte sich „mordsmäßig" aufgespielt, wurde als – wie üblich – exzentrischer Star wahrgenommen und hatte sich ihr gegenüber so unmöglich wie selten benommen. Wegschlafen wollte sie diese widerlichen Ereignisse – und diese verhasste Frau.

***

Die nächsten Tage vergingen ereignislos. Jeden Morgen aufstehen, ins Atelier gehen, stets dieselben Visagen ihrer Kollegen und Kolleginnen ertragen – ja, nicht alle, einige mochte sie ganz gerne. An das tägliche Einerlei musste man sich gewöhnen. Erste soziale Pflicht jedes Kollegen, jeder Kollegin. Ihren Job machte sie gerne, entwickelte auch Ideen und neue

Modelle, prüfte neue Materialien auf Eignung, blätterte viel in internationalen Journalen, aus Interesse aber auch um sich von anderweitigen Fachansichten anstecken zu lassen. Stets aber litt sie daran, wie schwierig es in der Praxis war, sich gegen Vorstellungen anderer durchzusetzen. Alles musste picobello sein, hübsch und trotzdem alltagspraxistauglich, wenn möglich sogar etwas ausgefallen, das alles aber ohne das Wichtigste zu vergessen: Es durfte „nichts kosten". Standardisierte Herstellung, preisgünstige Stoffe und Materialien … (da waren die Einkäufer gefragt!). Und um jede zusätzliche Naht wurde gefeilscht – ein Kostenfaktor! Der war stets der Knackpunkt. Beim Chef hatte sie sehr wohl einen Stein im Brett, aber Entscheidungen wurden meist im Kollektiv gefällt, da mussten eigene Entwürfe wort- und argumentationsreich angepriesen oder verteidigt werden und sie fiel auch mal durch, nicht oft, aber immerhin. Das machte ihr so manches Mal gewaltig zu schaffen, nagte an ihrer Selbstsicherheit, genauer hier: Treffsicherheit in puncto Auswahl.

Ihr Telefon klingelte mindestens ein…zwei Mal am Abend, und elektrisierte sie, je mehr Tage seit dem bedeutungsschweren Besuch in der Waldwirtschaft vergangen waren. Nie war es Hermann … Aber etwa eineinhalb Wochen nach dem Kennenlernen meldete er sich.

„Hallo, hier ist Hermann Wolkert aus Frankfurt, sprech ich mit Algena Marzahn?"

„Ist am Telefon! Hallo Hermann, wie schön, dass sie anrufen." Etwas Intelligenteres fiel ihr gerade nicht ein. War ja auch egal. Endlich die ersehnte Stimme, das so sehnlich erwartete Telefonat.

„Wollte nur sagen, dass es mit Opernkarten geklappt hat: Wir gehn in das Ballett Schwanensee von Tschaikowski, und zwar am Mittwoch, den neunundzwanzigsten Oktober. Ist noch zwei Wochen hin. Ich hoffe, sie haben da Zeit."

„Da müsste ich erst mal schauen …", das gewohnheitsmäßige Stoppschild! Aber harte Termine standen derzeit nicht an und für ein Ballett in der Oper mit ihm würde sie eh alles andere sausen lassen. Algena jubelte innerlich. Mit Hermann in die Oper – der Traum würde Wirklichkeit.

„Ok, ich kann, da steht nichts im Kalender. Ins Ballett? Wie schön!"

„Ja dann will ichs kurz machen. Ich werde sie mit dem Wagen oder einem Taxi zu Hause abholen. Steht noch nicht fest. Und zwar um siebzchn Uhr dreißig, dann haben wir zeitlich genügend Luft. Ihre Adresse hab ich ja. Und übrigens, nach der Oper hab ich einen Zweiertisch im Ratskeller am Marienplatz reserviert. Ich kenn nicht viele Lokale im Zentrum von München, aber dort sitzt man recht gediegen und wenig gestört von den Nachbartischen. Wir können was essen oder auch nur was trinken. Und mein Hotel ist auch gleich in der Nähe. Ist hoffentlich alles in ihrem Sinne?"

„Ja …, klar. Können wir so machen, Ich freu mich!", bestätigte sie ein wenig zu förmlich mit leicht belegter Stimme. In Algena machte sich eben wieder, trotz der aktuellen Euphorie und deshalb völlig überflüssig, ihre sattsam bekannte Befangenheit breit, die sie, wie so oft, an einem unbeschwerten freudigen Zustimmungsklang ihrer Stimme hinderte.

„Na, dann bis Mittwoch übernächster Woche, Frau Algena, schönen Abend noch. Tschüss!", tönte es aus der Muschel. Dann legte er auf, bevor sie noch ihren Gruß losgeworden war. „Frau Algena" nannte der mich …, du liebe Zeit, so hatte sie überhaupt noch niemand angesprochen. War reichlich altmodisch, klang aber recht sympathisch, offen und natürlich.

***

Kaum aufgelegt, wählte sie Isabelles Nummer. Das musste sie sofort loswerden, ihr mitteilen. Die freute sich aufrichtig für sie und wünschte ihr viel Spaß.

„Und danach musst du mir erzählen, aber haarklein, und zwar alles", setzte sie bestimmend mit schalkhaftem Unterton hinzu.

„Klar doch, Isa".

Alles in ihr fieberte ab sofort diesem Termin entgegen. Algena konnte sich kaum auf was anderes in ihrer Freizeit konzentrieren.

Der Wunsch, sich die gute Woche bis zu diesem Abend in Ruhe mental auf das Ballett, auf Hermann, einzustimmen und zu konzentrieren, ging gründlich schief.

Denn nur einen Tag später rief Harry an. Fragte nach ihrem Befinden und ob sie ihr Geburtstagsfest neulich gut überstanden habe. Er erzählte von seiner Familie, dass sie noch einen kleinen Schrank fürs Kinderzimmer bräuchten und Rosi den bei Ikea schon gefunden habe, sie würden jetzt am Samstag hinfahren … Algena langweilten diese Neuigkeiten aus dem Kinderzimmer, interessierten sie nicht die Bohne, stattdessen hatte sie nur Ohren für den samtenen Klang seiner Stimme, der sie elektrisierte. Schließlich wechselte Harry das Thema und Algena merkte, dass dieser Ikea-Opener nur ein Vorwand war:

„Wann könnten wir uns denn mal wiedersehen?", fragte er. Da wurde sie hellhörig. Hatte er nicht gesagt, sie solle doch mal bei ihnen vorbeikommen, sie besuchen, um auch Rosi kennenzulernen? So klang das jetzt aber nicht!

„Na ja …, schon", meinte sie gedehnt und nachdenklich wirken wollend, „und wie hast du dir das vorgestellt, Harry?"

Sie war gespannt, was käme. Vielleicht doch „nur" die versprochene Einladung nach Hause? Als verheirateter Mann könnte er sich eigentlich schwerlich mit einer hübschen, vor allem ungebundenen, einstigen Liebschaft „außerhalb" wieder treffen, schätzte Algena. Es würde an ein Wunder grenzen, wenn seine Rosi das kalt lassen würde.

„Ach …, ganz einfach, wir treffen uns abends in der Stadt zum Essen oder auch nur was trinken, wie du magst. Wo können wir noch sehen."

„Jaaaa …?", setzte Algena fragend hinzu, „und was sagt deine Rosi dazu?" Keine Ausflüchte mehr, das musste geklärt sein, sonst ginge gar nichts!

„Rosi fährt am Montag den siebenundzwanzigsten für eine Woche mit dem Kleinen zu ihren Eltern nach Regensburg."

„Ah ja …, hmhm! Achso …, klar …, und da hast du sozusagen sturmfreie Bude, respektive Zeit in dieser Woche. Und rufst mich just jetzt deshalb an! Raffiniert ausgedacht, Harry, muss ich schon sagen."

Gegenüber Harry hatte Algena wenig Hemmungen. Wohl wegen ihrer einstigen Vertrautheit. Außerdem sollte der nicht meinen, sie … Sie bremste ihren Gedankengang, der sich bereits wieder Harrys betörend sonorer Männerstimme zuwenden wollte.

„Gar nix raffiniert ausgedacht. Ich hab halt gedacht, dass ...!" Es klang trotzdem leicht verunsichert.

„Schon recht", unterbrach ihn Algena nicht ungehalten, „und wann hast du dir das vorgestellt?", erkundigte sie sich.

„Während der Woche geht bei mir jeder Tag, außer Montag, da geh ich zum Sport."

Das wird 'ne Woche, schoss es Algena durch den Kopf. Mittwoch ins Ballett und an einem der anderen Tage mit Harry ..., ballt sich schon arg zusammen, dachte sie.

„Wie wärs mit Freitag, in der besagten Woche?" Den Ballettabend wollte Algena von nichts Vorangehendem getrübt sehen und den darauffolgenden Abend wollte sie sich auch freihalten, um nachzusinnen, nicht erneut einer Spannung ausgesetzt sein (und die zu erzeugen, traute sie Harry zu, da dürfte er sich nicht geändert haben).

„Ok, abgemacht. Hast du besondere Wünsche wohin, Algena?"

„Treffen wir uns an der Münchner Freiheit unten am Eingang zum Tengelmann. Dann sehn wir schon. Ich kann aber nicht vor neunzehn Uhr da sein. Das Geschäft, du verstehst!"

Algena wollte die Fäden in der Hand behalten, jedenfalls mitbestimmen, wie der Abend ablaufen sollte und wie nicht ...

„Okay, dann bis Freitag übernächste Woche. Ich freu mich auf dich. Machs gut, Algena!"

„Tschüss, Harry."

Dann legten sie auf.

***

Algena kam ins Sinnieren. Gleich zwei Einladungen ..., nein nur eine wirkliche, die ins Ballett, dessen emotionaler Einfluss auf sie an sich offen war, sich aber dennoch nicht von der Vernunft bändigen lassen wollte. Längst hatten sich schon Visionen in ihre Gefühlswelt eingeschlichen, obwohl denen noch jegliche reale Erfahrung abging und somit jeglicher Grundlage entbehrten. Mit Harry dagegen wars erst mal nicht mehr als ein Treffen basierend auf gleichen Interessen, schlicht weil sie sich viele Jahre nicht mehr privat gesehen hatten. Der Geburtstag neulich war ja nur eine Art Türöffner gewesen. Ob ihr Treffen allerdings nach den zehn Jahren „normal" und harmlos vonstatten gehen würde (nach den irritierenden Erfahrungen an besagtem Geburtstagsabend)? Das war die Frage – sie waren eben einst schwer verliebt ineinander gewesen. Sollte jetzt vorbei sein, aber obs wirklich vorbei war? Es musste, das wusste sie. Und trotzdem gestand sich Algena durchaus ein, ein wenig Angst vor dem Treffen zu haben und versuchte deshalb krampfhaft, „die Fahne Harry" mental so tief wie möglich zu hängen. Ihr Inneres war zu sehr vergiftet vom geheimen Verlangen, ihn zu sehen, weil es Gefahren barg, die sie unter Umständen nicht beherrschen konnte, was aber keinesfalls sein durfte. Pausenlos hämmerte sie sich die Unsinnigkeit dieser drohenden Gefühlsaufwallungen ein.

Letztlich wusste sie glasklar, dass beide Männer für all ihre aufwallenden Träume, vorsichtig gesagt, problematisch waren. Harry, weil er von vornherein ausschied. Und Hermann? Weil das schlicht offen war! Was es mit dem auf sich hatte, wollte sie ja erst noch rauskriegen. Da konnte man gar nichts sagen – nur träumen, das schon, eben weil alles möglich sein konnte. Isabelles Warnung leuchtete zwar grell auf, fiel in diesem Augenblick trotzdem gerade krachend unter den Tisch.

Dann kam der lang ersehnte Tag. Sie schlüpfte in ein ansprechendes, ihre tadellose Figur betonendes, trägerloses, zurückhaltend zartgelbes Abendkleid und wandte viel Zeit auf für ihre Toilette. Am Tag zuvor hatte sie noch einen Friseurtermin bekommen. Mit der selten getragenen Stola um ihren schlanken Hals drapiert, die brünetten neu formierten Wallehaare ihre Schultern umschmeichelnd, fand sie sich im Spiegel bildschön, was kein Selbstlob war, denn dass sie das selbst in Alltagsklamotten war, bezeugten all ihre Bekannten.

Pünktlich um achtzehn Uhr klingelte es und Hermann meldete sich über die Sprechanlage. Sie war fertig gewesen und kam umgehend herunter, stand als wahrhaft umwerfende Erscheinung in der geöffneten Haustür. Er verharrte einen kurzen Moment am Wagen bevor er auf sie zuging, nicht ohne deutlich bewundernde Blicke auf sie zu werfen, auf ihr strahlendes Aussehen, das bewundernswerte Outfit, den offen getragenen leichten Mantel. Algena strahlte übers ganze Gesicht. Sie war schön wie nie!

„Sehr schön, sehen sie aus, Frau Marzahn", war der einzige Kommentar, zu dem er sich hinreißen ließ. Ein paar Sekunden schmollte es in ihr. War das alles? Hatte der schon so viel erlebt und gesehen? fragte sich Algena. Wenigstens verwendete er nicht die altbackene Vornamen-Anrede. Andererseits: Was hatte sie denn erwartet? Einen Bewunderungskniefall etwa? Sei nicht albern, Algena! Das Taxi wartete geduldig.

Sie waren beizeiten dran und in der Oper lud Hermann sie noch vor Vorstellungsbeginn zu Sekt und einem Schälchen Kanapees ein. Am eleganten Bistrotisch stehend, fühlte Algena sich glücklich wie selten zuvor. Jetzt wars so weit. Natürlich kannte sie das Nationaltheater, war schon öfters hier, aber dieser Termin war ein absolutes Highlight. Hermann, im dunklen Anzug mit modisch eleganter Krawatte, parlierte mit ihr über Musik, über das elegant-gediegene Interieur hier. Er erkundigte sich nach ihren sonstigen gesellschaftlichen Vorlieben. Im Grunde alles leicht dahinplätschernder Small Talk, aber mit einem starken unterschwelligen Interesse unterlegt: Genau betrachtet hatten sie beide nur Augen für die Ausstrahlung des jeweils anderen. Ihn faszinierte diese brillante und elegante junge strahlende Frau und sie versuchte seinen Typ zu ergründen. Und keinem blieb die jeweilige Ambition des anderen verborgen, auch wenn darüber begreiflicherweise kein Wort verloren wurde.

Dann die beeindruckende Vorstellung. Das Ballett war mit Weltklassetänzern besetzt. Bisweilen warf sie einen verstohlenen Blick auf ihren Begleiter neben sich, der aber voll konzentriert der Vorstellung folgte und keinen noch so kurzen Blick für seine schöne Begleitung übrighatte. In der Pause drehten sie im großzügigen Foyer mit den vielen Wandspiegeln und unter den hellstrahlenden Lüstern inmitten edel gekleideten Publikums engagiert plaudernd ihre Runden – bis zum zweiten Teil der Vorstellung geklingelt wurde.

Das Wetter war brauchbar, der Ratskeller nicht weit. Sie konnten gut zu Fuß gehen.

„Hat ihnen die Aufführung gefallen?", fragte Hermann, während sie gemächlich die Schaufenster von Dallmayr, einem der edelsten Gourmethäuser Münchens passierten. Zum Ratskeller warens nur noch ein paar Schritte.

„Oh ja, ich liebe Ballett, mehr noch als Opern, die oft recht schwer in Musik und Text sind."

Algena war erfüllt von beidem: Der Aufführung ebenso wie dem Umstand, mit diesem attraktiven, gestandenen Mann in der Oper gewesen zu sein und jetzt hier in einer behaglichen kleinen Nische im Ratskeller zu sitzen. Nur sehr gedämpft klang der Restaurant-typische Geräuschpegel anderer Gäste an ihr Ohr. Natürlich behielt sie ihre erhabenen Gedanken für sich und schwärmte stattdessen etwas übertrieben von Tschaikowskis eindrucksvoller Musik: Gehe ihr unter die Haut, und die Handlung sei gut in den einzelnen Szenen eingewoben und erkennbar gewesen. Sie einigten sich, nur ein Glas Wein zu trinken und nichts zu essen. Der Ober brachte Rotwein aus der Toskana. Algena hatte ihn ausgesucht.

„Ach ja, bevor ichs vergesse: Vielen vielen Dank nochmals für ihre Einladung", platzte Algena ein wenig unmotiviert dazwischen.

„Keine Ursache, es hat Freude gemacht, mit Ihnen diese Vorstellung zu besuchen, ein Glück, dass ich noch Karten bekommen hatte."

„Sie haben mir noch kaum was von sich erzählt", begann Algena betont neutral ihr geplantes subtiles Anliegen, mehr (vor allem das Entscheidende) über ihn zu erfahren. „Was führt sie so oft nach München?"

„Es ist ein wissenschaftlicher Auftrag des Max-Planck-Instituts, bei dem ich mitwirke. Ich bin Chemiker bei einer namhaften Firma in Frankfurt und unsere Forschungsergebnisse müssen im Institut vorgestellt werden."

Und nach einer kurzen Kunstpause: „Ach ja, und übrigens, lass uns einander duzen, einverstanden? Spricht sich netter miteinander, oder?

„Gerne, von mir aus, wobei wir mit *Sie* sicher genauso gut ausgekommen wären, denke ich mal." Klang durchaus bremsend.

Algena hätte gerne „fürs Erste" pro forma eine Mindestdistanz gewahrt, einfach so, als Vorsichtsmaßnahme (vor allem auch gegen sich selbst …).

War hiermit hinfällig. Hermann war echt nett, ja sie fand ihn anziehend, sein Habitus, seine verbindliche Gestik. Seine überlegte, freundliche Art riefen bei ihr geradezu Anlehnungsbedürfnisse hervor. Ein reifer souveräner Mann! Chemiker war er also, vermutlich mit Doktortitel. Interessant. Für sie allerdings eher zweitrangig. Was sie interessierte, war sein Privatleben, bekannte Algena innerlich und offenherzig. Die entscheidende Frage: Sein Familienstand … Einen Ehering trug er jedenfalls nicht, was heutzutage überhaupt nichts mehr bedeutet. Viele Paare tragen inzwischen keinen mehr. Algena schaute ihn mit herzensoffenem Blick an, unübersehbar in einer gewissen angespannten Erwartungshaltung.

Hermann spürte Algenas fragende Anspannung, erwiderte geradewegs ihren Blick und schaute ihr seinerseits jovial ins Gesicht, als ob er darin lesen wollte – und es vor allem konnte!

„Ich glaube …", begann er etwas zögerlich, als ob er sich seiner Sache, besser Frage, dann doch nicht ganz so sicher wäre, „Dich interessiert etwas ganz anderes!"

Algena wurde es mulmig ums Herz. Hatte der womöglich erkannt, durchschaut, was sie so sehnlich wissen wollte? Unglaublich! – Was für ein Mann!

„Na ja …, schon", begann sie gedehnt, „wenn ich ehrlich bin …".

Es hatte eh keinen Sinn, um den heißen Brei herumzureden, dem was vormachen zu wollen, bei seinem offenkundigen Röntgenblick … Also dann …

„Ich hatte dir ja vor ein paar Wochen im Biergarten erzählt, dass ich seit dem Autounfall meines Mannes Witwe bin –, und du? Bist du …?" Sie zögerte merklich, „bist du verheiratet???"

Raus mit der entscheidenden Frage, dem entscheidenden Wort. Die Notwendigkeit solcher Klärung lag ja auf der Hand in einer Situation wie dieser hier, entschied Algena nüchtern, aber mit bauchschmerzender Selbstüberwindung, denn so unverblümt zu fragen, kam ihr denn doch etwas zu forsch vor.

„Das würdest du gerne wissen wollen, liebe Algena? Wär ja auch ein ganz wichtiges Kriterium, Gefühle zu investieren, nicht wahr?", schmunzelte Hermann locker lachend. „Ich versteh dich ja, so läuft eben dieses ganze Spiel." Und legte seine linke Hand zartfühlend auf ihre rechte, spielte ein wenig mit ihren schlanken Fingern, als ob er Zeit gewinnen wollte, um sie mit diesem ruhigen Körperkontakt auf seine Antwort vorzubereiten. Sie spürte seine Hand brennend auf der ihren.

Algena registrierte ein kribbelndes Ameisenheer, ihren ganzen Körper mit tausenden Beinchen überflutend. Ihre Psyche, zum zerreißen gespannt, ließ ihr eine leichte Röte ins Gesicht schießen. Dem konnte sie kein X für ein U vormachen, das war ihr spätestens jetzt sonnenklar.

Ihre rechte Hand leicht drückend, ihr dabei freundlich ins Gesicht sehend, meinte er mit entwaffnender Miene: „Natürlich bin ich verheiratet, Algena, hattest du anderes erwartet? Die allermeisten Männer meines Alters sind verheiratet, ist doch so, nicht wahr?" Leutselig und rhetorisch perfekt fiel sie aus, diese Offenherzigkeit.

„Aber", fuhr er fort, etwas in sich gekehrter und seine Hand von der ihren wieder lösend, „ich lebe seit einem halben Jahr von meiner Frau getrennt. Unsere beiden Kinder, unser Sohn, Mitte zwanzig und die Tochter, ein paar Jahre jünger, studieren in Berlin und sind recht selbstständig. Und bei uns kriselts schon seit Längerem. Unsere Lebensvorstellungen passen nicht mehr so recht zusammen. Es gab zu oft Streit ums Grundsätzliche. Jetzt haben wir Konsequenzen gezogen und uns erst mal räumlich getrennt. War nicht einfach, wirklich nicht, kann ich dir sagen! Jede Trennung ist ein Drama, auch wenn die Kinder schon fast aus dem Haus sind. Wie es jetzt weitergeht, ist völlig offen."

Er hielt inne, den Blick nach unten gesenkt, wie wenn ihm diese Aussage unangenehm wäre, ihn belasten würde.

Algena betrachtete ihn wie durch einen milchigen Schleier, erst mal unfähig, etwas dazu zu sagen, dafür arbeitete es in ihr wie besessen: „Aha. So also. Klar. War zu erwarten. Und mit dem sitz ich jetzt da und weiß, seit ich ihn kennengelernt habe, dass er mir gefällt, womöglich zu sehr gefällt. Hab mir seine Begeisterung für mich bereits in den schillerndsten Farben ausgemalt und mich schon sonst wohin getragen gesehen in meiner Fantasie", dachte sie mit leicht resigniertem Schauer. „Und jetzt sitzt da einer mir gegenüber, der noch gar nicht mal weiß, ob seine Trennung von Dauer sein wird, möglicherweise nur eine trügerische Fata Morgana ist. Und wie soll das jetzt weitergehen? Wahrscheinlich ..., keine Ahnung! Oder irgendwie, oder ..., stimmt das denn mit der Trennung überhaupt, oder bindet mir der einen Bären auf? Machen ja Männer angeblich gerne, wenn sie ein Abenteuer suchen." Ihre Gedanken traten auf der Stelle, ohne vorwärts zu kommen. „Vormachen kann ich diesem lebenserfahrenen Mann jedenfalls nichts. Aber ist ja eigentlich auch egal. Was solls? Ihn mit meinen Reizen bezirzen, kirremachen, locken, anmachen soweit das möglich ist, einfach so, ihn zu animieren, mit mir zu flirten, warum nicht? Dann sollte es nicht mehr allzu schwierig sein, meinem *und* seinem Spaß ein bisschen nachzuhelfen ...". Verführerische Gedanken! Aber: Im Grunde musste sie sich eingestehen, ihn kaum zu kennen, vor allem nicht, wie er als Liebhaber reagieren würde. „Ob der überhaupt anspringen, darauf eingehen würde? Wohl schon, trotzdem mich da so leise Zweifel beschleichen, ganz ehrlich gesagt. Und wenn doch, dann vielleicht ganz anders als erwartet – aber das wäre ja gerade das Spannende, weil er recht undurchschaubar wirkt, trotz seiner realen Bekenntnisse. Andererseits ist er kein achtundzwanzigjähriger Heißsporn mehr und ob ich in der fortgeschrittenen Klasse, in der dieser erfahrene Mann spielt, oder vermutlich gewohnt ist, zu spielen, die richtigen Worte und Gesten fände, auf die der reagieren würde, weiß ich nicht, außer natürlich, er kennt das meist spontane Verhalten von zwanzig oder mehr Jahre jüngeren „Gespielinnen", hat vielleicht auch schon nach solchen gesucht in den Monaten seiner Trennung." Ihr Hirn ratterte sekundenschnell durch all diese Vorstellungen hindurch. War alles reinste Spekulation. „Es könnte im Gegenteil aber auch sein, dass er in puncto Flirt und Verführen gerade mit deutlich jüngeren Frauen nach langen Ehejahren längst keine Übung mehr hat und daher erst mal wieder zum späten Greenhorn neigt – auch wenn er in vielen anderen gesellschaftlichen Situationen ein Kundiger zu sein scheint." Seine generelle Neigung zur Überlegtheit in allen bisherigen Kontakten mit ihr fand sie jedenfalls frappierend.

Ihre Psyche war längst in Aufruhr geraten. Das Weinglas aufnehmen und ein wenig in der Hand hin und her drehend, schließlich daran nippen, ihn dabei über den Glasrand hinweg fixierend, bot Ablenkung und Zeit gewinnen …

Hermann hatte sich von den Gedanken an seine Situation wieder gelöst, heftete seinen Blick erneut auf sie und platzte, scheinbar ungerührt, in ihr nachdenkliches Tun und Schweigen hinein:

„So. Und wie gedenkst du jetzt mit dieser Information umzugehen, Algena?"

Algenas fliegende, unausgegorene Flirtpläne fielen augenblicklich erst mal wie ein Kartenhaus flach in sich zusammen. Sie wusste nicht, was sie sagen sollte, so verlegen war sie. Der durchschaute ihre Gedankenverwirrung und heimlichen Visionen wie durch Fensterglas hindurch. Beunruhigend. Andererseits beruhigten seine klaren Worte. Sie war überzeugt: Der war ein echter Gentleman, der wusste was er wollte und was nicht und würde Form, Status und Anstand zu wahren wissen in allen denkbaren Situationen. Der würde sie niemals nur billig ausnützen.

„Weiß ich nicht." Kürzer konnte sie nicht antworten. Ihre Miene verriet Ratlosigkeit. Hermann schmunzelte.

„Natürlich weißt du es, Algena! Ich glaube, du verdrängst es nur. Du bist eine höchst anziehende Frau, bist dir dessen auch bewusst und mit Sicherheit auch gewandt im Umgang mit Männern, vor allem, wie man sie für sich einnimmt, stimmts?"

Er schaute sie erwartungsvoll an, war gespannt, was sie jetzt antworten würde.

Da kam aber nichts. Algena nahm seine entwaffnend offene Frage samt Schlussfolgerung kommentarlos hin. Instinktiv spürte die Frau in ihr: Jede Antwort wäre jetzt falsch bzw. könnte fehlgedeutet werden.

Das mit der Gewandtheit im Umgang mit Männern war seine Spekulation und im Grunde ein dickes Kompliment. Erneut stellte sich in ihrer Fantasie das besagte Flirt-Kartenhaus auf, allerdings wackeliger als zuvor, denn sie misstraute ihrer Gewandtheit beim flirten mit einem deutlich Älteren, Erfahreneren. Oder …? Vielleicht ließe der sich leichter als gedacht um den Finger wickeln, weil er doch – davon ging sie (immer noch) aus –

wie *Normalgeschäftsmann* an schnellen Eroberungen Interesse haben müsse? Letztlich siegte dann doch ihre Unsicherheit ...

Es wurde ihr klar: Schwierigstes Terrain. Also lieber lassen das alles! Algena wagte es nicht mehr, ihm direkt in die Augen zu schauen, betrachtete lieber weiter ihr Weinglas und schwieg.

Hermann akzeptierte gelassen Algenas Schweigen, erwartete anscheinend keine weitere Offenbarung von ihr. Längere Pause. Sie ließen es bei diesem leicht angespannt-erregten gegenseitigem Abtasten bewenden.

Es dauerte eine geraume Weile bis sich beide wieder gefangen hatten und bald angeregt über alles Mögliche gut und entspannt plauderten und lachten und sich ihrem Wein widmeten. Hermann erwies sich als unterhaltsamer, gebildeter und vor allem humorvoller Mann. Algena fühlte sich nach der kurzen irritierenden Situation jetzt wieder ausgesprochen wohl, empfand die gemeinsam verbrachte Stunde als glückliche Zeit. Jedenfalls wusste sie jetzt Bescheid über seinen Familienstand. War ein wichtiges Ziel für sie an diesem Abend gewesen.

Gegen dreiundzwanzig Uhr fanden beide, es sei gut für heute und brachen auf. Hermann wohnte, wie immer, im Hotel Bayrischer Hof, konnte also zu Fuß dorthin laufen. Algena machte Anstalten zur S-Bahn zu gehen, Da protestierte Hermann.

„Kommt nicht in Frage, ich bestelle ein Taxi für dich. Jetzt um diese Zeit musst du nicht mehr allein auf den einsamen Straßen in Solln herumgondeln."

Er rief ein Taxi und verabschiedete sich überschwänglich von Algena, nicht ohne von ihr das Versprechen zu erlangen, sich wieder zu treffen bei seiner nächsten Geschäftsreise nach München. Er freue sich darauf und wolle mit ihr elegant essen gehen oder evt. ins Kino, oder, soweit der Spätherbst es noch zulasse, eine kleine Wanderung mit ihr unternehmen. Er könne auch am Wochenende mal hierbleiben, denn es würde ja niemand in Frankfurt auf ihn warten. Unübersehbar sein schalkhaftes Augenzwinkern bei dieser Feststellung. Er offerierte ihr diese neuen Perspektiven rasch in wenigen Worten, weil das Taxi bereits mit laufendem Motor wartete.

Hermann trat an die Fahrertür und sprach kurz mit dem Fahrer. Algena sah einen größeren Geldschein den Besitzer wechseln.

„Ich hab den Taxifahrer bereits bezahlt, du brauchst dich nur reinzusetzen und heimzufahren", strahlte er Algena an.

„Ja, aber …"

„Kein aber, liebe Algena, du warst und bist den ganzen Abend mein Gast."

Algena war einigermaßen perplex über Hermanns Generosität. Erneut eine kurze knappe Umarmung und ein flüchtiger Wangenkuss von ihm besiegelte den Abend. Gerade noch ein schnell gestammeltes „Vielen vielen Dank für den schönen Abend heute, Hermann, und auch für die Taxifahrt", brachte sie mit belegter Stimme heraus, während der Taxifahrer bereits die Beifahrertür von innen öffnete.

„Ich melde mich", rief Hermann und wechselte mit Algena noch einen bedeutungsvollen Blick (so würde Algena es später interpretieren), dann stieg sie ein und der Wagen fuhr rasch davon.

Sie saß im Taxi, gab dem Fahrer zerstreut Anweisungen, wohin er sie bringen sollte. „Wie undurchschaubar Hermann doch ist – zeigt einerseits großes Interesse an mir, bezahlt sogar das Taxi, aber lässt sich anscheinend auf keinen näheren oder dichteren Kontakt mit mir ein, nicht mal auf einen kurzen knappen Kuss auf den Mund. Ja, den hätte ich mir gewünscht, eingestandenermaßen … Na ja, könnte ja noch kommen. Wenn nur das Damoklesschwert seiner offenen Ehesituation nicht über ihrer ungeklärten Beziehung hinge."

Nein nein, nicht dass sie erwartet hätte, mit ihm den Abend noch in privater Atmosphäre ausklingen zu lassen, war sie aber dennoch enttäuscht, dass genau das nicht stattfand. Andererseits: So wie er sie mit seinem letzten Blick vorhin angeschaut hatte, war das letzte Wort noch lange nicht gesprochen …, tröstete sie sich, Jetzt war alles erst mal wieder offen, der gemeinsame Abend, auf den sie sich so gefreut hatte, gelaufen und sie sah sich in wenigen Wochen wieder tagelang auf seinen Anruf hoffen und warten.

So ein Blödsinn, ärgerte sie sich plötzlich: Erneut hatte sie vergessen, ihn um seine Visitenkarte zu bitten! Unverzeihlich! „Der lebt allein, ich könnte ihn anrufen falls mich Sehnsucht packen sollte, könnte mit ihm in näherem Kontakt bleiben, aber vor lauter Faszination war ich wieder mal kopflos geblieben und habe Wesentliches vergessen". Sie sah schon Isabelle verzweifelt den Kopf schütteln: Mein Gott, Algena …, sowas ist wichtig, das *vergisst* man doch nicht!

Im Bett hatte sie noch kurz ihren derzeitigen Schmöker aufgeschlagen – vergeblich. Schon nach wenigen Zeilen zerflossen die gerade begonnenen neuen Szenen zu einem undefinierbaren Brei, in dessen Mitte sich bald, dem Buch völlig fremd, eine Gestalt konturierte: Hermann! Das Buch sank auf die Bettdecke, ihre müden Augen verloren sich im Gedankendickicht der Erlebnisse von vor wenigen Stunden und dazwischen hineinflackernd auch der der letzten Tage. Sie löschte das Licht.

***

Unbeirrt und monoton-gleichmäßig schreitet die Zeit fort. Nur in seltenen klaren Momenten außerhalb unmittelbarer Erfordernisse des Alltags (wann passiert das schon…?) empfinden die Menschen, weil sie sterblich sind und das Leben mit dem Tod endet, ihre Lebenszeit bewusst als eine *unerbittlich ablaufende Zeit die zu nutzen sei,* ungeachtet jeglicher situationsbedingter Wünsche, die Zeit möge schneller ablaufen oder stehen bleiben. Menschen müssen in diesem starren Korsett alle ihre emotionalen Bedürfnisse unterbringen, ob Glück oder Trauer, ob Zufriedenheit oder Enttäuschung, alle Zukunftserwartungen und Erinnerungen an unveränderliche Vergangenheiten und auch alle konkreten freudigen Ereignisse, die sie ersehnen, oder solche, wie z.B. Krankheit, vor der sie sich fürchten. Das Leben in allen seinen Facetten läuft letztlich wie ein Uhrwerk ab – als Teil ihres ganz persönlichen Lebensbogens von der Geburt bis zum Tod; darüber gestülpt die große kosmische Ordnung, die in ihrer transzendenten

Begründung jenseits menschlichem Denk- und Urteilsvermögens liegt –
und im Grunde nur einem einzigen kosmischen Atemzug gleicht.

Kaum einem Menschen werden im hundsgewöhnlichen Alltag diese
wahrlich fundamentalen Zusammenhänge bewusst, weshalb man durchaus
von einer gewissen Blindheit dem eigenen Leben gegenüber sprechen kann.
Der Alltag bindet, um ihn zu bestehen, grundsätzlich seine ganze Aufmerksamkeit und lässt für bewusstes, gleichsam überzeitliches Erleben wenig
Spielraum.

**

Nur gerade mal zwei Tage nach dem denkwürdigen Opernbesuch mit
Hermann musste sich Algena auf eine ganz andere Art männlicher Unterhaltung einstellen, die sie, nachdem der traumhaft schöne Opernabend samt
andererseits all seiner schwierigen Themen mit Hermann im Ratskeller anschließend abgehakt war, jetzt herbeisehnte: den Termin mit Harry. Er hatte
das Treffen inszeniert. Die paar in ihr schlummernden Vorbehalte waren
schnell hinweggewischt und jetzt freute sie sich. Sie würde ihn am Feili-
tschplatz treffen und ihm vorschlagen, in der Occamstraße ins Cocktail-
House zu gehen. Das kannte sie gut und sie wusste von früher, dass auch
Harry hier gelegentlich zu finden war. Der überbordende Trubel, der dort
oft herrschte, vor allem heute am Freitag, wäre ihr nicht ganz unrecht. Sie
hatte Sorge vor zu viel Nähe zu ihm, die sich in dezenter ruhiger Umgebung
schnell einstellen könnte. Sie wusste um ihre Schwäche und suchte sie von
vornherein zu vermeiden.

Harry war super pünktlich. Schlag neunzehn Uhr stand er in lockerer
Haltung wartend vor dem Supermarkteingang im Untergeschoss. Algena
sah ihn schon von weitem: groß gewachsen, in der üblichen Jeans samt un-
scheinbarem Jackett und offenem Freizeithemd. Sonderlich hergemacht
hatte er sich nicht für sie. Sie hatte zwar auch nur Bürokleidung an, die aber
schon berufsbedingt höchst adrett und modisch war. Für sie Normalklei-
dung.

„Da bist du ja, Algena, schön dich zu sehen!"

131

„*Jawoll*, du alter Schwerenöter, hast mich just in der Woche *gekeilt*, in der deine Rosi Urlaub von der Familie macht, stimmts?"

„Um ganz ehrlich zu sein, Algena, der Geburtstagsbesuch neulich bei dir war ja wirklich schön, aber ich habe das Bedürfnis, mit dir auch mal nur zu zweit zu plaudern. Wir haben uns viele Jahre nicht mehr gesehen, es ist viel passiert in der Zwischenzeit", sprudelte Harry los, Algenas schmunzelndes Gesicht samt ihrem Kommentar und erhobenem Zeigefinger ignorierend.

„Soso, in trauter Zweisamkeit will mich der Herr sehen. Na, Spaß beiseite. Stimmt schon, wir haben Jahre nichts mehr von einander gehört und ich freu mich schon, dass wir uns jetzt hier und heute treffen." In diesem Moment freute sich Algena unschuldig-aufrichtig.

„Nur", setzte sie umgehend hinzu, „sei nicht ungehalten, aber allzu spät darfs nicht werden, auch wenn Freitag ist und ich morgen ausschlafen kann. War 'ne harte Woche, Harry, ich bin hundemüde, ehrlich gesagt."

Das stimmte zwar (von ihrem Opernbesuch wusste er ja nichts …), aber Algena wollte vorsorglich schon mal allzu große Erwartungen bei Harry bremsen. Sie kannte ihren Pappenheimer und glaubte trotz seines Status' als Ehemann nicht so recht an wirklichen Paradigmenwechsel bei ihm, seit sie sich noch als Studenten getrennt hatten (auch seine verstohlenen Blicke neulich beim Geburtstagsfest ließen diesen Schluss zu). Die wenigen Jahre bis zu ihrer Heirat mit Philipp hatten sie schließlich weiterhin ein, wenn auch etwas mühsames, freundschaftliches Verhältnis gepflegt. Sie hatten sich nur noch im Kreis von aktiven oder ehemaligen Kommilitonen gesehen. Erst dann war der Kontakt eingeschlafen – bis zu ihrem Geburtstagsfest vor einigen Wochen.

„Ich würde gerne ins Cocktailhouse vorne in der Occamstraße gehen!" Algena wollte von Anfang an das Heft in der Hand behalten, um nicht wieder nach seiner Pfeife tanzen zu müssen.

„Das Cocktailhouse? Alter Hut inzwischen! Nicht mehr so gut wie früher, außerdem jetzt um diese Uhrzeit bereits brechend voll. Werden kaum Platz bekommen und uns nur am Tresen rumdrücken zu können hab ich keine Lust. Lass uns in die Weinstube gehen, nur ein paar Schritte weiter Richtung Englischer Garten."

„Ich würde aber lieber einen Cocktail trinken, mich unterhalten mit dir und um elf spätestens die Fliege machen", protestierte Algena, nicht ganz so überzeugend, wie es klingen sollte.

Harry ließ nicht locker.

„Algena, das Cocktailhouse ist immer überfüllt, war erst vor Kurzem drin, und es herrscht Mordslärm obendrein. Gemütlich zu plaudern ist dort kaum möglich. Ehrlich gesagt, gehen wir lieber in die kleine Weinstube drei Häuser weiter, da gibts auch Cocktails, ganz sicher, haben die alle!" Er sah sie mit entschlossenem Blick an. Widerstand zwecklos.

Er ergriff ihre Hand und Algena gab sich – wie einst – wieder mal ohne nennenswerte Gegenwehr geschlagen, denn Harry hatte auch früher immer schon gewusst, was er wollte und es durchgesetzt, diesmal allerdings gut begründet, das musste sie zugeben. Damals jedenfalls hatten ihre Wünsche nur gezählt, wenn sie weitgehend den seinen entsprochen hatten. Sie erinnerte sich gut daran, sich oft darüber geärgert zu haben, von ihm nicht so recht ernst genommen worden zu sein. Es war einer der wesentlichen Gründe für ihre Entscheidung gewesen, die Reißleine zu ziehen – Trennung. Und jetzt? Erneut und immer noch dieses damalige Muster oder hat er sich tatsächlich geläutert und war konzilianter geworden? Denn die heutige Situation war eindeutig eine ganz andere.

In der Weinstube fanden sie im Rückraum einen hübschen, nur wenig einsehbaren Tisch in einer Nische, an dem sie über Eck sitzen konnten. Das war ihr lieber als wie üblich einander gegenüberzusitzen. Da musste sie immer irgendwie an ein Verhör denken, wie in so manchen Krimis im Fernsehen. Harry bestellte Rotwein und Algena suchte eigensinnig ihren Cocktail aus. Aus purer Obstruktion, die aber gar nicht nötig war, denn Harrys Kommentar klang sehr versöhnlich:

„Siehst du, habs dir doch gesagt, Cocktails gibts hier auch, such dir was Gutes raus." Algena staunte. Da schau an, der Harry!

Die Erinnerungen an Harrys einstige Sturheit bei Entscheidungen fielen zu ihrer Überraschung restlos in sich zusammen. Harry war reifer geworden, zweifellos. Algena fand schnell Gefallen an diesem kleinen, aber intimen Lokal und beide erzählten aus ihrem Leben der letzten Jahre, freuten sich sichtlich über das Interesse des jeweils anderen. Harry hatte geheiratet, das erste Kind kam aber schon nach fünf Monaten.

Fragender Blick Algenas.

„Nein, nein, wir wollten eh heiraten, es war keine Vernunftheirat wegen des Kindes", spielte er diese Situation als etwas verhältnismäßig Normales gelassen herunter (geflissentlich ein inneres Raunen überhörend, denn die Eltern von ihnen beiden überredeten sie, dass es für das Kind besser wäre …, er hätte es nicht gebraucht). „Ist doch wirklich nichts Besonderes mehr heute, oder? Da würde doch eh keiner mehr drauf achten, wenn man sowieso zusammenbleiben wollte."

Algena schwieg. Sie kannte ihren einstigen Harry aus dem Effeff, glaubte ihm nicht so recht und tippte eher auf einen klaren „Unfall". Rosi hatte eben nicht aufgepasst oder wollte vermutlich gar nicht aufpassen oder legte es sogar drauf an …, vermutete sie, ließ aber kein Wort darüber fallen …

„Und du, Algena? Ihr hattet noch keine Kinder? Die wären jetzt Halbwaisen … Tut mir so leid für dich, der tödliche Unfall deines Mannes." Harry klang ausgesprochen mitfühlend.

„Ach Harry", Algenas Tonfall änderte sich ins tonlose. „Nein, haben wir nicht, wollten noch warten. Ist jetzt eh besser. Alles vorbei. Die fünf Jahre Ehe – in den Sand gesetzt. Nicht mal ein Kind von Philipp bleibt mir." Mütterliche Gefühle waren Algena an sich bisher fremd geblieben, aber meldeten sich doch unerwarteterweise, als sie das so begründete.

Sie erzählten sich viele Details aus ihrer beider Leben. Breiten Raum nahm natürlich Philipps Unglück ein, wobei Algena zum wiederholten Mal den Eiertanz der Lüge vollbringen musste: Tiefe, ehrliche Trauer über ihren verunglückten Mann mimen, obwohl die von seiner Untreue tödlich vergiftet war. Sie hörten einander zu ohne den anderen zu unterbrechen. Was ist Harry doch für ein gestandener Mann geworden, klar und überlegt redend, nicht mehr das studentische, draufgängerische Bürscherl von damals, staunte Algena erneut.

Äußerlich betrachtet wirkten sie wie ein gut eingespieltes Paar. Nur die einander zugeworfenen Blicke sprachen eine andere, eine Art fragender Sprache, bei lang verheirateten Paaren kaum mehr so beobachtbar. Ihre Hände suchten sich gewissermaßen absichtlich beiläufig, als ob sie in einem Akt subtiler gegenseitiger Zustimmung miteinander flirten wollten. Eine erregende *Elektrisierung* erfasste beide und sie spürten es.

„Wir waren mal sehr gut befreundet, Algena, erinnerst du dich?", schnitt Harry ein wenig plump das ihn interessierende Thema an, das die Unterhaltung in eine andere, ihm brennend wichtige Richtung lenken sollte.

„Ja, das waren wir", verlor sich Algena in Gedanken, geradeaus und damit an ihm vorbeischauend, „aber das ist vorbei, Harry. Aus und vorbei. Das musst du doch auch so sehen, nicht wahr?"

Algena konnte ihre Stimme bei dieser Antwort kaum im Zaum halten. Sie wirkte belegt. Ihre innere Ambivalenz wuchs augenblicklich in ungeahnte Höhen. Sie wusste, dass ihre Antwort richtig und stichhaltig war und zugleich eine glatte Lüge, ein Negieren ihrer inneren Ambitionen, ihrem eigenen verdeckt-latenten Interesse ihm gegenüber.

„Ja, ja, ich weiß, Algena, hast ja recht", und ergriff spontan erneut ihre beiden Hände, zog sie ein wenig über den Tisch und sie gleich mit.

Algena leistete keinen Widerstand. Die Sitzsituation am Ecktisch verlangte, sich etwas zu verdrehen, was zugleich den zustimmenden Charakter der Geste unterstützte. Sie schauten sich sehr nahe in die Augen und Harry glaubte, ihre ein wenig feucht werden zu sehen.

„Algena …", begann er, so sanft er nur konnte, „ich weiß, es ist nicht richtig von mir, aber ich liebe dich noch immer. Da hat sich nichts geändert in all den Jahren".

Algena war total unschlüssig, wie mit ihm, mit sich, mit der augenblicklichen Situation umzugehen sei. Mahnend hörte sie die Stimme Isabelles, einem Menetekel gleich, neulich in Verbindung mit Hermann: *Ein verheirateter Mann ist tabu, Algena, das weißt du doch! – Jaaaa, weiß ich, weiß es nur zu gut ...,* war ihre Antwort gewesen. Algena kämpfte mit sich und ihre Augen kämpften mit Tränen. Diese Stimme, Harrys sonor männliches Timbre, seine feuchten, weichen, wohlgeformten Lippen, wenn er sprach und sie sich bewegten. Sein sinnlicher Mund …, eine einzige Offenbarung – wie damals! Er wirkte gepflegt, roch gut und hatte von seinem natürlichen Charme, seinem trocken-geistreichen Humor nichts eingebüßt. Seit sie hier saßen, konnte sie nur mühevoll Abstand halten von all diesen anziehenden Attributen. Sie durfte sich nicht gehen lassen, es durfte einfach nicht sein. Um Rosis willen? Nein, um seinetwillen oder gar um ihretwillen? Ja, um ihretwillen! – Qualen der Sehnsucht. Sie wollte von diesem männlichen, einst so vertrauten Mund, diesen hungrigen weiblichen Lippen, Erotik und anziehende Wärme ausstrahlend, geküsst werden oder sie selbst küssen, jetzt sofort und mit aller Leidenschaft wie früher; sie hing kaum verhohlen wie eine Dürstende an ihnen. Aber es war ihr verwehrt. Er war verheiratet. Eine unüberwindliche Hürde. Ein Kuss ungezügelter Liebe durfte einfach nicht sein. Aber sie kannte Harry, wusste ganz genau, dass er warten konnte und er es nur darauf anlegte, dass sie umfiel. Ihr beiderseitiges Verlangen brannte wie Feuer zwischen ihnen, unwiderstehlich seine Erfüllung suchend.

Harry blieben Algenas innere Kämpfe nicht verborgen, er kannte sie und war sich völlig sicher, dass sie umfallen würde. Er ließ ihre Hände los, drückte sie leicht auf die Tischplatte, als ob er sie ablegen wollte, um im nächsten Augenblick mit der linken Hand ihre rechte Schulter zu halten und mit der rechten über den kleinen Tisch hinweg ihren Kopf zu umfassen, mitten hinein in das volle, brünette, lange Haar, das schmeichelnd um seinen Handrücken floss, und sie zu sich heranzuziehen, ein paar Sekunden lang ganz nahe vor ihrem betörend hübschen Gesicht zu verweilen, ihr in die großen dunklen Augen zu schauen, um sie dann vollends heranzuziehen und ihre leicht geöffneten Lippen zu küssen, sanft, feucht-intim, leicht und trotzdem druckvoll, nicht leidenschaftlich, sondern unendlich zart. Ihre Zungen begannen miteinander zu spielen …

Algenas Herz raste, ihr Körper vibrierte, sie ließ den erwarteten, ja heimlich ersehnten Überfall gewähren, und verscheuchte angesichts des Siebten Himmels in dieser rauschhaften Minute sämtliche Vernunftargumente von gerade eben in den hintersten Winkel ihres Wesens. Nichts denken, nur noch dem gegenwärtigen, erfüllenden Erleben nachspüren, einer zeitlosen Unendlichkeit ...

Wie eine Ertrinkende hatte sie sich nach seinen Armen gesehnt, nach einem Anker für ihre waidwunde, liebeshungrige Seele. Kaum wagte sie sich zu bewegen, ließ ihre Zunge von seiner animieren und schließlich die anfänglich verkrampfte Zurückhaltung aufgeben, um zu tun, was sie mochte: Lustvoll und leidenschaftlich Harrys Spiel erwidernd gab sich Algena dem Augenblick hin, zerfloss geradezu, spürte sich feucht werden, vergaß Vergangenheit und Zukunft ... Außerirdische Zeitlosigkeit! —

Unendlich langsam löste er sich von ihrem Mund, von ihren Lippen, aber noch nicht vom nahen Blick ihrer Augen, die ihm größer als sonst erschienen und eine unglaubliche Gefühlsintensität ahnen ließen, ja ausstrahlten. Ein schwacher Hauch entwand sich seinen Lippen: "Algena ..." Schließlich gab er ihren Kopf und ihre Schulter zögerlich-langsam wieder frei.

Minutenlanges Schweigen. Ihr Blick fiel nach unten, sie konnte ihn nicht ansehen, sie wäre augenblicklich erneut zerflossen in einem Meer unendlicher Liebe, Sehnsucht und Verlangen.

Ihre innerliche Erregung kämpfte mit dem drohenden Fall ins Bodenlose der Vergeblichkeit und ernüchterte sie schließlich: Eine brutale Hoffnungslosigkeit überwältigte ihr eh schon vibrierendes Rückzugsgefühl. Was gerade geschehen war, durfte nicht sein, nie mehr! Sie versuchte mühsam, wieder Haltung anzunehmen und zu bewahren.

„Harry, lass das, bitte!", brachte sie mit großer Anstrengung raus. Der normale weibliche Automatismus zur Abwehr einer Verführung stellte sich erst ein, nachdem alles vorbei war und kam wenig überzeugend über ihre Lippen, im Grunde nicht ernst zu nehmen, weder von ihr noch von ihm. Das spürte auch Harry, dessen männliche Körpertriebe gewaltig an ihm rüttelten, der am liebsten, wie auch immer, hier in dieser intimen Nische weitergemacht hätte.

Erneut schwiegen beide, hatten mit sich zu tun und der Frage, was das nun bedeuten würde, wie sie mit dem Erlebten umgehen sollten. Jedes richtige Wort konnte Türen öffnen, jedes falsche sie krachend zuschlagen. Neutral bleiben? Kaum möglich.

„Algena …, ich liebe dich wirklich noch immer, und ich glaube, dir gehts ähnlich."

Harry wusste, diese Aussage war brandgefährlich. Er war sich einerseits ihrer Reaktionen ziemlich sicher und unterstellte ihr Gefühle für ihn. Falls er sich wider Erwartung jedoch irren sollte, müsste er augenblicklich mit energischer Abwehr rechnen und jegliches weitere Trachten nach ihr würde außerordentlich schwierig, wenn nicht gar unmöglich werden. Es kam aber keine! Natürlich nicht …, wie auch …

„Harry, ich …", begann Algena kläglich-leise, stockte und ließ den Satz unvollendet. So durcheinander wie sie war, konnte sie keinen klaren Gedanken fassen. Ja, sie wollte …, unbedingt sogar, verlangte nach ihm…, aber es durfte nicht sein – niemals mehr. Ein kolossaler mentaler Schmerz durchzog sie und sie flüchtete in das Natürlichste, den Abbruch der Situation durch Aufbruch.

„Lass uns zahlen und aufbrechen, Harry. Es ist nach elf und ich bin echt hundemüde."

Draußen auf der Occamstraße in Richtung U-Bahn laufend, schlangen beide ihre Arme umeinander und genossen die enge Tuchfühlung. Algenas Kopf fiel gelegentlich, ohne es darauf anzulegen, auf seine Schulter, ein Akt symbolischer Anlehnung ... Harrys Arm revanchierte sich mit einem deutlich wahrnehmbaren Druck. Worte waren überflüssig. Der unumgängliche Abschied nahte. Harry musste stadtauswärts, Algena stadteinwärts fahren.

„Algena …, sag mal", Harry rang nach Worten. Ja, er ahnte, nein, er wusste, es würden die falschen sein, die falschen für Algena, die falschen für Rosi und ihn als Familienvater, aber sie mussten sein, weil der *Drang des Mannes in ihm* keine Wahl ließ …

„Morgen ist Samstag, Algena, wir können ausschlafen. Lass uns noch für ein Stündchen nach Solln …" Sie unterbrach ihn rüde.

„Nein, Harry, kommt nicht in Frage. Geht nicht. Versteh das doch. Ich will das nicht. *So* jedenfalls nicht!" Algena hatte die frisch-kühle nächtliche Spätherbstluft völlig nüchtern gemacht.

„Wie dann, Algena?", bettelte Harry.

Algena überhörte die Nachfrage. Sie wollte nicht mehr. Es war vorbei – für heute jedenfalls. Was ein andermal sein mochte, würde sich weisen. Sie wusste um das Hintertürchen, das sie gerade in ihrer tiefsten Psyche entdeckt und in ihrer Antwort versteckt hatte. Ob er so aufmerksam war, es zu registrieren? Im Augenblick spielte es eh keinerlei Rolle.

„Harry, lass es gut sein. Wir haben einen wirklich schönen und erinnerungswürdigen Abend verbracht, aber jetzt ist Schluss. Einverstanden?"

Harry kapitulierte missmutig, wandte sich ein klein wenig zu demonstrativ von ihr ab, um auf dem Bahnsteig nach den Rolltreppen zu den U-Bahnen Ausschau zu halten.

„Also dann, auf Wiedersehen, Algena. Telefonieren wir mal miteinander, ja?"

Harry nahm Algena liebevoll in den Arm, drückte sie sanft, spürte die Kurven ihres wohlgebauten Körpers den seinen ergänzend, wandte sein Gesicht ihrem zu und küsste sie auf den Mund, trocken und kurz, in freundschaftlicher Zuneigung. Algena erwiderte ihn bereitwillig, nahm trotz seiner Kürze, seiner platonischen „Freundschaftlichkeit", erneut deutlich das unterschwellig noch glimmende Feuer in sich wahr und hatte plötzlich das Gefühl, nicht nur ihn, sondern gleich auch sich selbst aufmuntern zu müssen, weil sie im tiefsten Grunde ihres Herzens seine Wünsche nur zu gern erfüllt hätte.

„Natürlich, Harry, klar doch. Wir bleiben in Verbindung. Wir werden uns auch wieder mal sehen, ganz bestimmt!"

In der U-Bahn und später in der S-Bahn Richtung Solln kippte ihre Stimmung schlagartig. Ja, Harry war verheiratet, er hatte sie, seine einstige Freundin aus Junggesellenzeiten, innig geküsst, ein Flirt der Reminiszenz, was sei dagegen einzuwenden? Sie schalt sich wieder ob ihrer sattsam bekannten Zweifel, ihrer fatalen Entschlusslosigkeit, ihres fehlenden Muts, ja ihrer knebelnden moralischen Werte, von denen sie sich so schwer zu lösen vermochte. Die waren immer noch wie mit einem Meißel in den Stein ihres Wesens eingeschlagen. Warum konnte sie einfach nicht lockerer sein, freier, unabhängiger, ja unbekümmerter? Auf Dauer würde das mit Sicherheit mehr schaden als nützen, das war sonnenklar. Das musste sich ändern, eher früher als später!

Was hätte denn gegen ein Stündchen bei ihr gesprochen? Sie hätten sich noch einen Espresso gemacht, Musik gehört und sich auf der Couch in Liebe geküsst … „*Algena, sei doch nicht naiv!*", schimpfte es in ihr. Sie ärgerte sich über ihre Einfalt. Natürlich wären sie stante pede ins Bett gesprungen, hätten die Wiederauflage einstiger heißer Sex-Nächte gefeiert. Und dann??? Ja und dann? Was dann! Ja was wohl??? Wäre Harry noch in der Nacht per Taxi wieder heimgefahren oder – wahrscheinlicher – hätte bei ihr übernachtet. Sie hätten zusammen in aller Ruhe gefrühstückt, dann wäre er mit der S-Bahn zufrieden und befriedigt nach einer wunderbaren Nacht nach Hause gefahren und hätte, sobald Rosi samt dem kleinen Maximilian von Regensburg zurückgekommen wäre, sein Kind geherzt, seine Frau liebevoll in den Arm genommen und geküsst und wieder das brave häusliche Unschuldslamm gespielt. Und sie? Wäre voll entflammt wieder allein rumgesessen mit irrer Sehnsucht im Bauch. Noch mal: „Ja und dann?? Und jetzt? Wie gehts jetzt weiter?" Ihre Laune sank ins Bodenlose: Ging überhaupt irgendwas weiter?? Durfte was weitergehen? Natürlich nicht! Warum jagten diese müßigen und unnötigen, weil durch die Verhältnisse längst entschiedenen Fragen, so penetrant in ihrem Kopf herum?

Trotzdem war alles offen, mit oder ohne diese nicht zustande gekommene Liebesnacht. Wiedersehen musste sie ihn – und Rosi ausblenden. Ging gar nicht anders. Ob sie dann aber so viel eisenharte Disziplin aufzubringen imstande wäre, der Versuchung zu widerstehen? Panische Angst packte sie jetzt schon bei diesem puren Gedanken, denn der Imperativ ihrer inneren Stimme, die sie besser kannte, als sie sich selbst, würde der totalen Ambivalenz ihrer Maßstäbe keinerlei Beachtung schenken, sondern ihre guten Vorsätze im Handumdrehen über Bord werfen und sich ohne Zögern nehmen wollen was sie brauchte.

Zu Hause ging sie umgehend ins Bett und ließ den Abend Revue passieren, dachte über Harry nach. Seine unglaubliche Anziehungskraft auf sie, ihr Verlangen nach ihm, immer noch nach so vielen Jahren, erschreckte sie und sie wusste zugleich, dass das, was sie eigentlich suchte, in Verbindung mit Harry Makulatur bleiben musste. Keine Partnerschaft, keine tatsächliche vor allem nachhaltige Liebe, keine Stütze, keine wirkliche Zuwendung, … nur Sex …? Darauf würde es hinauslaufen. Nur das körperliche Verlangen zu stillen, war aber eindeutig zu wenig! Sie konnte nicht mehr an sich halten und weinte sich bitterlich in den Schlaf.

Teil 3

Der Herbst ging nahtlos in den Spätherbst über, und der ebenso nahtlos in eine Art Vor-Vor-Weihnachtszeit. Das sind die ein…zwei Wochen vor dem ersten Advent, die samt der regulären Adventszeit von religiös orientierten Menschen *Staade Zeit* genannt werden, weil es die Zeit der Erwartung ist: zuerst die Vorfreude auf diese Wochen und dann schließlich die *„Ankunft des Herrn"*, das kommende Weihnachtsfest. Die übergroße Mehrzahl der Menschen in unserer westlichen Hemisphäre pflegt jedoch das genaue Gegenteil, kuscht vor unserer ökonomisch beherrschten Welt und lebt alles andere als *„staad"*. Schon Mitte Oktober beginnend, führt die oft regenwettergraue Trübseligkeit des Novembers bis in den Dezember hinein – Weihnachten fest im Visier – einer kulturell, aber vor allem ökonomisch rauschhaften *Überschwemmung* gleich – einerseits in eine Gesellschafts- und Kulturevent-Manie, und obendrein in eine gigantische Geschenke-Konsumeritis. Als ob *das Staade* in dieser Zeit durch Überladung mit ungezügeltem Aktionismus aufgehoben werden sollte oder könnte bzw. sich die Gesellschaft alle Mühe zu geben scheint, nur ja keine Besinnung auf den eigentlichen Sinn dieser Wochen aufkommen zu lassen. Die Anlässe für x-beliebige Events, Einladungen, Partys, Ausstellungen, Lesungen, Vorträge, Kleinkunst, Theater und Konzerte, Gala-Abende in jedem halbwegs geeigneten Raum in München, ab Anfang Dezember dann ergänzt um Weihnachtsfeiern im Geschäft, in Vereinen etc., jagen einander, als würde ein Preis ausgelobt werden für den, der die meisten Termine schafft. Kulturkonsum pur. Man könnte tatsächlich jeden Abend „auf der Walz" sein. Und natürlich: Die Geschenkeangebote zum nahenden Weihnachtsfest in absolut jedem Schaufenster überbieten einander, die Aufmerksamkeit der Passanten zu binden.

Algena fühlte sich dieses Jahr von diesem hämmernden Kreuzfeuer aus unterschiedlichsten Richtungen besonders erschlagen, vermied es oft, aber nicht immer, nach Arbeitsschluss in der Stadt unterwegs zu sein. Während ihrer gemeinsamen Jahre mit Philipp empfand sie das nicht so, weil er sehr überlegt aussuchte, wo sie mitmachen wollten und wo nicht. In ihrer beschaulichen Kleinstadt in Niederbayern gab es kaum Vorweihnachtsstress jeglicher Art, schon wegen der begrenzten Anzahl Events (dort vor allem von Vereinen). Die auch dort weihnachtlich geschmückten Straßen und Geschäftsauslagen ließen, weil sie sich nicht gar so penetrant wie in den Geschäftsstraßenschluchten der Großstadt darboten, durchaus das Gefühl einer *Staaden Zeit* aufkommen.

Auch ihr Freundes- und Bekanntenkreis blieb da nicht außen vor. Algena wollte sich nicht generell ausschließen, aber nahm sich vor, in dieser Vorweihnachtszeit – der Ersten ohne Philipp – besonders rigoros auswählen, sich nicht kritiklos mit jeder Anregung intensiv befassen zu wollen. Jetzt war sie solo und musste sich selbst an die Kandare nehmen, was die Events dieser Jahreszeit betraf. Einige wenige Termine in dieser Zeit standen eh schon länger fest.

Sie erinnerte sich der steten Mahnung Isabelles, mehr „unter Leute zu gehen", um ihrer Tendenz zur Lethargie Einhalt zu gebieten. Zu Hause rumzuhängen sei absolut keine Lösung für eine attraktive junge ungebundene Frau, redete sie ihr erneut ins Gewissen, Ja, jetzt lebst du allein, ob verwitwet oder ledig, käme aufs selbe raus, meinte sie. Auch Albert hatte sie neulich erst darauf angesprochen, warum sie sich eigentlich so rar mache. Algena protestierte nur schwach und meinte wenig überzeugend, so häuslich sei sie ja auch wieder nicht, er rufe sicher wegen der im Herbst abgesagten Konzertabo-Termine an, versprach aber, künftige Termine wieder selbst wahrzunehmen.

Auch eine Einladung Henning Oberländers nahm sie gerne an. Er hatte von einem netten Film geschwärmt, den er sich noch mal ansehen wolle und ob sie nicht Lust habe, mitzukommen. Algena überlegte ein paar Sekunden: Ja, da war mal eine Nacht mit ihm, vor einem halben Jahr, schon bald gar nicht mehr wahr … Und sie erinnerte sich daran, sinniert zu haben, ob er ihr Typ sein könnte ... Konnte er nicht, entschied sie damals ... Trotzdem sagte sie zu. Gegen Hennings Gesellschaft hatte sie absolut nichts einzuwenden, im Gegenteil. Sie kannte ihn und sein Verhalten. „Langweilig wirds einem mit ihm nicht, humorvoll ist er auch, belesen und man kann sich mit ihm sehen lassen", sagte sie sich. Der Film war sehenswert und ihre Unterhaltung beim obligatorischen anschließenden Glas Wein verlief entspannt und ganz anders als damals. Auch diesmal brachte er sie zu später Stunde nach Hause, aber sie verabschiedeten sich noch unten an der Haustür freundschaftlich mit einem liebevollen kurzen Kuss auf den Mund, dann war er schon wieder weg. Seltsam: entspannte Stimmung zwischen ihnen beiden und trotzdem zwiespältige Gefühle bei ihr. Warum nur? Ein paar versteckt-spielerisch angebrachte *Pro-forma-Avancen* von ihm hätte sie schon erwartet, sozusagen aus weiblicher Eitelkeit. Motto: Man könnts ja mal versuchen, nur so halt. Aber gar keine? Die Libido gerade eines Mannes entsteht doch ad hoc, wenn sie ihn anmacht und sie ihm zusagt, kümmert sich nicht um was mal war. Keine Empfehlung, nüchtern betrachtet!

So durchflog sie die von der städtischen Geschäftswelt künstlich verlängerte Adventszeit, nahm an einigen Events teil, besuchte die gebuchten Konzerte, traf sich mehrmals mit Isabelle in der Stadt, um mit ihr nach Eröffnung der Weihnachtsmärkte durch die Innenstadt zu bummeln. Egal ob sie den einfachen Weihnachtsmarkt am Marienplatz durchstreiften oder den mehr künstlerischen an der Münchner Freiheit oder andere kleinere, wie z.B. den an der Weißenburgerstraße in Heimhausen – überall wirkte die Stadt wie kostümiert und versuchte Weihnachtsstimmung zu inszenieren. Die beiden ließen sich gerne im Menschengewühl treiben, auch wenn es dann doch in den „normalen" Geschäften auf ein bisschen shoppen hinauslief (dazu war Isa die absolut geeignete Frau, obwohl ihr der Geldbeutel größere Sprünge verbot). Bisweilen zog Algena nach Dienstschluss auch mal alleine los, schlenderte an den jedes Jahr irgendwie gleichen, weil stereotyp mit bimmelnd klingendem oder glitzerndem Christbaumschmuck überladenen Verkaufsständen vorbei. Kunsthandwerk und Krippenfiguren aus Oberbayern, Südtirol oder auch dem Erzgebirge samt allen Accessoires und krippentechnischem Zubehör, Töpferware, warme Schals und Socken und viel weiterer mehr oder weniger weihnachtlicher Krimskrams. Einen Bogen machte sie um allzu nahrhaftes Magenbrot, Stollen in allerlei Varianten und sonstige kalorienreiche, meist ungesunde Leckereien wie *Aus'zogne*, gebrannte Mandeln und glasierte Äpfel.

Zwischen die von Besuchertrauben bedrängten Glühweinbuden mischte sie sich schon gerne, um sich in der frühabendlichen Kälte eines dieser wohlschmeckenden und aufwärmenden Getränke zu genehmigen. Die vielen kleinen, ebenfalls stark umlagerten Fresstempelchen dagegen, die mit Ketchup oder Senf garnierte Bratwurstsemmeln sowie die unvermeidlichen Pommes mit Mayo, Currywurstschälchen und Ähnliches anboten, mied sie, allerdings schweren Herzens, denn nur allzu leicht konnte man sich an den kleinen Bistrotischchen inmitten anderer Menschen stehend die Kleidung bekleckern. In ihrem Berufsethos waren Unversehrtheit und Sauberkeit der Kleidung geradezu heilige Werte. Und wenn die Düfte zu verlockend waren? – Dann eben nur mit Unmengen von Papierservietten. Isabelle hatte da weniger Hemmungen, war weniger penibel.

Mit Philipp, erinnerte sie sich, hatten sie zu Hause immer einen Christbaum aufgestellt und ihn dann liebevoll, kreativ geschmückt. Auch eine kleine Krippe stand unter dem Baum und irgendwas Hübsches brachten sie stets vom Christkindlmarkt mit. Das war dieses Jahr hinfällig: Es gab keinen Christbaum und die kleine Krippe blieb in der Schachtel.

Das einzige Event, welches sie heiß herbeisehnte, kam nicht: der Anruf von Hermann. Keine Erlösung vom unterschwelligen Warten. Hermann meldete sich nicht. Er hatte es doch versprochen, beruhigte sie sich. Wollte doch mit ihr essen gehen? Sogar von wandern hatte er gesprochen – war eh jetzt Anfang Dezember viel zu spät im Jahr. Wie mochte es ihm gehen, so alleine in seiner sicher trübsinnigen Dependance in Frankfurt? Sie gestand sich offen, diesen Mann zu mögen, seine Distinguiertheit, seine warmherzige und doch zurückhaltende Art, die ihr einerseits Raum zu lassen versprach, andererseits aber durch seine Menschenkenntnis auch manchmal unheimlich geworden war. Vielleicht gerade deshalb sehnte sie sich nach ihm. Sie konnte und wollte zu ihm aufschauen! Trotzdem sie neulich nach der Oper im Ratskeller recht enttäuscht war, was seine ungeklärte Ehe betraf. Er hatte sich hier zu indifferent geäußert, in ihren Augen widersprüchlich, weil sie Klarheit wollte, die es bei ihm eben noch nicht gab, was ihr Gefühl auf eine harte Probe stellte. Aber diese Momente begannen sich mit dem zeitlichen Abstand zu marginalisieren. Ihr Gefühl wollte diese Irritation nur zu gerne einfach verdrängen, sich nicht beirren lassen, denn sie hatte sich längst in diesen Mann verliebt und würde um ihn kämpfen wollen. *Nichts ist unmöglich, alles kann und darf sein.* Wie oft hatte sie diesen Spruch schon gehört. Und auch verstanden, dass es im Leben sowohl Siege als auch Niederlagen gibt, die alle *sein dürfen,* wenn die Vorsehung sie so bestimmt. All dieses theoretische Wissen half ihr in der derzeitigen realen Situation leider keinen Deut weiter. Hermann lebte in Frankfurt in Trennung und sie in München allein. Sollte er sich ernsthaft für sie interessieren, gäbe es wenig Widerstand bei ihr, allerdings zwei happige Probleme: Hermann müsste sich scheiden lassen und beide sich für eine der beiden Städte entscheiden. Wenn es nur so einfach wäre …

Von Harry hingegen hörte sie öfter was. Dem schienen zunehmend Nichtigkeiten einzufallen, vorgeschobene Gründe, um sie ans Telefon zu kriegen – und zu fesseln, denn natürlich war ihm Algenas nach wie vor bestehende Schwäche für ihn nicht entgangen. Algena durchschaute zwar dieses Spiel, ließ es aber stillschweigend zu. Ihn freundlich-bestimmt in die Schranken weisen, ihn mit seinen wahren Motiven konfrontieren hätte ihr Verstand gewollt, ihr Körper dagegen rebelliert. Harry zu verführen wäre ihr ein Leichtes, weil er sofort anspringen, nur darauf warten würde, aber Harry hatte Familie und damit verbot sich jegliches neuerliche „sich interessant machen" von vornherein. Außerdem, wenn schon nicht er, so wollte wenigstens sie verantwortungsbewusst handeln, seiner Familie, insbesondere seiner Rosi gegenüber. Und seine Familie zerstören kam überhaupt nicht in Frage, abgesehen davon, dass Harry sie nur erotisch anzog, nicht unbedingt partnerschaftlich. Alle bisherigen Erfahrungen sagten ihr das. Nach ihrer Trennung damals, nach den zwei heißen Liebesjahren, konnte sie ihn nie ganz vergessen. Sie vermied ängstlich jegliche, auch zufällige Zweisamkeit mit ihm.

Erst Philipp hatte sie von Harrys Anziehungskraft befreit. Jetzt aber war Philipp tot … und sie konnte es kaum fassen, dass Harry nach so vielen Jahren, nachdem sie ihn gerade erst zweimal getroffen hatte, plötzlich wieder eine so große, kaum bezwingbare, emotionale Rolle in ihrer Psyche spielte.

***

Erneut und wie schon so oft stiegen mit Macht Erinnerungen und Enttäuschungen in unheiliger Allianz über ihre Ehe mit Philipp auf. Hatte er die Liebe für sie, Algena, nur vorgegaukelt oder war er sowieso mehr an Sex als an Liebe interessiert gewesen? Könnte es sein, dass seine Liebe mehr unspezifisch seiner allgemeinen Empathie gegenüber allen sehr hübschen Frauen (zu denen zweifellos sie, aber eben auch die unselige, aber superhübsche Laura gehörte) gegolten hatte …,

… während im Gegensatz dazu Algena eine *„gefestigte, eben nachhaltige Liebe"* suchte und in den fünf Ehejahren fälschlich geglaubt hatte, sie gefunden zu haben. Ob Philipp sich dieser Einstellung Algenas jemals wirklich restlos bewusst gewesen war, er in dieser Hinsicht nicht mit ihr hätte „spielen" dürfen? Plakativ gefragt: *Weiß ein Don-Juan-Typ, dass er ein Don-Juan-Typ ist? Oder ist so ein Typ mit sich in diesem, seinem fundamentalen Denken so sehr eins, gar nicht anders handeln zu können und sein (für eine Partnerin unseliges) Verhalten für die selbstverständlichste Selbstverständlichkeit zu halten?* Also so etwas Herkömmliches wie „Treue" gar nicht in seinem zu berücksichtigendem Fokus aufscheint, nur ein unbedeutendes Wort ist, er also in voller innerer Unzweideutigkeit tatsächlich zwei Frauen, wie eine „zu lieben" vermochte? Sich gegenseitig „gewisse Freiheiten" zu gewähren (was es bekanntlich geben soll), ist was ganz anderes, überlegte sie, denn dann wüsste ja jeder Bescheid, was der oder die Andere tut. Unglaublich. Algena bedauerte, über all solche Fragen mit ihm nicht mehr reden zu können. …

Auch als verheirateter Mann hatte Philipp sich nicht beherrschen können, sondern nach Gusto oder Gelegenheit angestrebt oder herbeigeführt, wonach ihm der Sinn stand, sich seine Liebesneigung wendete – ob an sie oder an Laura. Liebe war anscheinend für ihn ein temporäres Gefühl, das entstand, wenn die Voraussetzungen gerade gegeben waren – egal mit wem, ob mit ihr oder mit Laura. Eine weitere Frau hätte wohl sein Zeitbudget gesprengt …

Liebe lässt sich nicht festhalten, auch nicht durch eine eingegangene Ehe, sondern geschieht, „wenn sichs ergibt", war sein Credo.

Philipp hatte sich beim Sex stets bemüht sie aufzuschließen, zu entfesseln, ja halt- und kontrolllos zu machen in ihrem Verlangen und sie hatte schon das Gefühl, ihm hier irgendwann genügt zu haben. Nur: Ein Rest Zweifel blieb eben doch. Und es wurde ihr erst jetzt wieder bewusst, nachdem das Zusammenleben mit dem erfahrenen Philipp abrupt geendet hatte, dass bei weit fortgeschrittener erotisch-intimer Lustaufwallung wohl normalerweise jede Frau erwartete, von ihrem geliebten Mann „genommen" zu werden und dies deshalb auch (indirekt, aber deutlich genug) zu erkennen geben durfte, ja sogar sollte. Das zu „lernen" (denn nicht allen Frauen dürfte das naturgegeben sein …), schien ihr eben doch nicht so recht geglückt zu sein, – so sah sie das heute, selbstkritischer als noch vor Monaten. Und dann mochte das durchaus auch ein Grund gewesen sein, ihn in die Hände der abgefeimten Laura getrieben zu haben, die hier absolut und wesentlich hemmungsloser reagiert haben dürfte. Wohl deshalb hatte die ihr damals bei dem denkwürdigen Telefonat vorgeworfen, für Philipp eben keine ebenbürtige, souveräne „weltgewandte" Frau gewesen zu sein, sondern ein *„kleinkariertes sich zierendes Hascherl"*. Dieses in seiner Schärfe vernichtende Urteil dieser Hyäne hatte sie nie vergessen und hätte es ihr auch nie verziehen.

Hehre Liebe im umfänglichen Sinn ist die edelste Eigenschaft, deren der Mensch fähig ist, wenn er seinem sozialen Umfeld grundsätzlich gewogen entgegentritt und sein Verhalten signalisiert *„die Menschen schlechthin zu* *lieben"*, am augenfälligsten in der Liebe zum Partner, zur Partnerin. Liebe ist eine Art *„ich will dir wohl"* im umfassendsten Sinn und unter allen Lebensbedingungen und wird selbst bei Streitsituationen nicht infrage gestellt. So hatte sie sowohl ihre Liebe zu Philipp als auch seine zu ihr empfunden. Und nach ihrer schlichten Beobachtung war diese Annahme immer und stets bestätigt gewesen. Aber sie war es eben nur vordergründig, denn er hatte sie fulminant belogen und betrogen.

Bisher hatte sie die Schuld an seinem Seitensprung, der an eine Neben- bzw. Zweitbeziehung grenzte, stets in vollem Umfang Laura in die Schuhe geschoben. Inzwischen ahnt sie längst, dass doch eher Philipp als Weiberheld (so titulierte sie ihn inzwischen ausgesprochen hasserfüllt), die treibende Kraft war und Laura so unrecht nicht hatte mit ihrer Aussage?

Dieser elende Heuchler! Dass ich mich so irren konnte in ihm? Erneut überwältigte Algena der Schmerz.

Sex ist ein Naturtrieb, ein archaisches *Urverlangen*, stets präsent, alles Lebens- und Alltagsgeschehen der Menschen aufmerksam dahingehend taxierend, *ob er eingreifen könne oder müsse, um sich in der reinen Arterhaltung, die nur an Nachkommen interessiert ist, auszuleben.* Mit Moral oder Vernunft oder Verstand oder Berechnung ist diesem Urverlangen nur schwer beizukommen. Wer das dennoch versucht, weil er sich einem gesellschaftlichen Verhaltenskodex gemäß verhalten will (religiös, moralisch, ethisch), z.B. beim unterlassenen Seitensprung, scheut hoch vernunftgesteuert die mächtigen drohenden Verwicklungen und mentalen Zerstörungen, die bei sich, aber auch im Anderen, folgen können, „bezahlt" aber nichtsdestotrotz bei entsprechender Gefühlsintensität in sich die gebotene Enthaltsamkeit mit Sehnsucht und schmerzhafter Askese (sich selbst verordnete Abweisung des oder der „vernünftig gebliebenen" Geliebten mag den Schmerz verdoppeln …), was beides bis zur Selbstzerstörung führen kann. Es hat Selbstmorde aus unerwiderter Liebe gegeben. Denn *die Natur* schert sich weder um das eine noch das andere und folgten diese Aufwallungen einer noch so hehren Begründung. Man könnte diesen Naturtrieb auch eine hoch-spezifische, zielführende Art von *Aggressionstrieb* nennen, grundverschieden von jeglicher herkömmlich-üblichen Art purer Aggressionsgewalt, die rundum abzulehnen ist. Selbst einander einvernehmliche Zärtlichkeiten sind, wenn sie im Vorspiel eindeutig „nur" dem Lustgewinn bzw. -aufbau für *alles Folgende* dienen sollen, ein verbrämter Akt „aggressiv verlangenden Verhaltens", den jeweils anderen *vorsätzlich* (das ist die subtile Aggressionskomponente) zu animieren. Zumeist sind Männer die treibenden Kräfte und da sicherlich nicht gerade zimperlich. Während der Anfangsjahre (incl. erster Ehejahre) frisch Verliebter herrscht im Allgemeinen Einvernehmen. Aber sogar in dieser Zeit ist ein gewisses, jedenfalls spürbares Aggressionspotential nicht unwillkommen [4]). Das Gros gemeinsam verbrachter (Ehe-) Jahre ist jedoch oft genug von einer Art legalem, aber deutlicherem Aggressionsverhalten im Bett bestimmt, wenn z.B., wie so oft, die Ehefrau „eigentlich gerade wenig Lust verspürt" und der Ehemann das nicht akzeptieren will, vor allem wenn es seiner Meinung nach „zu oft der Fall ist" … Diese nur anfangs versteckte Aggression führt, wenn sie jegliches Maß überschreitet, letztlich zu Missachtung, ja Gewaltakten gegen die eigene Ehefrau, weshalb solches Verhalten auch „Vergewaltigung in der Ehe" genannt wird und ebenso kategorisch abzulehnen ist. Das Volksempfinden und die gesamte einschlägige Medienindustrie ignoriert solches (innereheliche) Verhalten gerne und schaut nur auf die (anfänglichen) Verliebtheitsjahre und blendet generell jeglichen dahinterstehenden, unterschwelligen (Aggressions-)Trieb aus, sieht nur im Äußerlichen romantisch und zärtlich „Liebe erblühen" …

Der Naturtrieb mischt sich unbarmherzig in die Beziehungswelten von Mann und Frau überall dort ein, wo auch nur ein Fünkchen

---

[4]) Im Buch „ *Warum Liebe weh tut* " der israelischen Soziologin *Eva Illouz* bekennt eine junge interviewte Frau (Seite 414, Interview aufs Wesentliche gekürzt): „ ......*Der Mann erfüllte alle meine Wünsche, war freundlich, intelligent, gutaussehend und humorvoll, – aber bei mir funkte es nicht ......, ich trau' mich fast nicht, es zu bekennen: Er war zu freundlich, wollte zu sehr gefallen, ich weiß es nicht. Ich liebe Freundlichkeit, aber sie muss mit ein bisschen Derbheit gemischt sein, sonst wirkt er womöglich nicht männlich genug, verstehen Sie?* "
Um „männlich zu wirken" gehört also eine gewisse „wohldosierte Aggressivität" dazu (verschämt abgemildert mit dem Wort „ *Derbheit* ") ....

Erfüllungsmöglichkeit in diesem Sinn gegeben ist. Die meisten Menschen weisen das weit von sich – sie stehen ihren eigenen („eigentlich" aggressiven) Trieben nicht ehrlich gegenüber, mokieren sich aber gern über einschlägige (angebliche) Verfehlungen anderer.

Deshalb ist Sex ohne Liebe möglich, Liebe ohne Sex allenfalls unvollständig.

Dieses „Verhaltens-Phänomen" durchdringt die gesamte Gesellschaft. Und man braucht sich in einer Zeit der Suche nach Gleichberechtigung (hier im Verhalten von Mann und Frau) nicht wundern, dass Bewegungen wie *MeToo* (im Jahr 2017) entstanden sind, die nur aufzeigen, dass in den ungezählten Spielarten des Anbandelns (i.a. durch Männer) zu viele unbekümmerte Aggressionen, verniedlichend zu viel Nonchanlance bzw. zu wenig akzeptable „gesittete" Umgangsformen stecken und dabei oft genug beim Versuch, männliche Wünsche durchzusetzen die Würde von Frauen verletzt wird, vor allem wenn zum Beispiel hierarchische Abhängigkeiten schamlos ausgenutzt werden (Psychodruck, Belohnung/Bestrafung oder Verschaffen von Vorteilen etc.), was besonders verwerflich ist. Man müsste es fast krankhaft nennen, was Männer sich oft erdreisten, um ihre Ziele zu erreichen, sprich, ihren Trieb befriedigen zu können. Die patriarchale Gesellschaft hat noch nicht abgedankt!

Im Zuge der Bewegung *MeToo* bekennen Frauen, sich nicht mehr zu scheuen offen auszusprechen, von Männern (und sie nennen Namen!) oft genug respektlos, unverblümt, erniedrigend oder gar primitiv angemacht, begrabscht oder durch Machtmissbrauch *gegen ihren Willen* gefügig gemacht worden zu sein. Keine Frau will das.

Daraus lässt sich allerdings ein weiterer interessanter Schluss ziehen, der seltsamerweise nirgends zu Wort kommt:

Dass im Grunde genommen *die Frau das Heft des Handelns, genauer, des Signalisierens von Interesse, in der Hand hat und nicht der Mann* (wie als landläufige Meinung überall postuliert).

Stark vereinfacht heißt das, dass bei einer „Begegnung der Geschlechter" nach dem üblichen Small Talk und tolerierten lockeren Auf-sich-Aufmerksam-Machen der Mann *nur dann* ein wenig aktiver (höchst situationsabhängig!) werden *darf,* wenn die Frau *vorher* ein wie auch immer verstecktes Interesse signalisiert hat. „Interesse zeigen" mag man als Vorstufe oder prinzipielle innere Bereitschaft für eine *nähere* Kontaktaufnahme deuten, *„sich zumindest vage vorstellen zu können sich sogar evt. zu verlieben (falls „der nett ist" ...)"* ohne es gleich aktiv zu wollen, sich dessen wahrscheinlich nicht mal bewusst zu sein. Vor einem kurzen Abenteuer (und sei es nur ein kleiner Flirt) ist niemand gefeit, auch Frauen nicht, wenngleich sie normalerweise viel zurückhaltender sind als Männer. Oder es passiert – schlicht gar nichts (sprich: Nur nette Unterhaltung)! „Alles andere" verläuft dann „im Sand" .... Solche unterschwelligen Signale *muss Mann erspüren,* erkennen, richtig deuten, was hohe Anforderungen an die männliche Beobachtungsgabe stellt, die ebenso landläufig – aber wohl richtig – als weniger ausgeprägt gilt als die von Frauen. Dass dann bei entsprechendem Geschick höchstwahrscheinlich nur ein kleinerer Teil der Männer, nämlich die Glücklichen, für die sich Frauen wegen ihres anziehenden Habitus interessieren, zum Erfolg kommt, macht das Argument deshalb nicht falsch ... Und die Anderen? Haben naturgemäß Probleme dies zu akzeptieren und suchen eben Wege, die bisweilen auch mal „übers Ziel hinausschießen" mögen ...

Ist also entgegen des herrschenden Mainstreams das „starke Geschlecht" das eigentlich „Schwache" im Spiel der Erotik und der Triebe? Es sind geteilte Meinungen zu erwarten, aber nachdenken sollte man schon mal darüber! ---

Und Philipp? Gehörte der zu diesen „Glücklichen" und hatte skrupellos nur Sex im Sinn? ... Mit ihr *und* mit Laura? *„Mistkerl, unersättlicher!!!",* entfuhr es Algena erneut bei diesen Gedanken, sich zugleich auch die verantwortungslose, mit einer Art unweiblich-aggressivem Pendant ausgestattete Laura vorstellend!!! Hat „Liebe" eben doch eine Art brutale Seite? Wohl ja! Ist *Geschlechterkampf* nicht nur ein hässliches Wort, sondern Ausdruck barer Wirklichkeit, auch wenn das niemand so sehen möchte stattdessen lieber in rosaroter Verliebtheits-Romantik schwelgt?

***

Draußen schneite es. Dicke Flocken hüllten die Koniferen auf ihrer Terrasse in watteweiche Kissen ein. Gerade von der Arbeit nach Hause gekommen, öffnete sie kurz die Terrassentür, um zu lüften. Ein Schwall Kälte durchflutete sofort das Zimmer. Im Freien herrschte bereits tiefe Dunkelheit, aufgehellt nur durch ihre Wohnzimmerbeleuchtung, die durch die raumhohen Fenster hindurch fahl die weiße Pracht auf der Terrasse beleuchtete. Völlige, mystische Stille draußen und drinnen. Der fallende Schnee schluckte auch noch letzten Reste menschlicher Geräuschquellen, egal woher sie kamen. Winterzeit, Adventswochen. Nur noch zwei Wochen, dann war Weihnachten. Der Schnee war das einzige Zeichen für diese Jahreszeit in ihrer Wohnung. Für Weihnachts-Accessoires oder -Deko war sie dieses Jahr nicht in Stimmung, hatte keinerlei Lust dazu.

Sie schloss die Terrassentür wieder, bereitete sich in der Küche, ihrer Figur willen, ein karges Abendmahl mit Knäckebrot und Käsescheiben, Tomaten und Gurken und machte es sich auf der Couch bequem, blätterte entspannt in einem Journal. Dass der Rotwein, der so gut wie jeden freien Abend mit auf dem Tisch steht, die Kalorien wieder auffüllte, wusste sie zwar, aber ignorierte diese unangenehme Tatsache. Im Fernsehen liefen um diese Zeit nur die üblichen Vorabend-Fernsehprogramme, meist Serien, die sie im Allgemeinen, so auch heute, nicht sonderlich reizten, deshalb legte sie lieber eine ihrer Lieblings-CDs ein: *„Continuum"* von *John Mayer*, eine neuere CD, die jeder ihrer Gefühlslagen guttat und gerade jetzt, in dieser heimeligen Zeit, beruhigend auf sie einwirkte, denn sie spürte wieder mal: Alleine zu leben ist nicht ihr Idealzustand …

Hier, in dieser großzügigen Wohnung, hatte sie dauerhaft glücklich werden wollen. Es wäre auch Platz für ein bis zwei Kinder gewesen – und jetzt? War der Traum geplatzt – sicher nur vorerst, aber deshalb nicht weniger bitter.

Erneut der innere harte Befehl: Raus musste er, der Philipp, raus aus ihrem Kopf mitsamt der Schmach, die er ihr angetan hatte. Es war so schwer, einen Lebensirrtum zu eliminieren, der immerhin fünf Jahre gedauert hatte. Rastlos hämmerten ihre Gedanken, sie wusste nicht was sie wollte, aber auch nicht, was sie nicht wollte.

Ihr Lieblingssong auf der CD erklang. Beruhigende vertraute Klänge. Jeden Ton kannte sie. Jaaa, Philipp abgeben ans Nirwana oder wohin auch immer, jedenfalls weg, weit weit weg ... Algena versank in unbestimmbaren Gedanken ... Sie kreisten und weiteten sich ...

Aus den Tiefen ihres offenen empfänglichen Gefühlsmeeres entstieg unvermittelt Harry wie einst Phönix aus der Asche. Urplötzlich und hautnah, wie wenn es gestern geschehen wäre, spürte sie seinen Arm um ihre Schulter, den innigen Kuss neulich im Weinlokal, der sie so kirre gemacht hatte. Wie heißes und doch unbrennbares Feuer sie innerlich auflodern lassend ..., wenigstens war sie vernünftig geblieben, hatte sich nicht rumkriegenlassen von ihm – und zugleich sich selbst widerstanden.

Ja, es war Harry gewesen, der junge Mann damals, der lange vor Philipp für knapp zwei Jahre die entscheidende, weil aller-allererste Geige im Wortsinn in ihrem Leben gespielt hatte. Und auch den müsste sie, wie Philipp, energisch aus ihrem Kopf, ihren Gedanken, verbannen. Und wenn das nicht gelingen würde? Dunkel ahnte sie, irgendwann ..., wenn seine Rosi wieder mal außer Haus ...? Sie sah die drohende Gefahr, im entscheidenden Augenblick eben doch umzufallen, sie gestand es sich ein, aber redete sich zugleich ein, es sich keinesfalls wirklich eingestehen *zu wollen*. Das Unterbewusstsein rüttelte machtvoll an ihrer psychischen Verfassung.

Der Mensch kann weder „etwas wollen" wollen noch „etwas nicht wollen" wollen, auch nicht „etwas wollen" müssen oder „müssen" etwas zu wollen (im Sinn von sich gedrängt fühlen). Hin- und Hergerissen wurde sie zwischen den Polen ihrer Bedürfnisse, wider Willen ein Spielball ihrer verwirrenden, einander widerstrebenden Gefühle, Begierden, Sehnsüchte, Ahnungen, Herzenswünsche samt der zugehörigen erträumten, imaginierten, konkreten Anlässe. Nichts in ihrem Liebesleben war stabil bei ihr, alles im Fluss, leider einem recht chaotischen ..., *Panta rhei!*

Sie gab sich der wunderbaren einschmeichelnden Stimme des Sängers auf der CD hin, folgte jedem Ton, ließ sich fallen in das imaginäre Reich, getragen von Musik ... Und spürte Zuversicht ... Wo das hinführen könnte? Unbekannt, aber in ein gutes Land ... Die Musik legte einen gnädigen Schleier auf ihre aufgewühlte Psyche, beruhigte ihre Seele, brachte den Körper zur Ruhe, bis ihre innere Stimme, ihr guter Geist versprach: Es wird wieder Stabilität in meinem Leben einziehen, irgendwann – aber ganz bestimmt ...

***

Weihnachten stand vor der Tür und Hermann hatte sich nicht gemeldet! Grenzenlose Enttäuschung. Dass sie von ihm weder Telefonnummer noch Adresse hatte, wurmte sie gewaltig – schusselig und unüberlegt hatte sie damals gehandelt. Die Telefonauskunft nannte nur eine Nummer, die für Hermann und Martha Wolkert – dort anzurufen und nach seiner Mobilfunknummer zu fragen verbot sich von selbst. Ja, sie hätte ja einen vertrauten, guten Bekannten damit beauftragen können, aus geschäftlichen Gründen die Handynummer von Hermann Wolkert zu erfragen. Wäre unverbindlich geblieben, aber das wollte sie nicht, sie hätte auch diesem Bekannten bekennen müssen, warum ihr das so wichtig wäre. Wollte sie nicht, keinesfalls. Also warten, warten, warten, erst mit jeder Woche, jetzt vor den Weihnachtstagen, immer geknickter ...

Erstmals seit Jahren würde sie Weihnachten wieder bei ihren Eltern verbringen. Die Eltern freuten sich auf das Töchterlein, und auch Leon, ihr Bruder samt Ehefrau Elisa, hatte sich mit seiner vierköpfigen Familie ab dem zweiten Feiertag für ein paar Tage angemeldet. Wenigstens er. Bei ihm konnte sie sich besser öffnen als gegenüber ihren beiden biederen Antiken.

Überschwängliche Begrüßung. Algena spielte die entspannte Tochter, ihre Sorgen mühsam zur Seite schiebend, log auf die üblichen besorgten mütterlichen Standardfragen: *Ja, es gehe ihr blendend und ja ja, sie fühle sich wohl, habe gute Freundinnen, die Arbeit mache ihr Spaß und sie sei gesund.* Was halt Mütter so hören wollen. Natürlich liebte sie ihre Eltern als wohlerzogene Tochter, aber das ganze Gesülze ging ihr trotzdem gleich von Beginn an kolossal auf die Nerven.

Alles wie gehabt. Keinerlei Veränderung seit ihren Kindheitstagen. Einerseits nostalgisch schön, andererseits lebte sie schon lange einen völlig anderen Lebensstil und fremdelte erkennbar in dieser ihr einst so vertrauten, heimischen Welt. Und die Eltern wurden nicht müde, sie zu bemuttern („das hätte ich mit fünfzehn gebraucht", ätzte sie insgeheim …) und sich vor allem penetrant erkundigen zu müssen, was sie denn so täte in ihrem neuen Stand einer jungen Witwe – Ja, das war sie, zweifellos, aber sie fühlte sich längst wieder als Junggesellin, die fünf Ehejahre am liebsten vergessen wollend. Es fiel ihr ungemein schwer, ihre derzeitige Lebensweise aufhübschen zu müssen, um unnötige Beunruhigung ihrer beiden alten Eltern zu vermeiden. Immer noch zeigte ihr Vater seine despotischen Tendenzen, sie nahm sie aber nicht mehr ernst. Viel hatte der seither nicht dazugelernt, eigentlich gar nichts, merkte sie sehr schnell. Dabei war er noch keine sechzig. Nur bei Leon konnte sie, wie erhofft, mehr rauslassen über ihr durch das Alleinleben mentales Hin- und Hergeworfensein und der hatte Verständnis für so manche ihrer Unwahrheiten den Eltern gegenüber. Ihr zentrales Thema, die Treulosigkeit Philipps, hatte sie auch ihm verschwiegen.

Die Zeit *zwischen den Jahren* (was hasste sie diesen albernen Ausdruck für die paar Tage bis Silvester) erwies sich dann doch als einigermaßen abwechslungsreich: Sie traf Leute von früher, die nie weggekommen waren aus der kleinen Kreisstadt und ihre Eltern hatten öfters Besuch. Man wusste natürlich von dem Unglück der Tochter, wusste, dass sie verwitwet war, bedauerte es, denn der Philipp wäre doch ein so angenehmer, zuverlässiger Mann gewesen. Und sooo erfolgreich! *Das war deren Bild von ihm …* Wenn die wüssten … Algena zählte die Stiche in ihrem Herzen nicht mehr, die sich bei solch ahnungslosem Gerede stets einstellten, musste gute Miene zum bösen Spiel machen.

In solchen tristen Augenblicken ließ sie sich gerne durch Leons Kinder ablenken und auf den Boden runterzerren, um Pferd oder Esel zu spielen.

Es waren zum Glück zwei Mädchen (Sophie und Iris, vier und sechs Jahre alt), damit nicht sonderlich schwer und sicherlich auch nicht so wild, wie es Buben wären. Die beiden kleinen Racker liebten es, ausgelassen ihren Rücken zu malträtieren – mit Tante Algena machte das ungemein viel Spaß und die ahmte aus Leibeskräften Pferde- oder Eselslaute nach.

Kinder ..., ja, wollten wir auch mal aber noch paar Jahre zuwarten. Lange nicht mehr gedachte Gedanken klopften wieder bei ihr an. Diese Kinder hätten aber nun keinen Vater mehr, deshalb war es besser wie es jetzt war. Und sie war ja erst zweiunddreißig, Zeit genug für ein neues, ein zweites Leben mit allem Drum und Dran.

Die Tage bis Silvester spielte Algena die liebe Tochter im Elternhaus mit Kaffeeklatsch, Besuchen und Gegenbesuchen im Ort, mit Leon, seiner Frau und den beiden kleinen Nichten, war aber nur körperlich anwesend, wenig mit dem Herzen und ihren Gedanken. Leons Familie wollte den Jahreswechsel zu Hause in Osnabrück mit Freunden feiern. Herzzerreißende Verabschiedung. Ein privates längeres Gespräch der beiden Geschwister war nicht zustande gekommen, bedauerte Algena bei sich.

„Ruf mich an, wenns dir mal nicht gut geht, Schwesterherz", tröstete er sie, „vor allem wenn du Hilfe brauchst."

Der gute Leon, dachte sie ergeben, der war dazu viel zu brav, um nicht zu sagen zu spießig. Ja, damals, als sie ihn nachts am Telefon informierte über Philipps Unfalltod, da fand er sofort die richtigen Worte für sie, aber jetzt? Ihr helfen, sie wirklich verstehen? Würde er wollen, das schon, aber die Lebensrezepte ihrer Eltern aus dem Mund des Bruders hören? Musste sie nicht haben.

Dann waren sie weg und das Leben im Elternhaus um einiges an Lebendigkeit ärmer. Auch der Silvestertag lief exakt so ab wie in ihrer Kindheit. Frühstücken, nur kleines Mittagessen, nachmittags je nach Wetter längerer oder kürzerer Spaziergang im nahen Park, diesmal durfte er länger sein, es war trocken und für die Jahreszeit zu mild. Immer wieder trafen ihre Eltern unterwegs Bekannte ihrer Generation. Die lebten alle ein Leben nach dem alten Stiefel, kam ihr so vor. Algena kannte die meisten, man erkundigte sich, wie es ihr jetzt so gehe, denn von Philipps Unfalltod wusste man und bedauerte sie aufrichtig. Sobald lokale aktuelle Themen angeschnitten wurden, setzte sie sich meist ein paar Meter ab, wollte sich nicht an diesen Unterhaltungen beteiligen, sondern lieber die angenehme Luft genießen.

Ihr Handy meldete eine SMS. Mechanisch gelangweilt fingerte Algena in ihrer bauchigen Tasche, wühlte in den unergründlichen Tiefen nach dem modernen Teil – und las:

„Wünsche Dir einen guten Rutsch und alles Liebe und Gute im neuen Jahr 2009. Sei nicht traurig, ich war verhindert, konnte vor Weihnachten nicht mehr nach München kommen. Melde mich Anfang Januar. Ganz sicher und versprochen! Hermann."

Algena las die SMS mehrmals, jedes Wort buchstabierend, als ob sie es nicht glauben wollte. Hermann!! Er hatte sich gemeldet. Ihre Stimmung kehrte sich augenblicklich fundamental um.

Algena, in Gesellschaft ihrer Eltern, die diesen neuen Techniken nur wenig Bedeutung beimaßen, versuchte äußerlich völlig unbeeindruckt zu bleiben. Innerlich jedoch führte ihre Psyche wahre Freudentänze auf. Noch immer traute sie kaum ihren Augen. Kein Zweifel: „Eine SMS von Hermann", murmelte sie gedankenverloren. Zentnerschwere Mühlsteine fielen von ihr ab, viele, so viele, dass sie gar nicht mehr gewusst hatte, wie man ohne deren Last leben würde. „Hermann, du …" Erneut las sie die wenigen Worte, blieb im Spaziergang etwas zurück.

„Wer war das?", fragte ihre stets besorgte Mutter, den Blick kurz nach hinten gewandt.

„Och, nichts Besonderes, gute Wünsche zum neuen Jahr, ein guter Kollege, nicht weiter der Rede wert", log sie leicht wie eine Feder im Wind.

„Mein Gott …, Hermann", er hat eine SMS geschickt, jetzt, als sie schon alle Hoffnung aufgeben wollte, und er wollte sich Anfang Januar wieder melden. Dann jubelte sie erneut: Sie hatte jetzt seine Mobilnummer und würde schnellstens antworten, sobald sie ein wenig ungestört wäre …

Hermanns SMS wirkte wie eine Droge auf Algena. Sie war im Wortsinn *high*. Ihren Eltern fiel zwar auf, wie beschwingt und redselig ihre Tochter sich plötzlich gab, aber da Algena auch zuvor schon gute Laune geschauspielert hatte, waren die Unterschiede moderat, nur dass eben diese gute Laune jetzt ehrlich war. Oh, wie sie sich freute.

Als ihre Eltern auf der Straße erneut Bekannte trafen und mit ihnen ausführlich ratschten, wandte sie sich zur Seite und simste:

„Lieber Hermann, Du glaubst nicht, wie ich mich über Deine guten Wünsche gefreut habe! Auch ich wünsche Dir fürs kommende Jahr viel Erfolg in allen Deinen Angelegenheiten und freue mich sehr auf ein baldiges Wiedersehen! Algena."

Sie las den simplen Text x-mal durch, fand ihn mal zu anbiedernd, dann wieder zu schwach, floskelhaft, zu viele Allgemeingedanken, oder war er zu deutlich, was ihre Sehnsüchte betraf oder das Gegenteil. Sie zweifelte an sich und ihrem Gefühl, wollte um Gottes Willen nichts falsch machen, ihn gar verprellen – sie würde sich 'ne Kugel geben –, dann drückte sie beherzt auf *Senden*. Der kurze Ton der abgehenden SMS und kurz darauf der Zustellbericht hörte sich in ihren Ohren wie lyrischer Engelsgesang an. Es war vollbracht. Sie speicherte die Nummer im elektronischen Adressverzeichnis und setzte den Namen Hermann Wolkert dazu.

Entspannt und ausgeglichen schloss sie sich jetzt der Straßenunterhaltung ihrer Eltern mit dem anderen Ehepaar an, auch weil sie das von früher kannte – es waren die Eltern einer Schulkameradin.

Der weitere Ablauf des Silvestertages folgte wie schon die erste Tageshälfte exakt denselben Ritualen wie in früheren Zeiten. Nach dem Spaziergang kurze Kaffeepause zu Hause, anschließend der Siebzehn-Uhr Silvestergottesdienst. Obwohl sie längst aus der Kirche ausgetreten war, begleitete sie ihre Eltern in den Gottesdienst.

Auch das weitere Geschehen dieses Abends verlief stereotyp wie immer, aber Algena erlebte die Stunden in ganz anderer Stimmung als erwartet, nämlich aufgeräumt, aufgeschlossen, zu kleinen Blödeleien und Scherzchen aufgelegt.

Engagiert beteiligte sie sich beim Anrichten des opulenten Fleischfondues mit den vielen schon vormittags vorbereiteten Saucen und wohlschmeckenden Beilagen.

Die Eltern freuten sich über Algenas aufgeräumte Stimmung, registrierten sie aber mehr beiläufig, denn sie waren viel zu sehr mit sich und ihren Vorbereitungen für die Gestaltung des Tisches für die Einladung beschäftigt.

Das etwa gleichaltrige, für den Abend eingeladene Ehepaar kannte Algena nur vom Hörensagen, sie beteiligte sich aber trotzdem (begreiflicherweise recht aufgeschlossen) an der allgemeinen Unterhaltung, selbst wenn es um provinziellen Tratsch im Ort ging, der gerade angesagt war und sie an sich wenig interessierte.

Nach dem Essen wie immer die unvermeidliche Beglückung aus dem Fernseher. Meist lief eine Silvestershow oder -gala, mit bestens gelaunten Showmastern und begeistertem Publikum. Dann um Null Uhr das Riesenfeuerwerk auf dem Bildschirm, draußen auf der Terrasse die Mitternachtsglocken im Ort, mit dem Sektglas in der Hand Glück, Erfolg und Gesundheit wünschen, die eine oder andere rührselige Träne im Auge, Küsse, anstoßen etc., die Feuerwerksraketen in den umliegenden Gärten bewundern – alles wie eh und je an Silvester – dann verabschiedeten sich die Gäste und bei ihnen hieß es nur noch: Schleunigst ab ins Bett.

Algena fiel alsbald in selig entspannten Schlummer.

Am Neujahrstag verabschiedete sie sich von ihren Eltern, die ihr das Versprechen abnehmen wollten, sich doch bald wieder zu melden, und ihr sagten, dass sie sie liebten und dass sie auf eine gute Zeit für sie im Neuen Jahr hofften und dass sie gesund bleiben möge, und und und … Algena ließ gelassen den üblichen Elternschmus über sich ergehen, wünschte ihnen ihrerseits weiterhin gute Gesundheit – wäre eh das Allerwichtigste – und fuhr wie geplant in ihr neuheimatliches München zurück. Auf den ersten Kilometern noch unter dem Eindruck der Verabschiedung von den Eltern stehend, aber auch dank ihrer seit Hermanns SMS positiven inneren Gemütsverfassung, stiegen Gedanken der Dankbarkeit auf, ein intaktes Elternhaus zu haben, ein Elternhaus in das sie notfalls flüchten könnte und bedingungslos aufgenommen würde, wenns ihr mal dreckig ergehen sollte, wenn sie mal nicht mehr weiterwissen würde. Andererseits bezweifelte sie stark, ob sie das dann auch tun würde … Sie hatte ihren Eltern, jedem der beiden, die Unzulänglichkeiten in ihrer Kinder- und Jugendzeit längst verziehen. Waren vergangene Zeiten und könnten und dürften nicht mehr ihre Psyche beeinflussen.

Dass niemand vor sich selbst und seiner Vergangenheit davonlaufen kann, war für sie aber nur theoretisches Wissen. Heute, in ihrer seit gestern euphorischen, Stimmung, blieb dieses tief im Inneren verborgen. Dass die grundlegende Malaise, ihr unbewusstes Haftenbleiben an nicht mehr zeitgemäßen Maßstäben oder Werten, verbunden mit ihrer schwankenden Tiefenpsyche keineswegs überwunden sein könnte, sondern nach wie vor in ihr unbewusst herumwaberte und sie bisweilen beeinflusste, kam ihr nicht in den Sinn …

***

Und wirklich: Nach einer knappen Woche schon meldete sich Hermann, kündigte an, in der vierten Januarwoche in München im Max-Planck-Institut zu tun zu haben und fragte gleich, ob Algena denn da für einen Abend abkömmlich sei. Sie hielt gewaltig an sich, umso lässig wie möglich zu reagieren. Ja, sie wäre im Lande, ließ sie gewollt spröde wissen und wann er sich denn vorgestellt habe, sie zu treffen.

„Wie wärs mit Mittwoch, den achtundzwanzigsten Januar", schlug er vor. „Wir könnten zusammen Abendessen gehen, hättest du Lust?"

Und wie, Hermann, und wie, bekannte sie sich insgeheim.

„Ja …, könnte gehen", sie hielt sich stets pro forma ein Hintertürchen offen. Könnte …? Könnte?? Nonsens! Da hätte im Kalender sonst was drinstehen können – was auch immer, sie hätte sowieso alles andere abgesagt, alles!

Später dann doch ein kurzer Blick in den Kalender. Das war in etwa drei Wochen. So viel Zeit war das auch nicht mehr. Umgehend rief sie ihren Friseur an, in der Hoffnung, kurzfristig noch einen Termin zu bekommen. Gelang auch. Am Freitag übernächste Woche.

161

Isabelle war ganz aus dem Häuschen bei dieser Information.

„Algena", mahnte sie, „aber du weißt schon, dass der die feste Absicht äußern muss, sich scheiden zu lassen, bevor du hier Gefühle investierst, ja?" Jajaja, weiß ich doch, dachte sie bei sich. Ständig diese pene-trante Ermahnung, ärgerte sich Algena kurz, um sie dann in ihrer Euphorie sofort geflissentlich zu übergehen. Sie wollte Hermann wiedersehen, ohne Wenn und Aber. Vernunftargumente? Mags ja geben. Sind gerade völlig schnuppe, rebellierte es in ihr vernehmlich. Im Augenblick war ihr Hermanns Statusentwicklung schnurz egal, basta. In ihrer aufflammenden Vorstellung wandelte sich der reale Hermann in ein fiktives, ihre Wünsche erfüllendes Bild, das sie sich von ihm machte, und merkte dabei nicht – wie alle Verliebten –, offene oder ungelöste, sogar unlösbare Probleme nonchalant beiseite zu schieben, sie sich klein oder unbedeutend zu denken, um die eigenen Wünsche, Visionen und Gefühle umso heller erstrahlen zu lassen.

Und sie unterlag der Grunderfahrung, die alle Verliebten früher oder später machen müssen: Dass visionäre Vorstellungen und Wirklichkeit meilenweit auseinanderdriften können, dass die Realität stets erst dann unbarmherzig zuschlägt, wenn die Schleier der Selbstvernebelung abfallen und somit nicht mehr ignoriert werden können. Erst dann zeigt sich, ob es reicht bzw. gereicht hat mit der gegenseitigen Zuneigung …

Wie alle Verliebten glaubte sie fest daran, dass sich alles einrenken werde, wenn sie sich erst einmal zueinander bekannt hätten. Algena träumte, wie der Abend ablaufen würde/sollte/könnte, wie er sich schließlich auch in sie verlieben und ihr das sagen, ja bekennen würde. Sie würden sich in die Augen schauen, über den Tisch hinweg, und alle seine Gesten würden so viel Liebe zu ihr, Zuneigung und Zärtlichkeit signalisieren, wie das bei seiner Erfahrung möglich war. Und sie, Algena, würde das ganz große Glücksgefühl durchströmen und ihr Herz weit öffnen für alles Kommende … Über den weiteren Ablauf und vor allem den Rest des Abends wollte sie nicht nachdenken. Es würde sich alles finden und sich zum Guten hinwenden. Ein Feuerwerk an imaginierten Vorstellungen zur Erfüllung aller ihrer uneingestandenen Wünsche lief in ihrem Kopf ab. Sie würde als Frau in jeder Situation intuitiv richtig handeln. Darauf wollte sie sich verlassen, daran wollte sie glauben. Zweifelnde Gedanken, sich in solchen Vorstellungen und geheimen Wünschen schon so oft massiv geirrt zu haben („waren halt nur *Nullachtfünfzehner*"), marginalisierte sie und schob sie mit Verve beiseite …

Die Wochen bis zu dem heiß ersehnten Mittwoch verbrachte sie in zwei Welten, der realen und, intensiver noch, in einer imaginierten Vorstellungswelt.

Um genügend Zeit zu haben, sich fertigzumachen, war sie an dem besagten Mittwoch eine Stunde früher vom Atelier nach Hause geeilt. Der Chef war eh nicht da und ihr Tagespensum weitgehend erfüllt.

Zu Hause stand sie dann bald vor dem Kleiderschrank mit ihrer standesgemäß reichhaltigen Garderobe. Beim Mustern möglicher Kleider wanderten die Gedanken wieder voraus. Ja, sie gab sich's selbst zu, sie will ihn beeindrucken, ihn „anmachen", wer weiß? Der gesellschaftlich korrekte Hosenanzug schied deshalb aus, auch wenn er ihre schlanke Figur gut betont hätte, das Kostüm erst recht – viel zu brav, zu geschäftsmäßig, lange Abendgarderobe, ach nein, damit wäre sie sicherlich overdressed, besser nicht für eine normale Einladung zum Abendessen, aber hier, das zartlila Cocktailkleid mit der raffinierten Schulterpartie, diese einerseits weitgehend freihaltend, andererseits mit einem verspielten, schalartigen Chiffon-Umhang aus Seide dekoriert (war einst von der Jury anerkennend bewertet worden, denn er ersetzte das übliche kurze Jäckchen), das könnte das Richtige sein. Das Kleid war in der Länge eher knappgehalten, sodass ihre vorzeigbaren Beine gut zur Geltung kommen konnten. Sie war stolz auf diese Kreation, die sie selbst entworfen hatte und zur vorletzten Kollektion gehörte … Ist entschieden – trotz winterlicher Kälte draußen, da gibts ihren eleganten Wintermantel, aber im Lokal wirds ja wohl warm sein! Auch betont dieses Kleid bestens ihre Figur. Für den weltgewandten Hermann war ihr kein Detail unwichtig …

Außerdem würde diese Garderobe die beginnende Blüte ihrer besten Jahre als Frau unterstreichen und ihr zugleich einen Anflug jugendlichen Aussehens verleihen. Perfekt standesgemäß eben. So, ja, so wollte sie sich ihm zeigen! Die Jahre locker-flockigen, jeans-betonten lässigen Studentinnen-Lebens waren längst passé …

Sie wählte ein Paar elegante Stiefeletten mit ziemlich niedrigen Absätzen aus. Klassische High Heels blieben ihr als groß gewachsener Frau verwehrt. Sie drehte sich mehrmals vor dem Ganzkörperspiegel, zupfte hier und streifte dort entlang. Ja, alles passte ihr nach wie vor wie angegossen. Jetzt noch Fingernägel samt Make-up aufeinander abstimmen, ihr Lieblingsparfum auflegen. Das mächtige, brünette, aufgelöste Haar sollte so natürlich wie möglich um Gesicht, Hals und Schultern fluten. Sie bewegte sich vor dem Spiegel ein paarmal hin und her, drehte sich zur Seite, schob die dem Spiegel nahe Schulter ein wenig vor, den Kopf apart gestreckt – ja so …, drehte sich wieder zurück und warf ihn mit lasziver Miene ein wenig in den Nacken, formte die Lippen zum angedeuteten Kussmund, besah sich aus den Augenwinkeln … Algena gefiel sich, war zufrieden. Eine passende dünne Goldkette sowie auffallende, großvolumige Ohrringe (die trotzdem leider zumeist hinter der Haarpracht versteckt sein würden) ausgesucht und sie fand sich perfekt. So konnte, so wollte sie ihm entgegentreten.

Er holte sie mit dem Taxi von zu Hause ab. Algena erschien dick eingepackt im schicken, gedeckt dunkelblauen Wintermantel mit hellem Pelzkragen unter der Haustür, fröstelte etwas in der abendlichen Januarkälte. Mit federnden Schritten kam er auf sie zu, umarmte sie flüchtig, gab ihr einen kurzen Begrüßungskuss auf die Wangen und führte sie umgehend zum Auto, dessen hinterer Schlag vom Taxifahrer bereits geöffnet worden war. Sie stieg ein. Ihre Blicke trafen sich für Sekunden als er die Autotür schloss. Er setzte sich auf der anderen Seite der Rückbank neben sie. Eine Art unwirklicher Zauber machte sich in ihr breit. Das Glück des Augenblicks, der Zeitlosigkeit …, der Erwartungen.

Hermann nannte dem Taxifahrer ein hübsches, kleines Restaurant in Grünwald.

„Ja…", erzählte er Algena dann, „ich habe recherchiert und dieses kleine Lokal ausgesucht, weil die Inneneinrichtung viele Nischen aufweist und damit intime Unterhaltung zulässt. Außerdem zieht mich das leicht bayrisch anmutende Interieur sowieso an," und er fügte lachend hinzu, „schließlich sind wir doch in Oberbayern."

Intime Unterhaltung? Was meint er damit, rätselte sie kurz während der Autofahrt. Ist doch jede persönliche Unterhaltung, oder?

Hermann, ganz der Kavalier alter Schule, half Algena im Lokal aus ihrem dunkelblauen Wintermantel. Sie legte Schal und die ebenfalls weiße Wollmütze ab und schüttelte kurz ihr Haar, das gerade noch verdrückt unter dem Mantelkragen versteckt gewesen war.

„Wie bezaubernd du aussiehst, Algena", bewunderte er sie überschwänglich, einen Schritt zurücktretend und – man möchte meinen aus Ehrfurcht vor dieser wahrhaften Traumgestalt, maß er sie ein paar Sekunden mit anerkennenden Blicken. Das lange brünette Wallehaar floss füllig und seidenweich über ihre Schultern, deren nackte makellose Haut, kaum von dem kreativ geschnittenen Seidentuch bedeckt, ihre anziehende Wirkung auf jeden Betrachter ausüben musste.

Algena blickte um sich. Kleine in Nischen stehende Zweier- und Dreiertische mit brennenden Kerzen und trotzdem genügend Platz für Speisen und Getränke, wirklich bestens geeignet für jede Art Privatheit, ungestört von Unterhaltungen an Nachbartischen. Noch waren wenige Leute da, meist Pärchen. Hermann fragte geschäftsmäßig nach dem reservierten Tisch.

Hermann ließ ihr den Vortritt. Elegant und selbstsicher schritt Algena gleichsam schwebend durch das kleine Restaurant. Unübersehbar drehten sich einige Köpfe nach ihr um. Algena wusste um ihre Wirkung, ihre vollendete Erscheinung, war bewundernde Blicke gewöhnt und ließ sich davon nicht weiter beeindrucken.

Sie setzten sich, Hermann bot ihr den Platz mit Blick ins Lokal an, weil er aus langjähriger Erfahrung wusste, dass Frauen den Überblick schätzen, auch mal andere Gäste beobachten, also generell nicht gerne mit dem Rücken zum Geschehen sitzen wollen. Sie saßen einander gegenüber, beide noch ein klein wenig befangen, sahen sich in die Augen, maßen einander, warteten …, aber nur wenige Sekunden.

„Na, wie gehts dir denn, meine liebe Algena", begann er mit der wenig einfallsreichen Floskel, aber sie mit Blicken sichtlich hofierend. „Ich habe dich leider lange warten lassen, stimmts? Der geplante späte Novembertermin in München hatte sich unvorhersehbar zerschlagen und ich hatte sehr viel zu tun im Institut."

Hermann setzte eine schuldbewusste Miene auf, wie Männer stets, wenn sie wissen, Erwartungen von Frauen nicht erfüllt zu haben. Ist eben übliches Rollenspiel, denn ein so richtiges *mea culpa* ohne Ausrede kommt Männern eher ungern über die Lippen.

Algena protestierte innerlich auch prompt gegen diese lauwarme Begründung. Leider …, was heißt hier leider? Ein kurzer Anruf, eine SMS hätte genügt als Information und sie wäre zufrieden gewesen. Aber das war ja jetzt Vergangenheit und mit Ungereimtheiten, auch solchen (an denen sie gelitten hatte), wollte sie diesen Abend keinesfalls beginnen.

„Ach ja, war nicht weiter tragisch", log sie ihm unverfroren ins Gesicht (ob das ihre dabei leicht rötlich anlief, merkte sie nicht, nur dass es ihr durchaus heiß wurde. Eigentlich wars ja nur ʻne kleine Notlüge).

„Trotzdem. Stimmt schon, ich hätte anrufen sollen, ja …", sinnierte er offen und ein wenig zerknirscht, und fügte hinzu „Du hast es sicher erwartet …, ich sehʻs dir an, liebe Algena."

Mein Gott, der liest in meinem Gesicht wie in einem offenen Buch! Verunsichert fühlte Algena sich wie beim ersten Treffen vor Wochen wieder mal ertappt. Wie merkt der denn, dass mich das gestört hat, ja, und zwar gewaltig? „Sieht man mir das an der Nasenspitze an?", fragte sie sich reichlich beunruhigt (zugleich nach wie vor deutlich die Wärme in ihrem Gesicht wahrnehmend).

„Jaaa …, schon, wenn ich ehrlich … ". Algena war geradezu froh, dass in genau diesem Augenblick der Ober ihnen je eine Abendkarte vorlegte und damit dieses kritische Anfangsgespräch abrupt beendete. Sie einigten sich auf ein Wildgericht mit Preiselbeeren. Den Nachtisch ließen sie offen. Beim Rotwein riet ihnen der Ober zum „sehr guten Hauswein" und für den Durst zwischendurch könne er ihnen ihr gutes Mineralwasser empfehlen, still oder sprudelnd.

Ob sie gerne einen Aperitif trinke, fragte Hermann und bestellte, ohne eine Antwort abzuwarten zwei Gläser Portwein und ergänzte zum Ober gerichtet, „den zehnjährigen bitte!" Bereits nach wenigen Minuten kredenzte der den beiden die Entree-Köstlichkeit auf einem silbernen Tablett. Sie hoben das Glas und beteuerten einander, sich zu freuen, wieder mal beisammen zu sein. Algena war wunschlos glücklich …

Hermann erkundigte sich, wie Algena die Feiertage verbracht habe. Algena erzählte von ihrem Besuch bei den Eltern, dass die sich über das Kommen der Tochter gefreut hätten zumal sie ja erstmals Weihnachten hätte allein verbringen müssen, aber, bekannte sie, es wäre eben doch recht provinziell dort und nicht mehr ihre Welt. Und erwähnte beiläufig, wie sehr sie sich über seine SMS gefreut habe.

Sie setzte alles daran, ihm ihr Interesse zu zeigen, aber nur so en passant wie möglich. Keinesfalls durfte auch nur der Hauch einer Absicht erkennbar sein. Hermann hörte interessiert zu, fragte nicht weiter nach, sondern erzählte seinerseits von seinen Weihnachtstagen. Er lebe ja *derzeit* getrennt von seiner Frau, aber Weihnachten kämen, wie in den vorangegangenen Jahren, Sohn und Tochter aus Berlin nach Hause (die Tochter sei erst voriges Jahr auch nach Berlin gezogen), und da es ja keinen offenen Streit gebe, habe die Weihnachtsstimmung auch kaum gelitten, weil man sich eh mehr auf der Oberfläche des Familiengeschehens bewege. Algena registrierte wie ein Luchs jedes Wort Hermanns in Bezug auf seine häuslichen Verhältnisse. Das Wort *derzeit* blieb ein paar Sekunden länger in ihrem Fokus. Natürlich: Sie blieben Eltern der beiden jungen Leute, die keine Kinder mehr waren und es war normal, gerade Familienfeste wie Weihnachten zusammen zu feiern, den Alltag mal hintanzustellen. Und trotzdem spürte Algena das Damoklesschwert deutlicher Eifersucht über sich kreisen, und hätte es am liebsten gesehen, dass Hermann und seine Frau einander spinnefeind wären, weil jedes Wort messerscharf negativ ausgelegt würde, wie es typisch wäre für völlige Zerrüttung. Mochte es geben, bei den beiden aber offenbar nicht.

Eifersucht lässt sich als elementares Beiwerk jeder Liebesbeziehung beim besten Willen weder von Vernunft noch vom Verstand beeinflussen

167

und sei ihre scheinbare Begründung noch so absurd. Sie ist neben der Liebe und ihrem Antipoden, dem Hass, der dritte Mitspieler aller geschlechtlichen Beziehungen und kann sehr dominant werden. Keine dieser Drei lässt sich, ohne sich harte asketische Gewalt anzutun, bändigen. Algena jedenfalls fühlte sich (wie schon so oft) schutzlos diesen Urtrieben des Lebens ausgesetzt.

Ob Hermann wohl auch *diese* ihrer Irritationen bemerkt haben würde? Sie versuchte, trotz inneren Aufgewühltseins bewusst einen entspannten Gesichtsausdruck aufzusetzen. Sie hatte die Gegebenheiten zu akzeptieren, ohne Wenn und Aber. Wie's weiterginge würde man sehen …

Hermann schien diesmal tatsächlich nichts Auffälliges an seiner Tischdame zu bemerken, wechselte das Thema und fragte, ob sie eigentlich Ski fahre, wie doch die allermeisten sportiven Münchner hier im Süddeutschen Raum. Er käme zwar aus Frankfurt, könne aber trotzdem skifahren und plane im Februar eine Winterwoche in Bad Ischgl.

Sie sei leider keine Skifahrerin, gestand Algena, aber Winterurlaub in den Bergen, oder mal ein verlängertes Wochenende in einem hübschen romantischen Hotel mit Wandern in der weißen Pracht, das könne sie sich schon vorstellen, sie sei gerne in der Natur, auch im Winter, meinte sie durchaus mit Hintergedanken und sah ihm dabei vielleicht eine Spur zu tief in die Augen. Ob er darauf eingehen würde? Ein Wochenende zu zweit? In den Bergen? Jedenfalls hatte sie endlich mal einen Anflug ihrer geplanten Taktik anbringen können, sich interessant zu machen, sich ihm anzudienen als eine Art Köder, um ihn zum „Anbeißen" zu animieren, „ihn quasi einzufangen". Ob er wohl reagieren würde?

Verlief leider ins Leere. Hermann schwadronierte noch ein paar Minuten herum von früheren Skiurlauben und wo sie überall schon gewesen wären, von Traumpisten und gleißendem Sonnenschein in zweieinhalbtausend Metern Höhe und dass pausenloser Schneefall das Vergnügen beträchtlich mindern könne und und und, fand aber den Weg weder zurück zu seinen Februarplänen noch gar zu Andeutungen bezüglich winterlichen Wellness-Wochenenden (wie sie sich das vorgestellt vielleicht insgeheim erhofft hatte …).

Algena konnte nur mühsam ihre Enttäuschung verbergen, dass Hermann auf ihre versteckte Bereitschaft nicht einging, entweder tatsächlich den Wink mit dem Zaunpfahl überhörte (konnte sie sich fast nicht vorstellen) oder ihn womöglich ganz bewusst überhören *wollte*. Das hinterließ bei ihr jedenfalls den beunruhigenden Eindruck, nicht zu wissen, was er wirklich von ihr hielt, weil er auffallend neutral blieb. Aber noch war der Abend nicht vorbei, tröstete sie sich …

In Gedanken versunken widmete sich Algena dem hervorragend zubereiteten Hirschgulasch, genoss die gut gemachten Spätzle, die kein bisschen lasch oder verpappt waren. Hermann schien Ähnliches zu denken, denn sie stellten beide erfreut und zufrieden die hohe Qualität des Essens fest. Auch der Rotwein, die Hausmarke, wie der Ober ihn nannte, mundete ausgezeichnet. Sie hätten ihn fragen können, woher er komme, denn er wurde nicht in der Flasche, sondern in einer Karaffe kredenzt. Zwischendurch erzählte Hermann von diversen Überseereisen, die er mit seiner Frau erst seit ein paar Jahren wieder habe unternehmen können nachdem die Kinder selbstständig geworden seien. Nur, seine eben immer problematischer werdende Ehe belaste ihn. Auf den Reisen ginge es einigermaßen. Die Überfülle der neuen Eindrücke decke stets alle Differenzen zu und sie seien meist d'accord miteinander. Das Leben bestehe aber nicht nur aus Reisen, sondern vollziehe sich im schnöden Alltag. Und da klappe es überhaupt nicht mehr. Da kämen ihre im Lauf langer Ehejahre divergierenden Lebensvorstellungen zum Vorschein. Die Interessen änderten sich im Leben, was ja nicht unbedingt schlecht sein müsse, aber wenn sie auseinanderliefen, was dann?

Ob's an seinen vielen Geschäftsreisen läge, ob er zu wenig auf sie eingegangen sei, er sie also vernachlässigt habe, wisse er nicht. Bei ihnen sei von Anfang an eine gewisse gegenseitige Selbstständigkeit das gültige Credo gewesen. Den Begriff der sog. *Besseren Hälfte* lehnten sie beide ab, weil er signalisiere, nur mit dem Partner zusammen „vollständig" zu sein. Sie würden kaum offen streiten, es seien die tausenderlei Kleinigkeiten, die für die häusliche Spannung verantwortlich seien, und das Eheleben reduziere sich auf „*Business as usuel*". Und das wäre schon recht wenig. Auch litte er unter dem zunehmenden innerlichen Abstand, der abgeschliffenen

Beziehung, ihm fehle das Prickelnde, na ja, das Anziehende halt … – ja – natürlich, das nehme im Lauf der Zeit in jeder Ehe deutlich ab, könne sogar verloren gehen, wisse er auch, aber trotzdem …, dumm nur, dass seine Frau das alles nicht so eng, nicht so belastend sehe wie er, oder eben weniger Bedürfnisse in dieser Hinsicht habe, jedenfalls habe sie sich bass-erstaunt gezeigt, als er verkündet hatte, auszuziehen. Sei ein Schock für sie gewesen. Aber jetzt sei es eben so.

Algena hörte höchst interessiert zu, jedem einzelnen Wort, jedem geäußerten Gedanken, enthielt sich aber jeglicher Kommentare. Lass ihn mal erzählen, raunte es in ihr.

Hermanns Gesicht zeigte leichte Züge von Abwesenheit. Er war wohl kurz in seine Lebenswelt eingetaucht. Längeres Schweigen. Gedämpfter Geräuschpegel anderer Gäste, dezente Musik im Hintergrund.

Schließlich schien er sich wieder voll Algena zuwenden zu wollen: Wie sie denn ihre Freizeit verbringe, wollte er wissen und schaute sie fragend und wohl auch gespannt an. Er wusste aus Erfahrung: Was jemand so tut, unternimmt, was so die Beschäftigungen außerhalb der Arbeit sind, sagt viel über den Menschen aus.

Meine Freizeit? Was ihm sagen, erzählen? Genauer, was *will(!)* ich ihm erzählen (und natürlich, was nicht! Spielt auch eine Rolle!), oder noch anders, was will der wohl hören von mir, ratterte es in Windeseile durch ihren Kopf und sie begann, ein wenig linkisch, mehr oder weniger von Allgemeinplätzen zu reden. Sie erwähnte ein paar Details von ihrem Job im Atelier und dass Mode eben für sie nicht nur pragmatisch ihr Arbeitsgebiet sei, sondern auch privat ihr äußerliches Erscheinungsbild präge. Das Kleid zum Beispiel, das sie gerade trage, hätte sie selbst entworfen, wäre Teil einer Kollektion von ihr gewesen. Mode könne somit durchaus als eines ihrer Freizeitinteressen gelten. Sie erwähnte ihren großen Kreis von Freunden und Bekannten, in dem immer irgendwas los sei und die enge gute Freundin Isabelle, mit der sie öfters mal zusammenkomme, und der sie auch von ihm erzählt habe, fügte sie schmunzelnd hinzu.

„Ach ja, und tanzen, natürlich nur für den Hausgebrauch, es gäbe in München auch Möglichkeiten für klassisches Tanzen, nicht nur Discos. – Kannst du eigentlich tanzen und gibts in Frankfurt gute Tanzschuppen?", fragte sie zwischendurch, ihn direkt fixierend. Aber Hermann schien diese Frage nicht sonderlich zu berühren, weshalb sie fortfuhr.

„Ja, und was noch?" Kurze Pause (was würde sie noch erzählen wollen?). Sie liebe die Natur und habe mit Philipp, ihrem tödlich verunglückten Mann, so manche kleine oder größere Wanderung unternommen, was sie auch stets in ihre Urlaube im europäischen Süden mit eingebaut hätten. Sei alles nicht mehr aktuell, leider. Sie zuckte ein wenig zu theatralisch mit den Achseln und schwieg ein paar Sekunden (ihre Gefühle taumelten zwischen Trauern um das Vergangene und den gegenwärtigen Verheißungen hin und her). Hermann deutete es nur als innerliches trauern, umfasste über den Tisch hinweg Algenas rechte Hand und drückte sie sanft. Algena spürte seine wohlwollende Empathie …

„Na ja, an Langeweile scheinst du ja nicht zu leiden. Das war schon ein breites Spektrum", meinte er anerkennend, aber so ganz recht schien ihm ihre Antwort noch nicht zu genügen, denn er ließ nicht locker.

„Ich meinte natürlich, was dich in der Freizeit am meisten bewegt, sozusagen das, was du am liebsten tust, das, von dem man so sagt, man gäbe alles dafür her?"

„Nein, ein konkretes Hobby, wenn du das meinst, habe ich nicht, vermisse es auch nicht", gab sie jetzt mutig zu und schwieg erneut, dachte in sich hinein: Während der Zeit ihrer Ehe hatte sie sich weitgehend Philipps Interessen angepasst, aber was sie in den letzten Monaten bewegte, so sehr beschäftigte und einen großen Teil ihrer Kraft und Aufmerksamkeit verschlang, verbot sich zu erwähnen …

Hermann durchschaute Algenas etwas angestrengt wirkendes Manöver, sich in ein lockeres, „wohl-strukturiertes Licht" zu setzen, erkannte darin aber auch ein Sich-herumwinden um irgendwas Bestimmtes, Unausgesprochenes. Kurz nachgerätselt meinte er bei sich, eine Spur bzw. die Lücke gefunden zu haben. Es musste ja kein klassisches Hobby expressis verbis sein, aber für eine aufgeschlossene Frau wie sie, waren das, was sie da erzählt hatte, eigentlich nur allgemeine, weil überall gültige Randverzierungen. Mit einer leicht abwinkenden Handbewegung wischte er den in seinen Augen erzählten Bemühtheits-Schmus beiseite.

„Algena", begann er neugierig mit einem leichten Gestus der Dringlichkeit, „du hast mir 'ne Menge erzählt, aber nicht das Wichtigste: Eine attraktive Frau wie du hat doch sicher einen Freund, oder? Ja, natürlich, ich weiß, dass du erst seit einem Dreivierteljahr verwitwet bist, sicher einige Zeit gebraucht hast, wieder ins Gleichgewicht zu kommen, der Welt wieder offen entgegen zu treten. Aber bei deinem Format und weil du nicht durch Kinder gebunden bist, findet sich doch ein Freund schneller wie der Wind, behaupte ich einfach mal. Was macht ihr zusammen, was steht so auf der Tagesordnung, wie verbringt ihr eure Zeit, euren Alltag, geht ihr zum Beispiel regelmäßig tanzen – weil du das ausdrücklich erwähnt hast – lebst du mit ihm zusammen in deiner Dachterrassenwohnung? Was macht er heute, hast du ihm von mir erzählt, von deiner Zufallsbekanntschaft von der Waldwirtschaft Großhesselohe, und weiß er, dass du mit dieser heute Abend elegant zu Abend speist?"

Hermann war sich sicher, nach dem seiner Meinung nach entscheidend Fehlenden gefragt zu haben.

Algena war es überaus peinlich, erneut Hitze in ihrem Gesicht zu spüren. Hoffentlich hielt sich das vermutlich rötliche Anlaufen ihrer Wangen in Grenzen. Es arbeitete in ihr. Was sagen? Klar. Der kannte sie im Grunde nicht, machte sich völlig falsche Vorstellungen von ihr. Sollte sie jetzt offen und entwaffnend rausrücken mit der puren Wahrheit, sobald als möglich wieder eine neue feste Beziehung eingehen zu wollen oder sollte sie die Coole spielen, die behauptet, noch in einer Art Übergangszeit zu leben und im Moment gar nichts Festes zu wollen, oder die Optimistische, die auf einen geeigneten „Kandidaten" wartet, ohne aber zu warten? Jedenfalls galt es jetzt höllisch aufzupassen, nichts Falsches rauszulassen, sich nicht lächerlich zu machen, gar zu blamieren.

„Du wirsts mir nicht glauben, Hermann", begann sie, innerlich entschieden, sich erst mal höchst diplomatisch verhalten zu wollen, „einen festen Freund hab ich derzeit nicht, aber natürlich immer wieder mal 'ne neue

Bekanntschaft. Die meisten bemühen sich ehrlich um mich, aber es hat leider bisher nicht wirklich gefunkt bei mir. Und es geht mir trotzdem recht gut dabei, außerdem, so ganz frei von Philipp bin ich halt nach dem Dreivierteljahr tatsächlich immer noch nicht."

Puh! ..., das war ein Statement, ein Versuch, Hermann den stürmischen Vorurteilswind aus den Segeln zu nehmen, alles super geschönt, der letzte komplette Satz eine glatte Lüge – wieder mal! Trotzdem zu sich: Algena, alle Achtung vor Deiner Frechheit in der positiven Umwidmung so oft kläglich scheiternder, im Frust endender Beziehungen. Dass ihr das – wie sie meinte – überzeugend gelang, nötigte ihr geradezu Respekt vor sich selbst ab. Ganz klar: Sie hatte zumindest verbal auf die Methode Laura gesetzt. Muss der ja nicht wissen, fand sie, sich selbstbewusst gebend, ohne es zu sein.

„Ach, wirklich, Algena? Und du behauptest, dich wohl dabei zu fühlen? Kann ich dir eigentlich nicht abnehmen. Du bist super-attraktiv, anziehend und gebildet, hast gute Umgangsformen, wirst sicherlich genügend oft hofiert und da soll keiner dabei gewesen sein, der dir gefallen hätte? Es fällt mir sehr schwer, deinen Worten Glauben zu schenken. Immer wieder neue Bekannte und es funkt nicht? Bei keinem? Das muss doch frustrieren. Da müssen noch andere Gefühle mitschwingen, hab ich den Eindruck", konterte Hermann milde, aber höchst bestimmt Algenas (theoretische) Wunschsituation. Dem Dreivierteljahr maß er nur noch wenig Bedeutung bei. Er war sich ziemlich sicher, den richtigen Nerv getroffen zu haben, eine gewisse innere Zerrissenheit seiner schönen Begleiterin zu erkennen, die etwas vorgab, was sie vermutlich selbst nicht so recht glaubte, die etwas behauptete, aber sich dann vor allem im Gestus indirekt selbst widersprach, weil sie leicht rot geworden war während ihres Redens. Hermann schmunzelte, sie gedanklich so ungeordnet-aufgelöst zu erleben. Ja, er wollte sie ein wenig provozieren, herausfordern, ihre wirklichen Wahrheiten herauskitzeln, gar offen zu bekennen – und holte zu einem starken Gedanken aus ...

„Ich würde dir wohl gefallen, meine Liebe?", lächelte Hermann entwaffnend ruhig und beugte sich ein wenig über den Tisch zu ihr hinüber, gerade so, dass die Weingläser nicht touchiert wurden. Algena, noch immer kämpfend mit Hermanns offenen Einschätzungen, die sie unangenehm berührten, weil sie weitgehend zutrafen, wurde es erneut siedend heiß und kalt, fühlte sich augenblicklich höchst unwohl dem breit dasitzenden, in sich ruhenden Hermann gegenüber, wusste nicht gleich was sagen, sah ihm entgeistert ins Gesicht. Sie spürte ihre innere Anspannung: Jetzt gilts. Kein Entkommen mehr möglich. Ihre emotionale Temperatur stieg schlagartig, das Herz begann wie wild zu pochen (hoffentlich merkt er's nicht ...). Sie musste handeln, bevor ihre Psyche platzte. Die Karten mussten auf den Tisch und sie war am Zug!

„Wenn ich ehrlich sein soll, ehrlich sein darf, lieber Hermann, ja, ich gebs zu!" Algena stockte fast der Atem vor ihrer eigenen Chuzpe, ihrem plötzlich hervorbrechenden Mumm. Ja, sie wollte Hermann bezirzen, ihm ihrerseits ein gewisses Geständnis entlocken, ihn heiß machen (musste doch einfach möglich sein; sie wusste um ihre äußerliche Anziehungskraft, die Männer umgarnen kann) und wartete auf die Wirkung ihrer totalen Offenheit. Andererseits trat Hermann bisher stets recht souverän auf und es war offen, wie er sich so hübschen Frauen wie ihr gegenüber verhalten würde. Jetzt war sie gespannt auf *seine* Reaktion. Algena schaute Hermann durchaus auffordernd geradewegs ins Gesicht.

„Hast du dir das auch wirklich gut überlegt? Ich bin nicht frei, bin immer noch verheiratet!", bekannte Hermann, auch dies mit entwaffnend offener Selbstverständlichkeit – was Algenas labilen Mut urplötzlich wieder in sich zusammenfallen ließ, denn dieser Umstand war ja der wahre Knackpunkt dieser ganzen Angelegenheit hier, die ihre Beziehung in ein Drama zu wandeln vermochte (das streng-mahnende Gesicht Isabelles tauchte vor ihr auf ...). Jetzt wären ein paar gut sitzende „Lockrufe" fällig, diese hart-klare Aussage zu relativieren, ihr mit weiblicher Raffinesse das verkrampfte Absolutheitsmonopol zu nehmen, ihn an seiner starren Resistenz zweifeln zu lassen, seine innerliche Stabilität ins Wanken zu bringen, ihm die seltsame „Noch-Tatsache" des überflüssigen Festhaltens an seiner kriselnden Ehe madig zu machen. Leider war sie nicht Laura, die diesen Typen bei solchen Aussagen ordentlich aufmischen könnte und umgehend die richtigen, die passenden (rotz)frechen Worte finden würde. Zum ersten Mal seit Langem überwogen anerkennende Gedanken an Laura ihre feindselige Gesinnung. Ihr, Algena, dagegen, fiel nichts, aber auch gar nichts in dieser Hinsicht Weiterführendes ein. Zum Verzweifeln war das!

Der Ober trat an ihren Tisch, befreite sie für eine Minute von der Notwendigkeit sofort zu reagieren und brachte den zwischenzeitlich bestellten Nachtisch, Apfelkücherl mit Vanilleeis und einem dicken Klecks Sahne darüber, und bot noch einen Espresso an. „Ja, bitte, zweimal", wandte Hermann sich ihm kurz zu, Algena gar nicht erst fragend, bevor er sich ihr wieder aufmerksam widmete. Ihr Gespräch befand sich hart am Rand gefährlicher Klippen, das spürten beide …

„Ich denke doch, ihr werdet euch scheiden lassen, oder?" Ängstlicher als ängstlich entwand sich diese kurzschließende Frage ihrem Mund. „Solche Entscheidungen darf man nicht beliebig vor sich herschieben", dozierte sie unsicher und fragte sich zugleich, ob er ihr schon mal erzählt habe, *seit wann* er denn eigentlich getrennt lebe. Es war ihr unglaublich unangenehm, diese Frage zu stellen, stellen zu müssen, denn es war tatsächlich *die* Schlüsselfrage, Isabelle hatte schon recht.

„Es ist nichts entschieden, das braucht Zeit und versprechen kann ich gar nichts, Algena! Wir haben uns ja auch erst vor etwa einem halben Jahr getrennt. Derzeit bin ich jedenfalls nicht wirklich frei und ungebunden und will und kann mich auch nicht drängen lassen von nichts und niemandem." (Algena sah ihre Befürchtungen bestätigt …) „Ich muss das unbeeinflusst mit mir selbst ausmachen und hoffe auf dein Verständnis, liebe Algena! Ich spüre, dass dich das trifft, du hast dir das sicherlich anders vorgestellt." (Algenas Fassungslosigkeit wuchs ins Unermessliche) „Vielleicht sind jetzt ein paar Träume bei dir zerstört, aber es ist nun mal so!" – Nach einer Weile setzte er gedankenvoll hinzu: „Und das letzte Wort ist ja auch noch nicht gesprochen, das musst du bedenken!"

In Algenas Hirn ratterte es wie in einer Mühle, denn ihr Gespräch drehte sich im Auge des Sturmes, ruhig und nachdenklich zwar, aber von orkanartigen Gefühlen umtost – bei ihr wenigstens. Das Herz begann ihr in die Hose zu rutschen. Denn jetzt und hier würde sich die zentrale Frage ihrer

Beziehung zu Hermann entscheiden: Wie würde sich ihr künftiges Verhältnis darstellen?

Hermann war einfach zu erfahren, zu abgeklärt, in seinem Stand zu gefestigt, als dass es leicht möglich wäre, wie bei einem deutlich jüngeren Mann, das unwiderstehliche Feuer puren Verlangens in ihm zu entfachen. *Wenn* er aber doch darauf anspräche, so ihre weibliche „Denke", würde es ihr schon gelingen, ihn von ihrer Liebe zu überzeugen und zugleich in ihm diese zu entzünden, sodass das Einreichen der Scheidung nur noch Formsache wäre.

Sich alle paar Wochen zu treffen für ein Abendessen, oder um ins Kino oder in irgendeine kulturelle Veranstaltung zu gehen – wäre schön, aber auf Dauer unergiebig, um nicht offen zu sagen: stinklangweilig. Weil es eine Art instabiler Zwischenzustand wäre, ohne wirklichen Boden unter den Füßen. Und wenns dann doch nur auf Sex hinausliefe? Wenn der Herr gerade auf Geschäftsreise in München weilte und sich mit ihr 'ne aufregende Nacht oder ein Lust-Wochenende gönnen wollte, um dann wieder wochenlang gen Frankfurt zu entschwinden (und sie aufgewühlt zurücklassend)? Nein. Das wollte sie auch nicht – wäre eine Art unseriöser Endzustand.

„Ja …, aber …", stellte sie gedehnt und mühsam die Contenance bewahrend fest, „ihr lebt doch längst getrennt, immerhin schon seit einem halben Jahr, wie du gerade sagtest, da ist doch eine klare Entscheidung die bessere Wahl als getrennt verheiratet zu sein", sie stockte kurz, um leiser hinzuzufügen, "vor allem wenn sich eine Alternative auftut?" Immer noch setzte sie auf ihre Anziehungskraft …

Seine psychisch komplizierte Situation höchst vereinfacht darstellen wollend, widersprach ihm Algena erneut und sich wiederholend mit ähnlichen Worten wie gerade. Jetzt oder nie, alles muss auf den Tisch. Die Karten liegen offen.

„Diese klare Entscheidung gibts eben noch nicht, liebe Algena, es ist alles offen. Meine Frau will sich nämlich nicht scheiden lassen. Sie ist felsenfest davon überzeugt, nach einiger Zeit der Besinnung würden wir schon wieder zusammenfinden."

„Und du? Glaubst du das auch?"

„Wenn ich mir das wirklich vorstellen könnte, wäre ich längst wieder zu ihr zurückgekehrt. Ob ich das glaube oder nicht ist eben der springende Punkt. Im Augenblick glaub ich gar nichts. Die Entscheidung muss eben reifen, und das kann dauern."

Algena sah ihre Felle bereits meilenweit wegschwimmen und ein bedrückter Gesichtsausdruck manifestierte sich bei ihr unübersehbar. Und nach einer kurzen Minute Schweigen, fuhr Hermann mitfühlend fort:

„Stimmts, jetzt bist du enttäuscht? Ich verstehe dich ja! Aber besser, ich schenk dir jetzt und hier und gleich reinen Wein ein, als dir etwas vorzuspielen, was ich nicht einhalten kann, derzeit jedenfalls nicht, vielleicht irgendwann …"

All ihre Zuversicht war mit den letzten Aussagen Hermanns umgehend einer tiefen Frustration gewichen. War dieser Mann wirklich so unbeeinflussbar von erotischen Reizen. Kaum zu glauben. Der musste doch ihre innere Bereitschaft spüren, konnte doch gar nicht anders sein!

Wenn sie ganz ehrlich war, hoffte sie immer noch, Hermann, wenn er sie später heimbrächte und irgendeine entsprechende Bemerkung fallen ließe, noch zu einem Kaffee in ihrer Wohnung animieren zu können und ihm zugleich zu ermöglichen, seinen heimlichen, männlichen Wünschen näher zu kommen, die in ihm, so ihre felsenfeste Vorstellung, doch einfach virulent sein müssten. Die allermeisten Männer dächten doch so, wie sie von Gesprächen mit vielen ihrer Geschlechtsgenossinnen wusste, auch wenn nur die wenigsten wirklich unwiderstehliche Verführer-Qualitäten besäßen. Geschäftsleute auf Reisen seien meist nicht zimperlich, wenn ihnen eine hübsche anziehende Frau über den Weg läuft, und versuchtens einfach … Doch deutete alles darauf hin, dass Hermann hier eine Ausnahme zu sein schien – eine für sie unrühmliche, wie Algena schmerzlich einsehen musste.

„Aber …, Hermann …, du bist doch …, Ich denke …"

Algenas gestammelte Worte gaben keinen Sinn. Sie fühlte den Boden unter ihren Füßen schwinden. In seinem Status dürfte er doch ohne die geringsten Gewissensbisse mit ihr flirten, ja sogar schlafen, Sex haben … Ihm das nahezubringen, ihn indirekt dazu zu ermuntern, wagte sie jetzt nicht mal mehr im Ansatz. Sie verstummte und senkte ihren Blick, um dem seinen, durchaus wohlwollenden, auszuweichen. Sie wollte nicht, dass er in ihr grenzenlos enttäuschtes Gesicht sah. Minutenlange, verlegene Stille. Ihre Gedanken fuhren Achterbahn. Welche anderen Ambitionen sollte er denn in diesem nach der Oper zweiten Treffen mit ihr haben, als mit ihr einen wunderbaren Abend zu verbringen und den dann so zu „lenken", dass er, zwar nicht unbedingt sicher, aber doch mit großer Wahrscheinlichkeit letztlich im Bett landete? Darauf in seiner Situation zu verzichten bei einer Frau, deren Bereitschaft doch glasklar auf der Hand lag, war nicht Social Correctness, sondern schlicht Dummheit. Algena verstand die Welt nicht mehr. Sie verging geradezu vor Sehnsucht.

„Du bist eine schöne, anziehende und begehrenswerte Frau, liebe Algena, aber ich will mich nicht in emotionale Kalamitäten stürzen, bevor sich meine Situation geklärt hat. Bitte versteh mich doch!", sagte er fast bittend seinen Blick auf sie gerichtet.

Algena konnte nicht mehr, war mental am Ende. Kurz dachte sie an Harry. Der hätte keinerlei Skrupel, würde in einer solchen Situation bedenkenlos umgehend einen formidablen Seitensprung begehen wollen, obwohl seine Ehe intakt war, egal ob eine Frau, die er eingeladen hatte, wie Hermann sie, ihn ermutigt hätte oder nicht. Er würde es in jedem Fall versuchen. Bei ihm, Hermann, wars anders, genau umgekehrt: Sie dürfte es sich erlauben, den offenen Wettstreit mit seiner getrenntlebenden Noch-Ehefrau aufzunehmen. Und jetzt – ihr völlig unverständlich – stellte sich heraus, dass Hermann aus Rücksicht auf eben diese saubere Thusnelda auf einen eigentlich „erlaubten" Seitensprung verzichten wollte …

Frustriert waberten Gedanken in ihrem Kopf: „Wie unglaublich kompliziert die Liebe doch ist, mit wie viel Leid sie verbunden sein kann, wenn zu alledem auch noch Eifersucht hinzukommt, hier auf die nicht mehr berechtigte Macht einer Noch-Ehefrau …"

So unglaublich viel Widerstreitendes: Auf der einen Seite fatale, ja falsche oder unnötige Rücksichtnahmen samt unnötigem Verzicht auf intime Freuden, auf der anderen der so oft geltende Grundsatz *Gelegenheit macht Diebe*, was erotische Abenteuer, triebhaftes Unbekümmertsein und bedenkenloses in die Pfanne hauen der eigenen ahnungslosen Ehefrau für eine Nacht betraf. Alles und noch viel mehr war möglich und zugleich ebenso unmöglich.

Und das Schlimmste: Alles stürmte gleichzeitig auf sie ein, ihre Gefühle ließen sich nicht aufdröseln und zwischen allen Stühlen saß wieder mal sie: Algena.

Auch dieser Abend, der so romantisch begonnen hatte, endete irgendwann und Algena verließ bedrückt an der Seite ihres Nicht-Freundes das Lokal. Nichts, was sie sich vorgenommen hatte an *„Bezirzen und so"*, war eingetreten, die Träume zerstoben. Alles war ganz ganz anders verlaufen. Nett und schön und anregend wars zwar immer wieder zwischendurch, aber das eigentlich Wichtige und Entscheidende endete für sie im seelischen Fiasko, in restloser Frustration. Verklingende Gefühle aus sich entfernenden Träumen: Wie gerne hätte sie heute Abend mit ihm offenes Verliebtsein gefeiert. Alles aus und vorbei. Und ob sich das je wenden würde, wussten nicht mal die Sterne.

Hermann ließ ein Taxi rufen, brachte sie nach Hause und verabschiedete sich von ihr mit einem kurzen, aber nur wenig zurückhaltend, deutlich spürbaren, liebevollen Kuss auf ihre roten Lippen, in scheuer Absicht, Intimität durchaus nicht verbergen wollend. Noch immer paralysiert von den letzten Gesprächen im Lokal, von ihrer ins Bodenlose reichenden Stimmung, wagte sie kaum, ihren Mund empfangsbereit zu öffnen (was sie dann aber doch tat – für Sekunden …). Bis jetzt, bis zum letzten Augenblick hatte sie auf ein Wunder gehofft, ein Wort von ihm, noch ein wenig Privatheit nicht abgeneigt zu sein. Vergebens. Diese Vorstellung begann jetzt unvermittelt ins Reich der Wolkenkuckucksträume zu entschwinden.

Resigniert und desillusioniert dachte sie an so manche ähnlich verlaufende Situation in den letzten Monaten, wo umgekehrt sie die Zögernde, die Abwehrende gewesen war – bei ihm wäre sie mit fliegenden Fahnen bereit gewesen. Aus, verflogen und vorbei.

Kurzes Dankeschön für den netten Abend (mein Gott, dachte sie, diese albern-konventionelle Floskel, aber eben ein gesellschaftliches „Muss"). Dann, mit seiner Ankündigung mit ihr in Verbindung bleiben zu wollen – Algena stammelte ein bettelnd klingendes „ja bitte", samt halb gemurmeltem „ich möchte dich gerne wiedersehen" – stieg er – sie mit einem augenblickskurzen, aber gefühlt unendlich lange verweilenden, tiefen Blick fixierend – entschlossen in das Taxi, das mit laufendem Motor gewartet hatte und fuhr weg.

Wie bedröppelt stand sie noch eine Weile da, sah an ihrem gedeckten schicken Mantel entlang hinunter auf ihre edlen Stiefeletten, fühlte trotz der Weichheit und Wärme des hellen Pelzbesatzes um ihren Nacken die nächtliche Kälte langsam von unten heraufkriechen und hätte heulen können vor Enttäuschung. Was war das für ein beherrschter Mann mit so befremdlich starkem Willen, der all sein Handeln einer von den meisten Männern nur pro forma akzeptierten Zurückhaltung unterwarf (weil sie sich dann doch nicht daran hielten …) und nicht mal im Ansatz erwog, „über die Stränge zu schlagen" trotz des Freiraumes, den er hatte, derzeit und vor allem heute Abend? Warum hatte er nicht mehr Feuer an mir gefangen? Hatte ich was falsch gemacht? Nein, nichts, ich war rundum okay. Dass er mich so oft durchschaute, war ein anderes Thema! Es war ausschließlich die kernigehrlich vorgebrachte Offenheit seiner Situation, die ihn unverständlicherweise hinderte, sich unbeschwert für sie zu interessieren – was für sie, Algena, wenns dumm liefe, das „Aus" dieser Beziehung sein könnte, bevor sie recht begonnen hatte. Ja natürlich, sie könnten „gute Freunde" bleiben, eine völlig desillusionierende Umschreibung einer Beziehung, die mal hocherotisch war. Hält so gut wie nie dem realen Leben stand, denn es ist und bleibt eine Gratwanderung, die in ihrer labilen Unbestimmtheit – wenn die beiden miteinander ehrlich sind – dem schon erwähnten Naturtrieb diametral widerspricht.

All ihre Zukunftsträume und –vorstellungen, was Hermann betraf, hatte er mit seinem rückwärtsgewandten Blick auf seine Ehe zunichtegemacht. Nicht mal mutwillig, sondern durchaus überlegt und objektiv betrachtet sogar verantwortungsbewusst. Aber eben auf ihre Kosten. *Sch...* auf solch falsche Verantwortung, dachte sie, mit einem Mal mehr wütend als traurig.

Aber es war ihr klar: Selbst schuld! Sie hatte Isabelles Warnungen mutwillig oder auch aus Unfähigkeit zu eigenem sich beherrschen können in den Wind geschlagen. Wieder mal spürte sie ihre Ohnmacht, wenn sich bei ihr starke Gefühle ins Spiel einmischten, sie überforderten und kaum zu bändigen waren, wenn sie mit brachialer Urgewalt sich ihres unbewussten Denkens bemächtigten, schließlich bis zur Oberfläche ihres Handelns durchbrachen und sie unvernünftige Dinge machen lassen könnten. Mochte höchst unterschiedlich sein bei den Menschen, bei ihr war es jedenfalls so. Sie gehörte leider nicht zu den Frauen, die solche Situationen gut im Griff haben, letztlich ihrer Vernunft folgen, auch wenn sie mit Leiden verbunden sein mögen. Und jetzt erhielt sie eine formidable Quittung für diese ihre Unfähigkeit: Superenttäuschung!

Sie schlich, inzwischen rundherum frierend, zur Haustür und stand alsbald oben in ihrer Wohnung, wie so oft schon nach solchen Abenden wenn auch jedes Mal aus anderen Gründen – allein. Allein! Wieder mal allein. Heute hatte selbst der fast schon zu offen angebotene „Türöffner" Sex versagt.

Dass wirklich unvoreingenommen Herz auf Herz trifft, die Bereitschaft beiderseitig ist, scheint eher seltenerer Zufall zu sein. Auch wenn die einschlägige mediale Glitzerwelt der Liebe samt allen romantischen Vorstellungen vom Gegenteil beseelt ist und das ebenfalls vorkommende Scheitern stets nur als dummer „Unfall" dargestellt wird.

Es gibt tausende Gründe fürs scheitern – die allermeisten tatsächlichen bleiben ungenannt, weil sie den romantischen vordergründigen und oft genug kurzfristigen Überbau letztlich als Schimäre entlarven müssten, was keiner hören oder lesen mag, auch nicht an eine solche Möglichkeit erinnert werden möchte.

Wobei ihr plötzlich ein bisher überhaupt noch nicht berücksichtigter Gedanke in den Sinn kam: Der ist ja über fünfzig. Fürchtete er womöglich bloß „Männerschwierigkeiten" oder litt er gelegentlich an ihnen, wollte sich nicht bloßstellen bei ihr und hatte alle anderen Gründe nur vorgeschoben? Prinzipiell möglich, ja, aber er hatte die seinen schon während des fortgeschrittenen Abends deutlich genug geäußert, in einer diesbezüglich noch unverfänglichen Phase ihrer Beziehung. Könnten also kaum eine Rolle gespielt haben. Ihr mühsam aufgebautes Begründungsgebäude fiel zusammen, noch ehe es seine beruhigende, auf Verständnis bauende Wirkung auf sie entfalten konnte. Abgesehen davon, ganz nüchtern: Gegen die bekannten „Männerprobleme" gabs längst Abhilfe in jeder Apotheke. Wusste doch jeder reife, aufgeklärte Mann heutzutage. Also wieder nichts. Keine Entschuldigung. War also auch abwägig.

In höchst depressiver Stimmung legte sie sich schlafen, vermochte lange und immer wieder im Kreis grübelnd nicht einzuschlafen bis die Erschöpfung die Oberhand gewann …

***

Am nächsten Tag in aller Frühe holte sie der Wecker aus übernächtigter Verschlafenheit heraus. Donnerstag. Normaler Arbeitstag. Raus. Es half nichts. Mechanisch spulte sie ihr Morgenprogramm ab, wies jegliche Gedanken an gestern Abend energisch zurück und widmete sich voller Energie ihrem Arbeits-Alltag …, einer Betäubung gleich.

Abends führte sie ein langes Telefonat mit Isabelle. Algena hatte das dringende Bedürfnis, ihr Herz auszuschütten. Aufmerksam hörte Isabelle zu, registrierte alle Einzelheiten, die Algena erzählte. Es waren viele. Nichts verschwieg sie, alles musste und wollte sie der Freundin auf den Tisch legen, wie wenn sie sich damit entlasten könnte, auch Weinen gehörte dazu. Isabelle war eine höchst geduldige Zuhörerin, fragte höchstens mal zum Verständnis nach und merkte schnell, wie ungeheuer durcheinander ihre arme, enttäuschte Freundin Algena war. Sie tat ihr so leid.

Sie tröstete die Freundin nach Kräften und verzichtete takt- und rücksichtsvoll und ganz bewusst, sie an ihre dringende Warnung zu erinnern, zu früh zu viel Gefühl, Zuneigung und Liebe in diese unausgegorene

Beziehung zu investieren. Sie hatte zwar im vollen Umfang Recht behalten, doch sie wusste, dass Algena im Augenblick nur Trost, Verständnis und Empathie brauchte, nichts anderes. Und da wirkte sie nach Kräften. Sie schlug vor, das kommende Wochenende zusammen zu verbringen, sie habe Zeit, weil Georg mit ein paar Kumpels zum Skifahren gehen wolle.

„Damit du auf andere Gedanken und vor allem wieder in die Reihe kommst", tröstete sie ihre Freundin. Die gute Isabelle! Algena fühlte sich nach diesem Telefonat um einiges besser. Schon im Geschäft war sie stark abgelenkt gewesen wegen Terminarbeiten und den morgigen Freitag würde sie auch überstehen, vor allem weil ihr Chef seine kleine Belegschaft nach der Arbeit zu einem kleinen Imbiss mit Sekt eingeladen hatte. So etwas veranstaltete er des Öfteren im Jahr anlässlich aktueller, ertragreicher Erfolge. Und Samstag käme dann Isabelle. Ein wenig entspannter fiel sie Donnerstag Abend gleich nach dem Telefonat mit Isa in ihr warmes Bett.

Teil 4

D ie nächsten Wochen vergingen weitgehend ereignislos. Harry rief oft an, ließ jedes Mal erneut durchblicken, sich mal wieder mit ihr treffen zu wollen, in der Stadt zum Kaffee, nach der Arbeit oder auf einen winterlichen Spaziergang im Englischen Garten am Wochenende, er habe gelegentlich gut Zeit, meinte er im einladenden Tonfall. Klang in ihren Ohren trotzdem wenig überzeugend. Aber Algena hatte sich seit dem Treffen in Schwabing letzten Herbst „sicherheitshalber" Restriktionen bzgl. eines Zusammentreffens mit ihm auferlegt. Sie war sich sonnenklar über ihr – ja – fatales Faible für Harry und wollte aus kristallklaren Gründen die Gefahr eines Umfallens um jeden Preis verhindern. Im Gegenteil. Im Augenblick gabs so viel aufzuarbeiten in ihrer Psyche, da war kein Platz für eine weitere emotionale „Baustelle", die sie bestens kannte. Die Riesenenttäuschung mit Hermann saß ihr immer noch in den Knochen – trotz mehrerer vergangenen Wochen. Es reichte schon, in tiefster Tiefe ihrer Seele, die selbst verordnete Vernunft-Askese Harry gegenüber mit latent dumpfem Verlangen nach ihm ringen zu spüren … Alle bisherigen Versuche, mit dem Verstand diese untergründigen Regungen zu eliminieren, gleichsam final abzutöten, waren bisher gescheitert. So blieb ihr nur, jedem persönlichen Kontakt mit ihm auszuweichen. Das klappte leidlich und ihre Psyche schien dieses Verhalten zwar resignierend, aber erfolgreich zu akzeptieren.

Hermann hatte mehrmals gesimst, die erste SMS gleich wenige Tage nach ihrem denkwürdigen Abendessen, hatte sich für den „schönen Abend" bedankt und geschrieben, dass er sich melden würde, sobald er wieder nach München komme und Zeit habe. *Schöner Abend*, dachte sie säuerlich und neuerdings auch aufgebracht. *Schöner Abend* …!? Für Dich vielleicht, für mich leider nicht! Für mich endete er in einem Fiasko, einer riesen Enttäuschung, *horribile dictu.* Algena hatte ihm nur kurz, man könnte sagen kurz angebunden, geantwortet. Denn inzwischen gesellte sich zu der Enttäuschung ein nicht minder spürbarer Ärger dazu. Was sollten Treffen mit ihm bringen, mit ihm, dem Nibelungentreuen, treu einer seit einem halben Jahr getrenntlebenden Ehefrau?

Sie hatte sich ihm keineswegs „an den Hals geworfen", aber ihm durchaus durch die Blume bedeutet, bei ihr willkommen zu sein. Er war darauf nicht eingegangen. Am besten, sie versuchte ihn und den missratenen Abend in ihrem Gedächtnis zurückzudrängen. Gelang natürlich nicht …
Jede seiner SMS (er meldete sich alle ein…zwei Wochen) signalisierte dann doch irgendwie Interesse an ihr und ihrer Bekanntschaft, wirkte in ihr wie eine aufputschende Droge, es werde sich alles zum Guten wenden…, umso mehr, je länger das schwierige Treffen zurücklag. Die Euphorie, die jede seiner SMS auslöste, hielt regelmäßig ein paar Tage an, machte jegliches Vergessen-wollen erst mal wieder zunichte – bis die Wirkung nachließ und die inzwischen öfters gehegten Gedanken ans Abstandhalten die Oberhand gewannen.

Sie erkannte nicht, offensichtlich hingehalten zu werden.

Wenn Beziehungen nur mit unlösbaren Problemen verbunden sind, müssten sie eigentlich mit anderen, ihr zuträglichen Mitteln angegangen werden, das wusste Algena. Sie bemühte sich wohl, aber es erwies sich als ungemein schwierig: Es gelang nicht bei Harry – seine ständigen Anrufe (und ihre unbewusste Sehnsucht nach seinem Körper), es gelang nicht bei Hermann – weil der eben doch vielleicht irgendwann frei sein könnte, es gelang nicht mal so richtig bei Henning Oberländer, den sie im Freundeskreis immer wieder mal sah und latent mit sich rang, ob er nicht doch …, oder ob lieber nicht …

***

185

Wenigstens gab ihr die Arbeit im Modeatelier eine gewisse Konstanz und Regelmäßigkeit in ihrem Leben. Trotzdem empfand sie sich als leer, eine Hülle, die in der Arbeitswelt funktionierte und in der sie funktionierte, aber es floss kein warmes Herzblut mehr in ihr. Sie fühlte sich ausgedörrt, irgendwie *emotional verhungert*. Sie setzte sich ein, engagierte sich aktiv in geschäftlichen Diskussionen, verstand sich mit ihren Kollegen und Kolleginnen (denen vor allem), neigte nicht zu Extravaganzen, und gab sich auch nicht, wie so manche(r), „karrieregeil". Ihr genügte ein kreativer, verantwortungsvoller Job und dass ihr sicheres Urteil anerkannt wurde. Man könnte sagen, sie flüchtete sich geradezu in die Arbeit, um nichts anderes mehr denken zu müssen, letztlich um sich zu betäuben.

Ihrem Chef, der sie öfters länger beobachtete, blieben allerdings seit einiger Zeit Algenas gelegentlich bitteren Züge im Gesicht nicht verborgen, aber er maß dem wenig bis keine Bedeutung bei, denn ihre Leistung stimmte ja, das Wichtigste in jedem Betrieb. Einst, bei ihrer Einstellung als frisch gebackene Modedesignerin stand eine lebenslustige, agile und alerte junge Frau vor ihm. Sie hatte ihn beeindruckt, weil sowohl Zeugnisse als auch Praktikumsarbeiten seiner Erfahrung nach Entwicklungspotenzial erkennen ließen und sie nicht zuletzt mit besten Umgangsformen (den sog. *Soft Skills*) glänzte. Er hatte sie eingestellt und wurde nicht enttäuscht, ja, entwickelte sogar ein gewisses Faible für diese junge neue Mitarbeiterin. Algena hielt was er erwartete.

Weil das alles so für sie sprach, wunderte er sich schon, warum das Feuer in ihr neuerdings so niedergebrannt schien. Ja, natürlich, da gabs den Tod ihres Mannes vor bald einem Jahr, aber eine junge Frau ohne Kinder, könnte doch mit Leichtigkeit eine Art „Neues Leben" beginnen. Nun, er würde ein Auge auf sie haben in der Zukunft und vielleicht, wenn sich die Tendenz verstärken sollte, sich doch mal ein Herz fassen und sie direkt ansprechen.

***

Es näherte sich der Jahrestag von Philipps Unfall, der dritte März. Und vor diesem Tag fürchtete sich Algena vor allem deshalb, weil evt. der eine oder andere ihrer Bekannten auf die Idee kommen könnte, sich wohlmei-nend zu erkundigen, wie's ihr denn inzwischen gehe und ob sie den Verlust dieses wunderbaren Mannes leidlich überwunden habe. Aber weil absolut niemand von Philipps fundamentaler Untreue wusste, nicht mal Isabelle, würde sie sich wieder zu unangenehmer Schauspielerei genötigt sehen. Das wollte sie unter allen Umständen vermeiden und erwog deshalb, rund um dieses Datum eine Woche Urlaub zu machen, auszubüxsen, einfach nicht erreichbar zu sein.

Isabelle war die Erste, die auf Philipps Unfalltod zu sprechen kam, ihn natürlich posthum als tollen Mann lobte, sie bedauerte, aber zugleich ihr auch Mut zur Zukunft machte. Sie kannte ihre Freundin bestens. Der Wi-derstreit und die Widersprüchlichkeiten, was ihr eigenes Bild von Philipp von dem aller anderen unterschied, zerriss Algena regelmäßig aufs Neue. Sie wechselte schnellstens das Thema, um Isabelle sogleich ihre Urlaubs-pläne zu eröffnen.

Die fand die Idee gut und regte an, sie solle sich doch mal, entgegen bisheriger Gepflogenheiten, zu einer Pauschalreise in warme südliche Ge-genden durchringen, um aufzutanken, sich in der Anonymität zu amüsieren und einfach auf Tapetenwechsel setzen.

„Vielleicht ergibt sich ja auch eine Urlaubsbekanntschaft beim abendli-chen Tanzen oder sonstigen gesellschaftlichen Events", meinte sie augen-zwinkernd, und wieder ernster und zutunlich, „die allerdings unverbindlich bleiben müsste, also mit dem Urlaub enden sollte, denn zu Hause im Alltag wäre man ein völlig anderer Mensch." Urlaubsbekanntschaften hätten kurze Beine, dozierte sie launig.

Algena freute sich über Isabelles Verständnis, klickte sich im Internet durch zu den Lastminute-Angeboten und fand eine Kurzreise nach *Gran Canaria*. Die Kanarischen Inseln hatten sie und Philipp öfters schon im Vi-sier gehabt, aber nie wurde was daraus. Jetzt wars so weit. Sie buchte ein hübsches, eher kleines, aber nobles Hotel in Maspalomas, dem angeblich ältesten Ferienort im touristisch erschlossenen Süden von Gran Canaria.

Vor allem die ausgedehnten Dünenlandschaften seien dort berühmt, hieß es in der Reisebeschreibung. Der Ort selbst würde eine bestens ausgebaute, touristische Infrastruktur bieten, die keine Wünsche offenließe. Von landestypischem Flair war nicht die Rede. Aber Algena wollte eh nur ausspannen, für sich sein, zu sich kommen, wollte Abstand zum Alltag haben …

Am ersten März trat sie ihren Urlaub an, zwei Tage vor dem schicksalhaften Termin. Ganz neue Reisegefühle: Erstmals alles allein organisieren, einchecken, Gate suchen, kein vertrautes Tuscheln oder sich mit jemandem zusammen freuen etc.

Eine Urlaubswoche als Single erleben war neu für sie. Ob sie Anschluss finden würde? War erst mal völlig egal, denn Abstand und Gleichmut zu gewinnen war ihr Ziel, in den Dünen wandern, dem monotonen Meeresrauschen lauschen, sich einlullen lassen. Sie freute sich auf blauen Himmel, Sonne, Wind, im Meer baden (vielleicht gings ja hier schon im März), das Frühstücksbuffet zelebrieren, die Wellnessangebote im Hotel nutzen oder auch mal in den Pool hüpfen, sich nachmittags einen Eisbecher genehmigen – Algena träumte sich im Wartebereich ihres Flugsteigs in ihre Allein-Tage hinein, überhörte fast die Bording-Ansage.

Das Hotel entsprach nicht ganz ihren Erwartungen, aber sie würde sich daran gewöhnen. Einchecken, Zimmer beziehen und schon pressierte es wieder …, zum angekündigten Begrüßungscocktail in der Hotellounge. Kurz erwog sie, den sausen zu lassen, wollte sich aber doch nicht gleich von der Gemeinschaft abkoppeln. Sie war die Letzte, die noch fehlte. Etwa ein Dutzend Leute saßen erwartungsvoll um den Vor-Ort-Reisemanager im hellen, dünnen Baumwollanzug herum: drei junge, eifrig tuschelnde Pärchen, ein rüstig wirkendes Rentnerehepaar, zwei Männer um die Vierzig und eine Frau, vermutlich Ende fünfzig, offenbar Alleinreisende.

Der Reisemanager machte ordentlich auf Dynamik, begrüßte die Runde enthusiastisch und wurde nicht müde aufzuzeigen, warum sie hier den besten Urlaub gebucht hätten, den man sich vorstellen könne. Jeder nahm sich ein bereitstehendes Cocktailglas, man prostete einander zu …, alle machten mit, eilfertig wie eine kleine Horde dressierter Affen …, so kams Algena vor.

Listen für Ausflüge wurden herumgereicht, viel Gequatsche und Fragerei hin und her. Algena hielt sich bedeckt im Hintergrund.

„Passt alles, Frau Marzahn?" Der Reiseleiter musste, weil sie ja Alleinreisende war, ihre Zurückhaltung falsch gedeutet haben. „Wir hätten einen wunderbaren Ausflug für Sie …", wandte er sich an sie, ihr, dieser ausnehmend hübschen attraktiven Frau bedeutungsvolle Blicke zuwerfend, aber die ließ sein sprudelndes bla bla bla über das tolle Angebot mehr oder weniger desinteressiert über sich ergehen und bedeutete ihm schließlich, kein Interesse zu haben.

„Schade", meinte der engagierte Reisemann besorgt, setzte ein leicht schmollendes Gesicht auf, ließ sie aber fortan in Ruhe.

Zurück im Zimmer entschied sie, ihr Handy vorerst, also über den dritten März hinweg, nicht einzubuchen, wollte schlicht nicht erreichbar sein. Wird schon nicht ausgerechnet in diesen Tagen die Welt in München untergehen.

Ansonsten verbrachte sie die kommenden Tage wie erträumt, genoss die Dünenwanderungen, auch mal frühmorgens vor dem Frühstück. Leerer Strand, nur sie, barfuß über den morgens noch kühlen feinen Sand gehend, Fußabdrücke in den feuchtnassen Bereichen hinterlassend. Bei größeren anrollenden Wellen hüpfte sie fröhlich empor wie ein Kind, sprang ein paar Schritte zurück. Mal so frei, so friedlich, so elementar, so authentisch zu leben und sei's auch nur für 'ne Stunde, entsprach genau ihrer Vorstellung von diesem Urlaub.

Beim Frühstück saß am Nebentisch das Rentnerehepaar. Unverbindliche Worte flogen hin und her, wie's hier gefällt, wie man seine Zeit verbringe. Die strömten entspannte Leichtigkeit aus. Algena fand es ungemein wohltuend, das Thema „Liebe" mal weit hinter sich lassen zu können.

Trotzdem blieb es bei ihr, dieser bildhübschen deutschen Touristin, nicht aus, am Pool auch ein paar junge männliche Gäste verschiedener Nationalität kennenzulernen (mit denen von der Reisegruppe hatte sie kaum Kontakt), die alle solo waren und in der Deutschen mit den langen brünetten Haaren ein lohnendes Objekt sahen, weil es offenbar „keinen Anhang" gab.

Flachsen, lachen, schäkern, in den Pool springen, Eis essen ... – Algena genoss die lockeren neuen Bekanntschaften, die augenzwinkernden losen Sprüche, die ungezwungene Atmosphäre hier, behielt aber stets eine gewisse Distanz, wohl mehr unbewusst um sich zu schützen.

An einem Tag schloss sie sich dem Rentnerehepaar an, das ihr anbot, sie mit ihrem Mietwagen zu einer Spritztour ins Inselinnere mitzunehmen. Eine willkommene Abwechslung mit viel entspannter Fröhlichkeit und vielen neuen Eindrücken.

Beim Galadiner am letzten Abend lernte sie einen anderen, noch recht jungen Mann, einen Deutschen aus Rosenheim, näher kennen. Weil sich der als ausgesprochen unterhaltsam entpuppte, mit Witz und Humor gesegnet war, sie wiederholt zum Lachen brachte, verflog der Abend mit ihm im Nu. Nur auf seine späteren, recht ungeschickten Zudringlichkeiten hatte sie partout keinen Bock und bedeutete ihm freundlich, aber überdeutlich, allein schlafen gehen zu wollen ... Der „Junge" maulte nur kurz, nahm es dann aber widerstrebend hin. Er erkannte sie wohl als eine Nummer zu groß für ihn.

Zufrieden, entspannt und mit guter Urlaubsfarbe im Gesicht und am Körper kehrte sie ins vorfrühlingshafte München zurück. Bald nach ihrer Rückkehr meldete sie sich bei Isabelle, und die beiden ließen es sich nicht nehmen, einen kompletten Abend am Telefon zu verratschen. Algena musste haarklein alles erzählen, ein Wort gab das andere und Isabelle freute sich über Algenas gelungenen Urlaub.

„Und du hast dich hoffentlich auch ordentlich erholt ...", fragte Isabelle leutselig, aber durchaus auch besorgt, weil ihr nicht verborgen geblieben war, dass Algena schon seit längerer Zeit, vor allem seit dem misslungenen Abend mit Hermann, mental öfters leicht danebenlag, und wollte es dann doch genauer wissen: „... und ..., hast du auch mal Anschluss gefunden?"

Algena erzählte, als Alleinreisende natürlich bisweilen angemacht worden zu sein, wäre gar nicht zu vermeiden gewesen und ein bisschen flirten sei ja auch okay. Das wars aber auch schon und das sei ihr auch sehr recht gewesen. Mit einem jüngeren Mann habe sie dann den unterhaltsamen Abschiedsgala-Abend verbracht.

„Und wie war der? … Auch aus München, oder Ausländer? … Und hat der sich denn mal gemeldet bei dir?" Isabelle wollte immer alles supergenau wissen.

„Nein, aus Rosenheim und sich gemeldet? … nö, hat er nicht, hat wohl gemerkt, bei mir nicht landen zu können. War nicht mein Fall, zu jung, aber auch irgendwie angeberisch, wollte mir wohl imponieren, aber das zieht bei mir gar nicht, wie du weißt". Algena merkte sofort, die Wahrheit wieder mal instinktiv etwas verbogen zu haben, wohl um selbst gut dazustehen …, sogar vor der Freundin! Und versuchte, diese kurze Bekanntschaft in ihrem Sinn leicht zu idealisieren.

„Klar machte der Typ anfangs ein bisschen Terror, wollte unbedingt flirten, war ja okay, aber dann auch schlafen mit mir und da hab ich Stopp gesagt und der daraufhin, wieso nicht, und ich solle mich im Urlaub doch nicht so zieren und ähnliches Geschwätz – er, der Jungspund mit den Eierschalen hinter den Ohren", feixte Algena aufgekratzt. „Hab ihm mühelos diese Flausen ausgetrieben, und er hat auch bald brav klein beigegeben. Ob er's eingesehen hat oder nicht, war mir schnuppe. War kein gewiefter Frauentyp, tendenziell eher Marke unterhaltsame Ulknudel, kein Mann fürs Bett", rundete Algena das ganze Thema ab, so wie sie es sehen wollte.

„Super", fand Isabelle, „so, wie du mir das alles schilderst, war der Urlaub okay. Freue mich für dich, Algena!"

***

Isabelle schlug vor, doch kommendes Wochenende wieder mal einen Abend *on tour* in München zu verbringen, sie habe Lust dazu und Georg wolle wieder Skifahren, dürfe jetzt, Ende März, wohl eh das letzte Mal sein. Sie könnten erst gut zu Abend speisen und anschließend in Schwabing rumtingeln, reingehen, wo es sie anlacht oder eben auch nicht. „Hättest du Lust, Algena?"

„Schon", meinte die, „nur ists bei mir im Geschäft derzeit ziemlich anstrengend, Termine, Überstunden weil ich gerade erst 'ne Woche weg war. Sogar am Samstag muss ich rein. Übernächster Freitag ist Abgabetermin und erst dann hab ich wieder Zeit."

„Okay", bestätigte Isabelle, „wie wärs also am Samstag danach? Da ist zwar Georg da, aber dem verklicker ich schon, dass seine Isabelle mal den Samstagabend mit der Freundin in der Stadt verbringen will. Abgemacht, liebe Algena", freute sie sich.

Schneller als gedacht verging die Zeit, was kein Wunder war, da sie täglich an die zwölf Stunden im Atelier verbrachte und abends todmüde ins Bett fiel. Rechtzeitig zum Abgabetermin war die Kollektion draußen und am Nachmittag spendierte der Chef Sekt. Algena fühlte sich leicht beduselt auf der Heimfahrt, war froh, endlich zu Hause zu sein, ging früh ins Bett und schlief durch bis Samstagmorgen. Sie freute sich auf den Abend mit Isabelle.

Um siebzehn Uhr trafen sich die beiden Freundinnen freudestrahlend an der Münchner Freiheit, fielen sich glücklich in die Arme und stiefelten eingehakt gleich los auf dem breiten Boulevard der Leopoldstraße. Mitten ins eifrige Schnattern meinte Algena: „Sag mal, wo wollen wir eigentlich hin, hast du irgendwas Spezielles im Sinn?"

„Nö, eigentlich nicht, einfach erst mal mal paar Schritte laufen. Es ist angenehm, nicht gerade warm, schließlich haben wir erst Ende März, aber man merkt schon den kommenden Frühling, finde ich. Lass uns ein wenig flanieren und später was essen gehen!"

„Hast recht, einverstanden."

„Wir hätten natürlich auch ins Kino gehen können, in die Achtzehnuhrfünfzehn-Vorstellung, weil ich gerade hier links das Leopoldkino sehe." Isabelle war Meisterin kurzfristiger Entscheidungen oder Umentscheidungen. „Lass uns doch mal kurz schauen!"

Sie standen vor den großen Schaukästen. Aufgedonnerte, großformatige Vorschaubilder, Titel, Kurztexte etc.

„Da, lies mal, Algena, von dem hab ich schon gehört: „*Salz auf unserer Haut*". Soll sehr bewegend sein. Da gehts um die Liebe einer gebildeten

Pariserin zu einem einfachen, derben jungen Fischer aus der Bretagne, die sich in einer langjährigen Affäre mit nur wenigen Wochen gemeinsamen Lebens im Jahr verfingen, weil beide anderweitig verheiratet waren. Sag mal ..., hättest du nicht Lust? Wollen wir reingehen? Geht in einer Stunde an, denke es wird noch Karten geben."

Sie lasen schweigend den Langtext auf dem Plakatbild zu Ende.

„Na, warum nicht, dauert üblicherweise eindreiviertel Stunden, da kommen wir gegen acht Uhr raus und können immer noch essen gehen."

„Okay, dann sollten wir aber jetzt rasch Karten besorgen."

Das war schnell geschehen, kaum Leute im Foyer, und Karten gabs auch noch. Schon waren sie wieder draußen, freuten sich über ihren spontanen Einfall.

„Weißt du was, wir machen jetzt einfach 'ne Schlenderrunde hier runter Richtung Siegestor und auf der anderen Seite wieder rauf. Wenns knapp wird, müssen wir halt vorzeitig umkehren."

„Und unterwegs sehen wir vielleicht auch ein Lokal, das uns anmacht", meinte Isabelle.

Gesagt, getan. Die beiden stürzten sich ins Getümmel der vielen auf dem breiten Gehsteig promenierenden Menschen, schauten mal hier in die Auslage, begutachteten dort eines der Lokale ... Viel junges Volk, ausgelassen quatschend, oder den Blick fest auf das Handy gerichtet und während des Flanierens mit einer Hand virtuos einen SMS-Text hineinklopfend ... Pärchen schlenderten entlang, gelegentlich mit lustvollen Blicken, meist der Frau auf ihren Liebhaber, was der zuallermeist mit einem liebevollen, raschen Kuss erwiderte. Aufgedreht gestikulierende Südländer. Erkennt man sofort, da meist im kleinen Rudel auftretend. Vor einigen Lokalen oder Cafés standen trotz der frühen Jahreszeit bereits Tische und Stühle auf dem Trottoir – mittags dürften die schon recht voll gewesen sein; heute war ein sonniger Tag gewesen, auch jetzt verloren sich noch ein paar Unentwegte im Mantel auf den Stühlen. Das Rialto, das bekannte italienische Eiscafé, hatte noch geschlossen. Die haben tolle Eisbecher, erinnerte sich Algena.

Flanieren macht immer Spaß. Algena, als versierte Modefrau, konnte gar nicht anders, als so manche Klamotte von entgegenkommenden Frauen und Mädchen zu verreißen oder zu bewundern, auch das, immerhin. Selbst stets – vor allem an solchen Abenden – topmodisch gekleidet herumzulaufen, war ihr etwas Selbstverständliches. Beim riesigen *Walking Man* blieben sie kurz stehen, die schiere Größe dieser schneeweißen Plastik beeindruckte immer wieder. Ein paar Schritte weiter ... mehrere bekannte Steakhäuser jn enger Nachbarschaft nebeneinander.

„Wie wärs dort drüben mit dem *Asado-Steakhouse* für später, ist das Beste, finde ich", stellte Isabelle kundig fest. „Da war ich schon lang nicht mehr drin, aber wenn man Steak mag, ist man da gut aufgehoben."

„Ich ess zwar lieber weniger deftig, aber warum nicht mal eine Ausnahme machen", schränkte Algena ein.

„Du, da gibts auch andere Speisen oder sogar vegetarische Gerichte. Gibts inzwischen überall, sogar im Steakhouse."

„Okay, überredet."

Inzwischen pressierte es dann doch und auf Höhe U-Bahnstation Giselastraße wechselten sie die Straßenseite und liefen flott zurück zum Kino.

Tatsächlich ein sehr sehr schöner Film, die Dramatik jedoch fast zum weinen. Sie hatten sich gekriegt, aber eben doch nur sehr sporadisch ..., die üblichen Foueninteressen, und es gab kein Happy End, denn der Fischer überlebte eine verschleppte Operation nicht ..., betreten-nachdenkliche Mienen beim rausgehen.

„War trotzdem sehenswert gewesen, hatte sich echt gelohnt", fanden beide. Kurz nach acht Uhr standen die Freundinnen wieder auf der Straße, durchaus noch ein bisschen benommen von dem Film.

„Wir sollten öfters ins Kino gehen", regte Isabelle an. „Nächstes Mal schleif ich Georg mit, der vergräbt sich sonst nur noch hinter der PC-Kiste", lästerte sie in Abwesenheit ihres Freundes.

„Sag mal, Isa, Themawechsel, ihr hattet doch mal erwähnt, in diesem Jahr heiraten zu wollen? Ist das noch aktuell?"

„Heiraten? Ja, eigentlich schon, pressiert ja ansich nicht, vielleicht klappts ja noch im Herbst, mal sehen."

„Du gibst mir jedenfalls rechtzeitig Bescheid, Isa, nicht wahr?"

„Auf jeden Fall, Algena, ist doch sonnenklar. Mal sehen. Der Georg will zwar auch, aber der ist manchmal reichlich lethargisch, kommt nicht *in-die-Puschen*, lässt das einfach schleifen. Denke, da muss ich mal nachhelfen. So jung sind wir ja auch nicht mehr und Kinder wollten wir schon noch haben.“

„Also gehn wir jetzt zum Asado?“

„Ja, auf gehts!“

Sie fanden einen netten Zweiertisch und studierten die Karte. Isabelle fand sofort das 300 Gramm „Trumm“ samt Salat höchst begehrenswert, während Algena sich durchaus schwerertat. Ist eben ein Steak House und allzu viel Alternativen gab die Karte denn doch nicht her.

Algena blätterte hin und her, teils schon etwas genervt, aber schließlich entschieden.

„Ach, weißt Du was, Isa, heut ess ich auch mal ein Steak, aber ein kleineres. Warum denn nicht.“

„Recht so, wirst sehen, es schmeckt, und Salat gibts eh dazu.“

Die beiden verbrachten zwei geschlagene Stunden in diesem Lokal, ließen es sich schmecken, redeten miteinander über Gott und die Welt, nahmen alle gemeinsamen Bekannten durch und fanden kaum ein Ende. Natürlich gings auch um Hermann und Harry.

„Wie stehts denn mit dem Hermann inzwischen?“, wollte Isabelle wissen.

„Da gibts nichts Neues, er simst gelegentlich, war inzwischen auch schon mal wieder in München. Wir waren am Marienplatz beim Rischart im Café. Hatte mir extra 'ne Stunde früher freigenommen. War ein netter Nachmittag, aber ansonsten – keine Veränderung. Ob der sich jemals scheiden lässt – ich glaubs nicht mehr so recht.“

„Ich denke, Algena, da solltest du dich aber schon fragen, ob du diese Verbindung nicht doch besser aufgeben solltest, meinst du nicht? Jedes Mal, wenn du ihn siehst, steigen dir wieder von Neuem Hoffnungen ins Herz, und die Enttäuschungen folgen auf dem Fuße, das ist doch ausgesprochen ungut, oder?“

„Ja schon, aber er ist wirklich ein echt sympathischer Kerl, ja, schon um einiges älter als ich und er mag mich, das spür ich durch, er hofiert mich geradezu, aber – ja natürlich – davon kann ich mir nichts kaufen."

„Eben! Genau hier, Algena, liegt der Quell deiner Dauerenttäuschung. Auch 'ne nette Unterhaltung kann daran nichts ändern. Für den bist Du im Moment nur 'ne attraktive Begleitung, sonst nichts. Schlimmstenfalls hält er dich hin, oder? Vielleicht ist ihm das nicht mal bewusst. Dass deine Gefühle nach jedem Treffen, nach jeder SMS aufgewühlt werden, merkt er womöglich nicht mal. Willst du das wirklich? Auf Dauer?" Isabelle versuchte ihre Freundin einerseits zu verstehen, aber auch zu beeinflussen, ihr die Konsequenzen ihres Verhaltens vor Augen zu führen.

„Doch", protestierte Algena, „das merkt er schon. Er sagt, er verstünde mich, aber er könne momentan nicht anders handeln. Er ist eben überkorrekt. Ob er mich *bewusst* hinhält, weiß ich nicht, glaube es aber eher nicht. Ich weiß das alles, Isa, aber es fällt mir eben sehr schwer, harte Konsequenzen zu ziehen, ihm gar das Messer auf die Brust zu setzen mit *entweder sie oder ich*! Kann ich nicht, liegt mir nicht. Mal sehen ..." Algena ließ ihren Blick in die Ferne schweifen. Die Hoffnung stirbt zuletzt, beruhigte sie ihr Unterbewusstsein. Das Thema versiegte. Schweigen.

Das Lokal war nicht ganz voll, immer noch ein paar leere Tische. Pärchen, einige größere Gruppen, meist sehr junge Leute, sich ausgelassen miteinander unterhaltend. Besteckgeklapper, wieselnde Bedienungen und im Hintergrund dudelte nichtssagende Unterhaltungsmusik ...

„Und Harry?", platzte Isabelle in das Schweigen hinein. Sie war schon deshalb neugierig, weil der Algenas einstige große Liebe war, und wollte mal auf den Busch klopfen, weil sie den Eindruck hatte, dass da immer noch irgendwas in Algena rumgeisterte.

„Harry ist ein Sonderfall", erwiderte Algena sich betont sachlich gebend. „Ich werde aus ihm nicht so recht schlau. Er ruft x-mal an, meist wegen Trivialitäten, oft an den Haaren herbeigezogen; ja schon, kurz miteinander ratschen ist ja okay, warum auch nicht, aber manchmal rätsle ich, was er eigentlich will." *(au weh …, jetzt muss ich aufpassen, darf mich nicht in Lügen verstricken,* spürte Algena überdeutlich, *natürlich weiß ich, was der von mir will.* Spätestens seit dem Weinlokal im Spät-herbst letzten Jahres war das klar: Erneut anbandeln, ohne Skrupel, obwohl er verheiratet ist. Vermute, er will mich als heimliche Freundin, darauf läufts doch hinaus, bin mir ganz sicher …).

„Meist speis ich ihn ab, gerade keine Zeit und so, manchmal erkundige ich mich nach seiner Familie und wie's dem kleinen Maximilian so geht, der wird ja auch immer größer, in diesem Alter ist ein halbes Jahr schon 'ne ganze Menge."

Algena verschwieg vor Isabelle wohlweislich, dass sie das nicht die Bohne interessierte, dass das für sie nur zum unverbindlichen Small Talk gehörte. Es war ihr sonnenklar: Eigentlich müsste sie sich energisch gegen solche Art Anrufe verwahren, ihm offen sagen, wie sie diese auffasste, näm-lich als Versuch, anzubandeln. Sie müsste ihm klar machen, niemals mit einem verheirateten Mann was anzufangen, selbst vor dem Hintergrund ei-niger gemeinsamer Jahre vor langer Zeit. Die üble Crux bei ihr war, genau diese Resolutheit bei Harry beim besten Willen nicht aufzubringen.

„Warst du eigentlich inzwischen mal bei ihm? Er hat doch damals bei deinem Geburtstagsfest lauthals getönt, dich mal zu ihm einzuladen."

„Nein, war ich nicht, und ich weiß auch gar nicht, ob ich das überhaupt will. Ich kenn auch Rosi nicht. Seinen Schilderungen zufolge scheint sie ein recht häusliches Gemüt zu haben. Ich halte sie für ein einfältiges Hausweib-chen, was er sich da angelacht hat …" (*Klar, und deshalb soll ich seine heimliche Freundin, seine Gespielin sein,* überdachte Algena in einer Mi-schung aus Sarkasmus die ganze Situation).

„Na ja …, soll er glücklich werden mit ihr." Dieser letzte Satz entwand sich erst nach einer kleinen Weile und durchaus gequält aus Algenas Mund, was Isabelle natürlich raushörte und sofort animierte, energisch nachzuboh-ren. Da kannte sie kein Pardon mit ihrer labilen Freundin.

„Algena, ich glaube, ein klitzekleines bisschen trauerst du dem schon noch nach, stimmts? Bekenne!!" Isabelle fühlte Algena massiv auf den Zahn.

Die schwitzte innerlich, denn sie erkannte, dass Isabelle ihren Schwachpunkt und damit den richtigen Nerv getroffen hatte. Sie müsste es jetzt massiv und entrüstet abstreiten, aber das würde so was von unglaubwürdig rüberkommen, dass es nur so krachte. Besser die Wahrheit sagen (je nachdem wie das Gespräch lief, notfalls leicht geschönt), sie ist ja meine Freundin, die wird mich nicht gleich in die Pfanne hauen.

„Isabelle, ja, ich gebs ja zu: Dieser Kerl verdreht mir immer noch den Kopf. Ich weiß nicht warum, sinds die Erinnerungen oder hat er immer noch was an sich, was mich anmacht." (*Und wie!!!*, bekannte Algena zu sich, *und wie! Und je länger Harry in ihrem Kopf rumspukte, umso mehr.* Das durfte die Freundin allerdings keinesfalls wissen).

„Also ich halte das für brandgefährlich, was dir da im Kopf, besser im Bauch oder gar im Herzen rumrumort. Algena, der ist verheiratet, hat Familie!! Willst du die zerstören? Willst du das?" Isabelle legte zugleich ihre rechte Hand auf Algenas linke. Sie wusste, sie mit diesen Worten recht massiv anzugreifen.

„Natürlich nicht, Isa, nein, nein, keinesfalls. Es ist halt so …, mein Gott, ja, ich weiß …, manchmal überfällts mich eben. Trotz der vielen Jahre. Die Erinnerungen weichen einfach nicht, die damaligen Gefühle machen mich heute immer noch so massiv an, dass ich kaum an mich halten kann ... Und der lässt partout nicht locker! Der kennt mich nur zu genau, würde das alles als klägliche, eigentlich nicht ernst zu nehmende Abwehrversuche abtun und sie einfach übergehen. Könnte ihm zwar energisch verbieten, mich weiterhin anzurufen, aber wenn er sich nicht dranhält, was dann? Das ist eben das Problem."

Algena setzte wenig überzeugend ein bekümmertes Gesicht auf.

„Trotzdem, besser und gerade deswegen: Zieh dich zurück, Algena, bitte, das kann nicht gut gehen! Deine beste Freundin rät dir das, um deinetwillen!"

„Ja, ja, ja, weiß ich ja, Herrgott noch mal!!" Algena reagierte mit deutlicher Gereiztheit auf den recht dringlichen, wennauch wohlmeinenden vernünftigen Rat ihrer Freundin, schaute sie fast wütend an, um im nächsten

Augenblick stimmungsmäßig geradezu resignativ wieder in sich zusammenzufallen.

„Isabelle, so viel ist schief gelaufen, so viele missratene oder verkorkste Dates in der letzten Zeit, immer passt irgendwas nicht und wenn ich dir dann Genaueres über diese Beziehungen erzähle, rätst du mir stets und sicher aus nachvollziehbaren Gründen, ich solle mich von dem, oder dem oder was weiß ich, dann doch besser zurückziehen …"

Algena atmete hörbar durch. „Weißt du was dieser Rat bedeutet für mich, Isa? Dass anscheinend alles, was ich mit Männern anfange, die Tendenz hat, schief zu laufen. Das entmutigt kolossal!"

Isabelle verstand Algenas emotionalen Ausbruch, aber konnte ihr natürlich nicht helfen. Sie appellierte an ihre Vernunft.

„Algena, Hermann und Harry sind Sonderfälle, aber dass du ansonsten anscheinend immer nur an so problematische, vor allem zu forsche, zu selbstsichere Mannsbilder gerätst, ist schon eigentümlich", sinnierte sie mitfühlend. „Die haben nämlich kein Problem damit, auch blendend-hübsche Frauen anzubaggern, ihre Chance zu suchen und wohl nicht selten auch zu finden, sofern sie auch nur ein kleines Quäntchen Don Juan Qualitäten besitzen – man könnte es auch „Jägerinstinkt" oder „Eroberungsdrang" bezüglich attraktiver Frauen nennen … Ernsthaftes Interesse dürfte allerdings mehr als zweifelhaft sein, wie Du ja selbst oft erleben musstest. Manchmal hab ich den Eindruck, dass es gerade besonders hübsche, attraktive Frauen schwer haben, einer Partnerschaft nicht abgeneigte Männer kennenzulernen, schwerer oft als unscheinbarere Normalfrauen. Dabei dürften gerade diese zurückhaltenderen Männer die wertvolleren sein. Andererseits verlieren die bei weiblichen Perlen wie dir anscheinend schnell den Mut, lassen sich schon von vornherein den Schneid abkaufen, sei es, weil sie meinen, so eine müsse doch sicherlich längst vergeben sein, oder sei es, deren hohe Ansprüche eh nicht erfüllen zu können."

Isabelle stockte und schaute Algena tief in die Augen. Sie kannte ihre Freundin und setzt nachdenklich hinzu: „Hm …, übertreibst du deine Ansprüche womöglich, erwartest doch zu viel? Märchenprinzen gibts nur im Märchen, Algena. Na ja …", Isabelle zuckte mit den Schultern, „… warum nicht – dann müssen die Herren der Schöpfung eben an ihrer grundsätzlichen Einstellung Frauen gegenüber arbeiten, ob sie ernsthaft an einer längeren Beziehung interessiert sind oder nur die schnelle Eroberung suchen. Für dich gilt jedenfalls, beides möglichst sicher unterscheiden zu können. Ist weiß Gott nicht leicht und wohl noch schwerer, harte Konsequenzen zu ziehen, also „Lustmolche" umgehend abzuservieren." Sie war sich bei diesen Feststellungen der Tendenz zum Allgemeinplatz natürlich voll bewusst und tat sie folglich auch mit einer lässigen Armbewegung ab. „Ist nicht so ernst gemeint, Algena, obwohl sicher was Wahres dran sein dürfte! Verrückt-verkehrte Welt, fürwahr!"

Nach diesem langen Plädoyer schwiegen beide erst mal. Algena bewegte das alles sichtlich …

„Da magst du schon recht haben, Isa, ist mir in dieser Schärfe noch gar nicht so deutlich bewusst geworden. Ich muss da noch achtsamer sein. War anscheinend bis jetzt zu unkritisch gewesen in Bezug auf halbseidenes, unzuverlässiges Männervolk. Anscheinend ziehe ich, wie du behauptest, vor allem „Draufgänger" an."

„Oder du verhältst dich eben doch vielleicht irgendwie ungeschickt oder suchst an unpassenden oder ungeeigneten Stellen oder Events oder was oder wo auch immer?"

„*Suchen?* Isa, ich such überhaupt nicht, eine Frau, die *sucht*, der man auch nur im Entferntesten ansieht, dass sie *aktiv Ausschau hält*, hat doch schon von vornherein verloren, oder? Wirkt *mannstoll*, hieß das früher bei uns zu Hause. So seh ich das auch. War damals schon eine antiquierte Bezeichnung aber ist auch heute noch zutreffend."

In diesem Augenblick meldete sich in Algena allerdings eine Erinnerung, in der sie massiv gegen dieses Credo verstoßen hatte: Im Januar beim Abendessen mit Hermann in Grünwald! Hatte sie sich ihm nicht deutlicher als „erlaubt" als Frau angedient? Wie könnte er es anders als *suchen* interpretiert haben? Die Gefühle waren mit ihr durchgegangen. Sie war alles andere als souverän aufgetreten. Am besten nicht mehr daran denken …

„Was natürlich trotzdem heißt, meine Augen aufzusperren, was denn sonst? Und zugleich als unabhängig, aber kontaktfreudig eingeschätzt zu werden. Ich werde ja auch oft genug angesprochen, vornehm ausgedrückt: kontaktiert. Da herrscht kein Mangel, aber ...,"

Isabelle hörte aufmerksam zu. Ist schon eine Sondermarke, meine liebe Algena, dachte sie mit warmen Gefühlen für die Freundin.

„... du kennst mich ja und weißt, wie zuwider mir plumpe Anmache von Männern ist", und zu sich: und *wie plump* sie bisweilen ist! „Weckt dann sofort mein Misstrauen, schlimmer: meine Abwehr! Die Kerle fliegen alle auf mein Aussehen, ja, klar, sollte ich besser unattraktiv sein oder *schiach* aussehen, wie's auf bayrisch heißt?" Algena hatte sich in Rage geredet.

„... Das geht erstens nicht, zweitens hab ich mich im Verhalten eh schon gebessert, finde ich, versuche aufgeschlossen zu reagieren und weise ganz bewusst oft nicht sofort ab, auch wenn mir ein Typ mal nicht gleich super behagt. Es könnte ja einer der stilleren, zurückhaltenderen Typen sein, wie du vorhin gesagt hast. Trotzdem kommt man sich manchmal wie Freiwild vor. Schrecklich!"

Und nach kurzer nachdenklicher Pause beider ...

„... komm, lass uns zahlen und aufbrechen. Es ist zehn Uhr vorbei und ich hätte noch große Lust auf einen Absacker in einer der Kneipen in der Umgebung. Bisschen im Schummrigen mich unters Volk mischen, das würde ich jetzt gerne."

„Sehr gute Idee", stimmte Isabelle erfreut zu, froh, zu sehen, dass sich Algena anscheinend wieder gefangen hatte. Es wird zum Glück nicht mehr geraucht in den Lokalen, aber frische Luft war ihr in der letzten halben Stunde schon abgegangen. In den Bars war's zwar auch nicht besser, aber vorher würden sie ja noch mal ordentlich Luft schnappen.

Bald wieder auf der Straße, mischten sie sich in das fröhlich schwatzende und lärmende Fußgängervolk. Trotz der späteren Stunde nach wie vor dieselbe Szenerie: Pärchen flirtend oder Händchen haltend, manches

Paar vielleicht erst ganz frisch gebacken, sichtbar an besonders heftigem Flirten ..., auch mal ein paar junge Männer, die jüngeren oft Faxen machend und meist nicht um lose Sprüche verlegen, wenn sie an ihnen beiden, gestandenen Frauen, vorbeizogen. Isabelle war allerdings auch nicht auf den Mund gefallen. Wenn sie flachsend antwortete, dann saß das und der humoristische *Probier-Anmach-Small-Talk* hatte seinen beiderseitigen Zweck erfüllt. Normalstes Verhalten in der großen Szene. Algena war zurückhaltender, ihr fiel da deutlich weniger ein. War diese Welt nicht so recht gewohnt, die hier auf der breiten Promenade gang und gäbe war.

Ein paar Meter zurückliegend lud eine kleine Kneipe die Passanten mit schultafelgroßen Reklameflächen für die gerade aktuellen Kleinspeisen-Angebote ein. Zwei mannshohe Buchsbäume in Terrakottatöpfen standen links und rechts des offenstehenden Eingangs, aber eine die Kühle der Straße abschirmende, schwere Wolldecke verwehrte den Blick ins Innere des Raumes. Um hineinzugelangen musste man sie beiseiteschieben. Ein paar schwatzende Männer standen herum, ihre Glimmstängel rauchend; drin durften sie nicht. Einige fuchtelten auch mit ihrer Bierflasche herum, sie von Zeit zu Zeit ansetzend.

„Wie wärs dort?", Isabelle deutete auf das Lokal. „Könnte doch das Richtige für uns sein, denk ich."

Solche Bierkneipen, oft genug und wie auch diese hier mit leicht abgerissenem Volk auf dem Gehsteig vor dem Eingang rumlungernd, hatte Algena bisher kaum besucht, fühlte sich verunsichert, weil sich hier eine für sie ungewohnte ganz andere Welt auslebte.

„Wenn du meinst?", brachte sie mit Mühe raus. Sie hatte sich eher eine Art Edelkneipe vorgestellt. Na egal. Isabelle zerrte sanft-bestimmend an ihrem Arm und sie traten in den geöffneten Eingang, schoben die Decke zur Seite und standen in der Bar, wo ihnen umgehend der typische leicht scharfsäuerliche Dunst aus Bier, abgestandener Luft und den undefinierbaren Ausdünstungen der Menschen entgegenschlug. Wenigstens kein Zigarettenqualm wie früher. Linker Hand der Tresen mit den Bierzapfhähnen und einem geschäftigen Barkeeper und Bierzapfer dahinter. Davor kaum ein freier Platz. Auf den hohen Stühlen saßen oder lümmelten Männer und

Frauen, mehr Männer als Frauen herum, meist etwas gewöhnlicherer Natur (wie Algena sofort konstatierte). Lautes Gequatsche, Geklirre, spitze Rufe zwischenrein, ein undefinierter, wogender akustischer Klangteppich allenthalben, das ganze untermalt mit wechselnder Musik, mal stampfendem Techno, mal alte Rocksongs und bekannte Bluessongs, zwischendurch die rauchige Stimme der Grand Old Lady des Soul *Aretha Franklin*. Dann wieder leichte Unterhaltungsmusik, alles aber eine Idee zu laut, bisweilen sogar penetrant laut.

Die Bar entpuppte sich als wesentlich größer als von außen zu ahnen war. Schmal, weshalb ihr Eingang recht schmächtig aussah, aber lang nach hinten gezogen. Algena und Isabelle fielen durchaus auf unter dem einfacheren Volk hier und man schaute ihnen nach.

„Schau mal, da ganz hinten an der Wand, da sind gerade ein paar Plätze frei geworden, da sieht man über den ganzen Raum hinweg." Zielstrebig steuerte Isabelle nach hinten und sie ließen sich auf der schwarz gepolsterten, raumbreiten reichlich schäbigen, weil abgewetzten Sitzbank an der Wand nieder. Auch die Musik störte hier nicht so sehr, wie weiter vorne.

„So hab ich mirs vorgestellt, Algena", freute sich Isabelle, „jetzt brauch ich ein kühles Helles, das kann ich dir sagen. Ein Steak ist zwar kein Fisch, aber will auch schwimmen, … im Bier", fügte sie hinzu.

Algena studierte die kleine Karte. „Ehrlich gesagt, ich bestell mir lieber einen fruchtigen Cocktail …, hier, *Sex on the Beach*, kenn ich, schmeckt echt gut, ein anzüglicher Name für einen Cocktail, aber überall bekannt und sehr fruchtig, ganz nach meinem Geschmack."

Die junge Bedienung, wohl Studentin beim Kellnern, war flott, brachte auf einem Tablett ein frisch gezapftes Helles sowie den Cocktail und bald zischte Isabelle gierig den ersten Schluck, während Algena sich über den fantasievoll ausgarnierten Cocktail freute und ihn durch den Strohhalm hindurch kostete. Sie beobachteten die Leute. Studien könne man hier machen, was sich da alles für unterschiedliches Volk tummelte, tuschelte sie ihrer Freundin zu, musste es lauter wiederholen, wegen des Lärmpegels.

Ein altersmäßig kaum definierbarer, aber doch wohl etwas jüngerer Mann in industriell-abgetragen designten Jeans, einer schwarzen mächtigen

Lederjacke mit metallenen Aufnähern und einem zu auffälligen Logo der Herstellerfirma, Dreitagebart und einer Bierflasche in der Hand, stand plötzlich vor ihnen. An seiner rechten Schulter baumelte eine abgewetzte, hellbraune, größere, flache Ledertasche mit Aktentaschenverschluss in der Mitte.

„Was treibt denn euch in eine solche Kneipe wie diese hier?" Eine lässige, herablassend wirkende Armbewegung sollte dieser Frage wohl Bedeutung beimessen.

Algena und Isabelle stutzten. Sie waren mit ihren Getränken beschäftigt gewesen und hatten gar nicht bemerkt, als er an ihren Tisch trat. Will der was? Isabelle, postwendend ihn auffordernd musternd, flachste zurück, „Na dasselbe wie dich, Wunderwicht! Meinst du wir trinken nur Sprudelwasser?"

Der war durchaus beeindruckt von dieser augenblicklichen Replik. Hatte wohl nicht damit gerechnet. Er drehte sich kurz um, einen Blick entlang des Tresens bis zum Eingang zu werfen, dort einen Augenblick verweilend, um ihn dann auf Algena ruhen zu lassen. Isabelle, die nett anzusehende, impulsive „Normalfrau" stand natürlich im Schatten von Algena, der deutlich Attraktiveren, deren langes brünettes Haar um ihr weiblich anmutiges, wohlproportioniertes Gesicht mit den ausdrucksstarken Augen floss und sich ihren Schultern anschmiegte. Algena ist diese kaum verhohlene Gafferei gewohnt – auch wenn sie diesen lüsternen Blick so mancher Männer hasste, als wollten sie sie mit den Augen bereits ausziehen. Zum Glück saß ihre mental starke Freundin neben ihr, das dämpfte ihr schlechtes Gefühl.

„So wie ihr ausschaut, gehört ihr doch eher ins P1 dort vorne", stellte er kundig fest, nach wie vor Algena musternd, zugleich mit dem Arm in eine reichlich unbestimmte Richtung weisend, sicher nicht in die, in der das P1 lag …

„Du wirst lachen, junger Freund", ließ sich Algena jetzt süffisant vernehmen und strahlte den Typen mitleidig oder frech, war nicht so recht zu unterscheiden, an, „da sind wir auch des Öfteren", und setzte hinzu, „und sind deshalb nicht gewohnt, dreist angefegt zu werden." Na ja, stimmte nicht ganz, dachte Algena bei sich, *ich* war früher öfters im P1, aber nicht Isabelle. Die verhielt sich still und machte ein zustimmendes Gesicht, spielte die Situationslüge oder –komik voll mit. Der Typ musste das ja nicht wissen.

Algena fand ihre Antwort recht passend und damit durchaus Gefallen an dieser seicht-lockeren Frotzelei.

„Und warum seid ihr heute nicht dort, stattdessen in dieser Spelunke hier?" Der ließ nicht locker, anscheinend wusste er kein anderes Thema im Moment.

„Weil wir Lust auf ein anständiges Bier hatten, und zwar genau in dem Augenblick, als wir an dem Laden hier draußen vorbeigekommen sind", schoss die Antwort geradezu aus Isabelles Mund, ein feixen kaum unterdrücken könnend. Sollte wohl bedeuten, mal sehen, ob er pariert und was der noch so draufhat.

„Na dann prost ihr beiden, darf ich mich zu euch setzen?" Anscheinend genügten ihm die bisherigen hemdsärmeligen Flachsereien zur Kontaktaufnahme und hoffte wohl auf Zustimmung. Die kam auch prompt.

„Bitte sehr …" Algena und Isabelle schauten sich verstohlen an und waren sich einig: Ist okay.

Der Mann stellte sein Bier ab (warum der aus der Flasche trank und kein frisch gezapftes hatte, wie alle anderen Gäste, war unklar), hängte die Tasche, die nicht sonderlich schwer zu sein schien, erst über die Stuhllehne, nahm sie aber gleich wieder ab, bückte sich und lehnte sie unten sorgfältig gegen das rechte Tischbein. Dann setzte er sich langsam bedächtig, irgendwie umständlich, auf den schwarz lackierten Wiener Kaffeehausstuhl gegenüber den beiden Frauen, drehte sich erneut um, für einen kurzen Blick zurück in Richtung Eingang und widmete sich dann wieder den beiden Frauen.

Die warfen einander einen bezeichnenden Blick zu, der bedeutete, der Kerl scheine ja einerseits ganz okay zu sein, kaum merkliches Schulterheben und senken der Mundwinkel signalisierte der anderen jedoch, dass da irgendwas an dem nicht stimmte oder fassbar war, etwas leicht Befremdliches, irgendwie nicht so recht Verstehbares, alles aber nur höchst indirekt zu ahnen. Die beiden verständigten sich wortlos, was meinte, sei ja auch egal. Nehmen wir's wie's kommt.

Schweigen. Allen dreien schien erst mal das persönliche Wohlergehen wichtig zu sein, die beiden Frauen rutschten auf der alten, aber bequemen Polsterbank eine Nuance näher zusammen, wohl mehr unwillkürlich als bewusst, ein Zeichen ihrer Verbundenheit in einer möglicherweise unklarer werdenden Situation. Der junge Mann machte sich erneut unter dem Tisch an seiner Tasche zu schaffen, schob sie jetzt ans linke Stuhlbein, was ihm anscheinend auch nicht behagte, denn dann gleich wieder ans rechte zurück. Offenbar wusste er nicht so recht was er wollte. Zwischendurch griff er nach seiner Bierflasche und nahm ein paar Schluck, die Augen fest auf den unmittelbar vor der Nase befindlichen Flaschenhals gerichtet – so wie Männer eben aus der Flasche trinken. (Frauen dagegen lassen – ist beobachtbar – beim Trinken aus der Flasche überwiegend die Augen voll auf ihrem Gegenüber oder der Umgebung ruhen.)

„Bist du öfters hier?" Isabelle hatte nicht die geringste Hemmung, Fremden gegenüber.

„Nee, hier zumindest nicht, eigentlich wollte ich mich gar nicht lang aufhalten, sondern rasch auf kürzestem Weg zu einem Kumpel, der ganz in der Nähe in einer Tiefparterrewohnung wohnt, aber ich hatte Durst, wollte am Tresen nur kurz ein Bier zischen – dann sah ich euch beide!"

„Und ihr? – jetzt mal ohne Schmarrn", begann er, jetzt beinahe ein wenig unterwürfig wirkend, „… sorry für den blöden Witz vorhin mit dem P1, aber für mich ist das 'ne total abgehobene, durchgeknallte Lokalität der Münchner Schickeria, wenn ihr wisst welche Leute ich damit meine." Die beiden Frauen feixten leicht belustigt. „Aber, äh –, was treibt euch denn nun wirklich in diese Kneipe hier, sagt?" (Er betrachtete eine Bar wie diese seinem Metier wesentlich angemessener, als den beiden Damen hier.)

Algena konnte fast nicht an sich halten vor innerem Vergnügen und grinste Isabelle breit an. Der Heini da, was verstand der schon von höheren Gesellschaftskreisen. *Münchner Schickeria* …, Weiß der überhaupt von was er spricht? „Dummgerede" aus seinem Mund, fand sie. Anderseits kannte sie dieses Metier nur allzu gut, denn sie verkehrte ja auch in diesen Kreisen wenngleich nur eher zufällig da hineingestolpert.

„Also erstens ist das P1 alles andere als blöde oder durchgeknallt, junger Mann", widersprach Algena jovial, aber durchaus energisch, „und zweitens kann da jeder rein, der ordentlich gekleidet ist. Mit so 'ner abgefuckten Jeans jedenfalls", sie deutete auf seine Hose mit einem künstlich reingerissenen Loch, „wärste schneller wieder auf der Straße als du denken kannst und natürlich – zugegeben – bisschen Kleingeld musste schon auch mitbringen. Für drei Euro kannste gerade mal deine Jacke an der Garderobe abgeben, aber 'n Bier kriegste dafür nicht hingestellt, so wie hier." Algena fühlte sich in ihrem Gesellschaftsstatus missachtet und freute sich, mal kräftig austeilen zu können.

Isabelle hatte interessiert-schweigend zugehört. Sie machte sich ja auch lustig über das bisweilen übergeschnappte Gehabe so mancher dieser Kreise dort und auch sie fand das P1 einen reichlich überdrehten Laden. War zwischen ihr und Algena bei so manchen Diskussionen auch schon mal ein kontroverses Thema gewesen. Aber jetzt hielt sie fest zu ihrer Freundin, überließ ihr diesbezüglich das Feld.

Dann mischte sie sich aber doch in die Unterhaltung ein, schlug einen versöhnlichen Ton an.

„Also warum wir da sind, wenn du's unbedingt wissen willst: Meine Freundin ist Modedesignerin und hat gestern ihre neueste Kollektion abgeliefert, und das feiern wir heute Abend zusammen." Isabelle warf einen auffordernden Blick auf ihre Freundin, wohl bedeutend, nun lass es doch mal so richtig krachen, meine Liebe.

Algena blieb dagegen die Spucke weg vor so viel dreister Chuzpe, dem Typen gegenüber. Was die dem alles für Bären aufband! Na, von mir aus, warum nicht. Und, obwohls nicht so geplant war, man könnte den heutigen Abend ja tatsächlich so begründen ...

Ungeniert fuhr Isabelle fort.

„Erst waren wir im Kino an der Münchner Freiheit, dann im Asado-Steakhouse, und jetzt eben hier auf einen Absacker, vielleicht werdens auch zwei", den Blick auf ihr nahezu leeres Glas gerichtet und das Cocktailglas, das nur noch schmelzende Eiswürfel enthielt.

„Nicht schlecht!" Ein Funken Anerkennung breitete sich in seinem Gesicht aus. „So kann man auch feiern."

Weit vorne am Eingangsbereich sah man plötzlich zwei Polizisten stehen, die schwere Decke zum Schutz gegen die Außenwelt zur Seite geschoben. Sie schienen sich im Raum umzuschauen, als ob sie jemanden suchten. Algena und Isabelle reckten ihre Hälse, was den jungen Mann veranlasste, sich umzudrehen – um wie von der Tarantel gestochen, sich sofort wieder zurückzudrehen und sich nur schnell angedeutet zu bücken, um unten an seiner Tasche herumzunesteln.

Das fiel auf. Die beiden Frauen schauten sich verwundert an. Was soll das jetzt? Hat den der Anblick der beiden Beamten erschreckt? Was geht hier vor? Der wird doch nicht etwa gesucht werden? Zweifellos: Er schien sich am liebsten unsichtbar machen zu wollen. Algena spürte die Tasche erst an ihrem Schienbein lehnen, dann wieder weggezogen. Irgendwas wollte der da unten verändern, sie konnte es nur nicht sehen.

Die beiden Polizisten standen nach wie vor am Eingang und schienen die Leute im Raum zu taxieren.

Isabelle fand als erstes wieder zu einem Wort zurück.

„Will dir nicht zu nahetreten", redete sie auf den, wegen seiner Geschäftigkeit unter dem Tisch leicht gebückten Mann ein, und ergänzt mit wesentlich leiserer Stimme, sodass niemand in unmittelbarer Nähe es mitbekam: „Sag mal, hast du was ausgefressen?" Isabelle versuchte so nachsichtig wie möglich zu klingen.

„Nein, nein", er richtete sich wieder auf, klang aber nicht gerade unbesorgt und setzte ebenso leise hinzu, „jedenfalls nicht direkt, bin höchstens bei einer dummen Sache involviert, will aber möglichst nicht weiter hineingezogen werden." Seine Stimme klang belegt, hatte einen ängstlichen Ton angenommen.

Mittlerweile bewegten sich die Beamten entlang des Tresens und musterten ruhig das trinkende und schwatzende Volk auf den Barhockern. Dass sie jemanden suchten, war offenkundig. Langsam näherten sie sich dessen Ende und standen bald groß und breit aufgerichtet an ihrem Tisch, fixierten mit ihren Blicken die beiden Damen und den jungen Mann, der mit dem Rücken zu den beiden Polizisten saß und sich kaum bewegte.

Der Ältere hielt ihnen seinen aufgeklappten Dienstausweis vor die Nase. „Darf ich mal ihre Ausweise sehen", bat er die drei freundlich aber sehr bestimmt. Algena und Isabelle schauten sich reichlich verwirrt an, kramten in ihren Handtaschen und überreichten die Kärtchen an den Jüngeren der beiden. Der junge Mann griff stoisch in die Innentasche seiner Lederjacke und zog eine schmale Brieftasche heraus. Ihr entnahm er seinen Ausweis. Der jüngere nahm alle drei Personalausweise, prüfte sie, reichte die der beiden Damen an diese zurück, behielt aber den dritten und gab ihn seinem Kollegen mit paar unverständlichen Worten weiter, bis der Ältere dem jungen Mann bedeutete, er möge doch bitte kurz mitkommen, raus zum Streifenwagen, sie müssten seine Identität über das Netz überprüfen. Dauerte nicht lange, beschwichtigte er.

Der zuckte mit den Schultern, setzte (bewusst?) ein Unschuldslammgesicht auf, streifte die Lederjacke vom Stuhl, zog sie an, warf den beiden Damen einen undurchschaubaren Blick zu und wandte sich zum gehen. „Äh …, vergessen Sie nicht Ih…", weiter kam Algena, instinktiv das förmlichere „Sie" benutzend, nicht, denn der junge Mann fuhr ihr so energisch in die Parade, dass ihr der Satz geradezu im Mund erstarb. „Al--les bestens, meine Damen, alles in Butter, machen sie sich keine Sorgen." Mit entgeistert-abwehrendem Blick rutschten zugleich seine Augenbrauen einen Fingerbreit nach oben. Deutlicher gings nicht. Algena wusste augenblicklich, dass es um die Tasche ging, die keinesfalls von den Beamten gesehen oder wahrgenommen werden sollte. Etwas ruhiger rief er ihnen über die Schulter ein „bin eh gleich wieder da" zu, während er sich mehr stolpernd als gehend mit den beiden einen Weg entlang des Tresens durch die vielen Gäste bahnte, um am Ein- bzw. Ausgang hinter dem schweren Tuchvorhang zu verschwinden.

„Was war denn das jetzt?", fragte Isabelle entgeistert. „So was hab ich ja auch noch nicht erlebt. Die haben den tatsächlich hier aus der Kneipe rausgeholt, und uns haben sie auch gleich kontrolliert!", und setzte hinzu, „wahrscheinlich, weil wir mit dem gesprochen, und die das gesehen haben!"

„Kann schon sein, aber ich sag dir was: Als der vorhin so urplötzlich vor uns stand, hab ich irgendwie geahnt, dass der nicht ganz koscher ist. Hast du gesehen, wie der verstohlen immer wieder nach dem Eingang geschielt hat?"

„Allerdings …, wie wenn er jemanden erwartete oder … oder eben gerade nicht, wie wenn er Sorge gehabt hätte, es würde jemand Unangenehmes, also zum Beispiel die Polizei erscheinen …?"

„Die jetzt auch kam. Die müssen gewusst haben, dass sie den, den sie suchten eventuell in 'ner Kneipe wie dieser finden würden."

„Bin gespannt, wann der wieder zurückkommt und was er uns dann für eine Erklärung auftischen wird."

„*Wenn* er zurückkommt …! Da bin ich mir noch nicht so sicher", fand Isabelle. „Na warten wirs ab. Zeit haben wir ja, komm Algena, trinken wir noch einen, ja?"

Bald brachte die junge Bedienung ein neues Bier und für Algena den gleichen Cocktail. Die schien sich wegen des nicht mehr an seinem Platz sitzenden Mannes stoisch nichts anmerken zu lassen. Offen, ob der sein Bier schon an der Theke bezahlt hatte oder noch nicht.

„Auf den schönen Abend heute, Isa." Die beiden ließen sich ihre neuen Getränke schmecken, versuchten das Thema zu wechseln. Gelang nicht so recht. Das Erlebte ließ sie einfach nicht los.

„Schöner Abend, stimmt, aber auch höchst absonderlich, wenigstens abwechslungsreich", pflichtete Isabelle ihrer Freundin bei.

„War ja schon ein irgendwie seltsamer Typ", meinte Algena und sich wiederholend, „der kam mir von Anfang an irgendwie komisch vor. Ich weiß nicht …"

„Jedenfalls, wenn der Dreck am Stecken hat, dann ist das seine Sache, da sollten wir uns strikt raushalten, Algena. Die Beamten hatten uns vorhin zwar überprüft, aber anscheinend gegen uns keinen Verdacht gehegt. Wie auch? Denke, die kennen ihre Pappenheimer und wissen, dass wir nicht zu dem gehören bzw. der uns sicher gerade erst angemacht hatte, war ja auch so." In Isabelles Gesicht ließen sich trotzdem ein paar Sorgenfalten sehen. Algena nickte.

Zwischendurch beobachteten sie das Besuchervolk an der Bar, in dem sich immer wieder mal einer meist mit fröhlicher Rundumgeste verabschiedete und Neue oft namentlich und überschwänglich begrüßt wurden, weil sie sich kannten, also Stammgäste waren.

Sie überließen sich dem lautstarken Geräuschpegel, dem Geklirre der Gläser, dem Durcheinander der Menschenstimmen; all der typische Klangmix einer florierenden Kneipe wurde ihnen gewahr. Die beiden hingen ihren Gedanken nach, schauten, lauschten, nahmen auf, waren einfach nur da – nichts tun, nichts Konkretes denken, einfach die Zeit verstreichen lassen bei von fremdem Agieren gefülltem Tun. Das vordergründige Alltagsgeschwätz einer bestimmten Klasse von Menschen, die solche Kneipen als ihr zweites zu Hause ansehen, irgendwie scheinbar sinn- und geistlos oder oberflächlich (für die natürlich nicht), sie trotzdem erfüllend, aber keine nachhaltigeren Erkenntnisse gebärend, keine bewusst-tiefen Gefühle zeigend, wie wenn sie sich in ihrem Mensch-Sein im seligen Lebens-Tiefschlaf befänden. Sich darüber Gedanken zu machen, waren sich die beiden wortlos einig und empfanden es nicht als bloßes Zeitabsitzen. Aber die verrann nun mal, unerbittlich. Das zweite Glas Bier sowie der Cocktail waren längst getrunken, die leeren Gläser von der Bedienung mitgenommen worden. Der Stuhl vor ihnen blieb leer.

„Sag mal, kommt der Typ eigentlich noch mal, der ist doch schon 'ne ganze Weile weg, oder? So lang kann doch keine lumpige Identifizierung dauern! Oder wars eben doch ein Verhör – nein, nicht Verhör, glaub, so was heißt im Fachjargon „Befragung", draußen im Polizeiwagen?"

„Ich sagte ja, wenn er überhaupt zurückkommt", Isabelle schaute auf die Uhr. Schon kurz vor zwölf! „Wann sind wir hier reingegangen?"

„Viertel nach zehn vielleicht, denke ich und der Mann kam ja auch bald drauf an unseren Tisch."

„Dann haben wir vielleicht 'ne halbe Stunde oder weniger miteinander gequatscht ..., heißt, der ist schon deutlich über 'ne Stunde weg. Ob die den mit ins Revier genommen haben? Komisch!"

Isabelle stand auf.

„Ich geh mal eben nach draußen, vielleicht seh ich was." Sie drückte sich an den vielen Menschen am voll besetzten Tresen vorbei.

Algena wartete eine geraume Weile.

Isabelle kam zurück. „Nichts zu sehen, auch draußen weiter vorne am Gehsteig der Leopoldstraße, weder links noch rechts, kein Polizeifahrzeug, nichts. Die haben den offenbar zur Wache mitgenommen."

„Auch recht, was solls, haben nichts zu schaffen damit", entschied Algena.

„Wir sollten langsam ans Zahlen denken", fand Isabelle. „Sonst macht sich Georg noch Sorgen, anrufen will ich auch nicht mehr um diese Zeit. Trotz Computer geht der meist erstaunlich früh ins Bett. Ist eben ein Sportler: Früh raus, aber auch früh in die Kiste."

Sie fragten die junge Bedienung, ob sie den Typen, der hier gesessen hatte, schon mal gesehen hätte. Die verneinte. Sie habe ein hervorragendes Personengedächtnis, was Gesichter betreffe, meinte sie. Auch der Barkeeper hinter dem Tresen wollte diesen Mann noch nie gesehen haben. Ansonsten behaupteten beide, es käme immer wieder mal vor, dass Polizei in ihrem Laden Kontrollen mache. „Dass die jemanden wie den Knaben von vorhin an Eurem Tisch allerdings mitnehmen, haben wir erst selten erlebt. Sein Bier hat er übrigens schon beim Empfang der Flasche bezahlt", sagte der Barkeeper.

Sie wollten schon gehen, da erinnerte sich Algena noch der Ledertasche. „Da war doch noch was ..., die Tasche unter dem Tisch."

„Sag mal, Isabelle, erinnerst du dich, wie rüde der mich vorhin unterbrochen hatte, als ich ihn an seine Tasche erinnern wollte?"

„Ja, stimmt.". Isabelle überlegte.

„Du, ich hab ja schon einen Verdacht! Der wollte ganz sicher aus irgendeinem Grund seine Tasche vor den Beamten verheimlichen, anders kann man sein Verhalten nicht deuten. Könnte sich der auf der Flucht befunden haben? Er sagte, er wolle nicht in eine dumme Sache reingezogen werden. Hat das mit der Tasche zu tun? Klar, alles Spekulation."

Neugierig waren sie aber schon, holten sie herauf, stellten sie auf den Tisch, öffneten den nicht abgesperrten Verschluss und warfen einen kurzen Blick hinein. Nichts Aufregendes drin: ein paar Winterklamotten, Schal, Handschuhe, gestreifte Mütze und eine flache Holzschachtel. Sie schlossen die Tasche wieder, zahlten ihre Zeche und beschlossen, das ominöse Ding erst mal mitzunehmen.

Algena und Isabelle verließen die Bar, Algena mit zwei Taschen: ihrer damenhaft eleganten Handtasche und der umgehängten groben hellbraunen, an den Kanten abgewetzten Ledertasche.

„Pass auf, Isa, am Montag bin ich nur vormittags im Atelier, nachmittags hab ich frei, da bring ich die kurzerhand ins Fundbüro, sage einfach, wir hätten sie auf der Straße gefunden, natürlich hier in der Nähe. Dass die jemand bewusst zurückgelassen hat, der von der Polizei zwecks Identifizierung vermutlich mit auf die Wache genommen worden ist, davon muss ich ja nichts sagen. Man weiß ja nie …"

Draußen genossen sie die frische, inzwischen kalte Nachtluft. Der Autoverkehr brauste nicht mehr so dicht wie am frühen Abend. Weil die Straßen leerer waren, fuhren die Autos aber schneller, was ihnen dann doch wie mehr Verkehr als vorhin vorkam. Auch der Boulevard hatte sich merklich gelehrt. Der Abend ging zu Ende. In München war das so, die strenge Sperrstunde begrenzte den Amüsierbetrieb radikal auf wenige Lokale. Algena kannte Berlin und wusste, dass es dort keine solche Zeitbegrenzung gab und zu dieser späten Stunde der Vergnügungsbetrieb sich erst anschickte, zur Hochform aufzulaufen. München war eben doch ein Dorf – das berühmte Millionendorf, wie es geringschätzig außerhalb der Stadtgrenzen, vor allem von den Bewohnern (vermeintlich) weltoffenerer Städte genannt wird.

Bis nach Solln mit der letzten S-Bahn öffentlich zu fahren und das noch dazu mitten in der Nacht, dazu hatte Algena absolut keine Lust. Sie winkte ein Taxi heran, gab das Fahrziel von Isabelle an und informierte den Fahrer, anschließend nach Solln weiterzufahren. Algena wollte für ihre Freundin die Rechnung begleichen.

213

Bei Isabelle angekommen, verabschiedeten sich die beiden, freuten sich über den gelungenen Abend und Algena fuhr weiter nach Hause.

In ihrer Wohnung lehnte sie die schmucklose Ledertasche im Flur achtlos an die Wand und ging zufrieden ins Bett.

Was war doch Isabelle für eine gute und treue und wohlmeinende Freundin, dachte sie noch dankbar vor dem Einschlafen.

***

Sonntagmorgen. Algena wachte erst spät am Vormittag auf. Ein leichter Kater ließ ihren Kopf brummen wie einen Bienenschwarm. Die Vormittagssonne strahlte hell und freundlich in ihr Schlafzimmer. Sie rieb sich den Schlaf aus den Augen, wankte Richtung Bad und besah sich ausgiebig im Spiegel. Eine unausgeschlafene Visage mit zotteligen langen Haaren gaffte zurück. Das bin also ich, stellte sie ernüchtert fest, sich ein paar Minuten ausgiebig betrachtend. Zerknittert, einige wenige Fältchen, die man untertags kaum sah, begannen sich langsam, aber gnadenlos in ihren makellosen Teint hineinzugraben, als ob sie zeigen wollten, wo sie in ihrem späteren Leben danach trachten werden ihr Gesicht zu verändern. Es waren ja auch nur Anfänge, aber noch nie hatte sie das so deutlich wahrgenommen – war sicher nur das übersteigerte Ergebnis des durchzechten Abends, beruhigte sie sich. Unmittelbar nach dem Aufstehen aus dem Bett schauten auch hübsche Gesichter nicht gerade einladend aus. Deshalb jetzt erst mal 'ne ausgiebige Duschorgie, dann würde das schon wieder, wie sie es gewohnt war.

Frühstück fällt heute aus, abgesehen von Kaffee, entschied sie beim Gedanken an das üppige Abendessen im Steakhouse gestern Abend. War gut, aber viel, vor allem zu viel Fleisch, sie war keine Vegetarierin, aber etwas mehr Salat hätte es schon sein dürfen. Isabelle wollte ja unbedingt dort rein; die hatte auch wirklich einen gesegneten Appetit, wie Algena gestern verstohlen bemerkte, als die Freundin das dreihundert-Gramm-Steak mit ordentlich Beilagen incl. Pommes wegputzte wie nichts.

Jetzt erst mal die Kaffeemaschine anwerfen, um endgültig im Tag anzukommen. Sie genoss ihn sich räkelnd auf der bequemen Couch, durch die großen Fensterscheiben auf Terrasse, Nachbargärten bzw. die noch kahlen Laubbäume schauend. Nur wenn man ganz genau hinschaute, konnte man die winzigen grünen Blätterspitzen an den Zweigen erkennen. Die noch nicht allzu hochstehende Sonne schickte ihre Strahlen mühelos durch das blattlose Geäst ins Zimmer.

Nichts geplant heute, freier Tag sozusagen, disponierbar für – generell – alles …, auch für eine Wanderung an der Isar, ihre Stammstrecke, mit anschließendem Besuch in der Waldwirtschaft …, sie erinnerte sich, … – nur spielte das Leben grundsätzlich nie dieselbe Karte zweimal. Also würde es keinen „neuen besseren Hermann" geben, denn von dem bisher so unerfindlich überkorrekten Mann, den sie vergangenes Jahr dort kennengelernt hatte, war sie ziemlich enttäuscht. Das lang erwartete und so hoffnungsvoll begonnene Abendessen mit ihm in Grünwald hatte für sie in einem Fiasko sondergleichen geendet.

Trotzdem wollte sie spazieren gehen, aber nicht zur Waldwirtschaft, sondern diesmal Richtung Stadt. Dann würde sie sehen, was sie anlachte. Ein Café …? Oder das bekannte Eiscafé am Baldeplatz? Es war erst Anfang April, da könnte es noch geschlossen haben. Lag nur wenige Meter von der Wittelsbacherbrücke entfernt.

Nach ein paar Stunden kehrte sie ohne sonderliche Abwechslung wieder in ihre Wohnung zurück (das Eiscafé war tatsächlich noch geschlossen gewesen). Dort hatte sich durch den inzwischen veränderten Sonnenstand eine ganz andere Stimmung eingestellt. Hell und nachmittagstrunken war sie geworden. Mit einer frisch gebrühten Tasse Kaffee setzte sie sich auf die Couch. Dann packte sie der Rappel: Sie hatte Lust zum Rumstöbern in ihren Sachen, Papiere ordnend, manches aufräumend, anderes flog direkt in den Papierkorb.

Unglaublich, was sich da so ansammelte während der Woche. Sie fuhr den PC hoch, checkte Emails, viele Infos aus Newslettern, in die sie sich manchmal leichtsinnig hatte eintragen lassen. Ein paar private Emails, nichts Aufregendes, mehr Infos wer wo wann wohin etc. … Das Übliche eben.

215

Viele Anregungen in ihrem Freundeskreis wurden seit Kurzem nicht nur per Telefon, sondern per Email oder übers Handy per SMS kommuniziert [5]). Nichts Neues im Postkasten. Sie fuhr den Rechner wieder runter und klappte das Gerät zu.

Morgen musste sie nur vormittags ins Atelier, durfte nachmittags Überstunden abbauen … Moment mal, da war noch was, ach ja, die Ledertasche von dem Typen gestern, die wollte sie ins Fundbüro bringen. Wo war die denn? Im Flur hatte sie sie gestern Abend achtlos an die Wand neben der Garderobe gelehnt. Eine reichlich triviale Ledertasche, hellbraun, der man ihr Alter ansah. Komisch – warum hatte der die nur so auffällig vor den Beamten geheim gehalten, das fragte sie sich jetzt erneut …

Also vor der Abgabe wollte sie schon genau wissen, was da drin war (im Fundbüro wird man sie ja auch öffnen), also mal gründlicher reinschauen, vielleicht war doch irgendwo was Wichtiges oder sogar auch ein Hinweis auf den Besitzer verborgen. Sie holte sie herbei, so ganz koscher war ihr die nicht, abgetragen und speckig, eine typische Männertasche eben. Sie öffnete den Aktentaschenverschluss, griff mit langen Fingern sowohl in die Seitentaschen hinein als auch in das Hauptfach. Ein paar nichtssagende Papiere mit unverständlichen Notizen, aber keinerlei Adressen oder Anschriften oder Telefonnummern. Dann holte sie die Kleinklamotten für den Winter heraus, die sie gestern im Lokal auch schon gesehen hatten: Handschuhe, gleich zwei Paar, Wollschal, Mütze, noch 'ne Mütze. Als sie die rauszog, staunte sie aber doch: Das war keine Mütze, sondern eine *Mützenmaske mit Mund-, Nase- Augenöffnung*. Sie war überrascht! Was sollte denn das? Fasching war vorbei! Sie sah den Typ vor ihren Augen und der wurde ihr augenblicklich zutiefst unsympathisch und umgehend gewannen seine Worte von der *"dummen Sache"*, von der der Kerl gefaselt hatte, eine ganz neue, beunruhigende Bedeutung: So was verwenden Kleinkriminelle, auch Bankräuber, wie sie aus den einschlägigen Krimis im Fernsehen wusste … Man kann damit das Gesicht tarnen. Ihr fiel zugleich auch noch

---

[5]) Anmerkung: Der Roman spielt in den Jahren 2009ff, da waren soziale Netzwerke wie z.B. Facebook noch wenig verbreitet. Whatsapp gabs noch nicht …

seine seltsame Sorgfalt ein, mit der er die Tasche unter dem Bartisch abgestellt hatte. Und dann die Unterschlagung vor den Polizeibeamten …? Nur wegen der Mützenmaske??? Ja schon, könnte sein, aber das als Grund? Irgendwie lächerlich! Da musste noch was sein … Was war in der flachen Holzkiste drin?

Als sie die herauszog, blieb ihr umgehend das Herz stehen: In kreativer Schrift und leicht gebogener Zeile stand da ein verräterischer Firmenname: *Smith and Wesson*. Der Name einer amerikanischen Firma für Handfeuerwaffen (So viel wusste sogar sie.)

Sie entriegelte den Deckel, schlug die weiße Verpackungsgaze zurück. Und sogleich verschlug es ihr erneut den Atem. Wie hypnotisiert starrte sie auf das schwarze unheimliche Ding vor ihrer Nase: Ein Revolver …, noch nie hatte Algena einen aus der Nähe gesehen, geschweige denn in der Hand gehabt. Ein kleines Originalpäckchen mit Munition lag in einer Mulde im Kasten und sogar eine „Betriebs- und Pflegeanleitung". Eine Waffe in Originalverpackung? Sollte der einen Kurierdienst machen, die Waffe jemandem bringen und hatte sich halt zwischendurch ein Bierchen genehmigt? Aber da musste mehr gewesen sein, sonst hätten ihn die Polizisten nicht mitgenommen.

Alles offene Fragen, die längst passé wären, hätten sie nur die Tasche stehen lassen. War eine Riesendummheit, sie mitgenommen zu haben. Andernfalls hätten sich erst die Putzfrau, dann der Wirt darum kümmern müssen. Jetzt hatte sie das Ding an der Backe – aus lauter Blödheit.

Klar war damit jedenfalls, weshalb der die Ledertasche keinesfalls zum „Verhör" mitnehmen wollte. Er hätte sich zusätzlich verdächtig gemacht und die Polizei, irgendeiner Gaunerei oder gar einem Verbrechen auf der Spur, hatte wohl alle gesucht, die da evt. involviert sein könnten – und sein Name stand offenbar auf deren Liste und auch, wo man ihn suchen sollte ..., daher die Überprüfung. Einen Waffenschein traute sie diesem Bürscherl jedenfalls nicht zu.

Vorsichtig griff sie nach dem Revolver, hob ihn heraus aus seiner Form, besah ihn, wog ihn in der Hand, drehte ihn nach links und rechts, stets peinlich (oder ängstlich?) darauf bedacht, die Mündung von sich wegzuhalten. Den Zeigefinger mal mutig um den Abzugshahn legen, wagte sie nicht, obwohl eine mechanische Sicherung eingelegt war, wie sie sogar als Laie sah. Ob die wohl funktionieren würde? Auch dass Patronen eingelegt waren, sah man. Die Waffe ausprobieren ginge nicht mal im Wald, man würde solche Schüsse weithin hören.

Algena wurde mutiger, hielt den Revolver erst an einer ausgestreckten Hand (immer noch ängstlich jede Berührung mit dem Abzughahn vermeidend), dann, wie oft bei Angriffshaltungen in den Fernsehkrimis gesehen, mit beiden Händen weit von und vor sich gestreckt, fühlte sie sich wie eine Kommissarin an vorderster Front, die Zimmer durchmessend, in der sich der Ganove versteckt oder verbarrikadiert haben könnte, zielte pro forma mal hier hin, mal dort hin, kreiste schwungvoll um ihre eigene Achse, stoppte kurz auf Höhe des Sideboards, der Lauf zeigte jetzt genau auf die leere Stelle, an der das Porträt von Philipp gestanden hatte. Wo war denn das eigentlich? Ach ja, unten in der Schublade. Aus dem Blickfeld genommen. Gut so … Sie wollte seine Visage nicht mehr sehen.

Auch wenn sie es nicht sah, bewegte sie das Bild, die Abbildung ihres Ehemannes doch einen Moment lang. Sie visionierte, ihn noch zu Lebzeiten mit der unseligen Laura per Zufall in flagranti ertappt und ihn umgehend kaltblütig erschossen zu haben und seine saubere Bettbraut Laura gleich hinterher.

Weiter die Runde mit dem Revolver. Sie stellte sich vor, sich in einem zweifelhaften Westernsaloon zu befinden, sie, ein schießwütiges amazonenhaftes Weib – sogar hartgesottene Cowboys kuschten vor ihr – während sie höchstens unerschrockene *Pistoleros* ernst nahm, weil die sich nicht so leicht einschüchtern ließen. In ihrer Vorstellung war sie gerade in eine wüste Auseinandersetzung mit einem ihrer schärfsten Widersacher involviert. Dem Wortgefecht folgte unweigerlich die Entscheidung per Colt. Sie war die Schnellere gewesen und hatte den Kerl kampfunfähig geschossen. Und das Pokerface des Wirtes hinter der Theke bis zu dieser finalen Entscheidung wich einem schmalen Grinsen, mit dem er ihr einen doppelten

Whiskey über den Tresen schob, sichtlich erleichtert, den Unfriedensmann besiegt zu sehen.

Dann wandte sich ihr inneres Kopfkino erneut Szenen der vielen Krimis zu, die sie gesehen oder gelesen hatte, stellte sich vor, mit ein paar Kollegen in einer aufgelassenen Industriehalle mit Unmengen an Schrott und unbrauchbar gewordenen Industrieprodukten und Maschinen zwei Verbrecher zu jagen, die sich dort verschanzt hatten. Erneut war sie die mächtige, umsichtige Frau, die das Einsatzkommando der Kripo führte, was ihr in den Filmen immer schon imponiert hatte. In ihrer Vorstellung hatte sich das Wohnzimmer längst in diese Industriehalle gewandelt, in der sie sich bückend herumhuschte, hinter der Couch oder dem Wohnzimmertürblatt Deckung suchend, stets die Waffe mit ausgestrecktem Arm im Anschlag auf das fiktive Ziel gerichtet. Überlegenheitsvorstellungen durchströmten sie.

Irgendwann war das Spiel zu Ende, sie legte die Waffe in den Kasten zurück, warf einen kurzen Blick in die „Betriebsanleitung" und schloss schließlich die Schatulle wieder, unsicher, wie das jetzt mit diesem Ding weitergehen solle und könne. Die Idee mit dem Fundbüro war auf jeden Fall gestorben. Sobald der brisante Inhalt der Tasche bekannt geworden wäre, hätte der Vorgang umgehend seinen Weg zur Polizei gefunden, das war sonnenklar. Sie erschrak: Durch ihre Rumspielerei hatte sie mengenweise Fingerabdrücke hinterlassen. Das würde sie als unschuldige „Finderin" der Ledertasche von vornherein unglaubwürdig machen.

Weder Fundbüro noch und schon gar nicht die Polizei würden ihr „das Märchen" glauben, sie habe die Tasche bloß „gefunden" (was ja auch nicht stimmte). Die würden Fragen stellen, ihr nichts glauben, ihr zusetzen, herauszurücken damit, wo sie denn die Waffe erworben habe. Man würde an Hand der Fabrikationsnummer den Händler suchen, wo sie gekauft worden war …, natürlich würde der sich an sie nicht erinnern, wie auch, aber sie könnte ja Gehilfen gehabt haben …, und schon wäre sie rettungslos verdächtig. Vielleicht würde die Spur dann tatsächlich zu dem Kerl führen, den die Polizei verhört hatte. Und der würde natürlich erst mal jede Verbindung abstreiten oder, falls das nicht möglich wäre, sie in seine unsauberen Machenschaften mit reinziehen …, Scherereien ohne Ende … Ein

Rattenschwanz von Ermittlungen und sie vermutlich auf recht zweifelhaftem Posten.

Selbst wenn sich herausstellen sollte, dass sie mit seiner „dummen Sache" nichts zu tun hatte – der Revolver bliebe ihr und man würde ihr wegen unerlaubten Waffenbesitzes eine saftige Strafe aufbrummen. Und dann? Vorbestraft sein, ihr guter Leumund beschädigt und und und. Durfte alles nicht sein. Keinesfalls! Was tun? Entweder das von Fingerabdrücken gereinigte Gerät ungeladen irgendwo inkognito im Alteisencontainer entsorgen oder in der Mitte eines der oberbayrischen Seen versenken … oder sie doch vorerst heimlich behalten. Solange niemand davon wusste, gabs keinerlei Gefahr.

Die aktuelle Frage war eine ganz andere: Was sollte sie Isabelle sagen, wenn sie fragte? Ganz einfach: Sie habe, ohne noch mal hineingeschaut zu haben, die Tasche abgegeben, aus die Maus. Isabelle weiß nichts von dem Revolver und würde mit Sicherheit nicht weiter nach Einzelheiten im Fundbüro fragen. Das machte wenigstens diese Sache einfacher.

Aber jetzt, wohin mit der Schatulle? Sie zog die unterste Schublade des Sideboards auf … Da lag das große Bild von Philipp. Wann war denn das hier hinunter gewandert? Ja richtig, damals, vor der Geburtstagseinladung mit Isabelle, Georg und Harry. Und hier sollte jetzt die Schatulle auch noch hinein? Welch bezeichnendes Menetekel! Okay, seis drum … So lagen die Waffenschatulle und der Bilderrahmen mit Philipp „treulich" übereinander. Eine wahrhaft höchst symbolische Anordnung, wie Algena fast belustigt bewusstwurde (und dachte daran, ihn vorhin bei ihrem „Spiel" am liebsten hätte erschießen wollen). Sie deckte beides mit vielen neutralen Papieren zu, falls die Schublade mal zur Unzeit, wenn Leute da waren, aufgezogen werden sollte. Die Ledertasche wanderte in den Sperrmüll, die Kleinklamotten in den Hausmüll, die Papiere in den Altpapiercontainer.

Am Abend nach dieser folgenschweren Entdeckung fühlte sie sich unsicher zwar aber doch auch ein bisschen stolz, jetzt eine Waffe zu besitzen, sozusagen zur Selbstverteidigung im äußersten Notfall. Sie beruhigte sich damit, sie jederzeit unerkannt entsorgen, besser verschwinden lassen zu können, wenn ihr Besitz nicht mehr opportun sei, z.b. sollte sie wieder mit einem Mann zusammenziehen wollen.

Keinerlei Gedanken verschwendete sie allerdings daran, dass man eine Waffe in besagten „Notsituationen" auch blitzartig perfekt bedienen können muss. Nicht umsonst müssen angehende Polizisten diesen Umgang ausdrücklich erlernen.

Teil 5

H at sie's doch geschafft!" entfuhr es Algena, als sie auf der Titelseite der neuesten Ausgabe ihres abonnierten internationalen
Modemagazins ihre einstige Freundin als leibhaftiges, ganzsei-
tiges Covergirl posierend sah – Laura!

Neidlos betrachtete Algena das beeindruckende Foto der Frau, zu der sie
seit der großen Affäre jeglichen Kontakt mied. Sogenanntes Katalog-Model
war sie schon öfter gewesen, bei subalternen Firmen und Journalen, eher
schlecht bezahlt, aber bei diesem weltbekannten englisch-deutschen Heft?
Sie wusste, dass Laura zwei...drei Jahre gekämpft hatte, dort unter Vertrag
genommen zu werden. Sie sei zwar mehrmals zum Probe-Fotoshooting eingeladen worden, erinnerte sich Algena an einstige Telefonate mit ihr noch
zu entspannten Zeiten vor dem Tag X ... Nie habe es geklappt, klagte sie
damals – jetzt hatte man sie offenbar genommen. Na, die wird sich freuen,
dachte Algena, anerkennend.

Ihr, Algena, hatte man noch als Studentin auch mal ein Angebot zum
Modeln gemacht, erinnerte sie sich, aber das hatte sie nach reiflicher Über-
legung und ein paar einschlägigen Beratungen dankend abgelehnt. Im Rampenlicht stehen hätte ja durchaus reizvoll sein, vielleicht sogar eine Karriere
begründen können, aber rumgeschubst werden, gegängelt von abgebrühten
geschäftstüchtigen Managern der Modeszene ...?

Kurz reflektierte sie ihre heutige berufliche Situation ..., eigentlich sehr
gut, da gabs nichts zu deuteln. War die bessere Entscheidung als ständig in
ausgefallenen Posen den Fotografen ausgesetzt zu sein. Bei ihren Entwürfen und Einfällen im Studio fühlte sie sich jetzt wohl und außerdem mussten
ja auch diese sich gegen Konkurrenz sowohl im eigenen Atelier als auch

auf dem Markt durchsetzen: In der Mode fällt ja kaum Verstand oder gar Vernunft die Entscheidungen, sondern Geschmack und „Bauchgefühl", vor allem natürlich, ob man den Trend getroffen hat. Das war beileibe nicht immer sicher und deshalb auch oft Gegenstand heftiger, dann selbstverständlich von Verstand und Vernunft geführter Diskussionen. Ansonsten gehts, wie kann es anders sein, stets ums Geld, um den finanziellen Erfolg aller Kreationen.

Längst gehörte sie zum tragenden Teil ihres Ateliers und damit auch der Firma, weil sie mit ihren Einfällen letztlich oft sowohl die Kollegen als auch vor allem den Chef und die Marketingstrategen überzeugen konnte. Und das Beste: Sie hatte, im Nachhinein gesehen auch meistens richtiggelegen bzw. Erfolg gehabt. Hier lag ihre Berufspassion, nicht im Modeln. Laura dagegen war anders, war aus härterem Kaliber geschnitzt …, die schon! Präsentierte sich mit Leidenschaft, war mit allen Wassern gewaschen. Und ließ sich nichts, aber auch gar nichts gefallen, von niemandem.

Es war noch Frühjahr, der Sommer noch nicht mal in den Startlöchern, da kümmerte sich die Szene bereits um das Herbst- und Wintergeschäft, groß rausposaunt eben durch Modejournale wie dieses. Natürlich, aus Sicht der Werbestrategen (denen das Erkennen des Trends obliegt), der Produktion, der Einkäufer, musste das so sein und zur Erbauung der Sommerkundschaft in Boutiquen und Edelmodehäusern war diese Heftserie nicht gedacht, sondern für den Fachhandel. Für sie, Algena (und auch die anderen Modedesignerinnen in ihrem Atelier und weiteren einschlägigen Firmen) kams darauf an festzustellen, in welche Produkte die Messeneuheiten des vergangenen Jahres geflossen waren, wie andere all die Ideen umgesetzt hatten. Man musste einerseits dem Trend folgen, andererseits aber auch für den Massenmarkt so viel Individualität „einbauen", dass eine gewisse Eigenständigkeit, auch *Wiedererkennbarkeit* genannt (für die Kenner dieses Labels), gewahrt blieb. Auf den seligen Ausruf einer informierten modebewussten Kundin *„Jaaa, das isses, nichts anderes hab ich gesucht"*, wartet sehnsüchtig jeder Verkäufer, jede Verkäuferin. Sobald Kollektionen einmal

223

fertig entworfen, gar schon zur Produktion in Auftrag gegeben waren, war kaum mehr was änderbar, dann musste alles passen.

Laura posierte in einem leichten pastellblauen Herbstmantel, figurbetont tailliert geschnitten mit einer zierlichen, aber großzügig ausgefallenen, dunklen und pelzbesetzten Kragenpartie, die ihr Gesicht, vielmehr ihren leicht exaltiert-verruchten Blick, demonstrativ mit dem von den Heftdesignern geforderten erotischen Touch verbinden ließ. Verstärkt wurde diese an sich schon ebenmäßige Erscheinung durch ihre prächtige, wallend blonde Haarmähne, die sich vom Scheitel äußerst dekorativ über den Pelzkragen leicht schwingend und verbreiternd, gewollt etwas zottelig, auf und über die Schulterpartie des Mantels hinunterspielte. Ein ins moderat-ocker reichender dünner Schal verhüllte, offenbar absichtlich, nur knapp ihr Dekolleté, als ob es sich selbst nur andeuten wollte. Sollte wohl signalisieren, dass an wärmeren Herbsttagen der Mantel eben auch „kragenoffen" tragbar wäre und kein Schal den Blick auf die lockende Weiblichkeit der Trägerin verhindern würde …

Ein lässig um die Taille geschlungener, optisch zurückhaltender Ledergürtel mit attraktiv-auffälliger Schnalle betonte die schlanke verführerisch wirkende Gestalt. Zweifellos eine gelungene Kreation und nichtzuletzt musste auch ein Könner von Fotografen dieses Bild geschossen haben, weil vor allem das gekonnte Spiel von Licht und Schatten diese Figur im Betrachten als dreidimensional empfinden ließ.

Algena blätterte das Heft durch, stolperte weiter hinten auf paar weitere Detailbilder dieses prachtvollen Mantelmodells, dessen Preisempfehlung allerdings auch eine adäquate Brieftasche voraussetzte. Zwischendurch fand Algena mit raschem Blick etliche lesenswerte Artikel. Fachleute interessierte nur das präsentierte Mantelmodell, nicht die Trägerin, sie sind superhübsche Models gewohnt. Galt auch für Algena als Fachfrau – normalerweise – nur hier eben nicht, weil sie die abgebildete Schönheit allzu gut auch privat kannte und mit ihr leider bitterste Erfahrung gemacht hatte, endend mit dem dramatischen Telefonat im Sommer vorigen Jahres. Höchst nachdenklich betrachtete sie Lauras ebenmäßiges Gesicht, ihren geradezu tödlich verführerischen, erotischen Blick, dem Algena allerdings gerne noch das Attribut *verschlagen* hinzuaddieren würde. Laura wirkte wie eine *Femme fatale* auf dieser Abbildung, als wollte sie nicht nur für den schicken Mantel, sondern auch für sich werben. Sie kannte sie! Sich als begehrenswert-unwiderstehliches Weib zu präsentieren, darin war sie Meisterin. Algena kannte allerdings die Gegenseite dieser dargestellten erotischen Botschaft: Laura, ein fies-durchtriebenes Miststück, das Männer um ihren Verstand zubringen vermochte und sie wie Puppen tanzen lassen konnte.

So könnte, so dürfte es auch ihrem Philipp ergangen sein …, wobei sie inzwischen nicht mehr so sicher war: Philipp war ganz klar ein Frauenheld, ein *Casanova*, ein *Don-Juan Typ*, der bei Frauen bestens ankam und vielleicht doch die treibende Kraft war. Jedenfalls mussten sie sich gesehen und umgehend unsterblich ineinander verliebt haben, wie *Romeo und Julia* im Drama von Shakespiere (Laura war einst als Freundin des Hauses oft bei ihnen zu Besuch gewesen …). Also ein Einvernehmen auf Gegenseitigkeit sozusagen.

Dieses destruktive, fatale Wissen und seine ständig erneute Visionierung möglicher Szenen der beiden in ihrem Kopfkino waren nicht zu bremsen, geschweige denn zu eliminieren. Es hat sich geradezu eingebrannt in Algenas Gedankenwelt, war stets dicht unter der Oberfläche präsent und beeinträchtigte ein ums andere Mal penetrant nicht nur an sich ruhige, friedliche Abende, sondern oft genug auch Situationen, in denen solche aufwühlenden Gedanken – sie, die Betrogene – nun wirklich nichts verloren hatten – bei Treffen mit neuen „Liebes-Aspiranten" zum Beispiel.

Algena litt unter diesem Effekt und ahnte, dass das nicht weit von pathologischem Verhalten entfernt sein könnte.

Algena drehte das Heft hin und her, unschlüssig was sie mit ihm und ihrer eigenen aktuellen Erregung anstellen sollte. Erneut vertiefte sie sich in die unwiderstehlich erotischen Züge dieser Frau, betrachtete ihre sinnlichen, wohl geformten und leicht geöffneten, feuchten Lippen samt der angedeuteten Perlenkette ihrer weißen Zähne, ihren Blick, der genau besehen, gar nicht so streng-kalt wirkte wie bei so vielen Models. Algena meinte, einen kaum wahrnehmbaren, fast subtil zunennenden spöttischen Zug in ihm erkennen zu können, als ob sie bei aller Anpassung an die Wünsche der Fotografen und Werbestrategen das ganze Trara rund um das Fotoshooting insgeheim eher belustigt habe – passte zu ihr, und wie!

Sie hob die Augen, sah das leere Sideboard, wo lange Zeit das Porträt von Philipp gestanden hatte. – Das ruhte inzwischen in der untersten Schublade. Ihr kam eine perfide Idee. Diebische Feindseligkeit:

„Jawohl! Ihr beide habt mich schändlich betrogen und ich Trottel habs nicht gemerkt … Wohlan, denn …"

Unsanft riss sie die Schublade auf, schob die Papiere entschlossen beiseite, dann die Holzschatulle mit der Waffe, griff nach dem großen Bilderrahmen mit dem Konterfei Philipps und stellte es zurück auf seinen angestammten Platz auf dem Sideboard. Sie deckte die Holzschatulle mit dem Papierkram wieder sorgfältig ab, richtete sich auf und schubste die Schublade mit dem rechten Fuß grob ins Sideboard zurück, zugleich die liebevollen Züge Philipps auf dem Bild mit abgrundtiefer Verachtung erwidernd. In einem wütenden Anflug von Hass klappte sie alsdann das dicke großformatige Modeheft mittig auf, strich mit der Hand innen druckvoll über den Falz, sodass es V-förmig aufgeschlagen blieb und stellte es, mit dem Titelbild nach außen neben Philipps Bild.

„So, jetzt habt ihr Euch …, nun treibt es mal ordentlich miteinander." In wildem *masochistischem Sarkasmus* presste sie diese Worte heraus, wandte sich dann langsam ab, noch in der Genugtuung moralischer Überlegenheit, spürte aber bereits Ärger, Wut und Gefühlsaufwallungen schlagartig in sich zusammenbrechen, um grenzenloser Trauer und Schmerz zu weichen. Zurück auf ihrer Couch drückte sie ihr Gesicht in eines der Kissen und konnte und wollte ihren Tränen keinen Einhalt mehr gebieten.

***

Es war Mitte April, der Frühling hatte sich bereits gut breitgemacht in seiner angestammten Jahreszeit. Algena liebte diese Zeit des Aufbruchs, der vielen pflanzlichen Geburten in Wald und Flur, wenn allüberall die winzigen Blätterbabys an Sträuchern und Laubbäumen herausspitzten und ungestüm erwachsen werden wollten. Manche waren früher dran, andere ließen sich mehr Zeit. Überall sprossen Frühlingsblumen in wildem Lebenstrieb aus der Erde. Auf ihrer Terrasse in den Terrakotta-Töpfen und - Schalen oder rund um die gedrungenen Stämme der Koniferen standen die Krokusse in leuchtenden Farben in voller Blüte. Bevor noch die Pracht der vielen Rosen die Terrasse bestimmten, hatten die Frühlingsblüher das Farbenheft maßgeblich in der Hand.

Vor wenigen Wochen erst war sie von ihrem Kurzurlaub in Gran Canaria zurückgekehrt und hatte sich längst wieder eingelebt, sich auch mit Isabelle mehrmals getroffen. Nicht immer ganz ohne den stets latenten unterschwelligen Frust, denn ihre ungelösten Probleme gaben natürlich keine Ruhe, klopften ein ums andere Mal erneut an ihr Gemüt.

Vorige Woche hatte sich Hermann nach längerer Zeit endlich gemeldet. Sie hatte insgeheim darauf gewartet, versuchte aber trotzdem kühl-reserviert, aber freundlich zu reagieren, was ihr auch gelang, denn das verkorkste Treffen in Grünwald war am verblassen, hatte sich sozusagen auf tiefer Ebene seiner Dramatik entledigt. Enttäuschung ja, war aber abgehakt, weil sich an der prinzipiellen Situation rein gar nichts geändert hatte. Jetzt, wo sie seine Stimme vernahm, wurde das Drama bei ihr aber wieder etwas evidenter.

Seit dem letztlich für beide traumatisch abgelaufenen Abend in Grünwald Anfang des Jahres, hatte bei ihnen erst mal Funkstille geherrscht, sicherlich aus ganz unterschiedlichen Motiven: Hermann dürfte ein schlechtes Gewissen geplagt haben, denn er musste sehr wohl Algenas Euphorie bemerkt und auch messerscharf erkannt haben, dass sie sich *über beide Ohren* in ihn verliebt hatte. Anders wären für ihn gewisse Zeichen ihres Verhaltens nicht zu deuten gewesen: Sie hatte super-geschockt reagiert auf seinen ungeklärten Status, vor allem, weil der nicht mit offenem Hass oder loderndem Ärger auf seine Noch-Ehefrau verbunden war, wie sie das wohl erhofft haben musste, um ihre Chancen zu erhöhen. Aber was hätte er machen sollen, fragte er sich: Ihr verlogenes Liebestheater vorspielen, damit sie sich im rosaroten *Siebten-Himmel* wähnen möge? Durfte und wollte er nicht, um seines integren Charakters willen. Für ihn kam bezüglich seines ungeklärten Status nur Ehrlichkeit infrage. Weshalb er sie auch vor ihrem Haus verabschiedet hatte, ohne den „typisch männlichen Ambitionen" nachzugeben, die – wie wohl in jedem Mann – auch in ihm geschlummert hatten und die sie vermutlich – das hatte er aus ihrem Verhalten geschlossen – sehnlichst erwartet hatte.

War ihm alles in den darauffolgenden Wochen bewusst geworden und äußerst peinlich, weshalb er gescheut hatte, sich bei ihr zu melden.

Und Algena? Sie war nach der unromantischen Verabschiedung so bitterenttäuscht gewesen damals, dass ihre anfängliche Sehnsucht nach ihm sich in nur wenigen Tagen in handfesten Ärger auf diesen superkorrekten Mann verwandelt hatte, weshalb sie zunächst mal nichts mehr von ihm wissen wollte, sich auch nicht nach SMS-Nachrichten oder gar Treffen mit ihm sehnte, ihm aber auch keine SMS schreiben wollte. So waren die kalten Wintermonate samt dem Frühjahr ohne jeglichen Kontakt mit ihm vergangen. Trotzdem fragte sie sich nachdenklich, ob er wohl zwischendurch mal in München zu tun gehabt hatte, *ohne* ihr Bescheid zu geben.

Denn natürlich dachte sie bisweilen an ihn, aber ihr innerer Glaube an ihn war erst mal zutiefst erschüttert. Hermann hatte nach ihrer Meinung das Schlimmste getan, was „Mann" einer Frau im offenen werbenden Beziehungsspiel antun konnte: Sie trotz ihrer in Gesten, Blicken und Gebaren subtil signalisierten Bereitschaft kühl und scheinbar emotionslos abzuweisen. Empfindet jede Frau als unentschuldbaren Fauxpas und bittere Enttäuschung – auch sie! Würde sie ihm kaum jemals verzeihen können, da müsste schon sehr viel passieren. Verkehrte Welt, haderte Algena nachdenklich: Wenn nämlich *er* „gewollt hätte", *sie* ihn jedoch „am langen Arm hätte verhungern lassen", also abgewiesen hätte, wäre das für ihn nur momentan bitter gewesen. Die Mehrzahl der Männer tröstet sich über solche „Erfolglosigkeit" meist schnell hinweg: „Es wird eine nächste andere Gelegenheit geben!", scheint nicht selten die lapidare Devise zu sein.

Und jetzt hatte er sich gemeldet …

Hermann schlug vor, sich kommenden Mittwoch beim Rischart am Marienplatz zum Nachmittagskaffee zu treffen und ob es denn schon etwa sechzehn Uhr gehe, denn er habe nur begrenzt Zeit, meinte er entschuldigend, weil er um achtzehn Uhr noch einen Kollegen aus der Schweiz treffe und er diesmal eh nur zwei Tage in München sei. Auch für Algena war dieser Termin eigentlich ungünstig, denn sie war genau an diesem Mittwoch mit Rebekka für die Neunzehnuhrvorstellung im Kino am Sendlingertorplatz verabredet. Rebekka war vor ihrer Ehe eine ihrer engeren Freundinnen gewesen, sie hatten sich dann aber auseinandergelebt, möglich, weil ihr Philipp nicht zusagte, warum auch immer. Kürzlich hatte sie sich nach Jahren überraschend wieder mal gemeldet, sie führten ein erfreulich entspanntes Telefonat und Rebekka schlug vor, doch einfach mal ins Kino zu gehen und anschließend in der Nähe noch was zu trinken, vor allem um zu ratschen. Abwechslung, vor allem wenn sie sich spontan ergab, begrüßte Algena immer und verbannte die einstigen Vorbehalte gegenüber Rebekka aus ihrem Kopf.

Der Abend mit Rebekka würde also mit einem Kaffeestündchen mit Hermann eingeleitet werden. Eine seltsame Kombination, wie Algena ein wenig belustigt bewusst wurde.

Gegen sechzehn Uhr erschien sie im ersten Stock des Cafés. Hermann saß schon brezelbreit an einem Seitentisch mit offenem Blick auf die Treppe, war also nicht zu übersehen und strahlte sie an.

„Schön, dass Du Dir Zeit genommen hast, Algena. Bis halb sechs haben wir allemal Zeit. Die kurze Abendkonferenz hat halt unser Münchner Chef initiiert, dann sehen …", sprudelte er los.

„Kein Problem", unterbrach Algena den Wortschwall Hermanns abrupt und etwas zu harsch, „ich treffe später noch eine Freundin, muss also auch bald wieder weg."

Sie spürte die Ambivalenz ihrer Gefühle ganz genau. Vor drei…vier Monaten hatte er sich unrühmlich von ihr verabschiedet und jetzt saß er ihr gegenüber, als könne er keiner Fliege was zuleide tun … Seinen Blick konnte man aber durchaus als liebevoll ansehen. Hermann war

unübersehbar ein generöser Mann. Nur aufs Glatteis von Beziehungsge-
sprächen wollte sie sich diesmal keinesfalls führen lassen.

Er erkundigte sich freundlich und recht mitfühlend nach ihr, verwickelte
sie in ein Gespräch über ihre gegenwärtige Tätigkeit bzw. Auftragslage im
Atelier usw. Algena sprang auf dieses Thema nur zu gerne an und berichtete
engagiert von neuen Kollektionen von Kontakten zu Kunden und was so
alles an Sonderwünschen manchmal zu befriedigen sei.

Dann erzählte sie von ihrem einwöchigen Urlaub Anfang März. Hermann kannte die Insel auch und sie tauschten so manche Erlebnisse aus
ihren jeweiligen Aufenthalten dort aus. Den Grund für den Termin ausgerechnet Anfang März erwähnte sie nicht …

Eineinhalb Stunden lockerer Small Talk und die beiden verabschiedeten
sich freundlich, aber ohne sonderliche Emotionen, auch keine unterdrück-
ten. Im Gegenteil, Algena fühlte sich geradezu entlastet, als Hermann gegangen und alles offengeblieben war, weil es kein Thema gewesen war.
Auch gut! Beschwingt bummelte sie die Sendlingerstraße entlang, ver-
weilte gedankenverloren vor so manchem der hübschen meist neueren Ge-
schäfte, ließ sich von einigen der verlockend ausgestellten Waren, ob Par-
fums, Bücher, Tees oder Schmuck, einfangen, einlullen, denn sie hatte viel
Zeit. Erst halb sieben wollte Rebekka am Kino auf sie warten.

***

Nur etwa zwei Wochen später – es war schon früher Abend, gegen neunzehn Uhr – meldete sich Hermann bereits wieder am Telefon. Algena war
überrascht, wusste aber nicht so recht ob positiv oder negativ. Das ungelöste
Thema Hermann beschäftigte sie wegen des Gewöhnungseffektes nur noch
ab und an. Es war ihr zwar nicht egal, hatte aber inzwischen an Stellenwert
gewaltig eingebüßt. Illusionen gab sie sich längst nicht mehr hin. Jedenfalls: Wenn eine Entscheidung fiele, würde sich einiges ändern in ihrem
Verhältnis. Eine negative dürfte das Aus ihrer Beziehung bedeuten, bei einer positiven regten sich in ihr gewisse Ängste, ob sich denn die flammende
Liebe, von der sie einst geträumt hatte, mit ihm einstellen würde. Denn

wenn sein Wesen wirklich so beherrscht-unemotional wäre, nach den in dieser Hinsicht demotivierenden Erfahrungen mit ihm, was dann? Würde das überhaupt was werden können mit ihnen? Würde sie nach dem leidenschaftlichen Philipp mit einem so beherrschten Mann zusammenleben können?

Anscheinend war er nicht sonderlich gut drauf, denn seine Worte kamen ungewohnt zögerlich, abgehackt, gar nicht so souverän wie gewohnt. Klang fast wie ein lästiges Pflicht-Telefonat. Er meinte, es gehe ihm nicht so gut, die Arbeit werde immer mehr, die ständige Reiserei zehre, er wisse auch nicht so recht warum … Die Termine jagten einander und er fände nicht mal Zeit, nächstens wieder mal einen Abend mit ihr zu verbringen, deshalb wolle er wenigstens am Telefon mit ihr ein wenig plaudern und ob sie denn gerade Zeit hätte, vergewisserte er sich unsicher.

Algena war überrascht. Wie das? Bisher hielt sie ihn für recht gelassen, ziemlich immun gegen Stress. Natürlich habe sie Zeit. Verwundert lauschte sie in den Hörer. Seine Stimme klang deutlich anders als üblich, etwas verhetzt, irgendwie unsicherer, weniger engagiert oder klar als sonst. Seltsam. Vielleicht wirds sogar ihm mal zu viel, fühlte sogar er sich mal überlastet. Mit über fünfzig mag das schon mal eine Rolle spielen, vermutete sie nachsichtig.

Algena versuchte mit warmen Worten besorgt auf ihn einzugehen, hörte sich seine Klagen mitfühlend an, wurde im Lauf der Unterhaltung aber zunehmend das unterschwellige Gefühl nicht los, dass sich hinter dem ganzen Tamtam um Belastung, Beschwerden und offensichtlichem Lamento irgendwas anderes verbergen musste. Nur was? Hing es mit ihrer Beziehung zusammen oder mit der zu seiner Frau? Sie kannten sich inzwischen gut genug, weshalb sie auch direkt hätte werden können, aber sie scheute doch, die beiden heißen Eisen anzusprechen, denn es war ja alles ungeklärt …, ungeklärt? … Ach so, ja, natürlich … Hm? Urplötzlich stieg ihr ein Verdacht, eine Ahnung auf. Könnte es sein, dass …? …, ja was denn sonst? Langsam, aber beständig, wie stetes Sandrieseln in einer Eieruhr, bröckelte eine Erkenntnis aus der Vielzahl der Mosaik-Infos heraus und verband sich zu einem recht wahrscheinlichen Wissen oder Szenario ... Ihre gerade noch vorherrschende Unbekümmertheit fiel in sich zusammen. Völlig unerwartet schnürte plötzlich Angst ihr Herz zu, das Menetekel einer ganz bestimmten Antwort leuchtete auf, die dem bisherigen Eiertanz ihrer labilen Beziehung auf Messers Schneide äußerst gefährlich werden konnte. Durchaus beklommen wollte Algena das vermutliche Bekenntnis, das eventuell kommen könnte, hinauszögern und hielt deshalb die Unterhaltung zunächst offen. Zum Glück lief das ja alles übers Telefon. So wie ihr zumute war, könnte sie jetzt keinesfalls ihm gegenübersitzen. Sie fragte harmlos und einfühlsam nach weiteren Gründen für seine (angebliche) Überlastung, wie's ihm dabei ginge, was er unternehme dagegen, sie würde ihm ja gerne helfen wollen, irgendwie halt ..., sei natürlich Unsinn, weil kaum möglich, denn er lebe in Frankfurt, sie in München ... usw. und *tanzte dabei engagiert mit ihm zusammen seine und ihre wortreiche Kür rund um einen imaginären heißen Brei herum* ... Irgendwann würde er sein Geheimnis schon lüften, das für Algena längst auf der Hand lag, sie ahnte es jedenfalls, nein, war sich inzwischen sicher!

Zunehmend wechselte seine Stimmung vom unverbindlichen *Kür*-Geplänkel auf (ernste) *„Pflicht"*, *d*enn Hermanns Andeutungen hinsichtlich seines unsteten Lebens konkretisierten sich allmählich. Er bekannte schließlich, dass ihm in seiner kleinen Ausweichwohnung die Decke auf den Kopf falle, es ihm an Ansprache fehle und er viel nachgedacht habe. Einer aufmerksamen Zuhörerin wie Algena lag der Grund spätestens jetzt sonnenklar auf der Hand. Sie kannte ihn intuitiv längst.

„Ach ja, übrigens, Algena, ich wollte es Dir schon länger sagen, aber es kam immer was dazwischen", begann er seine Beichte mit vermeintlichen Engelszungen, um sein telefonisches Gegenüber nicht allzu sehr zu schockieren. „Aber jetzt ist ..."

„... du bist zu deiner Frau zurückgekehrt, stimmts, Hermann?" Rüde und bestimmt unterbrach sie ihn, ihm das unangenehme Bekenntnis zu ersparen. Jetzt war sie sich sicher, seine Unsicherheit zu Beginn des Telefonats richtig gedeutet zu haben. Und ergänzte mit sarkastischem Unterton: „Wie schön für Dich!"

Ein paar Sekunden Schweigen im Telefonhörer. Hermann war perplex über Algenas unerwartete Reaktion, die ihm einerseits ersparte, seine mühsam zusammengezimmerte Begründungsarie vorbringen zu müssen. Andererseits sah er sich jetzt gezwungen, den klaren Fakt zu mildern, abzufedern. Offen, ob das überhaupt möglich war. Konzeptlos und stockend brach es aus ihm heraus:

„Es ist doch nur …, Algena, ich wollte ja nur beizeiten sagen, um Dich …, versteh mi …" Algena ließ ihn sein wirres Gestammel nicht weiterführen.

„Ach Hermann, lass es einfach. Ich habs längst verstanden!"

„Versteh mich doch bitte, Algena, mein Zustand ist unhaltbar geworden, ich wusste, dass dich das treffen wird, und es tut mir ausgesprochen leid!", Hermann versuchte geradezu verzweifelt die Situation, die Stimmung, die Contenance des Telefonats zu retten. Er war sich klar gewesen, dass es ein schwieriges Gespräch werden würde.

„Lieber Hermann! Ehrlich! Im Grunde habe ich nichts anderes erwartet, schon seit Längerem." Ohne jegliches Mitgefühl, um das er gerade nahezu gebettelt hatte, prustete Algena ihre schon angehärteten, um nicht zu sagen, erkaltenden Gefühle für Hermann hinaus.

Das unerwartet klare, realistisch anmutende Bekenntnis Algenas, löste seine Zunge.

„Ich hatte mir lange überlegt, wie es mit meiner Ehe weitergehen sollte, ob es richtig war, mich von meiner Frau zu trennen", Algena hörte geradezu den Stein einer mentalen Befreiung von Hermanns Herzen herunterplumpsen. „Wir wollen es einfach noch mal miteinander versuchen …, nur probehalber natürlich", schränkte er nach einer Kunstpause schnell ein, um das Fallbeil ein wenig abzubremsen, das seiner Meinung nach auf Algena heruntersausen musste.

Es war tatsächlich ein Fallbeil, das heruntersauste, denn obwohl Algena sein „*Kreisen um des Pudels Kern*" richtig gedeutet und selbst dann noch abgeklärt reagiert hatte, wirkten die jetzt direkten unverblümten Worte trotzdem wie Keulenschläge auf sie. Das schon öfter erlebte frustrierende Verlustgefühl, wenn wieder mal eine Trennung anstand, stellte sich urplötzlich ganz von selber ein. Allerdings hatte sie sich diesmal schnell wieder im Griff. Na ja, sagte sie sich, *geahnt* hab ich es ja tatsächlich schon länger. Ihre Enttäuschung hielt sich deshalb in Grenzen. Auch wenn sie ihn und so manche vagen Fantasien mit ihm nie ganz aus ihrer Gedankenwelt verbannt hatte. Und zugleich mit diesem seinem Bekenntnis fiel ihr seltsamerweise ausgerechnet jetzt auf, dass sie glatte zwanzig Jahre Altersunterschied trennte. Zwanzig Jahre …? 'Ne Menge Holz! Spielt in der Lebensmitte keine Rolle, später im Alter aber schon, und die Kinderfrage? Wollte sie, dass ihr Mann womöglich mal als Opa ihres gemeinsamen Kindes angesprochen würde, wenn er es in den Kindergarten brächte? Alles höchst praktische Fragen, die sie sich bisher nie gestellt hatte, weil das alleinige Kriterium in Bezug auf ihn sich nur um Liebe und Anziehung gedreht hatte. Bei anderen schien das alles viel selbstverständlicher zu laufen als bei ihr. Isabelle wollte auch Kinder und war auch schon gut über dreißig aber der Ihrige war etwa gleich alt. Sie würden wohl bald heiraten und dann folgten alle weiteren Entscheidungen von selbst.

Die beiden beendeten das Gespräch nicht ohne sich zu versichern, „auf jeden Fall in Kontakt bleiben zu wollen", eine Metapher, die alles bedeuten konnte, vor allem Unverbindlichkeit; den (späteren) finalen Bruch genau so wie weitere Treffen und *open end*. Offenes Spiel also. Eine geschlagene Stunde hatten sie telefoniert und Algena sank erschöpft in ihre Kissen auf der Couch, stellte ungerührt den Fernsehapparat an und zappte sich durch die Angebote. Hermann? Im Moment kein Thema! ... Vergiss ihn! Im Augenblick wenigstens! Gilt jetzt wieder als *„verheirateter Mann"* mit dem *„frau"* nicht anbandeln sollte (wie ihr Isabelle nachdrücklich verklickert hatte …). Und seine Handynummer? Hatte sie nie gebraucht, soweit sie sich erinnerte, und es war mehr als fraglich, ob sie ihn nochmals anrufen würde. Es gab weder eine konkrete Veranlassung noch lodernde Sehnsüchte. Damals, vor Weihnachten, hätte sie ihn liebend gerne angerufen, aber da hatte sie seine Nummer noch nicht.

***

Isabelle war auf Hermann, seit Algena von ihm erstmals erzählt hatte, nur bedingt gut zu sprechen. Denn ihrer Meinung nach verband die beiden schlicht eine unheilige Allianz. Sie überschwänglich verliebt in ihn, er verheiratet. Dass er von seiner Frau getrennt lebe, sei nur temporär, war sie von Anfang an überzeugt. Konnte deshalb nicht gut gehen, zumindest nicht ohne riesigen Knall. Käme es doch anders, wäre es eine Riesenüberraschung. Die ganze Affäre dürfte eine Totgeburt sein, war sie sich sicher, nur ihre verblendete, verliebte Freundin wollte das einfach nicht einsehen. Sie hatte sie frühzeitig gewarnt vor übereilter emotionaler Festlegung, Träumereien und Sehnsüchten; sie kannte ihre liebe Algena. Die wusste zwar um ihre eigene Neigung zur Labilität in Liebesdingen, war aber zu ernsthaftem Nachdenken über die Wurzeln dieser Probleme nie bereit, schlimmer, vermutlich nicht fähig … und fiel folglich auch immer wieder in die Fallgruben der Männerwelt.

Sie, Isabelle, war mit Georg inzwischen seit mehreren Jahren zusammen und könnte vergessen haben, dass Liebesgefühle jeder Bändigung trotzen. Das war Algenas Meinung, wenn Isabelle ihr mal wieder zusetzte. Erneut der Beweis, dass der Bauch/das Herz *über* den Intellekt herrscht und allenfalls mit schmerzhafter Zwangsaskese zur Räson gebracht werden kann, sollte er/es sich aus Sicht der Vernunft geirrt haben. Bauch und Herz kümmern bekanntlich keine Konsequenzen, sie gängeln ihren Wirt wie es ihnen opportun ist.

Das Thema „Hermann" wurde im Lauf der Zeit in allen Gesprächen der beiden Freundinnen immer stiefmütterlicher behandelt. Umso mehr überraschte es Isabelle, als Algena ihr die neueste Entwicklung erzählen wollte.

„Isa, ich weiß ja, dass Hermann für Dich eine Art *Persona non grata* ist, aber da gibts jetzt tatsächlich eine neue Entwicklung", versuchte Algena diplomatisch zu beginnen.

„Ach ja? Na, dann schieß mal los." Was kanns schon sein, dachte Isabelle. Entweder „ja" oder „nein" … Alles andere wäre das bekannte fatale Rumgeeiere, nicht Fisch, nicht Fleisch.

Algena wollte sich nur einfach entlasten, ohne allzu sehr in die Breite zu gehen.

„Also …", begann sie zögerlich, „der ist …, ist zu seiner Frau zurückgekehrt." Jetzt wars raus, dachte Algena erleichtert.

Isabelle gluckste verhalten. „Na also …, ich ahnte es längst, nur meine liebe Freundin Algena wusste immer alles besser. Ich sagte von Anfang an klar und deutlich, dass es ein Hasardspiel ist, sich auf einen verheirateten Mann einzulassen."

Die Genugtuung war in Isabelles Worten mit Händen zu greifen.

„Ja …, und …? Und wie gehts Dir jetzt, meine liebe Zurechtgestutzte?" Ganz konnte sich Isabelle eine kleine Spitze gegen ihre Freundin nicht verkneifen.

„Du …, überraschend gut, Isa. Ehrlich gesagt, ich hatte eh schon seit einiger Zeit damit gerechnet!"

„Das klang aber immer anders bei dir, wenn mal die Rede auf Hermann kam."

„Ja, stimmt schon", bekannte Algena kleinlaut, „ich wollte halt nicht akzeptieren, was mir meine Ahnung oder Befürchtung schon lange vermittelt hatte."

„Und wie soll das jetzt weitergehen, geht überhaupt irgendwas weiter?", die praktische Isabelle ließ nicht locker, ließ Algena kein Schlupfloch.

„Weiß ich nicht …, aber neu ist, dass es mir egal ist."

„Ach …, wirklich? Kaum zu glauben, meine Liebe!" Isabelle spürte genau, wie sich Algena mit dieser windelweichen Aussage schlicht „Mut antrank", sich aus der Bekenneraffaire ziehen wollte. Sie traute dem Frieden nicht so recht. Eine verkappte Ausrede? Ein Hintertürchen? Hinter „egal" konnte sich auch abgrundtiefer Frust verbergen … Sie forschte unbeeindruckt weiter:

„Na, da bin ich ja mal gespannt, ob die liebe Freundin nachhaltig wieder zur Vernunft gekommen ist."

„Isa …, ich liebe ihn nicht mehr!", stellte Algena mit Nachdruck fest.

„Ah ja! Das ist allerdings ein entscheidender Grund, wenn nicht überhaupt der *Casus knacksus* schlechthin, aber er ist höchst fragil … Darüber solltest du dir im Klaren sein. Ein einziges erneut zuversichtliches Wort von ihm und dieses Argument löst sich in Luft auf", mahnte Isabelle noch mal. „Aber sich zum offensichlich Unvermeidbaren zu bekennen, ist zumindest ein erster richtiger Schritt. Gratuliere, Algena!"

Isabelle war stets eine gute Freundin und ließ das auch im Fall unterschiedlicher Meinungen letztlich immer spüren.

„Ach übrigens, Algena, ich hab auch 'ne Neuigkeit für Dich. Genau genommen sind es sogar zwei, die ich Dir erzählen möchte. Beide sind – neutral gesehen – erfreulich, aber mögen auf dich höchst unterschiedlich wirken. Welche zuerst, liebe Algena?", animierte sie ihre Freundin.

„Lieber die Schlechtere, damit ich mich hinterher bei der Guten von der anderen wieder erholen kann", bekundete Algena, ganz menschlich gedacht.

Isabelle erzählte, von Harry gehört zu haben, dass sie demnächst ein zweites Kind bekämen, er und Rosi. Obwohl bei jungen Paaren das natürlichste der Welt, verschlug es Algena erst mal für ein paar Sekunden die Sprache …

„Er … und Rosi …?", als ob das in Zweifel stehen würde, „… und demnächst?" Algena fühlte sich auf der Stelle ein bisschen durch den Wind, konnte sich nicht gleich erklären, warum ein Kind zu bekommen eine *schlechte* Nachricht sein sollte, warum sie das so bewegte: „Was heißt demnächst?", fragte sie noch mal nach, „in ein…zwei Monaten, oder was, Isabelle?" Algena konnte ihre aufsteigende Erregung nur mühsam unterdrücken.

„Er hat nichts Genaueres gesagt, aber vermutlich, ja, denke schon", bestätigte Isabelle, der natürlich Algenas Betroffenheit in ihrer Stimme nicht entgangen war. Seit dem Geburtstagsfest vergangenen Oktober und auch aus ihren gewundenen Reden schließend, wenn sie mal auf Harry zu sprechen kamen, ahnte sie die unsichtbare, weil äußerlich verbotene, erotische Symbiose der beiden, die sie zweifellos beide (Beide!) nur mühsam zu unterdrücken imstande waren.

Algena überlegte fieberhaft: Harry rief ja immer wieder mal an bei ihr, so durchschnittlich alle ein...zwei Monate. Wenn seine Rosi jetzt im siebten Monat sei, warum hatte der Kerl nie auch nur einen Ton verlauten lassen, ein zweites Kind zu bekommen? Wars ihm unangenehm, ausgerechnet ihr, Algena, seiner einstigen heißen Liebe, das „auf die Nase zu binden"? Und warum? Sie sinnierte. Ihr beider Verhältnis war äußerlich geklärt, aber innerlich mitnichten. Sowohl bei ihr (das wusste sie), aber ganz sicher auch bei ihm (das signalisierten alle seine Kontaktversuche seit ihrem Weinlokal-Besuch in Schwabing, wo das offen zutage getreten war).

„Und wann hat er es dir gesagt, Isabelle", fragte Algena.

„Glaube, vor zwei Wochen, da hat er bei mir angerufen ..., weshalb nur...? Sorry, weiß ich nicht mehr", entschuldigte sich Isabelle.

„Also hat er's auch *vor dir* lange geheim gehalten", folgerte Algena und dachte bei sich, dann lags auch nicht an mir oder meiner Person ..., immerhin! Aber es musste irgendeinen Grund geben, warum er solche fundamentalen Ereignisse nicht freudestrahlend „aller Welt" so früh wie möglich kundtat. War er womöglich doch nicht so glücklich mit seiner Rosi? Kaum zu glauben und reinste Spekulation. Und was könnte er bewirken wollen mit solch restriktivem Verhalten?

„Schaut so aus."

„Bin gespannt, ob er uns wenigstens die Geburt melden wird. Und was wirds? Mädchen oder Junge?" Algena interessierten solche Fragen normalerweise nicht sonderlich, anders bei Harry.

„Ich glaube er hat Mädchen gesagt", überlegte Isabelle.

Algena erinnerte Isabelle an die weitere Neuigkeit, die gute, wie sie vorhin sich sibyllinisch ausdrückte.

„Du weißt ja, Algena, an sich wollten Georg und ich noch dieses Jahr heiraten. Jetzt gehts schon auf die Jahresmitte zu und uns läuft buchstäblich die Zeit davon. Im Herbst wirds nix mehr, aber dafür zeitig im neuen Jahr. Es pressiert ja eigentlich nicht, aber wir wollen ja auch Kinder haben und ich bin schon in meinen Dreißigern, das sollte man nicht vergessen." Isabelle klang glücklich, das hörte man durch.

„Gratuliere, ihr beiden!" Algena freute sich aufrichtig, kannte sie ja bestens und fand, die passten wirklich gut zusammen. Den kurzen bitteren Impuls, dass sie selbst wieder „auf Anfang gesetzt war", sie nach der im Nachhinein sich als unglücklich erwiesenen eigenen Ehe der Zahl nach quasi wieder „sechsundzwanzig" war, unterdrückte sie erfolgreich.

„Und habt ihr denn schon einen Termin?" Auch Algena war neugierig.

„Ja, es wird der zwölfte Februar 2010 sein, ist ein Freitag. Da kann man am Samstag ausschlafen, sollte es spät werden. Leider fällt der vierzehnte Februar auf einen Sonntag, und da gibts keine standesamtlichen Trauungen. Das ist schade, denn das wäre der Valentinstag gewesen, aber da wären eh jede Menge Anmeldungen gekommen und ob wir da reingerutscht wären? Fraglich. Ist eh jetzt hinfällig. Um vierzehn Uhr ist standesamtliche Trauung. Und anschließend gibts ein großes Fest. Du bist natürlich dabei, du kommst doch, nicht wahr?"

„Na klar doch! Wird gleich dick im Kalender fürs nächste Jahr notiert … hm, sag mal …, und kirchlich …?" Algena wusste, dass Isabelle und Georg nicht, wie sie, aus der Kirche ausgetreten waren, aber ansonsten, wie es ihr vorkam, wenig damit am Hut hatten.

„Ach nö …, da sind Georg und ich uns einig. Sowohl seine als auch meine Eltern fanden anfangs, das gehöre doch dazu und bla bla bla … Aber da haben wir uns durchgesetzt. Keine kirchliche Trauung. Brauchts net", erklärte Isabelle resolut.

„Da werdet ihr wohl bald mit den konkreten Planungen anfangen, meine Liebe", kalkulierte Algena die Zeit, die das kosten würde.

„Ja klar! Hochzeitskleid aussuchen, da werde ich dich übrigens eh noch konsultieren, und ansonsten halt das ganze Drumherum, Lokal, Essen, Abendgestaltung und natürlich die Hochzeitsgäste auswählen und informieren und und und … Jetzt kommt erst mal der Hochsommer, aber spätestens ab September wirds da losgehen. Und die Gäste? Natürlich die komplette beiderseitige Verwandtschaft, ist klar, offen ist, wen wir sonst noch einladen wollen."

„Wunderbar jedenfalls ..., freu mich, liebe Isabelle, das wird ein schönes Fest und ist wirklich eine bessere Nachricht als Harrys kommende neue Tochter, für mich jedenfalls, Du verstehst ...!"

„Natürlich versteh ich das, Algena, aber bemüh dich bitte mal, die Realitäten anzuerkennen, ja?"

„Tu ich doch!", protestierte Algena, und war sich ihrer Halbherzigkeit in der Sekunde dieser Antwort voll bewusst. Isabelle hatte, wie so oft in solchen Dingen, wieder mal total recht ..., nur sie, sie sahs ein, aber es fiel ihr unendlich schwer, es anzuerkennen, und noch mehr, es final zu berücksichtigen.

***

Die nächste Überraschung ließ nicht lange auf sich warten. An allen Ecken und Enden ihres Umfeldes schienen Kinder in die Welt zu drängen. Algena spürte darin deutliche Zeichen der unerbittlich voranschreitenden Zeit. Denn nur wenige Wochen später rief Leon, ihr Bruder, an. Es gäbe eine freudige Überraschung: Sophie und Iris hätten ein Brüderchen bekommen, den kleinen Felix. Er dürfe jetzt das Nesthäkchen spielen und allein schon in seinem Namen schwinge das Glück seiner Eltern über seine Geburt mit. Sie hätten ihn, nur wenige Tage alt, bereits segnen und taufen lassen, sie solle doch mal in ihre Email reinschauen, die er vorhin abgesandt habe. Da gäbe es Bilder im Anhang. Leon klang richtig glücklich und seine Schwester beglückwünschte ihn und seine Frau Elisa zu dem neuen Erdenbürger und wünschte das Allerbeste. Nun war ja auch endlich der ersehnte Stammhalter geboren, erinnerte sich Algena an einige ihr diesbezüglich überflüssig erscheinende Diskussionen bei den Eltern an Weihnachten. Jetzt war Ende Juni. Sie rechnete zurück. Elisa musste an Weihnachten im dritten Monat schwanger gewesen sein. Da hätte man das eigentlich schon sehen müssen. Ihr war das entgangen, vermutlich, weil sie an eine solche Möglichkeit gar nicht gedacht hatte, aber ihre erfahrene Mutter hatte das mit Sicherheit bemerkt oder gewusst. Und wie verhielt sich ihre seltsame Familie? Geschwiegen hatten sie! Alle! Warum? Keine Ahnung! Etwa weil noch was „hätte schiefgehen können"? Typisch verqueres Quatschverhalten ...! Erst wenn alles „sicher" war, „wurden die Gardinen aufgezogen". Manchmal verstand Algena die verschrobenen Familiengepflogenheiten nicht. Andererseits: Sie posaunte ja auch nicht immer gleich alles raus, behielt manches für sich, dachte sie selbstkritisch. *„Der Apfel fällt nicht weit vom Stamm".*

Algena fand, dass Leon in Elisa die absolut passende Frau gefunden hatte. Die beiden samt ihren Kindern verkörperten eine erzkonservative junge Familie, und führten weitgehend, aber natürlich „modernisiert", den leicht altbacken wirkenden Lebensstil ihrer Eltern fort. Und Elisas Eltern, die sie kaum kannte, standen dem vermutlich in nichts nach. Dass Religion für beide Familien eine große Identifikationsrolle spielte, wusste sie. Deshalb auch die schnelle Taufe. Auf so revolutionäre Gedanken, jungen Menschen erst dann die Taufe „anzubieten", wenn sie als angehende Erwachsene das selbst entscheiden könnten, wäre als Frevel Gott gegenüber angesehen worden. Wäre ja auch völlig gegen christlich- kirchliche Gepflogenheiten gerichtet: Kleine Heiden zu bleiben – geht gar nicht! Trotzdem Algena innerlich stets ein wenig herablassend auf die leichte Bigotterie von Leons Familie herabblickte, verstand sie sich mit ihm und seiner Frau bestens. Differenzen bildeten eher das Salz in der Suppe ihrer Beziehung, waren keine unverdaulichen Ingredienzen.

Drei Kinder hatte Leon jetzt – und sie, die jüngere Schwester? Keines! Sie war verwitwet, fühlte sich aber eher als „nicht verheiratet", also ledig. Natürlich wünschten sich die Eltern auch von ihr Enkelkinder, wie halt alle Eltern, aber mit Philipp hatte sie keine Kinder und jetzt war das Thema offener denn je. Was jedoch ihre konservativ eingestellte Familie nicht abhielt, Algena zu drängen, doch endlich „für ordentliche Lebens-Verhältnisse" zu sorgen und dabei glasklar meinten, Algena solle sich doch ernsthafter als bisher um einen neuen Lebenspartner bemühen (in deren Augen *„musste"* Algena *„zwangsweise"* als Single leben). Solch unsensibles, gedankenloses Geplapper traf Algenas Gemüt wie einschlagende Blitze auf „bereits brennende Gebäude", rührte in ihr die eh schon wühlende latente

Bitterkeit auf, verstärkte sie, denn im tiefsten Grund ihres Herzens strebte sie ja genau nach diesem Gesellschaftsstatus – bisher leider vergeblich. Wie oft hatte sie ihnen klargemacht, dass gestandene Single-Männer zwischen dreißig und vierzig, die ihr auch noch „die Kleinigkeit von gefielen" eben nicht wie die Karnickel auf der Straße umherliefen …

Was ihr zu schaffen machte, sie aber vor niemandem bekennen wollte, war, ihren Bruder durchaus zu beneiden. Der hatte es geschafft, der lebte ein rechtschaffenes klassisch geprägtes Leben mit großer Familie und mit seinem Beruf als beamteter Gymnasiallehrer in der Sicherheit eines Staatsbediensteten. Philipp dagegen hatte ihr ein recht wohlhabendes, aber höchst unkonventionelles, wenig „bürgerliches" Zusammenleben und Eheleben geboten (wie das mit Kindern geworden wäre, war jetzt irrelevant), das ihr auch gefallen hatte und – wäre nicht das Unglück geschehen (von dem Dahinterliegenden ganz zu schweigen) –, wer weiß, ob ihr nicht der endgültige Absprung von der herkömmlichen ländlichen Langeweile ihres unhinterfragt-gewohnten Familienlebens geglückt wäre.

Sie lebte zwar, auch dank Philipps Vorsorge, in einiger finanzieller Sicherheit, aber spürte nach Philipps Tod in sich durchaus überraschend deutlich längst überwunden geglaubte Sehnsüchte nach der braven, eben bürgerlich-konservativen Existenz wiederauftauchen, wie wenn ein stark gedehntes Gummiband nach dem Loslassen, wieder zurückschnellt auf den Ausgangszustand (der sich ihr einst eingeprägt hatte). Wohin gehörte sie denn inzwischen? Ins konservative oder ins progressive Lager? Sie litt an der fundamentalen Ambivalenz dieser beiden Lebensweisen und unterlag obendrein und ohne eigene Schuld mit Anfang dreißig wieder der unsteten Lebensweise eines „suchenden" Singles. Sie ärgerte sich über die Sorgen ihrer Eltern in Bezug auf ihr weiteres Leben, denn sie wusste selbst: So wollte sie's ja auch nicht. Ihre Eltern sprachen bei „späten (= unverheirateten) Mädchen stets von „Torschlusspanik", die diese zeigen würden. Dieses Gefühl hatte sie zwar nicht, aber ihr „später" unfreiwilliger Singlezustand belastete sie trotzdem.

Manchmal ließen sie solche Widersprüche schaudern, ja frösteln, vor allem, wenn wegen dieser Zweifel schon mal depressive Gedanken an ihre Pforte klopften. Algena merkte, so wie sie derzeit lebte, ihrem eigenen Anspruch nicht zu genügen. War einfach nur Glücklichsein oder -werden – *eine Fata Morgana?* Ungeahnte Traurigkeit überfiel sie dann, ihr Lebensmut sank bedenklich ab, sie musste sich an solchen einsamen grüblerischen Abenden vom Fernseher auf andere Gedanken bringen lassen oder die Rotweinflasche bemühen.

Isabelle gab ihr in solchen Fällen manchmal indirekt Halt, aber nicht immer verstand sie die abstrus klingenden Nöte ihrer Freundin. Sie konnte deren *Gefühls-auf-und-ab* manchmal nicht recht verstehen.

***

Jahr für Jahr wurden im Kreis der Freunde etliche Geburtstagseinladungen gegeben und seit Philipps Tod hatte sie sich meist davor gedrückt bzw. stichhaltige Ausreden gefunden, auch für ihre eigene vergangenes Jahr. Vor allem Lauras Anwesenheit hätte sie kaum ertragen können. Diesmal lud Albert ein, es war sein Vierzigster, also ein runder Geburtstag mitten im Leben. Da konnte, da wollte sie nicht absagen, gerade bei dem einfühlsamen Albert nicht. Er bewohnte mit seiner Frau Eleonore ein ausgesprochen großzügiges Anwesen samt Nebengebäude im Würmtal, bei Gauting, idyllisch auf einer Anhöhe gelegen, mit weitem Ausblick. Er war als selbstständiger Unternehmensberater tätig und hatte für sein Alter ausgesprochen viel erreicht. Übernächstes Wochenende, Samstagabend, sollte das Fest in seinem Haus steigen. Nicht nur die engeren Freunde hatte er eingeladen, sondern auch etliche weitere Leute aus seinem weitläufigen Bekanntenkreis. Das versprach eine gute Mischung aus Bekannten und Unbekannten, was den Reiz jedes Festes steigert. Der ließ sich das echt was kosten, dachte Algena als sie von etwa fünfunddreißig geladenen Leuten erfuhr. In seinem Anbau hatte er sich einen kleinen Privatsaal für Seminare eingerichtet. In dem sollte gefeiert und, wie er Algena fröhlich erzählte, auch getanzt werden.

Sie rief bei Albert an. Eleonore war am Apparat und freute sich über Algenas Zusage. Nach ein wenig Hin und Her fragte sie etwas verhalten, ob denn Laura auch kommen werde? Eleonore sprang sofort auf das Thema an, sie wusste, äußerlich jedenfalls, Bescheid.

„Ja ja, wir wissen, liebe Algena, mit der stehst du auf Kriegsfuß, haben nie so recht verstanden, warum …, wahrscheinlich weil ihr mentalitätsmäßig so total verschieden gestrickt seid", meinte sie nachdenklich (So musste sie ja denken, dachte Algena, wenn man den wahren Grund nicht kannte) und ergänzte: „Ach übrigens, neulich hat sie wieder nach dir gefragt und sich sehr interessiert gezeigt, wie's dir denn gehe und so weiter. Mir kams jedenfalls so vor, als ob sie keinen Groll gegen dich hege."

Die gute Eleonore …, dachte Algena, nicht sie, *ich* hege Groll gegen dieses Weib! Aber sie hoffte halt, dass sie sich inzwischen tatsächlich ihrer unverschämt ekelhaften Spitzen enthielt – die Vernissage letzten Herbst war ihr in flammend unguter Erinnerung. Jetzt wollte sie sich aber auch keine Blöße geben.

„Ne, ne, keine Sorge, war nur so 'ne Frage, ich komm auf jeden Fall!" In diesem Augenblick freute sie sich über die Einladung.

Ein lauer Sommerabend Anfang Juni. Langsam trudelten die Leute ein. Rebekka, die auch eingeladen war, hatte sie beizeiten zu Hause in Solln abgeholt. Algena nahm ihr Angebot gerne an. Es war ihr auch sehr recht, nicht so offenkundig solo hier aufkreuzen zu müssen, nachdem lange Jahre stets Philipp an ihrer Seite weilte. Dieses Jahr eine, wenn auch nur lockere Freundin. Alles besser als allein. Albert hatte den Beginn auf neunzehn Uhr angesetzt und um Pünktlichkeit gebeten, damit der kulinarische Teil des Abends gemeinsam begonnen werden konnte. Man hatte eine große Tafel im Seminarraum aufgebaut, die raumhohen breiten Glasflügeltüren weit geöffnet. Die warme Abendluft wehte in den Raum hinein. Wenns ums Essen ging, zeigten auch ansonsten nachlässig-unpünktliche Menschen Disziplin. Alle waren rechtzeitig da und man versammelte sich locker parlierend zum

Aperitif um ein paar kleine Cocktailtischchen draußen auf der Terrasse, unmittelbar vor den Flügeltüren. Die nicht sonderlich breite Wiese davor senkte sich bis zu einer niedrig gehaltenen Hainbuchenhecke für ungestörten weiten Ausblick auf die bäuerlichen Wiesen und ferne Wäldchen. Eine berückend schöne Aussicht in abendlicher, warmer Sommeratmosphäre. Natur in Verbindung mit edlem äußerem und innerem Interieur auf Terrasse und einladend-offenem Raum – wahrlich ein ansprechendes Ambiente. Ein ihr unbekannter Gast, wahrscheinlich einer seiner externen Freunde, wohl etwas älter als er, brachte anlässlich seines runden Geburtstags einen humorvollen Toast für Albert aus, der anschließend von weiteren launigen kurzen Trinksprüchen mit Glückwünschen und guten Wünschen für Gesundheit, Wohlergehen und Erfolg überschüttet wurde. (Den Wunsch nach Erfolg nahm er süffisant entgegen, denn an dem mangelte es ihm nun wirklich nicht …). Die knapp fünfunddreißig Leute, in etwa gleich viele Männer wie Frauen, füllten den Raum zwar, fanden aber locker Platz. Algena kannte nur etwa ein Drittel der Leute, eben die engeren Bekannten und Freunde aus München.

Während alle noch lautstark und umtriebig fröhlich plaudernd an den Bartischen beinander standen, steuerte Laura in Begleitung eines unbekannten Mannes im Schlepptau direkt auf sie zu. (Algenas Miene versteinerte sich unmerklich, angespannt auf das was kommen könnte.)

„Hallo Algena, wie schön, dich wieder mal zu sehen!" Klang wie Süßholz raspeln, aber ihre Miene, ihr Blick war erkennbar entspannt, weshalb auch Algena sich zusammenriss und die einstige Vertraute, an sich mittlerweile ärgste Feindin, ein bisschen gekünstelt und leicht verstellt-freundlich begrüßte.

„Ja, es passt mir heute gut, war eh nix los gewesen an diesem Wochenende und wieder mal in Gesellschaft sein, darauf hab ich mich gefreut."

Algena spürte klar das holzschnittartige ihrer Antwort, konnte es aber nicht verhindern. Vertrautes Plaudern mit ihr wie einst ging einfach nicht. Laura stellte ihr Hubert vor, einen flotten Mittvierziger und Geschäftskollegen von Albert, der neulich beim Theater-Abo für Rebekka eingesprungen war. An diesem Abend hätten sie sich näher kennengelernt und sich

hier zufällig wieder getroffen. („Zufällig?" Glaubst Du doch selbst nicht
…! Hast eher bei Albert vorsichtig „intervenierend" nachgeholfen, ihn auch
einzuladen, dachte Algena in sich hinein, weiß ich, kenn ich, wieder deine
typische Masche …, alles wie gehabt … – Reiß dich gefälligst zusammen,
Algena, befahl sie sich. Lass es gut sein jetzt, bitte!) Bald unterhielten sich
die drei, nicht sonderlich tiefschürfend, aber eben doch engagiert, halbwegs
entspannt, dabei freundlich-kühl bleibend. Ungläubig konstatierte sie: Ganz
anders als damals in der Vernissage! Schon seltsam: Kein abgrundtiefer
Groll mehr auf sie, wie noch vor einiger Zeit? Wie das? Klar: Philipp!!
Schon seit längerer Zeit betrachtete sie *ihn* als den wesentlich Schuldigeren
der beiden! Mistkerl statt Miststück – oder doch besser gesagt „und" …

Albert bedankte sich wortreich für all die Wünsche und lud die Gesellschaft an die große Tafel mit Worten, die Geladene jeglicher Feste elektri-
sieren: *„Das Buffet ist eröffnet"*, und wünschte guten Appetit.

Albert und Eleonore hatten beschlossen, die Verteilung der Gäste an die
Tische mit Tischkarten zu steuern. Albert saß manchmal der Schalk im Nacken: Er musste sich diebisch gefreut haben, selbst zu bestimmen, welche
Dame welchen Tischherrn „verpasst" bekam. Ja, natürlich, ein paar „Vorlieben" hatte er gnädig berücksichtigt, der Schlawiner Albert, aber immerhin. Der Mix war durchaus interessant ausgefallen, „bunte Reihe" sowieso.
Algenas Tischnachbar zur Linken war Henning, zur Rechten Albert, der
damit indirekt gedachte, seinen ab und an labilen Schützling (auch er
schätzte Algena so ein, besonders nach Philipps Tod) unter seine Fittiche
zu nehmen, falls es ihr mental nicht gut ginge. Algena hatte ihm so manche
ihrer Sorgen anvertraut (nur die zentrale nicht, die wusste niemand). Ihr
wars recht, neben ihm zu sitzen. Sie mochte ihn und seine Frau und auch
Henning hatte sich immer als guter Unterhalter erwiesen.

Nach dem ausgiebigen Essgelage und ein paar kabarettistischen Einla-
gen, ließ ein routinierter Discjockey mit seiner Anlage, die er schon am
Nachmittag aufgebaut hatte, unmissverständlich wissen, dass jetzt Tanzen
angesagt war.

Das ließen sich die meisten der Gäste (zwischen Mitte zwanzig und vierzig, aber auch ein paar ältere) nicht zweimal sagen. Viele waren

regelmäßige Gäste des Nightclubs im Bayrischen Hof oder ausgelassen-ungezwungen im P1 Club und gehörten der gut situierten Gesellschaftsklasse an. Ausgelassenheit war Trumpf. Kaum Unterschiede zwischen Anfangszwanzigern und Mittdreißigern in diesem Gesellschaftskreis hier.

Algena hatte sich ebenfalls fröhlich ins Getümmel gestürzt. Ihr sommerlich gemustertes leichtes Kleid mit schmalen Trägern und einem großzügigen Dekolleté ließ viel Raum für ihre makellose Haut (bis hinunter zum Brustansatz …). Der weit schwingende Schnitt verlieh ihrer guten Figur ein mädchenhaftes Aussehen. Selbstverständlich war auch dieses Kleid Teil einer ihrer eigenen Kollektionen. Dieses bequeme Schlupfkleid mit viel Bewegungsfreiheit, bestens zum Tanzen geeignet, war voriges Jahr zum Renner ihres Ateliers aufgestiegen und überraschend oft verkauft worden (sie hatte sogar eine Prämie einstreichen können). Der DJ legte nicht nur die üblichen Pop-Rock CDs für Solo-Rumgehüpfe im Rhythmus der Musik auf, sondern durchaus auch Anspruchsvolleres, klassische Paartänze eben, und zur Auflockerung natürlich jede Menge lateinamerikanische Rhythmen.

Algena wie auch Laura gehörten eindeutig zu den besonders auffallenden bildhübschen Frauen dieses Abends und wurden folglich auch oft aufgefordert. Algena konnte sehr gut tanzen und mit ihren langen wirbelnden brünetten Haaren, ihrer schlanken, perfekten Figur und einem strahlenden Gesicht war sie eine der Stars auf der Tanzfläche … Öfter trafen die beiden einander wenig wertschätzenden Frauen auf der Tanzfläche aufeinander, sich über die Schultern ihrer Tanzpartner hinweg in die Augen schauend, und Algena registrierte mit Erleichterung, keine abweisenden, gar höhnischen Blicke zu kassieren, sondern neutral-freundliches Nicken. Laura schien das Fest genauso Spaß zu machen wie ihr. Und Hubert? Der wandte keinen einzigen Blick von seiner vollendet schönen Tanzpartnerin, himmelte sie an wie eine – wie seine Göttin. Wie Laura wohl diesen Abend beenden würde, sinnierte Algena nachdenklich, verstieß aber sogleich diesen Gedanken wieder als frevelhaft für die heutige Stimmung und widmete sich ihrem Tanzpartner, fand sogar Mut zum Flirt. Henning war der Glückliche. Sie mochte ihn, das ja, hatte sich aber nie verliebt in ihn, trotz der einmaligen Bettgeschichte damals, die aus den Umständen heraus zustande gekommen war. Wohl auch spätere, gezieltere Avancen ihr gegenüber hätten das nicht mehr ändern können. Sich zu verlieben kommt gerade bei Frauen einer Art mystisch gezeugtem Gefühl gleich, das sie wie ein Blitz treffen kann und wenn es ausbleibt, später kaum mehr in ursprünglicher Reinheit entstehen kann. Manchmal bedauerte sie, ihn enttäuscht zu haben, es tat ihr sogar leid ..., aber es war nun mal so ... und er nahm es anscheinend längst als gegeben, als unabänderlich hin.

Ein jüngerer Mann, der Algena in der Schar der Gäste bisher nicht weiter aufgefallen war, hatte seit Längerem schon ein Auge auf sie, die hübsche junge Frau, geworfen, sie beobachtet und aus ihrem Verhalten ihrem Tanzpartner Henning gegenüber geschlossen, dass sie solo hier sein musste, dass *„diese beiden jedenfalls nicht zusammengehörten".* Nachdem Henning sie an ihren Platz geleitet hatte, zögerte er nicht länger, erhob sich langsam, um auf diese interessante Dame gelassen zuzuschlendern. Algena bemerkte ihn bald, war durchaus neugierig, was der wohl vorhatte, was auch schnell klar wurde, als er sie mit selbstverständlicher Selbstsicherheit zum Tanzen aufforderte. Algena fühlte sich geehrt, empfand kein Bedürfnis nach Pause und stimmte zu. Der Zufall des Augenblicks ließ den DJ einen langsamen Walzer auflegen. Algena registrierte sofort, dass dieser vermutlich deutlich jüngere Mann ausnehmend gut führen konnte und seinem Habitus nach generell eine recht selbstbewusste Souveränität ausstrahlte (was Algena immer imponierte, solange sie nicht aufgesetzt wirkte). Sie freute sich ihrer augenblicklichen Rolle als Schmetterling unter den männlichen Gästen, ließ sich in seine Arme fallen, folgte seinen Schritten leicht wie eine Feder. Die beiden schwebten elegant und fantasievoll übers Parkett, einen einfachen, ländlichen Dielenboden. Andere Paare gaben ihnen bereitwillig Raum – zwei, die es konnten, offensichtlich! Sie überließ sich ganz dem Augenblick, schaltete alles Denken aus. Ihr Körper reagierte auf den leisesten Druck ihres Partners, Sie flogen geradezu übers Parkett. Unglaublich! Mein Gott, der konnte es wirklich, dachte sie während einer waghalsig geglückten Rundherum-Linksdrehung. Das war mehr als nur tanzen können, das schien Passion zu sein. Ob er wohl auch ein guter Unterhalter war? Möglich, seine paar wenigen Worte während des Tanzens kopierten nicht das übliche langweilige Gelaber, sondern hatten Hand und Fuß.

Dann führte er sie an ihren Platz zurück und verabschiedete sich locker und nonchalant, nicht ohne anzudeuten, Lust auf Wiederholung zu haben, sah ihr dabei auffordernd in die Augen, bevor er sich gemächlich-gelassen wieder zu seinem Tisch begab und sich dort anderen Gästen zuwandte. Algena schaute ihm versonnen nach. Welch eine lockere Lässigkeit der an den Tag legte! Ein gutaussehender junger Mann ... und auch seine Körperaura war ihr sofort sympathisch gewesen. Allerdings wusste sie aus leidvoller Erfahrung, dass dieser sog. *erste positive Eindruck* bei ihr nicht unbedingt Bestand haben musste, mochten andere Frauen sich unzweifelhaft auf ihre allererste Wahrnehmung verlassen können und sich angeblich nie getäuscht haben. Für die Lust am tanzen, flirten, schäkern und anderem harmlosen Spiel unschuldiger Lebensfreude reichte es allemal.

Albert klärte sie später auf, dass der junge Mann Rüdiger heiße, tatsächlich erst achtundzwanzig und ledig sei. Er wisse jedenfalls nichts über eine eventuelle Freundin bzw. „Versprochene", wie sein Augenzwinkern Algena überdeutlich verriet. Aber er sei bereits ein ausgemachter Geschäftsmann in der Firma eines seiner besten Kunden. Er habe ihn bei einer Schulung näher kennengelernt und ihn zu diesem Fest eingeladen, sozusagen als besondere Auszeichnung des Lehrers an einen begabten Schüler.

Das Fest wogte hin und her, nie leerte sich die Tanzfläche (was einen guten DJ auszeichnet!). Algena tanzte sich durch die Männerwelt oder wurde von ihr „betanzt". Auch mit Rüdiger, den sie gelegentlich in den Tanzpausen mit den Augen suchte, und der das mit Sicherheit registrierte. Man unterhielt sich hier und dort. Längst waren die Tischkarten obsolet geworden. Durch vielfältige Rotationen der Gäste hatten sich kleinere und größere Grüppchen gebildet. Algena beobachtete manchmal verstohlen Laura, die sich wie immer reizvoll präsentierte, ohne jedoch wie so oft schon im Mittelpunkt stehen zu wollen. Ihrem Hubert warf sie bisweilen verliebte Blicke zu (ihr taktisch bedingtes Markenzeichen als bewusst eingesetztes Lockmittel, wie Algena wusste, was er, wie jeder Aspirant vor ihm, natürlich für bare Münze nahm). Hubert schien deswegen vollends aus dem Häuschen zu geraten und himmelte seine bildhübsche, sexy Partnerin geradezu an. Algena fragte sich süffisant, ob sie ihn oder er sie seit dem Theaterbesuch bereits mal vernascht habe. Bei Laura konnte das, wie sie wusste, sehr sehr schnell gehen …

Ab etwa zwei Uhr nachts begann sich der Saal zunehmend zu leeren. Einige Gäste von weiter her hatten sich bei Albert einquartiert und blieben natürlich, andere verabschiedeten sich. Algena fühlte sich längst zu Rüdiger am anderen Ende der Tafel hingezogen. Lockere Unterhaltung und Tanzen wechselten sich ab. Algena empfand das Fest als höchst gelungen und fand zwischendurch immer wieder, dass mit ihm durchaus sowohl gute Konversation als auch lockeres Blödeln möglich war. Er brachte sie ein ums andere Mal zum lachen, weil er es verstand, so manche seiner oft kernig-frechen Äußerungen kabarettistisch und bierernst zugleich rüber zu bringen. Algena staunte über das schier unerschöpfliche Repertoire an mehr oder weniger Geistreichem, was der „draufhatte". Aus purem Herumlabern über Allgemeinplätze konnte der eine Nummer machen.

Algena war fasziniert von ihm, trotzdem blieben ihre sattsam bekannten Zweifel virulent, die stets aufstiegen, wenn sie interessante Männer kennenlernte. Das ließ sich einfach nicht unterdrücken. Konnte der auch mal ernst sein bzw. ernst zu nehmen sein? Wie würde der reagieren, wenn mal was schieflief bei seinen Vorstellungen?

Was würde dann anstelle seines Locker- und Flockigseins treten? Das grandiose Panoptikum toller Hüllen um ihn herum in Ehren, aber was ihn wirklich bewegte, worauf er hinauswollte, blieb nebelhaft unsichtbar. Na ja, sie hatte ihn ja heute Abend erst kennengelernt und es war noch nicht angesagt, tief rumzuschürfen. Sich amüsieren war das Gebot der Stunde.

Der DJ kündigte die letzten Tanznummern an, gefühlvolle Tanzmusik für den ruhigen Ausgang des Festes. Algena verbrachte sie in den Armen von Rüdiger, wem denn sonst …

Sie tauschten ihre Visitenkarten aus und bei der Verabschiedung erbot sich Rüdiger, sie nach Hause zu fahren, er wohne im Osten Münchens und da läge Solln doch fast auf dem Weg (den gar nicht so kleinen Umweg schien er großzügig zu ignorieren). Algena teilte Rebekka augenzwinkernd mit, von Rüdiger nach Hause gefahren zu werden. Sie grinste vielsagend, aber höchst verständnisvoll.

In gemächlicher nächtlicher Fahrt im gehobenen Mittelklassewagen, auf nahezu leeren Straßen, erreichten sie ihr Mehrfamilienhaus in Solln. Rüdiger schien das Autofahren nicht, wie so viele junge Männer, als „sportive Angelegenheit" zu begreifen, sondern als komfortable Fortbewegungsmethode. Durchaus ungewöhnlich, wie anscheinend der ganze Mann, staunte Algena, während sie durch die dunklen Straßen glitten. Er parkte den Wagen, stieg aus, spritzte herum, um Algena, die schon im Aussteigen begriffen war, zu assistieren. Kurz dachte sie an Hermann. Der war über fünfzig und Rüdiger noch keine dreißig, aber solche eigentlich altmodischen galanten Allüren kannte auch er. Ebenfalls recht ungewöhnlich für einen jungen Mann.

„Hier residierst du also … Wow! In so einem vornehmen Haus? Und ganz oben in einem Penthaus mit Dachterrasse sagst du? Ziemlich großzügig, wie man ahnen kann, fast wie ein Loft. Sag mal, gehört dir etwa dieses Refugium?" Er hielt kurz inne, war neugierig, wollte es aber nicht zeigen und ergänzte leiser, „Nee, brauchste nicht verraten, bin halt neugierig!"

„Keine Sorge, ist kein Geheimnis: Das gehörte einst meinem Mann und mir und seit er vor eineinhalb Jahren bei einem Autounfall ums Leben gekommen ist, bin ich Eigentümerin. War ein Schock damals, aber das Leben geht weiter, man muss nach vorne schauen. Und jetzt bin ich eben Witwe – eine *junge* Witwe!", fügte sie nach einer Kunstpause mit kaum verhohlenem, eher vielsagendem Augenaufschlag hinzu. Diese an sich harmlosen nachgesetzten Worte bekamen durch die begleitende Geste mit den Augen allerdings eine subtile Botschaft, der sie sich erst bewusst wurde, als sie bereits ausgesprochen war. Vielleicht war das ja ein Fehler, aber jetzt nicht mehr zu ändern. Jedenfalls schien das hier alles ganz anders abzulaufen als damals mit Hermann, wo sie auch Zeichen gesetzt hatte, sicherlich ganz andere, aber immerhin – nur Hermann hatte sie nicht erkannt, wollte sie wohl einfach nicht erkennen.

Algena war sich völlig unschlüssig. Ja, ihr gefiel der adrette Rüdiger, der sie schon auf dem Tanzboden so grenzenlos zu verzaubern verstand, ins Schweben gebracht hatte und in der Unterhaltung geistreich zu brillieren wusste. Aber jetzt? Sollte sie? Wollte sie? Was wollte sie eigentlich? Auf keinen Fall erneut so grenzenlos enttäuscht sein wie damals vom Verhalten des bedächtigen, so überkorrekten Hermann. Rüdiger jedenfalls schien in dieser Hinsicht von ganz anderem Holz geschnitzt. Forscher, sicher gewiefter, womöglich auch frecher, gar zielstrebiger? Was und wie seine Grundattitüde sein mochte, hatte sie schon während des Festes gerätselt. War offengeblieben.

Unentschiedener Gesichtsausdruck. Algena kannte sich: Bei Irritationen war sie unglaublich empfindlich – das diametrale Gegenteil von Laura, die mit den Emotionen der Männer spielte wie beim *Mensch-Ärgere-Dich-Nicht*, nämlich freudestrahlend eiskalt agierend.

Rüdiger hatte den versteckten Hinweis mit der „jungen Witwe" samt dem begleitenden Augenaufschlag selbstverständlich wie eine unterschwellige Einladung verstanden, registrierte aber auch die Ambivalenz ihrer „zustimmenden Unschlüssigkeit" und wählte seine Worte mit Bedacht. Er wollte es darauf ankommen lassen …

„Ach …, das hab ich nicht gewusst!" Rüdiger stutzte für einen Moment. „Oh, das tut mir leid! In so jungen Jahren schon Witwe sein?"

Rüdiger, der selbstsichere Unterhalter zeigte zwar innere Betroffenheit, für ihn waren diese Gedanken, aber nur eine Art Anlauf für sein eigentliches Ansinnen …

Algena nahm sein Beileid nur en passant wahr, denn sie interessierte anderes: Wie würde sich Rüdiger verhalten? Jetzt musste sie nur warten, was passieren würde – und das folgte auf dem Fuße.

Den Blick hinauf auf die Balustrade der obersten Wohnung gerichtet, flötete er salbungsvoll: „In einer Penthouse-Wohnung war ich noch nie, würd ich gerne mal sehen …", und kalkulierte insgeheim seine Chancen, ob es ihm wohl gelänge, ihre Unschlüssigkeit aufzubrechen, und eine Reaktion von ihr zu provozieren, die ihn hoffentlich seinen Ambitionen näher brachte. Frechheit siegt, wusste er schon lange. Erwartungsbegehrlich schaute er Algena offen ins Gesicht ...

Algena spürte sein Ansinnen sofort, wusste aber auch, sich diesmal die Chance nicht entgehen lassen zu wollen, war also innerlich bereit, darauf einzugehen – nur sollte er es nicht gleich merken ...

Also erst mal ein paar Abwehrstrategien überlegen ... Sie könnte ihn höflich weiterschicken, sagen, sie wäre zu müde heute oder ein andermal gerne, oder ganz platt: Ist doch viel zu spät ..., und die Wohnung wirke erst bei Tag so richtig ..., oder ..., nein, eigentlich wollte sie ihn gar nicht abwehren, also eingehen auf seinen verklausulierten Wunsch, ihn oben dann durch die Wohnung und auf die Terrasse führen (das Prunkstück jeder großzügigen Penthouse-Wohnung), den dunklen Himmel und die nachtschwarzen Silhouetten der Koniferen „bewundern" (jaja, ist boshaft ...) und dann käme die obligatorische Tasse Kaffee oder der Espresso, ein unbefangen plaudern und dann ... Ja was „und dann"? ... Ihre anfänglich noch im Pseudo-Clinch liegenden Gefühle, begannen zu kapitulieren. Sich von einem Könner verführen zu lassen, sei doch höchste Freude für eine aufgeschlossene Frau, animierte sie sich. Sollte sie? Will sie's riskieren? Nicht immer war sie aufgeschlossen genug in der Vergangenheit. Sie solle sich mehr zutrauen, forscher sein, hörte sie innerlich Isabelles bisweilen deutliche Mahnung ... Eben! ... Der Typ ist nett und unterhaltsam, scheint mit Frauen umgehen zu können ... Ist er ihr sympathisch, kann sie ihn „riechen"? Ja oder Nein? Natürlich ja, was denn sonst, er hatte sie im Verlauf des Abends immer mehr gefesselt ... Der Abend hat eigentlich einen romantischen Schluss verdient. Natürlich wird er mit ihr schlafen wollen, was sonst als Normalmann? Und wenn er nur wegen der Gelegenheit auf 'ne schnelle Nummer aus ist? Und wenn schon. Ist heute egal.

Es muss bei mir halt stets irgendwie „gesittet" ablaufen, dachte sie selbstkritisch, aber auch bestimmt. Mit wenig Vorlauf hopplahopp die

Kleider vom Leib reißen und rein damit, geht gar nicht bei ihr, sie braucht Zeit und daran scheiterten bisher viele Männer.

„Ja ..., Rüdiger", sie zögerte, während er sie so gespannt ansah, „wir können ja noch einen Espresso trinken, wenn du willst, und die Terrasse ist jetzt im Sommer auch im Dunkeln schön. Die Nachtschatten der Bäume der Nachbargärten, eine mystisch-geheimnisvolle Stimmung und so ..." Algena sprach sich wortreich Mut zu (und drehte bedenkenlos ihre vorigen „boshaften" Argumente um).

„Okay, ein Espresso wäre genau das Richtige". Rüdiger ließ sich trotz seiner Spannung nicht im Geringsten anmerken, die Gelegenheit beim Schopf packen zu wollen.

Leicht beschwipst von Wein und Cocktails, sperrte sie beschwingt die Haustür auf. In der Wohnung streifte Rüdiger wohlerzogen die eleganten Lederschuhe ab und stellte sie säuberlich nebeneinander unter die Garderobe. Algena schätzte solches Mitdenken überaus. Man latscht nicht mit Straßenschuhen, auch wenn es Tanzschuhe sind, in fremde Wohnzimmer hinein.

Bald war der Espresso durchgelaufen, während dessen Rüdiger kurz auf die Terrasse hinausspitzte und mit Lob über die „interessante Bepflanzung", wie er es nannte, wieder hereinkam.

„Sag mal, diese Frau auf der aufgestellten Zeitschrift dort auf dem Sideboard, war die nicht heute auch dabei? Ich glaube, sie hieß Laura. Die arbeitet offenbar auch in der Modebranche. Kennst du die näher? Und wer ist der Mann auf dem Bild daneben? – Etwa dein verstorbener Ehemann?"

„Ja, ist er, sozusagen die unvergessliche Erinnerung an ihn ..." (kurz fixierte sie ihren Verflossenen) „und Laura arbeitet als Mannequin und ist eine Freundin von mir". (Ein einziges Lügenarsenal, was sie diesem Unbedarften auftischte, aber das geht ihn eh nichts an.) Sie stellte die vollen Espressotässchen auf den Couchtisch. Wohliger Kaffeeduft.

Algena suchte im CD-Schrank nach tanzbarer romantischer Musik, wurde auch fündig, legte sie in die Anlage ein und startete. Unvermittelt trat er heran, legte seinen Arm um ihre Taille, zog sie, sobald die ersten

Klänge zu hören waren, in die Mitte des Raumes, Was wollte er? Tanzen? Oder doch nicht? Sie schaute ihm fragend mit ihrem unnachahmlichen offenen Blick in die Augen … Er lächelte undurchschaubar zweideutig, aber brachte es mit gekonnten Schritten fertig, sie sogar über den schlecht betanzbaren Langflorteppichboden leichtfüßig hinwegschweben zu lassen. In diesen jungen starken Armen fühlte sie sich geborgen und wich seinem nahen Gesicht keinen Jota aus. Die Musik stimulierte ihre Stimmung, beide ließen sich von den Klängen tragen. Bald jedoch beherrschten widersprüchliche Gedanken ihr inneres Gemüt. Ja, sie wollte ihn küssen, hatte Sehnsucht danach, aber er, *er sollte es tun* … und bat zugleich innerlich inständig: Bitte bitte, Rüdiger, lass dir Zeit mit mir, hab Geduld … Er hatte aber nur den ersten ihrer Gedanken erraten und ob der verlockenden Vorstellung eines Kusses irgendwelche Einschränkungen – ihr zweiter Gedanke – gar nicht in Erwägung gezogen … Er küsste sie bedächtig auf ihren schönen Mund, der seinen Kuss so offenherzig erwiderte, dass Rüdiger seine Bedächtigkeit aufgab und beide heftige und intime Augenblicke höchsten Glücks erlebten. Er zog sie näher, ganz nahe an sich heran, spielte mit ihrem langen Haar, ließ ihr kaum Raum zu eigenem Tun … Algena spürte ihre sattsam bekannten widersprüchlichen Gefühle aufsteigen. Ja, sie wollte ihn – natürlich doch –, aber, *so warte doch* …, auch wieder nicht so unbedingt – *oder nicht jetzt gleich – oder erst dann gleich – oder gleich dann – oder* …, ein Konglomerat ineinander verwobener, vibrierender, einander widersprechender diffuser Wünsche, Abwehr und Wollen zusammenfallend. Sie fürchtete wie so oft schon, dass ihr wieder mal alles viel zu schnell gehen könnte. Wieder so ein Augenblick, der sie an ihrer seltsamen Ambivalenz leiden ließ, Sex mit ihm haben zu wollen, aber nicht die super schnell entflammbare heiße Nummer sein zu können und trotzdem, zumindest in ihrer träumerischen Vorstellung, nach gewisser männlicher Hemmungslosigkeit zu gieren, was ihr dann – erfahrungsgemäß – wenns tatsächlich geschah, doch wieder zu unmittelbar, zu direkt war, viel zu schnell ging, ohne dass sie sich mitgenommen fühlte. Algena spürte in seiner heftigen Umarmung längst seine harte körperliche Erregung, litt ihr sattsam bekanntes, sonderbares Liebesglück … (Nur für Sekundenbruchteile tauchte Philipp auf.

Hatte sich so bemüht um sie – und jetzt sollte alles bei ihr wieder „weg" sein??)

„Algena …, wie wunderschön du bist, so attraktiv …, du machst mich ganz kirre, weißt du das?" Seine Stimme klang heißer belegt. Er koste mit seinem Zeigefinger ihre Augenpartien, berührte sanft ihre Lippenränder und streichelte ihre leicht geröteten Wangen. Sie schaute ihn nur an, ließ sich küssen auf Stirn, Wangen, Mund und Hals, schließlich auch den Brustansatz ihres großzügig geschnittenen Dekolletés. Sie ließ es zu, wollte es, aber die inneren Unsicherheiten wuchsen: Es war das was kommen würde, kommen musste. Sie spürte ihren typischen Abwehrmechanismus gegen allzu hemmungslose, egoistische Gier der Männer, sobald sie merkte, dass diese sich nur noch von den Freuden ihres eigenen Körpers leiten ließen, ihre Befindlichkeit kaum mehr beachtend. Sex pur eben. Rüdiger ließ nicht locker. Algena hatte das überdeutliche Gefühl, allmählich zum Objekt degradiert zu werden. Rücksicht auf irgendwelche Zeichen „ihres Mitkommens", ihrer körperlichen Bereitschaft, deren Charakteristika er nicht kennen konnte, die er also – eigentlich – zuerst wie auch immer zu eruieren habe, schien er nicht zu nehmen, setzte sie anscheinend voraus.

Zunehmend hitziger ließ er seinen Händen auf ihrem Rücken ungezügelten Lauf, drückte sanft ihre Pobacken gegen seinen Körper und begann ihre ebenmäßige Schulterpartie mit Küssen zu überziehen. Algena griff mit beiden Händen um seine Achseln um sie und damit seinen Oberkörper nur angedeutet ein klein wenig von sich weg zu drücken. Ein Automatismus bei ihr in solchen Situationen, der ihr gar nicht so recht bewusst ist. Es blieb natürlich beim puren Versuch, denn gegen sein Drängen und sie Bedrängen hatte sie nicht die geringste Chance. Er schaute ihr kurz in die Augen, um überfallartig mit geübtem Griff die schmalen Träger ihres sommerlich geblümten, locker sitzenden Kleides über beide bloßen Schultern zu streifen.

„Nein …, Rüdiger, bitte nicht, ich will das nicht …", brachte Algena gerade noch über die Lippen, doch es war zu spät. Noch ehe sie reagieren konnte, floss das leichte Kleid an ihrem Körper entlang sturzbachartig, trotz des geschlossenen Rückenreißverschlusses haltlos zu Boden. Er hatte die Daumen unter die schmalen Träger geschoben, seine Hände an ihren Armen entlang gleiten lassen, sodass sie nicht die geringste Chance hatte, durch geistesgegenwärtiges anheben ihrer Arme diesen Akt unterbinden zu können. Grenzenlos perplex musste sie es geschehen lassen. Starr vor Schreck stand sie da, nur noch mit Slip und BH bekleidet. Er umarmte sie leidenschaftlich, sie weiterhin pausenlos auf Schulter und Brustansatz zu küssen. „Das geht nicht ..., so nicht! ..., ich will das nicht ...", stammelte sie aufgelöst ..., „Rüdiger, *BITTE!*"

Während es in Algena lichterloh rebellierte, sie geradezu paralysiert war, riss sich Rüdiger ungestüm und hastig Ober- und Unterhemd vom Leib, ein...zwei Knöpfe knallten weg, nestelte kurz an seiner Gürtelschnalle, streifte die leichte Hose ab und drückte sein schönes Objekt der Begierde in hitziger Glut und Gier hemmungslos auf die breite Eckcouch. Eindeutige Absichten!

Algenas Gedanken waren nicht mehr frei, sondern folgten einem – ihrem – typischen Verhalten: Sie wehrte sich nach Kräften – Nein und nochmals nein: *So nicht*, loderte es in ihr auf. Rüdiger ließ sich nicht beeindrucken, er war selbstverständlich stärker als sie, hielt sie wie in einem Schraubstock fest, versuchte ihren Brustansatz zu küssen und flüsterte ihr schließlich heiser ins Ohr. „Algena, ich liebe dich! Ich liebe dich so sehr! Ich bin total verrückt nach dir! Komm ..."

Algena bekam es mit panischer Angst zu tun. Und wenn der es jetzt mit Gewalt tut? Gegen meinen ausdrücklichen Willen? schoss es ihr durch den Kopf. Ich will nicht vergewaltigt werden, Herrgott nochmal!!! Auch nicht von ihm! Gibts denn keinen Ausweg ...? Der Revolver in der Schublade. Nonsens. Absurde Vorstellung! Absolut absurd!

Mit irrer übermenschlicher Kraftanstrengung gelang es ihr, unter seinem Körper sich wenigstens andeutungsweise ein wenig Luft zuverschaffen ..., aber nicht entschlossen genug und es reichte auch nicht. Er ließ nicht nach, sie intensiv zu bedrängen, und in seiner Gier mit unter ihren Oberkörper geschobenen Händen hastig, aber gekonnt den Verschluss ihres BH zu öffnen. In hohem Bogen flog der sogleich zur Seite auf den Boden.

„Rüdiger, bist du wahnsinnig, hä? Kannst du nicht hören, bist du taub?" fauchte Algena unter ihm liegend, höchst aufgebracht und wütend, wild entschlossen. „Ich will das nicht, *so nicht!* Hast du mir nicht zugehört?? Nimmst du mich überhaupt wahr? Ich spiele nicht die Sexpuppe für dich!"

Und als er kurz verdutzt einhielt ...: „Nimm mich bitte, verdammt noch mal, ernst, hörst du, so will ich es einfach nicht!! Und ...", setzte sie innerlich kochend aufgebracht hinzu: „...Mit einem Wüstling schlaf ich nicht, habe ich mich jetzt klar genug ausgedrückt?", sowohl seine großen Augen, in denen deutlich hemmungslose Gier funkelte, als auch sein trieb-gerötetes Gesicht mit Abscheu betrachtend.

„Warum geht das nicht in deinen verdammten Schädel rein?"

Rüdiger setzte sich auf. Sein gerade noch heißes Verlangen wandelte sich in eine unheilvolle Mischung aus ungläubiger Überraschung, garniert mit Wut und Zorn, während er gepresst rausbrachte: „Was soll denn das jetzt, Algena, was ist denn in dich gefahren, bist du genierlich, oder prüde, oder was??"

Aber er hatte sich schnell wieder einigermaßen im Griff. Emotional schon wieder etwas heruntergefahren, meinte er ärgerlich: „Mein Gott, du reagierst ja wie 'ne richtig verklemmte Tunte ..., hätt ich nie von dir gedacht ..., was ist denn schon dabei, ein bisschen Sex miteinander zu haben ...?"

Rüdiger schien absolut nichts zu kapieren, aber hatte immerhin wenigstens reagiert.

„Versteh mich doch bitte, Rüdiger", jammerte Algena, jetzt einen Funken konzilianter, weil sich sein eiserner Griff gelockert hatte, sie sich aufsetzen konnte und fügte bittend, ja entschuldigend hinzu „Ich bin nicht prüde und auch keineswegs verklemmt, aber du musst dir wesentlich mehr Zeit nehmen mit mir ..., so hopplahopp wilden Sex machen geht bei mir nicht, war schon immer so und wenn x andere Frauen es mögen und sehnlichst wünschen: *Ich nicht*, Rüdiger, *ich bin anders!* Du hättest meine Zögerlichkeit merken, dich auf mich einstellen müssen und eben *meinen* entscheidenden Augenblick abwarten müssen, auch wenns dir schwerfällt – und das letzte Wort ist ja noch nicht gesprochen."

Algena fühlte immer noch, *„es"* zu wollen, aber partout nicht *„so"*.

Rüdiger kannte Algena erst wenige Stunden, das heißt, nur ihre äußere Fassade und wie sie sich ihm darbot – und hatte sie, entsprechend ihrer Bereitschaft zu flirten und lockend verliebte Blicke auf ihn zu werfen, total falsch eingeschätzt. Das dämmerte ihm langsam und jetzt sah er sich einer inneren, seelischen und schwer zuvereinbarenden Gemengelage zwischen ihnen beiden gegenüber, die ihm so noch nicht begegnet war, mit der er wenig anzufangen wusste. Für ihn war Sex stets nur ungezügeltes Ausleben der Triebe, am liebsten mit ausgeschalteter Eigenkontrolle und ohne Tabus und wenns noch zu ein paar ausgefalleneren Sexpraktiken reichte – umso besser. Bisher hatte er da mit keiner Frau Probleme gehabt. Alle waren „rechtzeitig" bereit gewesen. Bei Algena hatte er ernstlich angenommen, dass die intimen heftigen Küsse vorhin sie längst „in Fahrt" gebracht haben müssten … Immer noch gefiel ihm diese attraktive Frau außerordentlich und er wollte retten was zu retten war, indem er ihr, ein wenig aus der Fassung gebracht, bekannte, wohl doch zu forsch gewesen zu sein. Mühsam übte er sich in ungewohnter und ungelenker Selbstreflexion.

„Algena, ja, entschuldige bitte, sorry …, ich verstehe. War sicherlich zu forsch für dich, tut mir leid, habs nicht bemerkt, aber das Fest war so schön gewesen, und mit dir tanzen …, und plaudern und reden, als wenn wir dort allein nur für uns gewesen wären, und die anderen um uns herum nur Kulisse. Da fand ich halt, es dürfe schon mit einer gemeinsamen Nacht enden". Er saß ihr gegenüber, zog mit gespielter (?) Miene eines Unschuldslamms seine abgestreifte Hose wieder hoch und den Gürtel fest. Sie saß spärlich nur mit dem Slip bekleidet neben ihm auf der Couch, er mit nacktem Oberkörper.

Innerlich regten sich bei ihm allerdings ganz andere Gedanken: Die ist superhübsch und anziehend, die macht mich ungemein an, der will ichs besorgen, dass ihr Hören und Sehen vergeht. Irgendwann wird dieser alberne Zirkus zu Ende sein und dann sehen wir weiter. Wär doch gelacht, dieses Weib nicht flach legen zu können. Keine meiner anderen „Eisen im Feuer" zeigt solche Zicken. Lächerlich!

Die äußerlich offene Einsicht zeigende Geste Rüdigers versöhnte sie.

„Stimmt ja alles, lieber Rüdiger, sei nicht böse über meine Reaktion, ich bin eben so …, so „untypisch", konntest du ja auch wirklich nicht wissen …". Schneller als sich selbst zugetraut, fand Algena wieder zu ihrer Anfangsstimmung zurück.

„Komm, lass uns einfach noch ein wenig nebeneinandersitzen, Musik hören …, kuscheln. Ich könnte noch ne Flasche Wein aufmachen …, ne, lieber nicht, du musst ja noch fahren."

Rüdiger befremdeten diese Gedanken, denn es zeigten sich bei ihm keinerlei Anzeichen von Müdigkeit. Er hätte nichts dagegen, lustvoll mit Algena im Schlafzimmer die restliche Nacht zu verbringen und morgen früh mit ihr zu frühstücken … (in seinen locker-flockigen Kreisen nannte man das *„Abendessen mit anschließendem Frühstück"*)

Die beiden saßen schweigend nebeneinander, erinnerten sich ihres Espressos, der längst erkaltet war, tranken ihn, einander in die Augen schauend, hörten Musik und hingen ihren Gedanken nach. Sie schlang ihren Arm um seine nackten Schultern und schmiegte ihr Gesicht an seine nur leicht behaarte wohlig-warme Brust. Es war nur eine Frage kurzer Zeit, wieder ein bisschen zu turteln, er spürte die warme weiche Haut der nahezu Unbekleideten, streichelte sie sanft abwechselnd über Kopf, Arme und entlang ihres schlanken Köpers, kuschelte sich in ihr wallendes Haar, suchte ihr Gesicht, ihren Mund, um ihn zu küssen, beließ es dabei aber, verbot seinen Händen intimeres Erkunden ihres Körpers. Algena spürte den guten Willen Rüdigers, spürte auch wieder, sich zu ihm hingezogen zu fühlen, spürte ihre eben noch flammende Abwehr in ebensolche Bereitschaft übergehen …

Die einschmeichelnde Musik, die romantischen Klänge, die vom bisherigen Geschehen hitze-geschwängerte Luft, der jetzt in gelassener Ruhe sich ausbreitende Duft ihrer aneinander geschmiegten Körper, ihre genießenden Sinne, ließen sie zusammenkommen. Seine Hände „durften" schließlich, was sie so sehnlich wollten und Algena erwiderte seine Avancen, gab sich seinem Tun hin und ließ sich ihrerseits zu eigenem animieren. Es geschah, was geschehen musste, sollte und jetzt durfte. Ja, sie mochte ihn, wollte ihn und sein jetzt willkommenes maßvolles Ungestümsein war ihr angenehm und lustvoll, sie flog in ihre Höhen, wenn auch kaum ekstatisch – und ihr Körper reagierte schließlich mit tiefer Entspannung. Längst hatte sie ihm verziehen, weil er sich tatsächlich als einsichtig erwiesen hatte.

Rüdiger hingegen genoss den Sex mit Algena ganz anders.

Er hatte sich nur äußerlich beruhigt, fand die offensichtliche Verklemmtheit dieser schönen anziehenden Frau völlig absurd, ja geradezu abnormal. Hatte er absolut nicht erwartet. Wenn man sich versteht, wenn sich ganz deutlich Bereitschaft, Anziehung und körperliches Verlangen melden, was sehr schnell verbinden kann – und das alles war bei ihnen beiden doch gegeben gewesen – war er überzeugt, geschehe doch alles Weitere wie von selbst. Da brauche es nicht viel Erklären oder Überreden oder Warten, da sei umgehendes Miteinanderschlafen in seiner Vorstellung das normalste der Welt, ja, setze nichtmal ausdrückliche „überzeugte (seelische) Liebe" voraus. Da genüge das Feuer reinen Begehrens, was, und das weiß er natürlich auch, romantisch veranlagte Geister (also meist die Frauen) dann mit Verliebtsein verbrämen würden, vielleicht um ihr eigenes pures Verlangen mit einem gesellschaftlich anerkannten Zustand zu kaschieren. Das Romantische liegt ihm nicht, jedenfalls spielt es in seiner Psyche derzeit keine sonderliche Rolle. Für ihn drückt sich „Liebe" immer noch zuvorderst körperlich aus. Die andere, die seelische, die ganzheitliche Liebe mag es ja geben, über die hatte er sich aber noch wenig Gedanken gemacht.

Ja, es war schön mit ihr gewesen, das Tanzen, die Unterhaltung, das Flirten, aber so ganz koscher schien sie ihm doch nicht zu sein. Irgendwo müssen unverständliche Vorbehalte bei ihr wirken. Seiner Beobachtung nach hat sie den Sex mehr erduldend über sich ergehen lassen, wie er mit einem Anflug von Frust und auch Enttäuschung empfand. Und seine Begierde, die eigentliche Triebkraft, ist die damit womöglich auch unterkühlt worden? Hat sie ihn mit ihrer restriktiven Art dann gar selbst gehemmt, weil er sich entgegen seiner normalen Reaktion hat bremsen lassen müssen, damit „die" nicht (wieder) durchdreht? Kann doch alles nicht wahr sein!

Von dieser ausnehmend schönen Frau hätte er das Verhalten einer „Gra-nate im Bett" erwartet, wie das bei seinen Geschlechtsgenossen reichlich aufgeblasen genannt wurde (obwohl er um deren alberne Aufschneidereien bestens wusste).

Ob das, ob diese neue Bekanntschaft Bestand haben würde, sich so ein Besuch in irgendeiner Form wiederholen lassen würde, stand für ihn in den Sternen. Und außerdem gabs da noch Moni und Helen, mit denen er sich mehr oder weniger regelmäßig bestens vergnügte. Natürlich war er als Junggeselle mit achtundzwanzig Jahren und in guter wirtschaftlicher Posi-tion stehend, ein potenzieller Aspirant für eine feste Liaison („spätere Hei-rat nicht ausgeschlossen", wie es vielsagend heißt) und so mancher seiner intimen Bekanntschaften hatte er sich reichlich abrupt und unsentimental entledigen müssen, weil die Erwartungen zu groß geworden waren. Er dachte derzeit gar nicht daran, sich zu binden. Hätte noch Zeit, war sein stereotypes Credo bei seinen Kumpels.

Algena erwog kurz, mit ihm auch den Rest der Nacht zu verbringen, aber auch wenn sie jetzt doch zusammengekommen waren, hegte sie ge-wisse Zweifel, was Rüdiger denn eigentlich wollte. Nicht nur im Bett, wo sie den Eindruck nicht loswurde, dass er sich wegen ihr eben doch nur künstlich „gebremst" hatte (was, das wusste sie jetzt glasklar, so gar nicht zu ihm passte), sondern auch in seinen generellen Beziehungen zu Frauen. Sie wurde den Verdacht nicht los, dass für ihn nur der erotisch-intime Spaß mit Frauen zählte.

Ob der wohl 'ne Freundin, gar eine „feste" hat, fragte sie sich beiläufig. Eher nicht … Wahrscheinlich war sie, Algena, für ihn nur ein unverhoffter *One-Night-Stand* gewesen. Und sie, sie dumme Gans, hatte das viel zu spät bemerkt, hatte sich einlullen lassen von seinem gewandten Auftreten. Für nur ein *Abenteuer* in der Liebe wollte sie jedenfalls nicht „benutzt werden", da war sie sich zu schade, und für so manche in ihren Augen eher perversen Praktiken im Sex fehlte bei ihr noch das Wichtigste: Vertrauen, und das brauchte Zeit zum Wachsen. Rüdiger hat nur geschicktes Verführen auf La-ger – Ziel: Sex. Sie dagegen sehnt sich nach dauerhafter Liebe, nach

Zuwendung und Einfühlungsvermögen eines potenziellen Partners oder neuen Anwärters und versuchte, ihre wieder mal waidwund gewordene Seele zu beruhigen. Sie war sich zunehmend sicher, dass es noch weitere Frauen in seinem Leben geben musste.

Den noch mal aufscheinenden Gedanken an das Schlafzimmer für die restliche Nacht, verwarf sie dann endgültig. Irgendwie war der Ofen abgebrannt, bei ihr würde da nichts mehr kommen …

Gegen halb fünf Uhr in der Früh meinte sie, es wäre doch an der Zeit für ihn zu gehen. Sie müsse unbedingt noch ein paar Stunden ungestört schlafen, denn morgen früh habe sie einen Vormittagstermin, nicht verschiebbar (eine ihrer wirksamsten Notlügen …).

Rüdiger verabschiedete sich freundlich ohne den leisesten Protest, küsste Algena liebevoll auf den Mund, verwies auf die Visitenkarten, mit denen sie sich erreichen könnten.

„Ich ruf dich an, ganz sicher!" versprach er hoch und heilig … Dann entschwand er eilig im Treppenhaus und Algena hörte gleich darauf seinen Wagen starten und davonfahren. Bildete sie sich ein, dass bei der Abfahrt die Reifen gequietscht hatten, so als hätte er einen Kavalierstart hingelegt – und das mitten in der Nacht in ihrer ruhigen Wohngegend? Seltsam. So fährt man weg, wenn man der Freundin imponieren möchte – oder wenn man gehörig Wut im Bauch hat, weshalb auch immer. Nach dem Fest beim Heimfahren glitt er in personifizierter Gelassenheit durch die leeren nächtlichen Straßen und jetzt? Das genaue Gegenteil! Algena ahnte den Grund: Der hätte hierbleiben und sich den Rest der Nacht mit ihr im Bett vergnügen wollen und empfand ihre Aufforderung zu gehen als glatten Rausschmiss. Klar, und jetzt dampfte er wutentbrannt ab. Könnte sein oder auch nicht, vermutlich war es so. Algena dachte nicht weiter darüber nach, war mit sich und dem Abend erst mal zufrieden – und auch mit seinem holprigen Ende.

Sie fackelte nicht mehr lange, machte kurzen Prozess im Bad. Weil es eine milde Sommernacht war, kippte sie das große Schlafzimmerfenster und kuschelte sich nackt innig unter die pastellfarben geblümte Sommerbettdecke. Die Nacht begann bereits deutlicher Morgendämmerung zu weichen und in den umliegenden Gärten begrüßten erst nur vereinzelte, dann zunehmend mehr Vögel den neuen Tag, um ihn bald mit jubelnd lautstarkem Gezwitscher zu feiern. Algena konnte nach dem illustren Fest und dem aufregenden, nur bedingt romantischen Abschluss nicht gleich einschlafen, lauschte noch eine Weile dem melodischen Morgenkonzert und auch dem untermalenden leisen Rauschen der Blätter der hohen Laubbäume vor ihrer Terrasse und versank dann doch schnell todmüde hinein in die unergründlichen Tiefen traumlosen Schlafes bis zum nächsten Morgen, den sie erst nach elf Uhr begrüßte …

Noch tagelang bewegten sie viele Einzelheiten von Alberts Fest. Rebekka hatte sich gut amüsiert, wie sie mehr indirekt mitbekommen hatte. Auch dass Laura erstaunlich friedlich-entspannt sich ihr gegenüber verhalten hatte, beruhigte sie. Nur an Rüdigers nächtliche Eskapaden wollte sie nicht denken, wollte nicht rekapitulieren, was da abgegangen war – bei ihm, aber vor allem auch bei ihr! In der Liebe war sie wohl nicht Rüdigers Traumtyp. Wenn ein junger Draufgänger wie Rüdiger bei einer Frau Heißblütigkeit voraussetzte, ja erwartete, dann konnte das mit ihr nur schiefgehen. Philipp hatte sich einst immer bemüht, auf sie einzugehen, sie final aufzuschließen. Rüdiger dagegen bemühte sich nicht, sondern setzte sie einfach voraus. Andererseits: Vom Zusammen-tanzen und Sich-Unterhalten lernt man jemanden nicht binnen Stunden in seinen tieferen Reaktionen kennen, was dann schiefgehen muss, wenn diese – wie bei ihr – eben aus dem üblichen Rahmen fallen.

Bisher konnten nur Harry (als „Naturtalent") und Philipp (aus reicher Erfahrung vermutlich) sich voll und ganz auf sie einstellen, wobei sie Philipp wohl letztlich dann doch enttäuscht haben musste, sonst hätte er sich nicht anderweitig orientiert, sich eben Laura „angelacht". Bei Harry hatte dagegen von Anfang an in der Liebe alles gestimmt, nur waren sie damals alle beide leider noch rechte Grünschnäbel gewesen, reichlich unreif, deshalb konnte es nicht anders als schiefgehen – und heute stand Harry nicht mehr zur Debatte.

Sie haderte mit sich, noch mehr aber mit ihm, Rüdiger. Vor allem, weil er sie als „prüde" bezeichnet hatte, nur weil sie nicht *stante pede* auf seinen „Überfall" eingegangen war … Noch jetzt, nach Tagen, ärgerte sie sich, über diese unverschämte Einschätzung von ihm, eine Frechheit sondergleichen!

Wahrscheinlich war er in diesen Nachtstunden mit ihr nicht sonderlich glücklich geworden. Wie sie! Jetzt wars eben so: Es gab nun mal den nächtlichen Zirkus mit Rüdiger! Der war von Alberts Fest nicht mehr zu trennen.

Sollte er sich wider Erwarten (sie erwartete es eher nicht) bei ihr melden, wollte sie ihn aufs Tanzen ansprechen (als obs das nächtliche Drama nicht gegeben hätte). Das wäre in jedem Fall für sie beide ein Thema, dazu hätte sie Lust mit ihm.

Am besten die ganze Sache locker sehen und null Hoffnungen dranknüpfen. Sacken lassen, diese neue Bekanntschaft, schauen, wie's weitergeht, ob er sich überhaupt mal meldet und mit welchen Worten, um die er ja nie verlegen war und auch wie sie dann drauf sein würde. Sie hatte seine Karte, aber sie würde nicht anrufen – war sein Job, falls er Interesse hatte. Sähe wie nachlaufen aus. Kam nicht in Frage. – Und wenn er nicht anrufen würde? Dann wärs schade, aber auch okay. Seltsam locker sah sie das jetzt. Was hatte sie damals gelitten, als Hermann sich wochenlang nicht meldete? Diesmal wars anders, völlig anders!

Typen wie Rüdiger hätte man Anfang des neunzehnten Jahrhunderts „*Libertins*" [6]) genannt. Das waren damals (meist junge) Männer, die es unter allen Umständen vermieden, sich zu verlieben, um unabhängig zu

---

[6]) Aus „*Bekenntnis eines jungen Zeitgenossen*" von Alfred de Musset, aus dem Jahr 1836, dem nachnapoleonischen Zeitalter. In den gesellschaftlichen Strukturen dieser Zeit, herrschte vor allem in den Metropolen wie Paris bei den jungen Männern Zügellosigkeit und Unverbindlichkeit in der Liebe, während auf dem Land im Bewusstsein der einfachen Menschen vielfach noch die alten Zeiten des höfisch geprägten achtzehnten Jahrhunderts fortdauerten.

bleiben, aber jederzeit danach trachteten, schöne Frauen zu verführen und zu besitzen, also nur dem eigenen Vergnügen gemäß zu leben. Weil sie partout keine innere Bindung zuließen (geschweige denn eine äußere, d.h. feste Liaison oder Heirat), konnten sie sich jederzeit ohne den geringsten Schmerz von ihnen trennen, denn – Algena schauderte – *die Verlassenen konnte man ja jederzeit durch andere Schönheiten ersetzen.* Dass sie dabei unglückliche Frauen und Mädchen en masse zurückließen – was kümmerte sie das? Jemandem nachweinen? Nein. Keinesfalls ...

Algena beschloss: Rüdiger am besten schnell vergessen, keine Gedanken mehr an diesen Typen verschwenden!

All das wieder haarklein Isabelle erzählen? Nicht mal dafür hatte sie diesmal Bock. Die würde eh wieder ein Haar in der Suppe ihres Verhaltens finden und ihr irgendwelche Versäumnisse unterstellen. Könnte sie jetzt keinesfalls brauchen. Also: Isa wird nicht angerufen. Schluss mit jedweden Selbstbezichtigungen ..., und wenn sie anklingelt ...? Dann wollte sie von Alberts Fest erzählen, das Thema „Rüdiger" dabei aber ausblenden.

Selbstverständlich telefonierten die beiden Freundinnen mehrmals in den nächsten Wochen miteinander, es gab immer was zu erzählen ... Natürlich kam auch die Rede auf Alberts Geburtstagsparty und sie schwärmte vom guten Essen, vom Tanzen und von der ausgelassenen Stimmung und dass sogar Laura recht handsam gewesen sei. Sie habe sich richtig gut amüsiert.

„Weißt du", ergänzte sie noch, „der Albert und seine Frau verstehen zu feiern, da kommt immer gute Stimmung auf."

Positive Eindrücke hörte Isabelle von ihrer Freundin nicht so oft, weshalb sie sich gerne mit ihr freute.

Rüdiger und die nächtlichen Ereignisse blieben unerwähnt.

Teil 6

Rüdiger? Der hatte bis heute, Wochen später, nicht angerufen. War zu erwarten gewesen. Eben doch ein falscher Fuffziger in puncto Zuverlässigkeit! Vermisste sie ihn? Ja und nein. Eher nein! In guter Erinnerung blieben ihr sein Talent, sie unerschöpflich und humorvoll zu unterhalten. Immer wieder hatte er sie zum Lachen bringen können, manchmal als gespielte Ulknudel, manchmal mit scherzhaften Parodien (Dialekte nachahmen konnte er meisterhaft). Und natürlich das Tanzen mit ihm. Was konnte dieser junge Mann selbstsicher führen – unglaublich! Es sei ja angeblich auch eines seiner beiläufigen Hobbys, wie er es herunterspielend nannte, erinnerte sie sich und hätte sicher dann auch ihr gemeinsames Hobby werden können, wenn …, ja wenn …, das große große Wörtchen: „wenn" … Aber da dürfte es sich ausgeträumt haben. Es gab kein „wenn" mehr. Sie ahnte, er würde sich nicht mehr rühren.

Damals auf dem Fest hatte er sie bezirzt, zweifellos, sich interessant gemacht und sie war wohl in einer Weise drauf eingegangen, die ihm „leichtes Spiel" signalisiert haben musste. Sie kannte die Wirkung ihres Schauens, ihrer offenherzigen Gesichtszüge, diesen besonderen Glanz, den diese einnehmen konnten. Für ihn, den kundigen Verführer, geradezu eine Einladung. Dass ihre intime Begegnung nachts dann so holprig verlaufen würde, im Grunde verkorkst war, konnte er nicht voraussehen: Sie war eben nun mal keine schnellentflammbare Frau, wie er es erwartet hatte. Weshalb sie verstand (es ihm inzwischen sogar nachsah), dass er ziemlich frustriert gewesen sein musste. Heute, nach Wochen, war sie sich sicher: Als Tanzpartner, ja, aber für „was Ernsteres"? Da wäre er bei ihr nur als „Bruder Leichtfuß" durchgegangen, jedenfalls nicht als Anwärter für eine längerfristige Liaison.

Ihren Geburtstag am zehnten Oktober hatte sie diesmal nur mit Isabelle, Georg und einer netten Freundin von Isabelle gefeiert, die sie nur flüchtig kannte und die die beiden mitgebracht hatten. Sie war dreiunddreißig geworden. Harry hatte ihren Geburtstag diesmal anscheinend glatt vergessen, hatte nicht angerufen, obwohl er sich sonst so alle ein...zwei Monate meldete per Telefon (Unmittelbar nach ihrem letztjährigen Geburtstag warens sogar alle ein bis zwei Wochen gewesen.) Beim nächsten Telefonat würde er sicherlich wortreiche Arien der Entschuldigung zwitschern ..., sie kannte ihn: Es dürfte ihm superpeinlich sein. Aber er hätte eh eine unschlagbare Entschuldigung gehabt. Vor wenigen Tagen lag eine Geburtsanzeige seines zweiten Kindes, eines Mädchens mit Namen *Melanie*, im Postkasten, hübsch dargestellt, in einem kleinen Gedicht die Geburtsinformationen wie Name, Gewicht etc. zusammengefasst. Die Karte sollte wohl was Besonderes aus der *„Werkstatt für PowerPoint-Präsentationen"* darstellen. Schrieb sie Rosi zu, denn Harry hatte sich, noch nie als sonderlich einfallsreicher Künstler erwiesen. Ihn zeichnete als Ingenieur technische Begabung aus.

Maximilian und Melanie. Mit zwei Kindern hatte er nun wirklich andere Sorgen als an ihren Geburtstag zu denken ..., aber insgeheim hatte sie schon auf seinen Anruf gehofft (ihr Herz barg in gehöriger Tiefe nach wie vor eine dunkle Kammer für seinen „Typ" ...). Und was wäre die Folge gewesen? Sie hätte sie ihn (wie vergangenes Jahr) auch wieder einladen müssen, eigentlich, und damits nicht peinlich für sie gewirkt hätte, sogar schon ein paar Tage vorher. Hatte sie aber nicht (nicht mal in Erwägung gezogen). War ihr also letztlich doch recht gewesen, dass er's vergessen hatte.

Harry in größerer Gesellschaft war kein Problem, aber das Risiko, dann plötzlich und unvermittelt, wie's der Zufall will, irgendwo mit ihm allein zu sein, wollte sie unbedingt vermeiden. Immer noch hatte sie Angst, – nicht vor ihm, sondern vor sich, – vor dem *Imperativ ihres Herzens*, der dunklen Kammer in ihm ..., in der sich unerlaubte Sehnsüchte sammelten, deren sie eigentlich nie mehr gewahr werden wollte, die sich aber eben doch in einer leicht „gefärbten", weil bedrückten Grundstimmung höchst verschleiert wie gleichsam unangenehme aufsteigende Gerüche bemerkbar machten. Denn seit sie ihn nach Philipps Tod erstmals wiedergesehen hatte, geisterte eine vage Erinnerung an die heiße Liebe zu dem einstigen Freund durch ihren Kopf, und sie wusste, dass die nicht mehr sein durfte. Und dennoch infizierte die all ihre Beziehungen zur Männerwelt hinsichtlich *Bekanntschaft, Freundschaft und Liebe,* gab diesen einen belastenden Touch und rührte ein – wenn auch nur schwaches – Gift in alle ihre neuen Beziehungen. Kein Entkommen bisher. Kein Silberstreif von Entlastung am Horizont. Es machte ihr zunehmend zu schaffen, anscheinend keinem Mann mehr unvoreingenommen begegnen zu können. Der ständige unwillkürliche Vergleich hing wie ein Mühlstein an ihr.

Rüdiger meldete sich nicht. Kein Tanzen mit ihm, darüber hätte sie sich gefreut, wäre ein Hochgenuss gewesen.

Nur tagsüber im Atelier gelang es ihr, ihre triste Lebenssituation zu Hause zu überspielen, zu vergessen. Da tauchte sie ein in ihre Vorstellungen und visionären Bilder von modischer Kleidung, was sich alles schließlich in entsprechenden Entwürfen konkretisierte, sprach mit Kollegen und Kolleginnen, konferierte gelegentlich mit dem Chef, auch mal mit anderen Abteilungen, sogar potenziellen Kunden. Die Arbeit machte ihr Spaß, lenkte ab … Zu Hause dagegen die leere, stille Wohnung, kein Leben drin (wo das Radio nach dem Heimkommen dieses vortäuschen musste), die Eintönigkeit des häuslichen Alltags drohte zur Normalität zu werden.

Algena schien, äußerlich betrachtet, ein rundherum abwechslungsreiches Leben zu führen, zwischen gemütlich in ihrer schönen Wohnung zu weilen, dem Atelier, der Freundin, den paar Unternehmungen mit der Clique der Freunde, hin und wieder einem Kinoabend oder gelegentlichen Einladungen von Männern, die sie meist im Arbeitsumfeld in Verbindung mit Kundenkontakten oder Zulieferfirmen oder dergleichen kennengelernt hatte. Alles einer ledigen Anfangsdreißigerin durchaus angemessen. Warum nur die oftmalige Miesstimmung? Algena rätselte, zweifelte an ihrem Verhalten in der Gesellschaft aber auch Männern gegenüber. Zeigte sie womöglich ein Zuviel an Vorbehalten, war sie nicht aufgeschlossen genug?

Harry? Ja, der geisterte in ihr herum, setzte quasi im Nachhinein ungebetene Maßstäbe in ihr, aber für alles konnte sie ihn nicht verantwortlich machen. Da musste noch anderes mitreinspielen. Aber was?

Sie hatte fünf Jahre in einer – so glaubte sie – perfekten, leider nur vorgegaukelten Ehe verbracht und ab jetzt, wie es sich derzeit abzeichnete, auf Dauer als *Alleinstehende* zu leben, konnte sie sich gar nicht vorstellen. Sie kannte deutlich ältere, geschiedene Frauen, die sich nicht mehr binden wollten, ja, ihre Unabhängigkeit geradezu schätzten. Aber da gabs wenigstens in jüngeren Jahren mal Familie und Kinder. Sobald die flügge geworden waren, konnten diese Frauen recht unabhängig und selbstbestimmt leben, hatten idealerweise gute Kontakte zu ihnen, manchmal sogar zum geschiedenen Ex, lebten also eingebettet in einem tragfähigen sozialen Verbund. Sie hatte diese Anfangszeit auch hinter sich, allerdings nicht geschieden, sondern als kinderlose Witwe – und was war *ihr* geblieben? *Nichts!* Wieder andere, junge Alleinerziehende, mit oft noch kleinen Kindern, deren Väter unbekannt oder getürmt waren oder ihrer Unterhaltsverpflichtung nicht nachkamen, hatten ein schweres Schicksal, mussten sich mit wenig Geld (und Freizeit) mühsam durchs Leben schlagen, um ihre Existenz zu sichern. All das blieb ihr erspart, aber all die anderen, die sich von einem sozialen (oder familiären) Netz getragen fühlen konnten? Die beneidete sie, weil sie neben allem anderen auch noch eine Aufgabe im Leben hatten – und die ihre? Sie hatte keine. Musste für niemanden sorgen oder auch mal da sein. Könnte solche Lebensunverbindlichkeit nicht auf Dauer depressiv machen, fragte sie sich in nachdenklichen Stunden?

Manchmal packte sie der Rappel: Wenn das hier so unbefriedigend bliebe, warum nicht gleich hier die Zelte wieder abbrechen und sich wieder zurück nach Niederbayern zu wenden? Und schon zogen die ihr früher schon aufgefallenen und in ihren aufsässigen jugendlichen Augen damals stinklangweiligen Lebensabläufe so mancher dortiger Bürger im Geiste an ihr vorbei: Der provinzielle Mief der etablierten Kleinstadtgesellschaft mit ihren Vereinen aller Couleur, den „Kaffeekränzchen", Canasta-Runden, ständig denselben Gesichtern …, oder das zumeist stockkonservative

Stammtisch-Gelabere samt Tratsch über gerade Angesagtes, bei reichlich Bier oder Wein …? Und dazwischen sie, mit Mitte dreißig, in den Augen so manch engstirniger Kleinstädter die „Überstandige", die Übriggebliebene? Nein! Absolut nein, zurückgehen wollte sie keinesfalls, niemals.

Andererseits: Wie wäre denn ihr Leben verlaufen, wenn sie nie weggezogen wäre, dort einen Beruf (einen anderen natürlich) erlernt hätte, als Jungerwachsene womöglich einen ihrer dann auch reif gewordenen Schulkameraden geheiratet hätte? Dann wäre sie von Anfang an in exakt dieses langweilige, bürgerliche Fahrwasser eingeschwenkt, hätte längst einen Stall voll Kinder und wäre *gschaftlhuberisch* im Kindergartenbeirat gelandet. Und hätte am Ende gar nichts vermisst?? Ob das besser gewesen wäre? Hypothetische Frage …, stellte sich nicht, nicht mehr! Nein, wäre keine Option gewesen. Ihr roter Lebensfaden hatte sie mit allem Drum und Dran nach München geführt.

Man sagt ja, man nähme sich selbst überallhin mit, wohin es einen auch verschlage. Was heißt, dass die Prägung, die man in der Jugend durch Erziehung, Schule, Umgang etc. mitbekommen hat, als grundlegende Verhaltensbasis bleibt. Es soll ja Menschen geben, die in ihrer Entwicklung über sich hinaus in neue (Lebens-)Dimensionen hineinwachsen, nicht nur wenn es nottut, sondern *wenn es sich als ihr Lebensfaden erweist*. Algena wusste diese Eigenschaft nicht zu besitzen und sah sich folglich geradezu als Glückskind, einem so weltoffenen Mann wie Philipp über den Weg gelaufen zu sein, der das Provinzlerische in ihr durch seine gewandte Art vollkommen in den Hintergrund gedrängt hatte. Und dann war der Tod gekommen und zugleich die eheliche Katastrophe …, und schon lebten die althergebrachten, verschüttet geglaubten Maßstäbe wieder auf, als wäre in der Zwischenzeit nichts passiert. Und Algena sah sich seither gezwungen, wieder gegen sich anzukämpfen. Dieser Umstand deprimierte sie.

***

271

„Und was für eine Nachspeise hast Du Dir ausgesucht?" Erwartungs-voll, aber auch etwas beunruhigt, ruhte Hermanns Blick auf seiner schönen Begleiterin, die unschlüssig die Angebote auf der Speisekarte studierte, schon ein wenig zu lange, wie er meinte. Bereits beim Hauptgericht-Aus-suchen war das nicht ganz einfach mit ihr, hatte sie sich doch länger partout nicht entscheiden können oder wollen. Seit den letzten zwei…drei Treffen spürte er eine gewisse Rückgezogenheit Algenas, als ob sie nicht mehr so bei der Sache sei, sich nicht mehr so voll auf ihn konzentrieren wollte wie zu Anfang ihrer Bekanntschaft.

Die Anzahl der Nachspeisen war begrenzt. „Ach …, so doll ist das An-gebot ja auch nicht grade", bemängelte Algena schließlich, „vielleicht die Crème brûlée, kenn ich, ist recht fein." Leicht gelangweilt, ihre Stimme.

Die beiden saßen in einem eleganten Abendlokal im Lehel in München. Zur Abwechslung wieder mal an einem Freitag. Er hätte nach seiner Dienst-besprechung noch am selben Abend zurück nach Frankfurt fahren können, aber er schien extra wegen ihr die Nacht zum Wochenende in München bleiben zu wollen …, offen, ob mit unterschwelliger Absicht. Ein paar höchst verklausulierte Worte diesbezüglich im späteren Verlauf des Abends ließen Algena hellhörig werden … Es war ihr schnell klar, von was der träumte – den Abend in die Länge zu ziehen, um mit ihr … Aber sie hatte sich längst entschieden: *Rien ne va plus*. Ist definitiv aussichtslos. Eine Be-kanntschaft? Ja. Aber keine Liebesbeziehung. Abendtreffen mit ihm bedeu-teten ihr nicht viel mehr als eben elegant und edel ausgeführt zu werden. Sonst gabs kein Motiv – bei ihr wenigstens!

Hermann musste nach wie vor alle paar Wochen geschäftlich nach Mün-chen und meldete sich regelmäßig bei Algena, obwohl es ihm eigentlich klar sein musste, dass seit seiner Rückkehr zu seiner Frau diese Treffen nicht mehr so recht angebracht waren, ja eigentlich aufhören sollten. Er fühlte sich hin und hergerissen. Einerseits stand er nun doch zu seiner Frau und der bestehenden Ehe, andererseits reizte es ihn, den Kontakt zu dieser zauberhaft aussehenden jungen, charmanten Klasse-Frau in München nicht aufzugeben, und machte zugleich den Fehler, sich zu wenig mit Algenas *neuer innerer Einstellung* zu befassen, bemerkte daher ihre grundlegende

Wandlung ihm gegenüber nicht. Wie wenn er die Wirkung seines Geständnisses verdrängt hätte, oder es verdrängen wollte. Seine Frau wusste von keiner Algena in München, er hatte sie nie erwähnt. War ja auch klar, wäre Wasser auf ihre Mühlen gewesen *(Die Alte abservieren und sich was Junges anlachen ...)*.

Wenn seine Geschäftsbesuche in München nur zwei...drei Tage dauerten, reichte es nur für einen Spätnachmittagskaffee, ansonsten liefs meist auf ein gemeinsames Abendessen hinaus. Einmal stand er sogar mit einem höchst dekorativen Blumenstrauß vor ihr. Sie gab sich freudig überrascht, einerseits tatsächlich, denn der Strauß war wirklich was Besonderes, trotzdem schüttelte sie innerlich den Kopf: *Mein Gott, leg Dich doch nicht so ins Zeug, Hermann.* Wenn Du wüsstest, wie's in mir ausschaut ..., ist doch vergebliche Liebesmüh ... Was da anfangs mal war, ist längst Vergangenheit! Kapier das doch endlich! *Es ist aus! Aus ist's! Aus!* Offen wollte oder konnte sie ihm das in dieser Situation nicht sagen. Er tat ihr einfach nur leid. Mühselig, aber gefasst überstand sie die für sie so peinliche Situation, Freude heucheln zu müssen ... Warum er, der an sich scharfe Beobachter, bei solcherart Unstimmigkeiten hier so völlig versagte, konnte Algena sich beim besten Willen nicht erklären. Oder versagte er, weil er Algena längst nur noch ausschließlich durch die einengende „rosarote Brille" sah, die alles Unangenehme, nicht Passende restlos ausblendete? Hätte sie nie von ihm gedacht.

Mit seinem seinerzeitigen Geständnis, wieder zu seiner Frau zurückgekehrt zu sein, war Algenas Interesse an Hermann auch als Mann endgültig erloschen. Ja, sie schätzte ihn weiterhin als integren Menschen und wollte deshalb den Kontakt nicht einfach abrupt und restlos abbrechen, aber ihre frühere Herzenswallung gabs nicht mehr. Und sie erinnerte sich mit Schaudern: Was hatte sie in der Anfangszeit wegen ihm gelitten? Weil sie sich Hals über Kopf in ihn verknallt hatte. Und was hatte die realistische Isabelle ihr damals gründlich den Kopf gewaschen – mit Recht, wie sie heute weiß. Wie eine einfältige Göre hatte sie sich gehen lassen und ihre Gefühle auch noch vor der Freundin zu kaschieren versucht.

Aber wenn er so großen Wert drauf legt und es seinem Ego guttut, mit einer super-hübschen Begleitung in Lokalen aufzukreuzen, dann, bitte sehr, soll er doch mit ihr angeben … Insofern genoss sie diese Treffen, zwar mit erkaltetem Herzen, aber der unübersehbaren inneren Genugtuung, doch eine gewisse Macht über diesen Herrn ausüben zu können, die Macht, ihn mit ihrer glänzenden Erscheinung manipulieren zu können (ihn *„ tanzen zu lassen"* – muss ja nicht gleich nach Schema Laura vonstattengehen).

Hermann schien beruflich erfolgreich zu sein und auch mit Kleingeld nicht geizen zu müssen. Grund genug für Algena, in der Speisekarte „die rechte Spalte" mehr oder weniger zu ignorieren und sich hemmungslos die attraktivsten Speisen auszusuchen. Was die kosteten, war ihr egal und ein Glas Champagner zu Beginn ihres seltsamen Tête à Tête musste sowieso immer sein (aber das wollte ja eh er …). Ihr Verhältnis nahm, ohne dass beide es merkten, eine Art Symbiose an, eine Abhängigkeit aus völlig unterschiedlichen Gründen. Er konnte von ihr nicht lassen, weil sie seiner Eitelkeit schmeichelte und er hintergründig immer noch hoffte, dass aus dieser attraktiven Münchner Bekannten mal eine (Intim-)Freundin werden könnte, und sie legte es drauf an, ihn mit ihren Einladungszusagen, für seine generelle „Unbotmäßigkeit" subtil abzustrafen.

Algenas weibliche Raffinesse reichte instinktiv, ihm so viel Interesse vorzugaukeln, dass er nicht merkte, was sie wirklich bewegte. Sie erkundigte sich beflissen nach Details seiner Arbeit und wie's seinen Kindern gehe und wie die die Zeit seiner Trennung von seiner Frau verkraftet hätten und und und. Solche Themen waren für sie nur Mittel zum Zweck, ihn bei Spendierlaune zu halten, nichts weiter.

Trotz ihres erkalteten Herzens bewunderte Algena stets aufs Neue Hermanns Gentleman-Gebaren, erlaubte ihm launisch manchmal gar ein bisschen „Abstandsflirt", vergaß sich aber nie in ihrer inneren Überzeugung, ihm gegenüber eben nur Theater zu spielen. Die verlockende Fassade, die Wärme und Zuneigung, die sie ihm zeigte, war in Wirklichkeit *kalt und blutleer*. Sie war sich klar darüber, ihm letztlich wie hinter einer *gläsernen Wand* zu erscheinen – nicht greifbar, nicht berührbar, nicht rührbar …, lockend, aber unnahbar … und sie wunderte sich ein übers andere Mal, wieso der das alles so klaglos hinnahm, nicht nachließ in seinem Bemühen um sie (*Normalmann* hätte sie, salopp gesagt, längst „zum Teufel gejagt"). Als ob er auf diesem Auge blind sei, die Tatsachen nicht sehen oder sie ignorieren wollte. Er, der sie anfangs oft so überraschend klar durchschaut hatte, durchschaute nun gar nichts mehr. Damals sah er es ihr an, bis über beide Ohren in ihn verliebt zu sein und konnte nach Belieben *mit ihr spielen*, und jetzt? *Spielte sie mit ihm*, weil er es zuließ, nicht merkte, dass es mit der Liebe vorbei war ..., oder es einfach nicht merken, es nicht akzeptieren wollte. Sei's drum, dachte sie bloß ...

Immer wieder versuchte er fantasiereich, bei ihr „zu landen", aber sie ließ ihm keine Chance. Mit ihren Händen spielen, quer über den Tisch? Ja! Erwiderte sie sogar. Sie sonst wo berühren, streicheln? Auch mal, aber selten! Da wich sie manchmal, nicht immer, diskret zurück. Gar küssen, selbst auf die Wange? Höchst widerstrebend, auf den Mund keinesfalls! Algena lernte, diesen Mann behutsam, aber höchst unterschwellig zu beeinflussen, ja zu steuern, sie versuchte, ihre Möglichkeiten einzusetzen mit ihnen bewusst zu agieren. Sie genoss einerseits seine Bewunderung für sie, seine Empathie, sein Interesse, seine Zuwendung – um ihn andererseits am ausgestreckten Arm emotional verhungern zu lassen. Sie ahnte: Grenzte alles an leicht sadistische Spiele mit ihm.

Es war ihr Leitmotiv, ihn heiß zu halten und selbst kalt zu bleiben ... Sie wollte es nicht anders, partout nicht. Wie es *ihm* dabei ging? Egal!

Anfangs hatte er nur ein schlechtes Gewissen gehabt, aber nach ein paar Monaten war sich Hermann seines fundamentalen Fehlers damals in Grünwald vor ihrer Haustür voll bewusst geworden. Auch wenn er es sich kaum anmerken ließ: Selbstverständlich hat er bald Algenas beginnende Kühle ihm gegenüber bemerkt und sie richtig gedeutet, fand aber kein Mittel das zerschlagene Porzellan wieder zu kitten oder wenigstens den Versuch zu machen, sie wieder umzustimmen. In diesen Monaten lebte er ja noch getrennt von seiner Frau. Also wäre noch alles möglich gewesen – prinzipiell. Wobei es generell mehr als fraglich ist, ob sich eine fundamental enttäuschte Frau je umstimmen ließe.

Hermann stand diesem kompletten Theater, das Algena mit ihm schon den ganzen Sommer über trieb, hilflos gegenüber, schwankte zwischen Zweifel und Zuversicht hin und her, verschloss sich der untergründig gespannten Situation geradezu, fiel auf jede versöhnlich klingende Geste und Äußerung dieser attraktiven, hippen Frau insofern herein, als er sofort wieder Hoffnung schöpfte, ihr Verhältnis möge sich auf Dauer eben doch wieder entspannen.

Inzwischen war er zu seiner Frau zurückgekehrt, hatte das Algena gebeichtet, was auch die allerletzte Glut in ihr gelöscht hatte.

Verabschiedungen gerieten aus Algenas Sicht deshalb regelmäßig zum Eiertanz. Sie hätte sich am liebsten per freundschaftlichem Handschlag, ein paar netten verbindlichen Worten schnell und ohne sonderliches Tamtam verabschiedet, aber Hermann legte Wert darauf, sie zu umarmen, ihr einige salbungsvolle Worte ins Ohr zu flüstern, wie sehr er sie schätze und sie auf Wange und Stirn zu küssen. Er träumte nach wie vor davon, sie nicht endgültig zu verlieren.

Aber meist geriet schon die Umarmung zum angedeuteten Fiasko, weil sie diese Nähe nicht mehr wollte. Er hätte in ihrer stets beinharten Abwehr *einfach spüren müssen*, eher ein *hölzernes Brett* zu umarmen, als eine Frau aus Fleisch und Blut.

Meist blieb er leicht bedröppelt, gekränkt und frustriert zurück, wenn sie gegangen war, und wunderte sich über sich selbst, das so klaglos auszuhalten und hinzunehmen, denn auch wenn er sich gegen das Offensichtliche wehrte, ihre Anziehungskraft überstieg seine Vernunft, er konnte nicht anders.

Nur einmal versuchte er, *überfallartig* ihren Mund zu küssen, was sie mit umgehender Kopfdrehung nahezu augenblicklich zu vermeiden wusste. Sie wollte ihn nicht küssen, jetzt nicht mehr, keinesfalls …, damals …, ja damals hatte sie einen Kuss der Liebe sehnlichst erwartet – und nicht bekommen …, aber jetzt? Time over!

Algenas strikte Abwehr war ihm superpeinlich. Er brachte nur ein unterdrücktes „Entschuldige bitte" heraus und ließ seine Arme entmutigt sinken. „Schon gut", war ihre spontane Antwort, seinem Blick ausweichend in den Boden hineinblickend. Sie war ihm wirklich nicht böse, aber es ging halt einfach nicht. Kurze formlos-kühle Verabschiedung ... Algena war froh, wieder ihrer Wege gehen zu können. Hermann schlich geknickt zurück zum Hotel.

***

Der November mit seiner tristen Düsternis, den kürzer werdenden Tagen, riss sie jedes Jahr erneut in ein mentales Loch. Seit Jahren wusste sie, dass ihre Stimmung auch von der Natur mitbestimmt wurde, von Sonnen- oder Regentagen oder eben auch von den Jahreszeiten. Den November mochte sie einfach nicht. Das war schon zu Philipps Zeiten so, nur dass der mit seinem unerschütterlichen Optimismus ihre mäßige Gemütslage stets wieder auffangen konnte. Jetzt saß sie am Abend im Allgemeinen allein zu Hause herum, ihren Stimmungen rettungslos ausgeliefert. Der Drive fehlte, der Antrieb für so gut wie alles. *„Keine Lust auf nix!"* Natürlich gab es ein paar Events, die terminlich feststanden und die nahm sie auch wahr, trotzdem verbrachte sie viele Novembertage zu Hause. Aber nur fernsehen oder lesen? War schön und gut, aber kann irgendwann auch langweilen. Isabelle hatte auch oft keine Zeit. Was dann? Kein Leben in der Bude. Irgendwas musste aber geschehen, stumpf oder dumpf rumsitzen ging gar nicht, dann lieber fernsehen ...

Manchmal musste sie sich gleichsam zu einer Beschäftigung zwingen und sei's nur eine ihrer schönen CDs herauszusuchen und abzuspielen. Der Effekt entfaltete seinen Zauber aber nur, wenn entspannte Frohstimmung bei ihr bereits gegeben war. Dann wirkte er und führte sie in angenehme, sorgenfreie Tagträume. Zum Aufhellen taugte er wenig. Miese, triste Stimmung konnte sie kaum drehen, im Gegenteil: Der absurde Gegensatz zwischen den textlichen und musikalischen Assoziationen dieser Musik wurde bei ihr und ihrer tatsächlichen Stimmungslage noch drastischer, offensichtlicher. Algena saß auf ihrer Couch und kam sich vor wie in einer zentrifugalen Mühle, wusste mit ihrer Emotion nicht wohin, sprang unversehens

277

auf, um sich in der Küche eine Tüte Chips zu schnappen und aus einer der zwei Boxen neben dem Schrank mit den vielen Flaschen blind einen der italienischen Rotweine herauszugreifen, ihn noch am Küchentisch zu entkorken, im vorbeigehen aus dem Vitrinenschrank eines ihrer wertvollen, groß-bauchigen Viertele-Kristall-Rotweingläser zu nehmen und, wieder zurück im Zimmer, sich sofort ein Glas einzuschenken. Algena zitterte. Es fehlte ihr Halt, physisch und psychisch – sie merkte es selbst, sah sich aber außerstande, sich Einhalt zu gebieten, wusste aus Erfahrung, dem Schlamassel nur mit einem Glas Roten entgehen zu können, der beste Weg raus aus abendlicher Tristesse. Ganz sicher. Angeblich schaue sie zu oft und zu tief ins Glas, meinte Isabelle schon mal besorgt. Quatsch. Dummzeug. Die hat doch keine Ahnung von ..., von außen aufoktroyierter mieser Stimmung, jedenfalls sicherlich nicht so wie bei ihr (denn „normale Miesstimmung" kennt jeder)! Sie lehrte das Glas in einem Zug. Schmeckte, immer noch! War italienischer Rotwein von vor drei Jahren, *Montepulciano d'Abruzzo* nannte sich dieser edle Tropfen, der besseres verdient hatte, als ex runtergespült zu werden. Sie hatten damals eine größere Menge auf einem Weingut in den Abruzzen erstanden und sich nach München schicken lassen, Philipp und sie. Günstige Literflaschen. Auf der Heimfahrt hatten sie auf der Durchreise durch die Toskana auch noch Chianti gekauft, waren Dreiviertelliterflaschen und deutlich teurer. Da gabs, soweit sie sich erinnerte, auch noch zwei Kisten im Keller, aber der hier sei, obwohl nicht teuer, hervorragend, attestierte Philipp damals kundig ..., Philipp, Philipp? ... An den wollte sie im Augenblick gar nicht denken ..., lieber an den köstlichen Roten, der war heute genau das was sie brauchte – weshalb sie das zweite Glas sogleich ebenfalls ex hinunterkippte. Keine Hemmung! Ha, wozu oder wem gegenüber auch? Und das dritte stand gleich darauf schon wieder bereit.

Hinter den beginnenden Schleiern ihres Bewusstseins – wie im Bühnenbild einer aufwendig inszenierten Opernaufführung – begann die Musik der CD ihre einfühlsame Wirkung zunehmend intensiver zu entfalten. Mit dem dritten Glas prostete sie sich aufgeräumt selbst zu, lauschte den Klängen jetzt aufmerksamer als vorher, setzte es in ausladender Geste an die Lippen und trank diesmal jeden Schluck genießend das Glas nahezu, aber nicht ganz aus. Algena registrierte ihren schwerer werdenden Kopf jetzt überdeutlich, behandelte aber diese reale Erscheinung instinktiv als unvermeidlichen Kollateralschaden. War ihr wurscht, denn niemandem hatte sie Rechenschaft abzulegen! Sie genoss sich jetzt voller Aufmerksamkeit selbst, hob triumphierend die Literflasche Rotwein hoch, die nur noch ein knappes Viertel enthielt. „A wa…", lallte sie vor sich hin und zu sich selbst, „so'n klein Schluck nur noch? Musse nich aufheben, hier wern ganze Sachen gemacht, verstehse." Mit trügerischer Leichtigkeit entschied Algena und goss sich das vermeintliche „Noagal" in ihr schon wieder fast leeres Glas, musste dabei aufpassen, nicht daneben zu schütten.

Das Telefon klingelte.

„Was? So spät? Ach, nee doch, is ja erst neune, wer mag das sein?" Das penetrante Klingeln ernüchterte sie zwar nicht gerade, aber führte doch zu halbwegs passablem Handeln.

„Jaaa…, Algena hier?"

„Hier ist Isabelle, hallo Algena" tönte es fröhlich aus der Muschel.

„Ach duuu bisses, Isa. Hätt ich mir ja vo…, äh… vor…stelln könn", ein kräftiger Hickser schüttelte Algena fast das Telefon aus der Hand.

„Algeeeena? Gehts dir nicht gut, du klingst so anders, was ist denn los?"

„Kei …(schluck) Keine Sorge, Isa, bin nur (hicks) bischn voll, verstehs? Hab mir 'ne Flasche Roten rein …, äh ... rein…gezogen." Nur mühsam brachte sie die Worte über die Lippen.

„Um Gottes Willen, Algena, du bist ja stockbetrunken, sorry, besoffen! Was ist los, hast du Kummer, ist was passiert?"

Wenn Isabelle bei Algena anrufen wollte, stellte sie sich stets erst mal drauf ein, irgendwelche Dramen oder sonstige kleine Katastrophen gemeldet zu bekommen. Daran war sie schon gewöhnt, auch dass sie schon mal einiges über den Durst trank, aber sooo sternhagelblau hatte sie sie noch nie angetroffen. Was war denn da schon wieder los? Da wollte sie der Freundin schon noch auf den Zahn fühlen.

„Neee, i-wo, brauchs da net Gedanken machen (hicks), der Rote hat mi halt anglacht, dann hab i 'n packt und mir a paar Glasl gnehmigt", erwiderte Algean euphorisch.

„Algena", hub die besorgt-resolute Freundin an, „Du weißt doch, dass du dich zurückhalten sollst mit dem Rotwein, mit Alkohol überhaupt, du hast schon öfters einen über den Durst getrunken." Sie gab sich alle Mühe, die lockere Freundin wieder „runterzubringen" von ihrem Alko-Tripp.

„Jaaja ..., jaja, weiß ja, schon gut (hicks). Was gibts? Weshalb wolls du mi anrufen?" Immerhin diese Frage brachte sie halbwegs klar in die Muschel.

„Wollte dich eigentlich nur fragen, ob wir übermorgen, nein, über- übermorgen, Freitag, wieder mal ins Kino gehen wollen. Bin allein zu Hause und im Sendlinger Filmtheater läuft ein guter Film. Solle man anschauen, wurde mir gesagt. Hättest du denn da Zeit?"

„Freitag (hicks)? Freitag, weiß nich auswendig, muss nachschaun, wart mal ..."

Algena wollte ihren Terminplaner holen, stand auf, sank aber augenblicklich wieder auf die Couch zurück. Nächster Versuch. Sie musste sich am Rückenkissen festhalten. Der Kopf drehte sich wie ein Karussell oder warens die Möbel? Da war doch gerade noch die Terrassentür, warum war die jetzt weg? Achso da war sie (weil sie nicht merkte, sich selbst gedreht zu haben, oder ihre Augen, oder beides). Auf dem kleinen Beistelltisch neben der Wohnzimmertür lag der Terminkalender. Mühselig hangelte sie sich die drei Meter dorthin, griff nach ihm. Beim Versuch sich wieder umzudrehen verlor sie das Gleichgewicht oder stolperte über die Teppichkante der kleinen Brücke an der Wohnzimmertür, weil sie mehr schlurfte statt ging ... Jedenfalls landete sie mit Gepolter auf dem Boden, hatte sich aber nichts getan und kam mit großer Anstrengung und recht umständlich langsam wieder auf die Beine.

„Nix passiert, Isa, bin nur grutscht, die saublöde Teppichbrückn vorn ..." So laut sie konnte, brüllte sie in den Raum hinein, damit Isabelle es durch das entfernte Telefonmikrofon hören konnte – hoffentlich. Endlich saß sie wieder und nahm den Hörer zur Hand.

„Bin wieder da …, geh jetz kein Schritt mehr."

„Algena, das ist ja furchtbar mit dir. Bitte geh jetzt dann sofort ins Bett, hörst du …? Und wie schauts denn jetzt aus am Freitag?" War ja der Grund für ihren Anruf, das wollte sie schon wissen.

„Freitag? Ja, Freitag, Mommmment mal." Algena legte den Hörer weg und blätterte in ihrem Planer, merkte erst nach ein paar Seiten, ihn verkehrt herum gehalten zu haben, merkte wie schwer es ihr fiel, sich zu konzentrieren und die richtige Seite aufzuschlagen. Mit dem Finger suchte sie den Freitag.

„Ja, kömma, geht. Ha nix vor am Abend un um sechse aus. Um sieme dann, wo?

„Kannst du zum Sendlinger-Tor-Platz kommen?"

„Zum Sen-lingerto …, äh…, jaaa, klar. Bis siebene schaff i das gut."

„Okay, abgemacht, aber jetzt ganz hurtig in den Kahn, damit du nicht noch mal hinfällst und dir womöglich was brichst … Aber vorher will ich doch wissen, warum du wieder mal zur Flasche gegriffen hast, meine Liebe?" Isabelles besorgter Mutterinstinkt vergaß nichts und wirkte sogar bei ihrer bisweilen leicht haltlosen Freundin.

„Ach weißt…, anstrengender Tag heut, un hier is alles so trist, verstehs? Un heut nachmittag (hicks) wieder so'n Armleuchter am Telefon, kenn ich von irgen-am Meeting, weiß nich mehr. Bild sich wunder was ein, er, da ganz Unwiderstehliche, aber den will i net, den scho glei garnet. Aber dann wars ma doch langweilig z'Haus, nix los, weiß auch net …, kenns mi doch. … Da ha i mir dacht … Ha ma erst a CD aufgelegt, na die von dem Dingsda halt, na kenns scho … und dann halt die Flasch gholt."

„Algena, wenns dir schlecht geht, dann ruf mich an, du weißt, dass du mich immer anrufen kannst. Immer, hörst du? Auch in der Nacht! Aber jetzt echt, marsch ins Bett mit dir!"

Das klang schon sehr mütterlich, so, als habe Isabelle bereits reichen Kindersegen, der nach der Hochzeit mit Georg sicherlich nicht lange auf sich warten lassen dürfte.

„Jajaja, bin ja scho unterwegs," versprach Algena brav und merkte selbst, dass es diesmal wohl doch eindeutig ein Zuviel des Guten gewesen war.

Zufriedengestellt hatte diese holprige, zugleich für sie typische Begründung Isabelle natürlich nicht. „Was ist denn nur mit dieser Frau los, diese leichte Haltlosigkeit, zugleich auch Perspektivlosigkeit, wird ja immer offensichtlicher", fragte sie sich … Georg saß, wie üblich, am PC, hatte aber das Telefonat mitgekriegt, weil Isabelle nach einer Weile auf Lautsprecher geschaltet hatte.

„Was ist denn deine Meinung, Georg?"

„Naja, sternhagelvoll war die …, unglaublich. Wenn man ihr gegenübersteht, strahlt sie schon so was wie Selbstbewusstsein aus, aber das könnte natürlich vorgetäuscht, getarnt sein, vor allem dann, wenn ein Mann im Spiel ist, weil sie sicher längst bitter erfahren hat, dass viele Männer sie vor allem auch wegen ihrer Attraktivität anbaggern und mit ihrer bisweilen auffordernd wirkenden Ausstrahlung leichtes Spiel annehmen. Irgendeine Art Abwehr gegen Typen, die ihr nicht behagen, aber ihr auf die Pelle rücken, muss sie ja entwickelt haben. Alle ihre Äußerungen diesbezüglich lassen diesen Schluss zu. Und wenn dann doch Kummer aufkommt, ersäuft sie den mit Wein, so sehe ich das … Ansonsten finde ich Algena eine angenehme sympathische Erscheinung, vielleicht 'ne Idee zu zurückhaltend, meistens wenigstens. Etwas frecher den Männern gegenüber, auch mehr Draufgängertum könnte ihr nicht schaden. Das könnte manchen Überforschen ihre Grenzen besser zeigen."

Isabelle hatte ihrem Freund aufmerksam zugehört. War schon interessant, wie ein Mann Algena sah und einschätzte. Sie bewegte noch andere, tiefer gehende Beobachtungen, die sie als Frau und Freundin mehr beachtet:

„Manchmal kommts mir so vor, als ob sie generell seit dem Tod ihres Mannes, der ja schon eineinhalb Jahre zurückliegt, noch immer nicht so recht wieder Fuß gefasst hat. Dass sie das Alleinsein so sehr bedrückt, ist der beste Beweis dafür, ist mein Eindruck. Schon seltsam. Vor allem scheint sie alle ihre potenziellen neuen Verehrer immer noch mit ihrem

Verflossenen zu vergleichen. Ist ganz schlecht, ja belastend für neue Beziehungen. Jeder Mensch, jeder Mann ist eben anders, hat Licht- und Schattenseiten in seinem Wesen und darauf müsste sie sich erst mal vorbehaltlos einlassen – tut sie aber nicht, wie ich vermute. Und manchmal scheint man es ihr anzusehen, dass sie auf der Suche ist, was sie, wie ich weiß, stets energisch weit weit von sich weist … Nehm ich ihr aber nicht so recht ab! Und manche Männer, vor allem solche wie du sie vorhin geschildert hast, und einen solchen hatte sie wohl auch heut nachmittag an der Strippe, legens dann drauf an. Äußerlich läuft ja bei ihr alles scheinbar problemlos, aber in allem was sie tut, wie sie handelt, was sie denkt, wie sie sich in ungewohnten Situationen verhält, scheint sie reagibler, irgendwie unberechenbarer geworden zu sein, vor allem seit vielleicht dem letzten halben Jahr. Es scheint so, als wisse sie selbst nicht so recht, was sie wirklich will und was nicht. Bei Männern genauso wie beim Lebensstil. Anscheinend steht bei ihr derzeit alles auf dem Prüfstand, leider reichlich chaotisch. Ich hätte nie gedacht, dass sie so abhängig von Ihrem Mann war. Na ja, mir gegenüber lässt sie halt gelegentlich ihren Frust raus, darf sie ja auch."

Woran Isabelle im Augenblick nicht dachte, war, dass es neben ihrem verstorbenen Ehemann da noch, besser gesagt, wieder einen Mann gab, der einen subtilen Einfluss auf Algena ausübte. Es war Harry, aber Algena gab sich stets größte Mühe diesen Einfluss so klein wie möglich erscheinen zu lassen, auch Isabelle gegenüber.

Isabelle sinnierte nachdenklich: „Jetzt hat sie sich heute Abend wieder total volllaufen lassen, wahrscheinlich aus purem Frust. Das Schlimme ist, dass man ihr kaum konkret helfen kann." Und recht besorgt: „Wenn das so weitergeht, wird die noch so richtig depressiv."

„Da muss ich bald mit ihr reden, damit sie überhaupt schon mal einsieht, gefährdet zu sein."

***

In einer seltsamen Mischung aus alkoholbedingter Beschwingtheit, schweren Gliedern, aber durchaus befriedigtem Gemüt, wankte Algena, sich überall festhaltend, um nicht hinzufallen oder auszurutschen, direkt ins Schlafzimmer, entledigte sich ihrer Klamotten, schlug die blau geblümte Steppdecke zurück und ließ sich flach wie ein Brett geradewegs auf das weiße Laken fallen. Der normalerweise selbstverständliche Umweg über das Bad fiel heute aus. Flach, in regungsloser Starre daliegend, wars einigermaßen erträglich, aber ihr Kopf dröhnte wie von einer Horde dicker, fetter Hummeln umtost. Noch brannte die Nachttischlampe. Die Möbel, das große Fenster samt Gardinen …, alles rundherum schien in wildem Tanz verstrickt zu sein, jagte innerhalb ihres Gesichtsfeldes rauf und runter, kippte urplötzlich nach links oder rechts ab oder drehte Pirouetten um sich selbst, wie an ihren Bojen vertäute Boote im sturmgepeitschten Wellengang. Algena aktivierte den Wecker (immerhin daran dachte sie), löschte das Licht und zog sich die Bettdecke über den Körper, wagte nicht, sich zu bewegen, um ihrem Schädel in diesem tosenden inneren Chaos ein Minimum an Ruhe zu verschaffen. Wie gut, nicht mehr dem furiosen Reigen der Raumeinrichtung folgen zu müssen …

Bald fiel sie in traumlosen Schlaf …,

… der am frühen Morgen unsanft und unbarmherzig von lauten, wenig einfühlsamen Musikklängen ihres elektronischen Weckers unterbrochen wurde. War nicht zu überhören samt dem hektischen Gequatsche super gut gelaunter Rundfunkkommentatoren. Würde wohl Tote aufwecken, aber sie hatte null Bock zu reagieren. Ließ das einfach über sich ergehen …, bis die drei Minuten um waren und die Apparatur verstummte. Endlich wieder Ruhe …, die aber nicht lange währte, denn erneut hub die penetrante „Weckmaschine" unbarmherzig an – die zweite Session, deutlich lauter als die erste. Algena patschte unwillig mit der flachen Hand auf das kleine Gerät, sodass es beinahe zu Boden geknallt wäre, aber fortan schien es ob der rüden Behandlung beleidigt und blieb still (der Abschaltknopf war der Hand wohl in die Quere gekommen …). Algena setzte sich mühsam auf, um sofort wieder zurückzusinken. Ein wahrhaft wütender Schmerz durchzog ihren Kopf wie eine Schneise der Verwüstung. Sie schloss wieder die Augen. Mühsam tasteten ihre Hände und Finger nach dem Einschaltknopf der Nachttischlampe. Endlich fand sie ihn. Warmes gedämpft-fahles Licht im Raum (draußen wars noch stockdunkel). Innerer Imperativ: Keine Lust, aufzustehen. Aber, sie erinnerte sich, sie musste, musste raus und heute ganz besonders. Mittwochs war im Atelier um neun immer Lagebesprechung. Oh Gott, wie sollte sie das überhaupt durchhalten?

Zwei Aspirin im Bad, ein starker Kaffee in der Küche dämmten die stechenden Kopfschmerzen nur zögernd ein, aber immerhin. Typisch verkatert eben, würde seine Zeit brauchen, sagte die Erfahrung. Kalte Frühmorgenluft bei leichtem Novembernebel draußen auf dem Weg zur S-Bahnstation brachte sie halbwegs wieder in die Reihe.

Bei dem Meeting heute Vormittag durfte sie nicht fehlen, auch wenn nicht sie, sondern ihre Kollegin im Mittelpunkt stehen würde. Es ging um deren aktuelle Arbeiten, die besprochen werden sollten und sie, Algena, galt als urteilssicher, weshalb ihr Chef bei solchen entscheidenden Themen stets großen Wert auf ihre Anwesenheit legte.

* * *

Dass Algena übernächtigt war, sahen alle.

„Du schaust aber heute blass aus! Ist dir nicht gut?" Manchmal können sogar KollegInnen ernstlich besorgt sein.

„Doch, doch, geht schon, hab nur ein bisschen gelumpt gestern Abend, nicht weiter tragisch", wischte sie die Besorgnis mit scheinbar leichter Hand weg. Dass sie sturzbetrunken war und das noch dazu ganz allein, mussten die ja nun wirklich nicht wissen. Reiß Dich gefälligst zusammen, ermahnte sie sich ängstlich und versuchte, ein freundlich lächelndes Gesicht aufzusetzen. Es gab Kaffee und das übliche langweilige Knabberzeugs, dann ging man rasch über zur Tagesordnung, besprach die Entwürfe, diskutierte Änderungen oder Verbesserungen, machte sich Gedanken über das für die verschiedenen Teile zu verwendende Stoffmaterial, diskutierte kontrovers über aufpeppende Accessoires etc. Das Damoklesschwert zu hoher Gesamtkosten beim Griff in die Vollen bzgl. der Qualität im Detail schwebte beständig über jedem Vorschlag. Unumgänglich natürlich gleich die Frage, ob die im Entstehen begriffene „Klamotte" auch für schmälere Geldbeutel geeignet sei und so erfolgreich in den breiteren Markt gedrückt werden könne. Ökonomie kontra Kreativität oder galt das auch umgekehrt bzw. was war dem Kunden, der Kundin leichter zu vermitteln? Algena warf gelegentlich etwas in die Diskussion ein, verhielt sich aber stiller als sonst (wohl eher „geistesabwesender"). Die Beanspruchung ihres Kopfes, ihrer Gedanken, fiel ihr heute ungemein schwer, sie hatte schon genug Schwierigkeiten, sich auf das Wesentliche zu konzentrieren. Anstrengende drei Stunden. Algena war reichlich groggy, als es endlich Mittag und Pause war. Dieselben Visagen vom Besprechungsvormittag jetzt hier am Mittagstisch – Normalfall, aber nicht gerade der entspannteste …, ein Spaziergang draußen wäre heute angebrachter gewesen. Der Kater war zwar weitgehend abgeflaut, aber so richtig „da" war sie noch nicht.

Zurückgekommen vom Mittagstisch nahm sie der Chef zur Seite.

„Algena, auch ich habe deine totale Übermüdung heute früh gesehen, Du sagtest, du habest ein wenig gelumpt. Klar, jeder schlägt mal über die Stränge, aber schon seit einiger Zeit fällt mir generell auf, dass du anscheinend mit der Konzentration Schwierigkeiten hast. Ich sehs manchmal an deinem – ich sag mal – leeren Blick … Keine Sorge, ich kritisiere nicht, du engagierst dich, bringst deine Leistung, aber ich mach mir halt leichte Sorgen um dich – als Mitarbeiterin und Mensch!"

Dass ihr Chef sich um sie kümmerte, bei ihr seiner Fürsorgepflicht besonders gerne nachkam, wusste sie, dass er sich aber so viele Gedanken um sie machte, war ihr unangenehm. Ja, stimmte schon, heute war sie nicht gut drauf, aber ihre privaten Sorgen sollten schon privat bleiben. Ausgeschlossen, ihrem Chef ihre Seelenlage offen zu legen! Natürlich wusste er vom Unfalltod ihres Mannes und dass sie das einige Monate recht gebeutelt hatte, aber ihm ihre generellen Schwierigkeiten in „Liebesdingen" (die sie ja nun wirklich belasteten) auch nur anzudeuten, fiele ihr nicht mal im Traum ein. Hatte im Geschäft, selbst im vertraulichsten Gespräch mit dem Chef, nichts zu suchen. Mit der Unkonzentriertheit aber hatte er wohl recht, auch wenn sie das ungern zugeben würde, bekannte Algena innerlich. Oft gingen ihr die ungelösten Probleme oder ungut verlaufene Situationen der nahen Vergangenheit durch den Kopf, der dann „ratterte" (meist im Kreis herum) und keiner „Lösung" näherkam.

Weshalb sie ihm gegenüber jetzt erst mal das Blaue vom Himmel vorbeten (sie wollte es nicht lügen nennen) wollte, was ihr in der Vertrauenvortäuschenden „du"-Form (anglisiert wie bei allen jungen, modernen Belegschaften), nicht ganz so leichtfiel. Heute wäre ihr mehr Abstand lieber gewesen.

„Aber nein, da täuschst du dich sicher, natürlich geht einem manchmal was durch den Kopf, läuft nicht immer alles paletti, ist doch normal, aber du weißt ja, wie gern ich meinen Job hier mache, da brauchst du dir nicht die geringsten Gedanken machen."

Das kurze Gespräch mit ihrem Chef endete rasch und in gegenseitigem Wohlwollen. Ja, heute war sie unpässlich gewesen, aber das mit der Unkonzentriertheit hatte der leider doch irgendwie mitgekriegt. Sehr wohl beobachtete Algena seit einiger Zeit Anflüge von unterschwelliger Wurschtigkeit und Überdruss an allem und jedem, auch an der Arbeit (wo sie das noch am besten kaschieren konnte), was sie sich allenfalls dadurch erklären konnte, dass sich jetzt schon eine gefühlte Ewigkeit nichts Wesentliches in ihrem Leben änderte. Alles plätscherte gleichmäßig dahin, zunehmend in Freudlosigkeit, denn ihre Männerbekanntschaften, die bisweilen auch mal im Bett endeten, blieben letzlich unerfüllte Träume. Sex allein war zu wenig für dauerhaft erfüllt- und glücklichsein. Kein Silberstreif am Horizont, keine Beziehung, die Dauer (und damit Halt) versprach; gefühlt: Es ging nichts vorwärts, es tat sich nichts, es blieb alles beim Alten – und das begann sie zunehmend zu deprimieren und im Kern zu zermürben.

Tief in ihr schien massiver Frust zu nagen, der sich „*nach oben durcharbeiten wollte*", weil dort der mangelnde „Lebenserfolg" ein deutliches Vakuum hatte entstehen lassen. Ohne das warme Licht der Liebe war alles schal und grau …

***

Stereotyp wie in allen Jahren begann man sich in der Stadt allüberall auf das kommende Weihnachtsfest vorzubereiten. Die großen Kaufhäuser, aber auch alle kleinen Läden waren längst weihnachtlich dekoriert. Weihnachtsgeschenke müsste sie einkaufen, für Leon, die Kinder, für die Eltern und natürlich für Isabelle, die vor allem, aber sie hatte heuer absolut keine Lust auf Weihnachtsbummel. Es war als wirke sie gelähmt, spürte diffuses Unbehagen, konnte nicht konkret sagen, warum. Nur ein…zweimal hat sie sich mühsam einen Schubs gegeben (weil es eben sein musste), sich nach Arbeitsschluss wenigstens mal kurz ins Vorweihnachtsgetümmel zu stürzen. Rumstromernd, nebenbei lustlos nach kleinen Geschenken ausschauend, spürte sie deutlich, dass das alles alleine keinen rechten Spaß machte; und Isabelle hatte aus ihr nicht bekannten Gründen kaum Zeit, weshalb sie beschloss, dieses Jahr alles einfach auf sich zukommen zu lassen, dann werde sie schon sehen.

Die Eltern erwarteten natürlich – wie voriges Jahr (dem ersten Weihnachten ohne Philipp) – ihren Besuch. Sie wusste, dass der bis aufs kleinste i-Tüpfelchen stets auf dieselbe Weise ablaufen würde, aber gar nicht zu erscheinen, konnte sie ihnen auch nicht antun. Natürlich, der Bruder samt Familie würde da sein. Alle Welt würde den kleinen strampelnden Felix bewundern, ansonsten das gewohnt standardisierte Gerede und Gequatsche der ganzen Familien-Mischpoke. Überall Fröhlichkeit in Reinkultur spielen, keinesfalls irgendwelche Schwierigkeiten ansprechen … War in ihrem Elternhaus verpönt.

Erst ein…zwei Wochen vor Weihnachten kündigte sie an, diesmal nur über die Feiertage kommen zu können, denn zwischen den Jahren und über Silvester würde sie mit Freunden ein paar Tage nach Österreich fahren. Sicher, Leon und seine Familie sähe sie halt dann nur an den Festtagen, dann müsse sie wieder weg.

Die Eltern reagierten enttäuscht und Algena schmerzte zugleich kolosal, ihnen erneut ein fulminantes Lügengebäude aufgetischt zu haben. Aber den ganzen Zinnober bis Silvester wie letztes Jahr? Hatte sie absolut keine Lust. Da half eben nur eine breit angelegte Notlüge. Ging nicht anders.

Der Kurzbesuch bei den Eltern war absolviert, die Weihnachtsmitbringsel überreicht, Sophie und Iris mit hübschen Geschenken bedacht, für die sie sich beim Obletter in München hatte beraten lassen, Felix ausgiebig bewundert und geherzt, am Boden mit den beiden Mädchen gepuzzelt oder *Uno* gespielt und ein paar private Worte mit dem Bruder gewechselt, Grüße bitte an die und die vom Ort, ihr wisst schon, trug sie den Eltern auf.

Leon war ein aufmerksamer Zeitgenosse. Trotz der nur zwei Tage dauernden Überschneidung ihrer Besuche waren ihm Algenas gelegentliche Geistesabwesenheit und Introvertiertheit nicht entgangen – und er sprach sie in einer ruhigen spätabendlichen Stunde an. Algena war offen, weitgehend jedenfalls, und weil sie ihm vertraute, bekannte sie ihm, wie sehr sie ihr Alleinsein, die leere Wohnung belaste, sodass sie Mühe habe, den ganzen Alltags-Normalkladderadatsch zu bewältigen. Leon, obwohl aus ganz anderem Holz geschnitzt wie sie, hörte ihr aufmerksam zu, kam zu ihrer Überraschung nicht mit seinen sonst gerne zitierten sog. „christlichen Werten" an, sondern versprach, jetzt öfters mal anzurufen. Vielleicht würde es ihr guttun, sich auszusprechen, was ihr bei ihm in mancher Hinsicht noch besser gelang als bei Isabelle.

Zurück von ihrem Besuch bei den Eltern verlebte Algena ihre Zeit „zwischen den Jahren" mitnichten mit Freunden in Österreich, sondern vergrub sich zu Hause, hörte Musik, las in ihren Krimis und schaltete oft, zu oft, wie sie selbstkritisch anmerkte, den Fernseher ein. Sie versuchte, sich abzulenken, denn ansonsten herrschte Funkstille mit ihren Außenkontakten, wie das in diesen Tagen nach Weihnachten der Fall war, weil sie im Allgemeinen der Familie gehörten. Und dass deshalb immer wieder mal der Rotwein sie aufmischen musste, darüber wollte sie nicht nachdenken: Wer versagt sich schon, was ihm guttut? Niemand! Wohl war ihr nicht dabei, aber so liefs eben derzeit (Philipp hatte für diese Tage stets irgendein attraktives Programm in petto). Immerhin: Isabelle und Georg luden sie mitsamt einem weiteren Pärchen, das sie nur flüchtig kannte, zu einem fröhlichen Spontanabend bei sich ein. Gute Stimmung. Ein Lichtblick in diesen Tagen.

Und Silvester? Am besten nicht weiter darüber nachdenken, sonst fiele sie in Trübsinn. Werde sie wohl zu Hause verbringen müssen, resignierte sie leicht frustriert. Ja, natürlich gäbs Events en masse in der Stadt. Wusste sie, war sie auch früher auf dem einen oder anderen gewesen, vor Philipp schon und dann mit ihm, aber jetzt? Als Single-Frau auf eine der allüberall veranstalteten *Massen-Jubel-Festmenu-Silvestertanz-Veranstaltungs-Redouten* gehen? Sozusagen als weibliches Freiwild für anmach-lüsterne Männerherzen, um dann in irgendeinem fremden Bett zu landen ...? Nein. Kein Bock. Zu zweit irgendwohin? Sofort. Klar. Aber allein nicht. Sie war nicht die selbstsichere Laura, die sich wie ein Zierfisch im warmen Becken inmitten einer Horde Anbeter fühlen würde. Isa und Georg waren nicht in München, sondern außerhalb bei Freunden eingeladen. Und alle sonstigen? Da hatte sich bisher niemand gerührt. Aber egal, sie wäre ja auch dort Single. Zu Hause könnte sie auf der Terrasse wenigstens das alljährliche Feuerwerk bewundern ...

***

Nur zwei Tage vor Silvester rief Alberts Frau Eleonore an. Sie hätten sich entschlossen, kurzfristig nun doch im kleinen Rahmen zu feiern, und wer Zeit habe, sei herzlich eingeladen. Wenn sie nicht schon für was anderes vergeben sei, würden sie sich auf sie freuen. Algena mochte die beiden und sagte erfreut zu, aber erst nachdem sie sich ein Herz gefasst hatte, beiläufig zu fragen, ob denn Rüdiger auch komme. Eleonore, als erfahrene und gut beobachtende Frau, wusste intuitiv, dass zwischen den beiden damals beim Geburtstagsfest ihres Gatten etwas gelaufen sein musste, ob gut oder schlecht, das nicht, aber immerhin.

„Nein, nein, keine Sorge", (Sorge? Aha, dachte Algena, die ahnt also einiges), „der ist gar nicht eingeladen, übrigens hat auch Laura abgesagt. Wir werden höchstens so um die zwölf...vierzehn Leute sein, gerade gut für eine nette Sylvester-Abendgesellschaft."

Albert und seine Frau ließen sich noch nie lumpen in puncto Einladungs-aufwand. Ein fernöstlicher Koch zauberte ein mehrgängiges indisches Menu als warmes Buffet, serviert in ihrer eigenen Küche. Das war nun auch für „abgebrühte Kreise" mal was Neues. Die Geladenen kannte sie nur zum Teil, aber von den paar wenigen Unbekannten fiel ihr sofort eine junge Frau auf. Warum gerade die? Keine Ahnung! Das Rätsel löste sich sehr schnell: Henning stellte sie ihr als seine Freundin vor. Sie seien schon bald ein hal-bes Jahr zusammen (sie quittierte das mit einem liebevollen Blick auf den, einen halben Kopf größeren Henning), aber erst heute habe er sie in – wie er sich tatsächlich ausdrückte – „unseren" illustren Kreis mitgebracht, meinte er süffisant. Keine ausgesprochene Schönheit, aber ein freundlich lächelndes Gesicht mit mittellangen brünetten Haaren und braunen Augen, die ihrem Blick etwas beobachtend-abgründiges verliehen – man nennt das manchmal *stille aber tiefe Wasser*. Sie trug ein gefälliges knallbunt geblüm-tes Partykleid, vielleicht 'ne Spur zu aufdringlich, fand Algenas kundiger Modeblick. Insgesamt eine angenehme, sympathische Erscheinung. Sie be-grüßte beide herzlich und Algena taxierte unwillkürlich und umgehend, wie die beiden miteinander umgingen, wie sie miteinander sprachen. Ein na-hezu unbewusster Test, herauszufinden, ob die beiden zusammenpassten. Solch musternde Gedanken befriedigen nun mal vor allem Fraueninteres-sen? Ob er ihr wohl erzählt hatte, dass er, Henning, mal um sie als Freundin geworben hatte?

Ein Kind von Traurigkeit schien sie jedenfalls nicht zu sein, denn manchmal hörte man ihr leicht kicksendes, aber nicht unangenehmes La-chen durch den ganzen Raum. Kommunikativ war sie, zweifellos.

Trotzdem führte auch diese neue Liaison Algena wieder deutlich und schmerzvoll vor Augen, wie sich die Welt zwar langsam, aber höchst be-ständig weiterdrehte, wie sich allüberall neues auftat – während in ihrem Leben gähnender Stillstand, null Bewegung herrschte. Deprimierend. Neue Liebesbeziehungen entstanden (wie diese hier), neue Ehen wurden ge-schlossen zwecks Familiengründung (wie demnächst von Isabelle und Georg), Kinder kamen zur Welt (wie Harrys zweites und Leons drittes) und was sonst noch alles in den ungezählten Lebensabläufen passierte.

Inzwischen hatten die engagierten Köche die Schüsseln und Platten mit den dampfenden Köstlichkeiten gefüllt und Albert bat die Freunde, Platz zu nehmen, wo man eben sitzen wolle (diesmal gäbe es keine Tischkarten, falls sich einige an seinen Geburtstag im Sommer erinnerten, meinte er lässig). Dem kam umgehend jeder nach. Algena nahm Platz neben Henning an dessen anderer Seite sich seine Freundin niederließ. Kurz überlegte Algena ..., nein, war schon okay. Der konnte das, eine Unterhaltung mal nach links, mal nach rechts führen.

Ein wunderbares indisch-östliches Sechs-Gänge-Menu wurde kredenzt.

Es gab ihr schon einen kleinen Stich zu wissen, dass sie Henning Oberländer hätte haben können als Partner, Intimfreund und vielleicht Ehepartner, wenn, – ja, wenn sie gewollt hätte. Hatte sie aber nicht. Und warum? Hatte halt nicht gefunkt zwischen ihnen (bei ihr zumindest nicht). Ob es tatsächlich die viel bemühte „Chemie" war, die einfach nicht gestimmt und verhindert hatte, dass der ebenfalls berühmte Funken übersprang ...? Sie war mit ihm immer wieder mal ausgegangen, meist nur zum Essen, aber das wars dann auch schon. Gute Unterhaltung, gute Stimmung, dann Tschüss ... Und sie hatte nie etwas des *prinzipiell stets Möglichen* vermisst. Ja, damals, als er selbst frisch in ihrem Kreis erschienen war, gabs mal eine intime Begegnung zwischen ihnen, eine einzige, und seltsamerweise war sogar die inzwischen weitgehend vom Dunkel der Vergangenheit verschluckt. Jetzt hatte sich, wie man sehen konnte, diese Tür endgültig geschlossen und Henning war in festen Händen.

Kurz und in einem unbeobachteten Augenblick, als sie gerade allein herumstand inmitten der Gesellschaft, feuchteten sich ihre Augen, verdrückte sich ein kleines Tränchen an ihrer Wange und gleich noch ein paar weitere ... Sie sah verlegen zu Boden, zog ein seidenes Taschentuch aus ihrer Handtasche, tupfte sie schnell und diskret weg und drückte es auch kurz auf die Augen ..., sie wollte hier nicht miesepetern, sondern so fröhlich sein wie die anderen.

Erneut war die bei ihr oft so gegensätzliche innere und äußere Stimmung miteinander in Einklang zu bringen. Stets galt es, Coolness zu zeigen, ihr wahres Gesicht, ihre innere Stimmung zu verbergen. Bei den Eltern an Weihnachten, bei Hermann, den sie nicht mehr liebte, aber auch nicht den finalen Laufpass geben wollte, heute an diesem Abend mit den beiden von vorhin, sogar bei Isabelle bisweilen. Wie wenn sie zweigleisig in ihren Gefühlen werden müsste und würde. Nennt man so ein Verhalten nicht schizophren? Dieser Gedanke ängstigte sie. Anspruch und Wirklichkeit klafften unmerklich immer weiter auseinander.

Gegen dreiundzwanzig Uhr meinte Albert, dass es jetzt Zeit wäre, bis Mitternacht das Tanzbein zu schwingen, legte flotte Musik in den CD-Spieler. Locker und bald recht ausgelassen gings auf den großzügigen Quadratmetern an Tanzfläche zu, denn die heißen Rock- und Popnummern luden zu freiem Tanzen ein. Algena erinnert sich: Bei Alberts Geburtstagsfest warens mehr als doppelt so viel Leute. Sie freute sich und vergaß ihre gerade noch gehegten schwermütigen Gedanken. Henning und seine neue Freundin schienen sich anzuhimmeln … So etwas sieht jede Frau umgehend (gehört zu ihrer Kommunikationskompetenz). Auch sie konnte die Augen vor dieser Allianz der beiden nicht verschließen. Kurz dachte sie an Rüdiger, vor einem halben Jahr bei Alberts Geburtstagsfest, an das Tanzen mit ihm und wie gut sie sich unterhalten hatten, wie eingenommen sie von ihm war. Was dann noch kam, an das wollte sie sich heute nicht erinnern. Heute gabs hier keine Art „Rüdiger" unter den Gästen. Sie fühlte eine uneingeschränkte Freiheit in sich aufsteigen, wiewohl in einem geschützten Rahmen. Henning und seine Freundin hatten sie nur für einen kurzen Moment aus dem inneren Gleichgewicht gebracht. War schon wieder vorbei.

Obligatorisches Anstoßen mit Sekt um Mitternacht. Glückwünsche hin und her, großes ausgelassenes Gejohle, draußen die Kirchenglocken der nahen katholischen Kirche. Einige hatten Feuerwerkskörper dabei und auch Raketen, deren Startplätze in Form leerer Flaschen längst bereitstanden, oder ließen Sonnenräder drehen, *ah und oh* bei jedem geglückten Schuss mit mehr als sieben oder acht Sternen. Kalt wars draußen. Algena holte ihren pelzbesetzten eleganten Mantel und mischte sich unter die auf der Terrasse Stehenden. Henning stand neben ihr.

„Ich wünsch dir von Herzen alles Gute fürs neue Jahr, liebe Algena“, flötete er in ausnehmend einfühlsamem Tonfall, so als ahne er ihre wahre innere Befindlichkeit, nur äußerlich Fröhlichkeit zeigend.

„Ich dir auch, mein lieber Henning, besonders jetzt mit deiner neuen Freundin.“

„Na, so neu ist die auch wieder nicht. Vor einem halben Jahr hab ich sie, du wirsts nicht glauben, ganz lapidar bei mir in der Praxis als neue Patientin kennengelernt.“

„Ach …, das ist wirklich was Neues – sich als Arzt in eine Patientin zu verlieben.“

„Na du kennst mich ja, sooo schnell geht das bei mir auch nicht mit der Liebe auf den ersten Blick. Bei mir ists eher der zweite oder dritte …, andererseits hat das Verhältnis Arzt-Patient ja strikt neutral zu sein. Na ja, Sie war halt mehrmals da, dann fielen auch ein paar private Worte und ich hab sie, ohne mir viel zu denken, einfach gefragt, ob wir mal miteinander Abendessen gehen könnten, habs eigentlich nur so beiläufig gemeint und, stell dir vor: Sie hat zugestimmt, einfach *Ja* gesagt … Kannst dir vorstellen, wie mir zumute war? Tabubruch? Ach was! Euphorisch war ich, jawoll.“

„Wie schön für dich!“. Algena spürte, wie wenig inspiriert das klingen musste, aber Henning bemerkte das Hintergründige dieser wenigen Worte nicht, er war in voller Fahrt. „Ja, und nächstes Jahr, nein, wir sind ja schon nach Mitternacht, dieses Jahr im Sommer wollen wir heiraten.“

„Glückwunsch, lieber Henning“, brachte Algena mühsam heraus, aber doch so, dass er ihre leicht gequälte Stimme nicht registrierte. Auch hier, im Leben dieser beiden, gings also vorwärts …

Mit Nachlassen der Feuerwerkerei rundherum, dem aufziehenden rauchigen Mief der Verbrennungsrückstände, spürten die Gäste langsam die nächtliche Januarkälte heraufkriechen und flüchteten wieder nach drinnen. Ihre kurze Unterhaltung endete abrupt. Im Haus wurde weiter getanzt, geplaudert, getrunken und die Reste des wunderbaren indischen Buffets fanden auch noch spätnächtliche Abnehmer. Albert kredenzte stets beste Weine. Algena hatte sich mit Alkohol diesmal deutlich zurückgehalten, denn sie war mit dem Wagen gefahren statt umständlich mit der S-Bahn.

Gegen vier Uhr verabschiedete sie sich aufgeräumt und fröhlich von Albert und Eleonore (Henning und seine Freundin waren schon früher gegangen), dankte ihnen für die Einladung, wäre sehr schön gewesen bei ihnen, wie eben immer, brach dann auf und fuhr durch die zum Glück schneefreien Straßen nach Hause, über denen die nächtlich-kalte Luft noch an einigen Stellen von der silvestertypischen Mischung aus Nebel und Feuerwerkskörper-Verbrennungsgasen geschwängert war. Sie bemühte sich, demonstrativ-nachahmend so gelassen dahinzugleiten wie Rüdiger damals, während ihr die Umstände auf der Geburtstagsparty im Sommer wieder einfielen. Der Kerl musste es eindeutig drauf angelegt haben, sie heimzufahren, ein möglicherweise winkendes „Schäferstündchen" mit ihr im Sinn. Und als das dann nicht auf seine gewohnte, exzentrische Weise ablief, war er spät nachts mit quietschenden Reifen abgedüst. Schade eigentlich, das ganze. Schade, dass der so ein Frauen-Draufgänger war …

Diesmal keine Komplikationen solcher Art. Todmüde zwar, aber zufrieden kam Algena zu Hause an, lag auch sehr schnell im Bett und zog die geblümte Wintersteppdecke hoch hinauf, anfangs sogar über den Kopf. Eine Marotte aus prinzipiellem, unbewusstem Schutzbedürfnis. Ein paar Minuten noch ließ sie den Abend Revue passieren. Schon erstaunlich: Stets hing es von ganz wenigen bestimmten Menschen ab (ob ihr bereits bekannte oder bisher unbekannte), ob ein Abend für sie entspannt verlief oder mit Verwicklungen und Problemen endete. Das Zusammentreffen mit Henning und seiner Freundin war harmlos, der Silvesterabend also ein unverhofftes und schönes Fest. Der gute Albert und seine Eleonore …
Dankbar schlief sie ein …

***

Das neue Jahr hatte zwar mit einem höchst erfreulichen „Knaller" begonnen, aber die innerliche Tristheit ihres Lebens war eben doch nur kurz unterbrochen. Es passierte nicht viel, der Alltag war wie eh und je zu bewältigen und Algena musste nolens volens mitspielen in diesem

„Normaltheater". Der in den ersten Januartagen frisch gefallene Schnee verzauberte ihre Terrasse in eine winterliche Märchenlandschaft. Bisweilen stand sie an ihren raumhohen Fenstertüren und träumte sich dort hinaus in die weiße schweigende Pracht.

Dass in München Fasching war und überall für die entsprechenden Bälle geworben wurde, ignorierte sie. Fasching, ja, früher mal. Als Studentin gabs da so manch ausgelassene Nächte. Aber schon mit Philipp hatte das nachgelassen. Er war zwar kein ausgesprochener Faschingsmuffel, aber auch nicht sonderlich dafür zu begeistern, allenfalls für einen Schwarz-Weiß-Ball im Deutschen Theater konnte er sich erwärmen. Inzwischen wars kein Thema mehr für sie. Den wenigen Anregungen sagte sie, ohne lange zu überlegen ab.

Stattdessen näherte sich ein ganz anderes Highlight: Isa's Hochzeit Mitte Februar. Wegen des Brautkleides hatte sie sie schon lange vor Weihnachten beraten. Inzwischen lag die offizielle Einladung im Briefkasten. Algena freute sich auf diese Feier am zwölften Februar.

∗∗∗

Kein bisschen müde war Algena. Glückstrunken schwebte sie gleichsam über die Tanzfläche. Tanzen, ihre Leidenschaft. Georg, der Bräutigam, hatte sie sich für einen Foxtrott geholt, zwischenzeitlich war dann was Lateinamerikanisches dran gewesen und jetzt schwang sie, von ihm recht ordentlich und eng geführt, ausladende Tangoschritte. Erstaunlich, wie gut Georg tanzen konnte, hätte sie ihm, dem Technokraten, als den sie ihn bisher sah, gar nicht zugetraut, gab ja auch keine Gelegenheiten bisher. Gut, zumeist nur Tanzschulen-Schritte, aber immerhin von Fortgeschrittenenkursen, wenn nicht gar der Oberklasse und wenn die korrekt getanzt wurden, machte es echt Spaß. Georg, heute im dunklen Anzug mit Krawatte (so kannte sie ihn gar nicht), war ein flotter junger Mann in seinen Dreißigern, stellte sie innerlich fest und wenn er einen anschaut, dann spürte man Herz und Gefühl. Er wirkte ganz und gar nicht wie ein Technokrat, den er kraft seines Ingenieurberufs manchmal heraushängen ließ (aber da tanzte man ja auch nicht). Er und Isabelle hatten einen hervorragenden DJ für ihr Hoch-zeitsfest verpflichtet und die Tanzfläche wurde nie leer – das beste Zeichen für gute Stimmung – und für bestens aufs Publikum abgestimmte Musik – das hervorstechendste Verdienst eines guten DJ.

Natürlich wurde der Tanzboden hauptsächlich von jüngeren Leuten fre-quentiert, die ältere Generation saß an den hübsch dekorierten Tischen, un-terhielt sich, trank Wein oder Bier, naschte zwischendurch von seinem Tel-ler mit restlichen Köstlichkeiten des Buffets, von dessen großen Platten es immer noch was zu holen gab, ansonsten schaute man dem Jungvolk beim Tanzen zu. Jungvolk? Gehörte sie eigentlich da noch dazu, fragte sich Al-gena, und beantwortete sich ihre Frage, bevor Zweifel aufsteigen konnten, gleich selbst: Selbstverständlich, welche Frage, mit Anfang dreißig, wenn-gleich schon drei Jährchen „drüber", sah sie sich durchaus noch als jung an.

In den wenigen Tanzpausen bevölkerte sofort eine größere Kinderschar im Kindergarten- und Grundschulalter die Tanzfläche und schrie und tobte sich aus. Klar. Der Nachwuchs eben, Kinder der Verwandtschaft von Isa-belle und Georg, alle im mittleren Alter von dreißig bis vierzig. Erhitzt und froh, wieder mal zu sitzen, betrachtete Algena das Treiben. Die Eltern der lärmenden vielstimmigen Bagage da draußen waren in ihrem Alter oder nur wenig darüber …, längst gestandene Familienväter und -mütter. Kurzes Unbehagen beim Gedanken, dass auch sie und Philipp „irgendwann" (das war eben undefiniert gewesen …) mal Kinder haben wollten … Alles in-zwischen obsolet und im Moment wie's aussah in weite Ferne gerückt. Hatte sie sich anders vorgestellt und vor allem: Sie wurde ja nicht jünger. Klar, das ging auch noch mit vierzig …, aber so „alt"? Nein. War nicht ihre Intention gewesen, sinnierte Algena mit gedankenverlorenem Blick auf das tobende „Kleingemüse" auf der Tanzfläche. Alles perdu! … Der DJ scheuchte mit einem Walzer die Kinderschar von der Fläche, die erst im hellen Stimmendiskant kurz maulte, dann aber schnell von selbst weg-spritzte, als die ersten Erwachsenen den freien Raum für ausladende Figu-ren nutzten. Auch Algena – sie wurde von einem älteren Mann aus Georgs Verwandtschaft geholt.

Alles hatte als rundum stimmiger Tag begonnen. Die einfühlsame Beamtin hatte den beiden am Standesamt in gesetzten, aber durchaus flotten Worten die üblichen Ratschläge für eine gelingende Ehe mit auf den Weg gegeben. Nach der Zeremonie fanden im Foyer des Standesamtes viele Glückwünsche mit unendlich vielem Händeschütteln ihren Weg zu dem strahlenden Brautpaar. Isabelle hatte schon Monate vor dem Großereignis ihre Freundin gebeten, bei der Auswahl ihres Hochzeitskleides behilflich zu sein, denn Modefragen und Stil waren Algenas Metier. In einem der bekannteren Münchner Brautmodenläden fanden sie ein wunderschönes hellpastellblaues langes, luftig-ausgestelltes Kleid, hoch geschlossen zwar, aber um den Hals nicht zu eng. Eine Perlenkette (einst von Georg von einer Überseedienstreise mitgebracht), ein knappes, farblich leicht abgesetztes Bolerojäckchen mit halblangen Ärmeln und eine schmuckvolle leichte Kopfbedeckung ergänzten Isabelles Outfit perfekt – eine eindrucksvolle, ja bezaubernde Erscheinung. *Ganz in Weiß* wollte Isabelle nicht heiraten, wäre ihr zu puristisch, wie sie sich ausdrückte. Es ist immer wieder eine Freude, wie hübsch junge, strahlende Frauen in solcher Robe wirken, auch wenn sie nicht gerade dem unbarmherzig strengen Schönheitsideal entsprechen. Den kleinen Brautstrauß, ein wunderschönes Blumenbukett, hatte Georg von einem Fleuristen binden lassen – abgestimmt auf das edle Kleid, von dem er heimlich ein Foto gemacht hatte (denn ein Bräutigam sollte es ja vor der Hochzeit nicht sehen …). Den hatte er dann seiner Isabelle vor dem Gang zum Standesamt feierlich überreicht.

Etwa siebzig Gäste hatten die beiden geladen, eine große Gesellschaft, alt und jung gut gemischt. Quirliges Treiben allüberall …, was Algena innerlich sehr zupasskam, denn sie konnte so einem bestimmten Gästepaar leichter aus dem Weg gehen, besser gesagt, musste ihm nicht ständig begegnen. Sie erfuhr es erst Anfang Februar und war zunächst verhalten entsetzt, weil sie befürchtete, die unbeschwerte Hochzeit ihrer Freundin könne für sie alles andere als unbeschwert verlaufen, ja vergällt werden. Warum mussten die beiden aber auch Harry samt seiner Rosi einladen? Sie wollte sich nichts anmerken lassen. Isabelle sollte im Glauben bestärkt sein, die „Harry-Irritationen" bei ihr seien inzwischen längst überwunden und ad acta gelegt, (waren sie aber nicht …). Algena hatte Rosi noch nie gesehen – Sie erinnerte sich: Aus der Einladung von Harry, sie mal zu besuchen, war nie etwas geworden. Sie würde Rosi also erst heute kennenlernen.

Irgendwann im Foyer des Standesamtes war eine Begrüßung unvermeidbar. Harry stellte ihr Rosi, seine Frau, vor und erzählte der wiederum ohne Umschweife, dass das hier eben jene Algena sei, von der er schon erzählt habe, eine einstige Freundin aus der Studentenzeit. Die beiden Frauen reichten sich leicht unsicher wenn auch aufgeschlossen linkisch die Hand. Rosi reagierte erstaunlich offen, fand Algena doch einigermaßen überrascht. So bieder-einfältig wie sie sich vorgestellt hatte, war die gar nicht, erkannte Algena sofort, denn Rosi, obwohl äußerlich schon den Habitus einer eher schlichten braven Frau vermittelnd, entsprechend auch der konservative Schnitt ihres hübschen Allerweltsfestkleides (wie es Algena bezeichnen würde), erwies sich durchaus als beredt und in ihrem Gebaren und Verhalten recht sicher. Rosi war trotz hochhackiger Schuhe fast einen ganzen Kopf kleiner als Harry und das machte das Erscheinungsbild dieses Paares ein wenig drollig, wie unpassend-zusammengehörend. Aber sie war mit ihrem flotten Haarschnitt, die leichten seitlichen Locken gut und sauber gedreht recht anziehend anzusehen. Kein Wunder, dass Harry an der hängen geblieben war, sinnierte Algena in sich hinein. Sie wusste: Hübschen Frauen war er auch früher nie abgeneigt gewesen (trotz ihr als fester Freundin, was bisweilen für Irritation gesorgt hatte).

Förmliches, anfangs angestrengt-gezwungenes, aber dann doch freier werdendes Plaudern über Familienübliches: Wie's den Kindern gehe, über die kleine, erst wenige Monate alte Melanie, ob die derzeitige Wohnung denn ausreiche … Und durchschlafen ginge sicher noch nicht. Stille sie denn noch? Und der ältere Bub? Maximilian hieß er doch, wie sie sich erinnerte. Und wie alt? Krabbelgruppen, Kindertagesstätten gäbe es ja und demnächst sicher den Kindergarten, ob sie sich vorstellen könne, wieder zu arbeiten und und und. Rosi taute zunehmend auf und freute sich über das Interesse an ihrer Familie, wohingegen Algena solche Fragen an sich wenig interessierten, aber die Konversation verlangte das hier eben. Harry war die scheinbare „Verschwisterung" der beiden Frauen sichtlich unangenehm, trat betreten von einem Fuß auf den anderen und war heilfroh, als zum Aufbruch geblasen wurde. Algena, deutlich gelassener, gefiel Rosi eigentlich ganz gut, da hatte sie ihr doch wohl ein bisschen unrecht getan.

Im Lauf des Abends und auch beim festlichen Buffet ging sie den beiden dann doch, soweit möglich, aus dem Weg. Sie beobachtete Harry. Der war zwar bemüht um seine Rosi, aber sie, Algena, kannte seinen taxierenden Blick in die weite Runde. Da wäre auch heute noch „Platz" für einen kleinen Flirt mit der einen oder anderen der Schönen. Das Thema erledigte sich insofern, weil die alle mit Ehepartner oder Freund da waren. Übrigens damit umgekehrt auch für sie (obwohl sie als Single-Frau sich hier „mehr" hätte erlauben können). Oft gelten ja Hochzeiten als animierende Begegnungsstätten für grundsätzlich „willige" Junggesellen und Junggesellinnen. Ansonsten gabs in ihrem Alter nur verheiratete Männer samt Ehefrauen. Ja schon, ein paar Anfangszwanziger liefen rum, sozusagen gerade erwachsen gewordene „Männerkindsköpfe", ob solo oder mit Freundin war kaum sicher auszumachen, aber auch egal, alberten locker-flockig mit ihresgleichen herum – nicht mehr ihre Preisklasse. Für Harry mochten die blutjungen Mädels eher interessant sein, aber die Argusaugen Rosis auf ihn und seine „schweifenden Blicke" waren unübersehbar.

Gelegentlich unvermeidliche Begegnungen auf dem Tanzparkett. Über die Schultern ihrer jeweiligen Tanzpartner hinweg blieb es nicht aus, dass sich ihre Blicke trafen, treffen mussten (und ungewollt-gewollt wohl einander suchten) und jeder im Blick des anderen „Bände zu lesen" glaubte. Für Harry der glasklare Beweis, dass sie ihn nach wie vor mochte, auch wenn sie sich anscheinend Mühe gab, das zu verbergen … Mit Harry zu tanzen ergab sich zum Glück nicht, weil er diesen Schritt dann doch nicht wagte (wohl aus Rücksicht auf Rosi), außerdem war er nun wirklich keine Tanzbegabung; aber bei ihm wäre das für sie Nebensache gewesen. Vergiss es, sagte sich Algena, was soll das, was anderes als dieses Verhalten stellt sich nicht mal hypothetisch. Sie sah ihn mit seiner Rosi tanzen, reden, agieren, sich unterhalten, auch mal flirten (mit der eigenen Ehefrau! Na also, geht doch …). Im verhaltenen Beobachten aus den Augenwinkeln ließen sich die aufsteigenden Beklemmungen in ihrem Herzen dann doch kaum mehr bändigen, ließen Spuren von Eifersucht herumwabern, nur um zugleich den Blödsinn, das völlig absurde solcher Gefühlsaufwallungen zu erkennen. Wegen dieser kurzen Erregungsphase bat sie ihren Tanzpartner, sie zu ihrem Platz zurückzuführen, es wäre ihr etwas schwindelig. Der wollte sich mitfühlend um sie bemühen, sie wehrte aber ab: „Vielen Dank auch, ist nicht nötig, ich möchte nur sitzen, das reicht schon."

Wenige Minuten nach zwei Uhr, die meisten dachten noch nicht ans heimgehen, war sie drauf und dran, sich kurz und bündig mit irgendeiner Ausrede zu verabschieden (was eher einer Flucht gleichgekommen wäre), weil sie glaubte, es nicht mehr auszuhalten. Sie wollte bei Isabelle den Anfang machen, wurde dann aber von Rebekka aufgehalten, die sie nötigte, sich noch mal für paar Minuten zu setzen. Sie habe mit ihr, Algena, noch kein einziges Wort heute Abend gewechselt und sie hätten sich schon länger nicht mehr gesehen. Isabelle kannte sie seit Studiumszeiten und stand mit ihr in loser Verbindung, weshalb sie mit eingeladen war. Ihr fröhliches Wesen lenkte Algena von ihren destruktiven Gedanken ab und sie plauderten eine längere Weile ungestört miteinander. Algena entspannte sich zusehends und ließ sich auch noch zu einem Cappuccino überreden. Zum Tanzen hatte sie eh keine Lust mehr. Fiel kaum auf, weil sich das tanzwütige Jungvolk nach wie vor dicht gedrängt auf dem Parkett austobte. Sie verabredeten, doch mal wieder zu telefonieren, um den Kontakt aufrechtzuerhalten.

Bald darauf allgemeiner Aufbruch. Die Leute verabschiedeten sich wortreich von einander, als ob sie den ganzen Abend nichts miteinander geredet hätten. Algena suchte kurz Isabelle und Georg auf, dankte ihnen für das schöne Fest, beeilte sich dann, griff rasch nach ihrem Mantel am Garderobenhaken und verschwand geräuschlos ohne weiteres Aufsehen, winkte das nächste Taxi herbei und ließ sich nach Hause bringen. Verabschiedungszeremonien mit Harry und Rosi wären ihr ein Graus gewesen, dachte sie erleichtert im Fond des schweren schwarzen Wagens sitzend.

Gegen fünf Uhr lag sie im Bett. Vor dem Einschlafen geisterte nicht nur das schöne, harmlos-fröhliche Fest durch ihren Kopf, sondern es erschien vor ihrem inneren Auge auch Harrys Gesichtsausdruck, vor allem wie er sie bei den zufälligen Begegnungen auf der Tanzfläche über die Schulter seiner Partnerin angeschaut hatte. Schmerzvoll spürte sie dabei ihre inwendige Unfreiheit. Ein wunderbares Fest hatten Isabelle und Georg veranstaltet, aber der *Stachel Harry* hatte sie erneut gepiesackt, auch heute Abend. Sie wusste glasklar, diesem Mann im Grunde eigentlich *nie, nie, nie mehr begegnen zu dürfen,* weder persönlich noch am Telefon (seine Stimme ...), und war sich zugleich im Klaren, dass sie das wohl nicht durchhalten könnte, denn immer noch meldete er sich alle paar Wochen – durchaus nett und neutral, wenn auch irgendwie überflüssig (aus ihrer Sicht ...). So konnte es jedenfalls nicht weitergehen: Sie müsste mit ihm da mal Tacheles reden, ihm klarmachen, dass eine wie auch immer gestaltete Freundschaft mit ihm wegen ihrer gemeinsamen, intensiven Liebes-Vergangenheit einfach nicht möglich sei. Er würde das natürlich vehement bestreiten, aber da müsste sie nun wirklich festbleiben in ihrer Einschätzung und dachte: *„Es geht um meine Gefühle und nicht um deine, Harry! Wir sind eben gefährdet, es ist so, auch wenn du das abstreitest. Du bist verheiratet, Harry, das sagt doch alles!"*

Oder, falls sie vor diesem schwierigen Disput mit ihm zu viel Angst hätte, wäre es gescheiter, sie würde ihm in einen Brief das alles erklären. Wäre umständlicher, aber sie könnte sich in der Begründung genauer fassen. Mal sehen ... Damit beruhigte sich die sonderbare Ambivalenz in ihrer Gedankenwelt und sie schlief endlich ein.

***

Der Frühling nahte mit Riesenschritten. Die Sonne schien kräftiger, kaum noch Schnee auf den Wiesen, die Straßen waren schon lange frei und trocken und endlich wurde es wärmer. Auch in Algenas großzügige Dachwohnung flutete das Sonnenlicht nach den langen Wintertagen ungewohnt ungehindert hinein. Denn im Sommer dämpfte sowohl am Morgen als auch am Abend das dichte Laub der alten Baumriesen in den umliegenden Nachbargärten die Sonnenstrahlen. Mittags hingegen stand die Sonne hoch über den Baumwipfeln und schien stundenlang in voller Pracht auf ihre Terrasse.

Nur die Stimmung Algenas entsprach nicht diesem Aufbruch der Natur. Sie lebte seit Wochen in einer Art *als-ob-Welt*, zunehmend oberflächlicher, mehr mechanisch in ihrer schönen Dachterrassenwohnung, ließ auch zur Haushaltführung eigentlich Notwendiges immer öfter schleifen. Keine Lust! Ihre Wohnung begann etwas unaufgeräumt zu wirken, einen Zustand, den sie sich in früheren, glücklicheren Zeiten niemals erlaubt hätte. Ihr Heim hatte stets tipptopp auszuschauen, wie es einst im elterlichen Zuhause selbstverständlich war. Ob Philipp auch mit kreativer leichter Unordnung zufrieden gewesen wäre, war während ihrer gemeinsamen Zeit kein Thema gewesen. Ihrer Zugehfrau Erna wollte sie vergangenen Herbst in einem An-fall von Selbstüberschätzung kündigen. Sie hatte es zum Glück nicht ge-macht. Diese läppischen eineinhalbStunden Putzen könne sie leicht selbst bewerkstelligen, meinte sie damals und außerdem war dieser wöchentliche Dienst noch ein Relikt aus ihrer Zeit mit Philipp. Müsste, wie so manches an Erinnerung an ihn, eigentlich auch ausgemerzt werden! Sie hatte die Ent-scheidung wochenlang schleifen lassen, dann verblasste der Impuls und al-les blieb beim Alten. Zum Glück! Der Gedanke, jetzt den vierzehntägigen, unumgänglichen Putzfrondienst selbst machen zu müssen, erschreckte sie inzwischen. Schließlich habe sie einen anstrengenden Full-time-Job, ent-schuldigte sie sich.

Ihr machte die Fron des täglichen Einerleis zunehmend zu schaffen: Je-den Tag: Aufstehen, ins Atelier rennen, dort stets die gleichen Visagen se-hen, dieselben Gespräche führen, dabei aber immer auf das erforderliche Team-playing achten, dieselben Animositäten, kleinen Ärgernisse, unter-schiedlichen Auffassungen aushalten, Eifersüchteleien oder sonstigen Un-mut etc. ertragen. Nach Dienstschluss das Nötigste einkaufen, heimkom-men in die „blutleere" unbelebte Wohnung, die ja weiß Gott eigentlich ein kleines Paradies war. Dann das „Abendprogramm", zur Entspannung hauptsächlich vor dem Fernseher verbringen, oder auch mal mit einem Ro-man auf der Couch – beides oft genug mit Rotwein aufgepeppt, manchmal einem Glas zu viel, dann schlafen gehen. Und am nächsten Tag? Derselbe Trott …, tage- und wochenlang. Das Stereotype ihrer Tagesabläufe zer-mürbte trotzdem sie ihre Arbeit im Prinzip gern verrichtete. Sie erinnerte sich: Während der Studentenzeit mit Anfang zwanzig war den ganzen Tag ständig irgendwas los gewesen. Inzwischen spielten die allermeisten ihrer einstigen Kommilitonen in der nächsthöheren Liga, der mit Familie, Kindergeschrei, gar schon Schule und Elternbeirat. Und sie, die Dreiunddreißigjährige? Status „ledig", man könnte ironisch auch „übriggeblieben" sagen. Ledige teilen mit jungen Verheirateten oder Familienvätern und -müttern mit Kindern über kurz oder lang kaum mehr gemeinsame Interessen. Und sie? War wieder ledig (genauer verwitwet, machte eh keinen Unterschied). Objektiv besehen führte sie ja das gut abgesicherte, komfortable Leben, das sie sich immer gewünscht hatte, wenn …, ja wenn halt noch jemand da wäre, mit dem sie das Leben teilen könnte, der, salopp gesagt, „Leben in die Bude" brächte.

Natürlich gabs mal Abwechslung, Kino, meist mit Isabelle, manchmal mit einer guten Kollegin, neuerdings auch wieder mit Rebekka, bisweilen ließ sie sich bei Treffen ihrer Freundesgesellschaft blicken, aber immer seltener, weil das aufgesetzt wirkende, wichtigtuerische Geschmarre nicht selten abgehobenen *High-Society-Allüren* nahekam. Das nervte sie, ödete sie an, inzwischen sogar einige der Leute selbst, von wenigen wie z.B. Albert und Eleonore, Henning und noch ein paar netten abgesehen.

Und es gab nach wie vor gelegentliche Dates, vielfach mit Männern aus ihren beruflichen Kontakten nach außen: zu Kunden, Zweitabnehmern, Agenten, Wiederverkäufern, Firmen für ausgelagerte Aufträge. Die Männerwelt stand der Gesellschaft einer attraktiven gebildeten Frau, obendrein ohne Anhang, stets ausgesprochen aufgeschlossen gegenüber – nur, gefunkt, *wirklich gefunkt*, hatte es bisher nie (bei ihr jedenfalls), wobei sowieso nur die Ungebundenen überhaupt eine Chance hatten. Wenn ihr da auch nur die geringsten Zweifel aufstiegen, hatten die Männer verloren. Manchmal spürte sie weitere ihr bestens bekannten Regungen in sich, die wie ausbremsende Vorbehalte wirkten– oder suchte sie nach ganz bestimmten Phantombildern von Männern? Sie ahnte, wer da reinfunkte, wollte es aber nicht weiter vertiefen noch sich gar eingestehen. Wenn ihr Gefühl "nein" sagte, musste sie diesem inneren Impuls folgen. Weshalb die allermeisten Kontakte bereits nach zwei…drei Treffen im Sand verliefen.

Für heute Abend, es war ein Mittwoch, hatte der Chef seine Mitarbeiter und Mitarbeiterinnen zu einem Abendessen eingeladen. Wieder mal war eine Kollektion (an der sie diesmal nicht beteiligt war) erfolgreich platziert worden, mit anderen Worten, es war Geld reingekommen, und zwar unerwartet viel, und der Chef wusste, dass das dem Engagement und Können seiner Schützlinge zu verdanken war.

Man traf sich gegen achtzehn Uhr in einem feinen Lokal in Haidhausen. Ihrer Berufsehre verpflichtet, hatte sich die Atelier-Belegschaft standesgemäß chic gekleidet, und Außenstehende konnten meinen, an dem langen Tisch mit den etwa Dutzend Leuten säße eine Riege bestgekleideter männlicher und weiblicher Models beisammen.

Kurze Rede des Chefs, Lob und Anerkennung für die Belegschaft. Speisen vom Feinsten wurden nacheinander gereicht, ein exquisites Menu, jeder Einzelne nach seinen individuellen Vorlieben für Getränke gefragt und – selbstverständlich – viel geredet. Und worüber? Meist eben doch wieder nur über Geschäftliches. Kollegen sind Kollegen und keine Freunde, da hat Privates wenig Chancen. Aber immerhin, die Stimmung war gut, der Chef von allen anerkannt und akzeptiert, weil er konziliant mit jedem und jeder „konnte". Gegen einundzwanzig Uhr verabschiedete man sich, alle leicht angeheitert von Alkohol, und meinte süffisant, man sehe sich ja (hoffentlich) putzmunter bereits in wenigen Stunden wieder, nämlich morgen früh. Allgemeiner Aufbruch und Verabschiedung. Die meisten strebten in Richtung öffentlicher Verkehrsmittel, einige wenige schwärmten aus, ihre Autos in den Nebenstraßen zu suchen.

Algena stand noch mit einer guten, vertrauten Kollegin ratschend herum. Die brach das dann aber rasch ab und meinte, jetzt doch schnellstens nach Hause zu müssen, weil sie befürchte, dass ihr Mann wieder mal „nicht fähig gewesen" sein könne, ihre beiden Kleinen um sieben in den Kahn zu verfrachten. Bei ihnen sei die Mama nur schwer zu ersetzen. Algena bedauerte sie. Ständige Hetze und Stress – nicht nur im Geschäft, sondern dann auch noch zu Hause? Hm, … machte doch ein bisschen nachdenklich. Die Kollegin zog ab.

Der Abend war noch jung. Gerade einundzwanzig Uhr …, Essen, trinken, der hervorragende Rotwein, die Stimmung …, war schon alles gut, aber so 'n kleinen Absacker vor dem Heimfahren wäre schon noch angebracht, fand sie, ihre mitfühlenden Gedanken an die pflichtbewußt nach Hause strebende Kollegin verscheuchend. Auf sie warteten weder Ehemann noch quengelnde Kinder, nur das leere Bett, nicht gerade erhebend – jedenfalls wars dafür zu früh. Ein unternehmungslustiger Impuls erfasste sie. Aber wohin? In eine Spelunke wollte sie nicht, aber es gab nur Restaurants in der Umgebung der Kirchstraße, die sie entlangschlenderte. In einer kleinen Seitenstraße schien es ein paar einfache kleine Kneipen zu geben. Wäre da eine geeignet? Eine kleine Bar lachte sie an. Da rein?? Kurz zweifelnd. Schien 'ne einfache Stehkneipe zu sein. Da wirklich rein?? …, ich? Kurzer Blick die Straße rauf und runter. 'S gab hier nichts „Höherwertiges". Die ungepflegte Eingangstür ließ sie erneut zögern. Ob sie wohl den Mut aufbringen würde, hier reinzugehen? Oder brauchte sie überhaupt Mut dazu?? Ja, sie brauchte! Das war ihr schnell klar, kurz unschlüssig vor der Tür stehend. Nun mach schon, trieb sie sich an, aufkommende Bedenken nonchalant verscheuchend. Trotz meldete sich: Wer bin ich denn?? Wäre ja noch schöner! Wenn ich was trinken will, dann will ich was trinken, fertig, und dann geh ich dahin, wo's das gibt, motivierte sie sich engagiert, erneut Isa's Mahnung gedenkend, sich doch gefälligst mehr zuzutrauen…. Jawoll, das wollte sie, jetzt wäre Gelegenheit; 'n Bier zwitschern und dann wieder raus, was war da schon dabei?

Entschlossen öffnete sie die schäbige, leicht scheppernde Tür – und wurde mit einem Schwall von typischem bierhaltigem Bardampf, dem so charakteristischen Dunstgeruch jeder Stehkneipe, durch die geöffnete Tür entweichend, eingenebelt. Was sich da sonst noch an Gerüchen reinmischte, vermochte sie nicht weiter zu sezieren. Ein enger Raum voller Menschen … da riecht die Luft immer streng abgestanden. Seit auch in solchen Einfach-Etablissements keine Zigaretten mehr geraucht werden durften, entfiel wenigstens der ekelhafte Zigarettenqualm, den nur Hartgesottene aushielten, während die Ungewohnten glaubten, umgehend ersticken zu müssen. Sie stand noch fast unter der Tür und sah sich um. Weiter rückwärts, an der hinteren Querwand, schien doch einer zu rauchen – oder täuschte sie sich?

Ein schmaler, lang gezogener Raum, sechs...sieben Meter lang. Ja, es war 'ne Stehkneipe. An der Theke lungerten eng nebeneinanderstehend ein paar Männer, so zwischen dreißig und sechzig, herum, und auch zwei junge grell aufgetakelte Weibsbilder, immer wieder mal ihr Bier vom Tresen greifend, um daran zu nippen. Barhocker gabs nur wenige, einige Gäste standen, die Frauen saßen – mit ihren Reizen nicht gerade geizend, was die stark geschminkten Gesichter und auch die durchaus freizügige Oberbekleidung betraf. Lautstark oder auch locker-lässig gerade Gesagtes betonend, oft wild durcheinander quatschend, palaverte das Volk hier gesten- und emotionsreich. Vermutlich alles Stammgäste. Sah man auf einen Blick, weil sich alle offensichtlich kannten, und dass die nicht gerade von den Musen höherer Bildung geküsst worden waren, erfuhr man spätestens beim Lauschen darauf, was da an Worten und Gedanken hin- und hergeworfen wurde.

Als groß gewachsene Frau, das hübsche Gesicht mit ihren ausdrucksstarken Augen von gepflegt-welligem, langem, brünettem Haar umspielt, in edle modische Kleidung gewandet, zog Algena sofort alle Blicke auf sich – das laute Geplapper im Raum erstarb urplötzlich für ein paar Sekunden (was Algena umgehend bestätigte, Mut gebraucht zu haben, hier reinzugehen) – dann war sie als Sensation wieder auf Normalstatus gesunken und die Leute kümmerten sich wieder um ihresgleichen. Sie drückte sich an den Gästen vorbei bis etwa zur Mitte der langen Theke, hängte ihre leichtes Jäckchen an einen Haken hinter sich zu paar anderen Joppen und Jacken und sah sich erneut um. Sehr eng, keine Tische und Stühle, nur wenige Barhocker, eine klassische Stehkneipe eben. Die umfangreich mit Schnäpsen und Likören in oft abenteuerlich geformten Flaschen bestückte Bar-Rückwand fiel auf, in die Theke eingebaut einige Zapfhähne mit undefinierbarem Schnickschnack geschmückt, viele teils altmodische, leicht vergilbte Poster einstiger Filmdiven und Pop-Helden auf schwarz getünchter Wand. Das laute Geschnatter nervte, andererseits wollte sie hier nur kurz was trinken und dann wieder abrauschen. Sie quetschte sich zwischen das Männervolk, das ihr bereitwillig Platz an der Theke anbot („die ist wohl was

Besseres" ...), legte bedächtig, weil unsicher, ihr Handtäschchen vor sich auf den Tresen und wandte sich an den Barkeeper, ob er denn einen *„Russen"* hätte ..., und fügte überflüssigerweise hinzu, ziemlichen Durst zu haben, was dem stoischen Typen hinter der Theke völlig egal war. *Greenhorngerede*, dürfte der gedacht haben, hab ich eh noch nie gesehen hier und einen *„Russen"* bestellt hier kaum einer ... „Ja, eine Halbe," erwiderte sie auf die kurz angebundene Frage des Barkeepers. Der zapfte mit üblich gestenreicher Selbstdarstellungskunst das Gewünschte und stellte es ihr gelassen vor die Nase. Algena wollte das Zusammenfallen des Schaumes nicht abwarten, hatte echt Durst, setzte gierig an, genoss das kühle Nass und wischte sich den Mund mit einer Serviette aus einem Spender auf dem Tresen ab.

Ein Mann ganz hinten an der Theke war wohl „aufgewacht", musterte sie von seinem Platz aus schon seit ein paar Minuten lang interessiert (was ihr gar nicht aufgefallen war in dem Gedränge am Tresen), packte dann sein Bierglas und stand unversehens halb hinter, halb neben Algena, gleich ein abgedroschenes Kompliment auf den Lippen.

„So eine hübsche Frau hab ich noch selten hier gesehen und ich bin des Öfteren hier drin." Erwartungsvoll schaute er ihr, eine Spur zu frech, wie Algena meinte, ins Gesicht. Was will der? Diese Standardfrage drängte sich ihr wie von selbst auf, während sie den Typen taxierte. Auch wenn an dem nichts Interessantes zu sehen war (damit war bei ihr immer zunächst die Kleidung gemeint, ihr galt stets Algenas erster Blick), machte er einen sympathischen Eindruck. Ein knapper Schnauzer, schmal in einen Kinnbart übergehend, ansonsten unrasierter Dreitagebart, listige Augen, ein schmunzelnder, durchaus anziehender Mund (Algena wusste, auf wohlgeformte Männermünder zu stehen ...) in einem markanten, wettergegerbten Gesicht, umrahmt von schwarzer Kurzhaarpracht, normale, industriell verwaschene Bluejeans und ein sauberes, kariertes Oberhemd an derben Holzfällerstil erinnernd. Trivialer Typ, das schon, aber der hatte irgendwas an sich, war nicht uninteressant, weshalb sie ihn konziliant mit ihrem betörenden Blick anlächelte:

„Ja, wenn sie das meinen, dann wirds für sie schon stimmen." Sie war gespannt, was nun passieren würde, warum der hergekommen war. Mit den eng herumstehenden anderen Gästen hatte er keinen Kontakt, er schien mehr in sich gekehrt zu sein, als mit anderen klönen zu wollen. Auch ihr gegenüber erwies er sich nicht als sonderlich unterhaltsam, aber – Algena registrierte es verwundert: Warum machte ihn gerade diese „beredte" Einsilbigkeit so anziehend (was sie sich nur widerstrebend eingestand)? Nur einige Worte hin und her, Small Talk eben, aber – ja – nicht übel der Typ, weniger was er sagte als *wie* er es sagte, *wie* er redete, *wie* er sich gab. Derb und ungehobelt, aber keineswegs dümmlich, seine Sprüche einerseits; anderseits wirkten sie wohl genau deshalb so männlich. Noch war sie unschlüssig, was sie letztlich von ihm halten sollte, man sagt, der allererste Kontakt entscheide über Sympathie, aber noch mehr darüber, ob die berühmte „Chemie" stimme, und sie wusste, dass selbst das bei ihr ein kleines Weilchen dauerte …, in ihr wirkte eine seltsam lange Leitung bis es funkte, die Fahnen zu Fliegenden wurden – oder eben auch nicht. Ungewollt spürte sie eine gewisse Anziehungskraft von ihm ausgehen, was freilich auch ihrer leichten Enthemmung durch den Rotwein vorhin bei der Feier geschuldet sein konnte. Nüchtern war sie jedenfalls nicht mehr und das Gemüt sicher auch gelockert … Daher wohl die positive Einschätzung: ein interessanter Typ jedenfalls! Aber noch mal, was wollte der eigentlich? Undurchschaubar wirkte er, was Algenas weibliche Neugier weiter anregte … Sie nahm sich vor, erst mal offenbleiben zu wollen. Befremdet schaute sie auf ein zigarettenähnliches Gebilde, das er in der Hand hielt, aber nicht wie üblicherweise eine Zigarette nach außen, sondern mit dem glühenden Ende nach innen in die Handhöhle gerichtet. Das Mundstück ragte wenige Millimeter über Daumen und Zeigefinger hervor. Kurz sog er daran. Kaum Rauch, der aber seltsam hell bis weiß, entwich seinem Mund. Ob er inhalierte war deshalb nicht ganz klar, aber er schien das, was eine Inhalation gewesen sein könnte, zu genießen. Es war natürlich keine Zigarette, sondern ein Joint, aber das erkannte Algena mangels Erfahrung nicht.

„Wollen sie mal probieren" forderte er sie auf

„Ich bin Nichtraucherin", meinte Algena noch ganz arglos und setzte hinzu, „Man darf doch hier gar nicht rauchen." Darauf ging er gar nicht ein, überhörte die Mahnung geflissentlich.

„Ach was, nur mal kurz ziehen, sie werdens nicht bereuen." Was meinte er denn damit? Nicht bereuen? Algena merkte, dass ihr Wesentliches an anschaulicher bzw. einschlägiger Erfahrung in Kreisen wie diesen hier abging. Was hatte der da? Womöglich Hasch? Nein, das wollte sie nicht, auf keinen Fall, wehrte sich erst innerlich dagegen, dann auch mit Worten und eindeutigen Gesten, doch der Typ blieb hartnäckig, hob seine Stimme ein wenig an.

„Jetzt machen 'se mal nicht auf etepetete, junge Frau ...", drang er jetzt doch mehr in sie, „Ein Zug, davon fallen 'se schon nich um, aber es tut gut, sehr gut sogar!", betonte er. Der ließ nicht locker und Algena wollte kein Aufsehen durch sicher hier generell unübliche Fundamentalobstruktion erregen, nahm kurzerhand die gereichte „Zigarette", führte sie zum Mund, zog kräftig daran und atmete ein – tief .... und hielt verunsichert paar Sekunden den Atem an ... „Ohhhhh", unter einigen wenigen starken Hustern entwand sich eine dichte, weißliche Wolke ihrem Mund ... und sie spürte umgehend die Wirkung dieses Zuges in Kopf und Körper. Der Mann schaute sie erwartungsvoll an. Die anderen Gäste schienen das Geschehen nur recht beiläufig wahrzunehmen, um sich gleich wieder ihrem unterbrochenen Geschnatter zu widmen, als ob dererlei Vorkommnisse hier keinerlei sonderlicher Aufmerksamkeit wert seien.

„Na, geht doch! War doch gar nicht schlimm, oder? Gleich wirds ihnen sogar sehr gut gehen!" Die Bar, das Interieur, die Menschen vernebelten sich vor Algenas Augen, schienen schwerelos zu schweben, das Geplapper rundum, das nie wirklich unterbrochen war, blieb laut, aber schien von weiter entfernt zu kommen. Zitternd reichte Algena dem Kerl den Stummel zurück. „Ohhhhh", erneut, aber verhaltener, entwand sich dieser Überraschungslaut ihrem Mund, zugleich reichlich benommen eine seltsame Leichtigkeit in Körper und Geist verspürend, wie wenn sie mit den Füßen nur sachte auf dem Boden auftupfen würde, ansonsten scheinbar zu fliegen vermochte, natürlich nicht real, aber innerlich. Die nach der Inhalation urplötzlich einsetzende Übelkeit war überraschenderweise bereits Sekunden später wieder verschwunden. Wohlige Schauer fegten durch ihr Gemüt, Ihre Psyche schien verrückt zu spielen. Wie in einem sich drehenden Kaleidoskop jagten völlig unsinnige, aber höchst angenehme Gefühle, Empfindungen und Gedanken in ihrem Kopf wild um die Wette. Die volle Dröhnung eben, wie sie Unbedarfte bei erstmaligem Gebrauch sofort ereilt. Ganz was Neues, dachte sie, Seltsam, ja, aber es tat ihr tatsächlich gut. Jedenfalls empfand sie das jetzt.

Sie schaute entgeistert auf den Mann neben ihr, der nur schmunzelte und meinte „Na also, hab ich nicht gesagt, dass es Ihnen gut gehen würde …, anschließend?"

„War das …, äh …, Rauschgift?" Benommen registrierte Algena ihre eigene Frage, als ob jemand in ihr gefragt hätte.

„Nenn' Sie's wie 'se wollen, keine Sorge, is nix Gefährliches. Hauptsache, sie sehen die Welt wieder rosiger. Vorhin, beim Reingekommen, schauten sie reichlich ängstlich und misstrauisch drein." Das war lange her in Algenas momentanem Zeitgefühl.

Verlegen, eher verwundert über das neue Erleben, griff sie unsicher nach ihrem Bier und nippte dran, die Augen über den Glasrand hinweg auf die Szenerie mit dem Mann im Mittelpunkt gerichtet. Durst wie vorhin, hatte sie nicht mehr. Der prostete ihr zu, da nippte sie ein zweites Mal.

„Nich so zaghaft, junge Frau: Trinken! Hören se? Nich nur Lippen nass machen!" Folgsam griff sie noch mal nach ihrem Glas und überwand sich zu einem kräftigen Doppelschluck.

„So is recht", meinte der Typ zufrieden und zog erneut sehr kurz an seinem kleiner werdenden Stummel … Und reichte ihn an Algena weiter.

„Hier, ziehn 'se noch ein…zweimal ordentlich, ist eh gleich aus." Wie ein übergeordnetes, imperatives Phänomen, ein *Deus ex Machina* kam ihr dieser Typ inzwischen vor, – und ja doch, wie leicht die Welt plötzlich geworden war, ein entrücktes, aber höchst angenehmes Gefühl. Widerstandslos gehorchte sie, sog abermals kräftig an dem Stummel, der hell aufglühte, hielt kurz den Atem an und prustete erneut, nur ganz kurz hustend, die helle Wolke wieder aus. Unmittelbar ein neuer Schub. Sie sah sich um. Der

311

Raum, beziehungsweise das, was sie als „Raum" wahrnahm, kreiselte wie verrückt. Mehr oder weniger automatisch hielt sich ein Rest bewusst erlebter Contenance in ihr, denkend: *Ist ja irre, sowas hab ich ja noch nie erlebt, sollte man auskosten, wenn sich schon die Gelegenheit ergibt* – Sie betrachtete das Wunderding zwischen ihren Fingern, führte es kurzerhand noch einmal zum Mund und zog ein drittes Mal an dem schon bedenklich kurz gewordenen Stummel. Der Effekt auf ihr beginnendes Delirium verstärkte sich weiter. Dann zitterte sie, mit dem Arm mühsam die Richtung wahrend, den Kippenrest in ein kleines Tellerchen auf dem Tresen in der Nähe liegend (Aschenbecher gabs ja keine mehr). Der Mann hatte seinen weiblichen „Schützling" die ganze Zeit aufmerksam beobachtet (Er war sich sicher: Die war ein richtiges Greenhorn in diesem Metier ... Null Erfahrung. Da kapierte die nix.), nahm die Kippe sofort wieder aus dem Teller, ließ sie diskret aus der hohlen Handwölbung in die Tiefe auf den dunklen Dielenboden fallen und drückte sie mit dem Schuh aus. Nichts deutete mehr auf das *Corpus Delicti* hin. Algenas Pupillen waren dunkler, deutlich größer geworden und ließen ihren Blick noch ausdrucksvoller werden, als er eh von Natur aus war. Die schon nach dem ersten Zug erlebte Wirkung hatte sich mit den nächsten Zügen weiter kräftig verstärkt, als ob das Kreiseln des Raumes noch nicht genug wäre. Sie fühlte sich ziemlich wackelig, aber genoss zugleich, anscheinend regelrecht zu schweben. Wegen ihres unsicheren Standes hielt sie sich mit einer Hand am Rand des Tresens fest, mit der anderen griff sie nach dem Unterarm des neben ihr stehenden Mannes, um sich auch an ihm festzuhalten. Unkontrollierbare Gedanken. Fühlte sich das *so* an, wenn man „high" war, waberte es konturenlos in den Resten ihrer denkenden Psyche. Detaillierteres zu denken erlaubte der Schädel schon längst nicht mehr ...

Ein kaum merkliches Lächeln umspielte den Mund des Mannes. Er warf einige Münzen auf die Theke, ließ ein paar unverständliche Worte Richtung Barkeeper, der sie beide die ganze Zeit keines Blickes gewürdigt hatte, als wolle er von „solchen Sachen" in seiner Bar nichts wissen oder hören oder sehen, schlüpfte in seine Joppe, griff die ihre und wandte sich Algena zu, ihre Jacke inzwischen über seinem Arm.

„Kommen se, draußen ists kühl, wird ihnen guttun." Willenlos ließ Algena sich helfen, in ihre Jacke zu schlüpfen, gar nicht so einfach; ohne die lässige Hilfe ihres Begleiters wäre sie da wohl gar nicht reingekommen, grapschte dann mehr mechanisch im letzten Moment noch nach ihrem Täschchen. Sein kurzer beiläufiger, neuerlicher Blick in ihre Augen zeigte ihm ihre deutlich geweiteten Pupillen. Hatte also funktioniert, sagte er sich befriedigt.

Draußen atmete Algena tief ein, tat wirklich gut, das sonderbare Delirium wich aber kein bisschen, sie wurde nicht gewahr, dass der Mann genau wusste, was er wollte. Er legte seinen Arm um ihre Taille und dirigierte seine Begleitung nach rechts, weiter die Straße entlang. Sie war nicht imstande, darüber nachzudenken, wo sie denn vor einer Stunde hergekommen war, es war ihr auch reichlich egal, latschte mit ihm mit, sich wie in einem völlig unbekannten lieblichen Himmel bewegend. Algena sah in ihrem Drogenrausch (denn das war ein solcher) die dunkel-düsteren, farbreduzierten Straßen im matten Licht der Straßenlaternen in leuchtenden Farben und fand: Mein Gott, ja, war wohl Rauschgift, keine Ahnung, was solls. War egal im Augenblick. Bei aller Aufgelöstheit und der um ein Vielfaches verstärkten Irritationen durch höchst benebelte Sinne, fühlte sie sich rundherum wohl. Ja, sie war high, aber gestützt durch ihren Begleiter war alles gut. Sie war mit sich und der Welt zufrieden und das zählte, sonst nichts! Der würde schon wissen, wo's langginge, sagte sie sich in einem kurzen Anflug von nicht mehr recht ernstzunehmender Vernunft. Die Bar? Ihr Bier? Hatte sie eigentlich vorhin bezahlt? Keine Ahnung ..., war auch egal. Hach ...! No problem, wird schon alles in Ordnung sein. Die Dunkelheit, die frische Luft, die überfließende innere Wärme und – ja – die Zuversicht, in der sie sich befand, ohne es bewusst so zu erleben, ließ sie anstandslos und ohne zu fragen mit dem Mann mitgehen ...

Unter Drogen gesetzt, hatte ihr übliches, typisches erstes Misstrauen gerade Männern gegenüber keinerlei Chancen ...

Die beiden blieben vor einer dunklen altmodischen Haustür stehen. Lauter Altbauten hier. Er sperrte auf. Algena registrierte, obwohl von inneren rosigen Farben benebelt, verwundert, eigentlich gefragt werden zu wollen, ob sie hier mit reingehen wolle, wohl in seine Wohnung. Aber der kannte da wenig Skrupel, ließ keine Zweifel aufkommen. Mit den Worten „Na komm nur mit nach oben auf'n Espresso oder so oder wenn du willst auch noch 'n Russn, hab ich auch da", schubste er sie mit sanftem Druck in den Hausflur und ließ hinter sich die alte Haustür ins Schloss fallen. Zwei Stockwerke nach oben stolpern. Bald standen sie in seiner leicht schäbig wirkenden, kleinen Wohnung. Einfache Möbel, eine einladende Couch, eine winzige Nischenküche im verhältnismäßig geräumigen Wohnzimmer. An der Wand Poster mit hübschen nackten Frauen in reichlich anzüglichen Posen ... Eine typische triviale Junggesellenbude.

„Was willste? Kaffee? Espresso? Oder noch 'n Bier, hab auch Wein für so 'ne edle Frau wie dich", fragte er, jetzt im vertraulichen „du", während sie sich auf die Couch setzte, mühselig das Schwanken des Wohnzimmerinterieurs ausgleichen und seine Vernebelung durchdringen wollend. Algena hörte das alles wie aus der Ferne, aber doch so nah jetzt, um zu erkennen, dass sie im Grunde wider Willen in der Wohnung eines wildfremden Mannes gelandet war. Kurz waberte ein Schatten durch ihr überdrehtes Hirn, der jedoch rasch wieder in sich zusammenfiel. Wird schon alles seine Richtigkeit haben ...

„Nur 'n Espresso bitte." Die Drogen leisteten ganze Arbeit, die Halluzinationen, die inneren Farbenspiele blühten nach wie vor. Sie registrierte wie weit entfernt sein geschäftiges Rumhantieren in der offenen Küche und fand das alles sehr auf- und anregend. Der Typ war ihr bisher nicht dumm gekommen, ja eigentlich zuvorkommend, angenehm und, wenn auch etwas hemdsärmelig, durchaus empathisch ... Dann standen auf zwei kleinen Untertassen zwei Espressi samt Zuckerstückchen und kleinen Löffeln vor ihnen. Na also, dachte es mehr automatisch in ihr, der hat mich halt an seiner Haschzigarette ziehen lassen, um mir ein kleines Erlebnis zu bescheren. Ist echt gelungen, halluzinierte sie wohlwollend. Alles paletti, wer sagts denn. Wenn ich den getrunken habe, geh ich ..., vage ungeordnete, vor allem unrealistische Gedanken an ein Ende dieses absonderlichen Besuchs. Sie würde nicht mal allein die Treppe runterkommen, geschweige denn halbwegs gerade auf dem Gehweg laufen können. In ihrer stark eingeschränkten Wahrnehmung bemerkte sie ihre Einfalt nicht, den rosaroten Schleier, der sich zwischen sie und allem außerhalb, also auch dem Typen, eingeschoben hatte, sonst hätte sie klar erkennen müssen, schlicht fürs Bett „abgeschleppt" worden zu sein.

In ihrer akuten Vertrauensseligkeit hatte sie sich also gewaltig getäuscht, der Typ dachte gar nicht daran, sie „ziehen zu lassen", als sie diesbezüglich linkisch wirkende Anstalten machte, nachdem der Espresso getrunken war. Für ihn würde der Spaß ja jetzt erst beginnen. Und da fackelte der nicht lange, ließ freundlich, aber bestimmt, keinen Zweifel aufkommen, was er jetzt wollte, und Algenas Widerstandskräfte, eh weitgehend außer Kraft gesetzt, erlahmten, angesichts der stringent aufgenötigten Entscheidung restlos. Männlich-gierige „Überfälle" mochte sie gar nicht, erteilte normalerweise umgehend höchst energisch harte Absagen … Aber diesmal überwölbten die allüberall auf alles übergossenen rosaroten Farben ihre Bedenken vollständig, ließen sie gar nicht zur Entfaltung kommen. War doch alles okay, oder? *Der–ist–doch–nett* …, oder? Warum also nicht?

Er entkleidete sie zügig ohne Hektik, aber auch ohne viel zu fragen, dabei die edle Kleidung durchaus pfleglich und sorgfältig behandelnd. Sie ließ alles verwundert, entrückt lächelnd zu, dann fackelte er nicht lange, nötigte sie unmissverständlich, mit ihm zu schlafen und nahm dabei nur minimale Rücksicht darauf, wie's seiner Begleitung dabei ging.

Er sagte sich, dass die eh unter voller Dröhnung sei und er leichtes Spiel haben würde, ihre willfährigen Reaktionen der letzten Viertelstunde überdenkend. Wenn Frauen ordentlich high sind, ist ihre Selbstkontrolle stark eingeschränkt und sie lassen alles mit sich machen, das war seine Erfahrung … – und sein Trick.

Und sie? Registrierte zwar, dass diesmal alles anders war, merkte wohl und mehr instinktiv, dass ihre Gegenwehr gegen zu schnelle gierige Übergriffe völlig lahmgelegt, gleichsam abgeschaltet war, aber es war ihr egal und sie ließ in ihrem Delirium alles zu, genauer, über sich ergehen. Algenas Psyche und ihre Gedanken blendeten sich in diesen Minuten weitgehend aus. Sie ließ sich treiben, ließ alles geschehen …

Trotzdem: Das stimmte und stimmte auch wieder nicht. So völlig willenlos war Algena nicht, denn als „alles vorbei" war, sich bei ihm ermattende Befriedigung einstellte, bei ihr die typische Nüchternheit nach purem Sex ohne Liebe, unter den Bedingungen hier allerdings nur rudimentär empfunden, wurde sie sich langsam, leicht verschliert, aber immerhin durchaus bewusst, dass der Typ ihre Wehrlosigkeit ungeniert ausgenutzt hatte, spürte vage ernste Töne sich in ihr sanftes Schalmeienempfinden hineinmischen. Was war denn jetzt hier abgegangen, fragte ein seltsam nüchternes *es* aus dem *verdrängten Off* in ihr, die Antwort gleich nachschiebend, die sie wegen der ganz allmählich nachlassenden Wirkung der Drogen und damit des Nachlassens ihrer Willenlosigkeit begann, etwas klarer wahrzunehmen. Vernehmbar hallte es durch das Labyrinth ihrer zwangsbeglückten Hirnwindungen: Der ... Kerl ... hat mich in meinem verzückten Rauschzustand einfach schamlos gevö ..., nennt man das nicht *Vergewaltigung*?? Natürlich nennt man es so! Dieser Begriff bzw. seine abscheuliche Assoziation erschreckte sie selbst in ihrem Zustand. High war sie immer noch, aber immerhin langsam nachlassend. Urplötzlich mischte sich schwarz-hartes Mäandern ihres Bewusstseins in das matter werdende knallrosa Farbenspiel, machten sich diffuse Angstgefühle breit, die Zwangsbeglückung verdrängen wollend. Raus wollte sie, nur noch raus hier, raus auch aus ihrer inneren Willensschwäche wegen der Drogen – ging natürlich nicht. In einem günstigen Augenblick befreite sie sich von dem Kerl, der anscheinend, „seines Drucks befreit", selbst reichlich lethargisch reagierte. Der musste doch auch high gewesen sein, oder ...? Ein ganz anderer umso erschreckenderer Gedanke fuhr ihr wie ein Blitz durch den vom Gift malträtierten Kopf: Hatte der ihr in der Bar etwa nur Theater vorgespielt, selbst nur so getan, als ob er inhalieren würde, also stocknüchtern blieb, um sie, sein willenlos gewordenes Opfer, erst abschleppen zu können und dann hemmungslos zu vernaschen (denn das „verführen" hatten die Drogen geleistet ...)? Er hatte ja auch an dem Joint gezogen, aber wenn er sich womöglich beherrscht hatte, sich selbst nur ein ganz klein wenig anturnen wollte? Wäre ja das allerletzte ... Algena kämpfte verzweifelt, wenn auch vergeblich, gegen die immer noch starke Macht der Drogen auf ihre Sinne.

„Du willst schon gehen?", fragte er leicht abwesend, aber ziemlich gereizt.

„Ja, und zwar jetzt …, jetzt gleich, danke für den Kaffee", antwortete Algena, eilfertig und reichlich fahrig ihre Unterwäsche zusammensuchend und ungeschickt Slip und BH anziehend. Er griff mit hartem Griff nach ihrem rechten Handgelenk und wollte sie zu sich herunterzuziehen.

„Ach bleib doch noch …", bettelte er in warmem Tonfall, sein Blick signalisierte deutlich, das durchsetzen zu wollen, es zumindest zu versuchen. Schwerfällig, aber hartnäckig, befreite sie sich von seinem Griff und schnappte sich in Windeseile ihr Kleid am Fußende der Couch, um es sich hastig überzustreifen … mehr schlecht als recht, es saß schief und der Reißverschluss am Rücken blieb offen. Während er sich brummelnd träge vom Sofa erhob, schlüpfte sie in ihre halbhohen Stiefeletten und machte drei schnelle wackelige Schritte zum winzigen Flur, stieß dabei erst an einen Stuhl, der zur Seite polterte, rumpelte dann gegen die Türlaibung und griff an der kleinen Garderobe nach Jacke und Täschchen, am selben Haken hängend. Was tun? Sie musste handeln, und zwar schnellstens, bevor er sie womöglich wirklich mit Gewalt hindern würde, zu gehen. Schon stand er wieder neben ihr.

„Warte", sagte sie, um Zeit zu gewinnen.

„Ich …, äh …, ich geb dir meine …, meine Handynummer, dann können wir uns wieder mal treffen …", und fügte hastig hinzu „ganz sicher!" Ein (verlogen) ergebener Augenaufschlag zu ihm, gepaart mit ihrem auch in diesem Zustand unvergleichlich empathischen Gesichtsausdruck, schien ihn zu beruhigen. Waffen der Frauen, besonders die ihren! Zitternd und umständlich fummelte Algena in ihrer Handtasche nach einem Zettel.

„Haste was zum Schreiben da?", fiel ihr ein, um ihn aus ihrer Nähe wegzulocken. Sie traute ihm nicht, nicht mehr, seit sie annehmen musste, dass der unter Umständen ziemlich nüchtern war, vielleicht sogar stocknüchtern …

Er drehte sich um, zog die Schublade der kleinen Flurgarderobe auf und fingerte umständlich unter allerlei Krimskrams einen Bleistift heraus. Es waren die Sekunden, die sie brauchte, um die Korridortür zum kühlen, hallenden Treppenhaus zu öffnen, sie sperrangelweit aufzustoßen und hinauszutreten. Hier würden es die weiteren Hausbewohner schon hören, falls sie schreien müsste. Hastig schrieb sie ihm krakelig eine Fantasienummer auf den Zettel und konstatierte innerlich zugleich, du ganz bestimmt nicht mehr, niemals! Sie traute dem Frieden dieses in ihrer entsetzten Vorstellung letztlich vermutlich eben doch unberechenbaren Mannes nicht, der jetzt Anstalten machte, sie zu umarmen und zu küssen, was aber weitgehend unvollständig blieb, weil sie hastig schon die erste Stufe nach unten getreten war. Sein Mund streifte gerade noch ihre Wange – Abscheu bei ihr. Unangenehm die Ausdünstung seiner Haut. Vorhin auf der Couch im „samtenen Delirium" hatte sie sie anders empfunden; jetzt, im Schock des Erkennens, wars das glatte Gegenteil. Algena stolperte in Windeseile fast besinnungslos die zwei Stockwerke des Altbaus hinunter, sich stets mit beiden Händen fest am Geländer anhalten müssend, andernfalls wäre sie in ihrer körperlichen Unsicherheit wohl gestürzt. Das Treppenhaus dröhnte vom klapp klapp ihrer Schuhe. Ängstlicher Blick nach oben: Er folgte ihr nicht.

Zum Glück war ihr unbeschädigt die Flucht aus der Wohnung gelungen. Unten an der altmodischen Haustür angekommen, ließ diese sich nach einigem vergeblichen Rütteln an der klemmenden Klinke öffnen und sie konnte das Haus verlassen. Die Straße, endlich …! Mehrmals atmete sie kräftig durch, zog sich mühselig ihre Jacke über, die bis jetzt noch über ihrem rechten Arm hing. In der Hast vorhin war sie froh gewesen, dass es ihr überhaupt gelungen war, in Windeseile ihre Klamotten überzustreifen. Die Wirkung des gefährlichen Stoffs ließ weiterhin nur langsam nach, aber immerhin. Es erwachte in ihr eine noch rudimentäre Orientierungsfähigkeit. Aber die reichte. Kurzer Blick links und rechts den Gehsteig entlang. Sie erkannte die richtige Richtung. Rasch, immer noch von Fluchtgedanken angetrieben, aber reichlich wackelig wie eine Besoffene, stets besorgt, nur ja nicht hinzufallen, lief sie, gelegentlich mit ausgestrecktem Arm die Hausmauer berührend, mehr wankend, bisweilen beinahe stürzend das kurze Straßenstück zur belebten Kirchstraße zurück, wartete ungeduldig auf ein freies Taxi. Sie hatte Angst, der Typ könnte ihr eben doch nachgelaufen sein. Viele fuhren vorbei, reagierten nicht und es dauerte eine ganze Weile bis endlich ein freies kam und hielt. Erst jetzt, in Sicherheit, erlahmten ihre in der akuten Not mobilisierten Kräfte wieder. Sie ließ sich vollkommen groggy in den Fond des Wagens fallen, nannte kurz das Fahrziel, versank dann wieder in den Polstern des komfortablen Rücksitzes und spürte zugleich das Nachlassen der Anspannung, das ihr die Flucht trotz des Einflusses der Drogen ermöglicht hatte. Die Uhr im Armaturenbrett des Wagens zeigte ein paar Minuten nach eins. Wegen des immer noch sichtlich provisorisch übergestreiften Kleides, der unordentlichen, ja zerzausten Haare machte sie einen reichlich derangierten Eindruck. Der Fahrer dreht den Kopf etwas, um sie durch den Windschutzscheibenspiegel zu taxieren.

„Gehts ihnen nicht gut?", fragte er besorgt nach hinten.

„Doch, doch", log Algena, „Es ist nur …, es war nur …, mir ist …" Sie gackste herum und schwieg dann betreten.

Eine irritierend schwankende Frau, weit nach Mitternacht allein auf der Straße und auch noch bildhübsch, anscheinend in wilder Hast geflüchtet, aber ganz offensichtlich keine Nutte …, was ihm ein knapper erfahrener Blick auf seinen weiblichen Fahrgast bereits beim Einsteigen verraten hatte. Er schüttelte kaum merklich den Kopf. Die ist doch nicht ganz dicht … oder es war wohl nix mit dem Süßen …, er hatte schon einiges erlebt …, aber …, egal was sie erlebt hatte, anscheinend war ihr nichts Ernstliches passiert, dachte der Taxler beruhigt. Als Fahrziel hatte sie Solln genannt, auch nicht gerade da, wo einfaches Volk wohnt. Algena zahlte mit zitternden Händen.

„Soll ich sie zur Haustür begleiten?", meinte der Taxler mitfühlend, die unsicher wankende junge Frau einschätzend.

„Danke, danke, nicht nötig, bin schon gleich da." Algena stand schon vor der eleganten Haustür und verschwand im Haus …

***

Am nächsten Morgen, Donnerstag, pünktlich um sieben Uhr holte sie der Radiowecker wie jeden Tag penetrant aus den Federn. Die stets hektisch-fröhlich sich anhörenden Kommentatoren quatschten über Gewinnspiele, eifrige Radiohörer standen anscheinend neben dem Telefon und antworteten umgehend und erfreut, Gefühle von Hausfrauen bei und über sonstwas waren ein Thema, der neueste Klatsch … Zum Glück auch mal Musik, auf das Gequatsche könnte sie locker verzichten … Algena hob kurz ihren Kopf und ließ ihn resigniert sofort wieder ins Kissen fallen … Selbstvorwürfe waren umgehend wohlfeil. „Wie konnte ich nur?", entschlüpfte es ihrem noch halb verschlafenen Mund. Tausend Nadelstiche auf einmal, einer spitzer wie der andere, piesackten sie um die Wette. Die pure Tortur. Natürlich: Der blödsinnige „Schuss" von gestern in der Bar zusammen mit dem Bier, und vorher beim Geschäftsdinner war auch schon reichlich Alkohol geflossen … Was hatte mich der Typ denn für ein teuflisches Drogen-Zeugs inhalieren lassen? Jedenfalls hatte es ganze Arbeit geleistet. Der gelegentliche Rotweinschwips am Abend? Hatte höchstens ein harmloses morgendliches Unwohlsein zur Folge (wenn überhaupt).

Aber diesmal? Es ging nicht. Keine Chance. Ihr war sauschlecht. Nicht dass sie sich hätte übergeben müssen, aber ein allgemeiner körperlicher Aufruhr in ihr wollte sich irgendwie Luft verschaffen. So jedenfalls konnte sie unmöglich in der Arbeit erscheinen. Auch wenn der Rausch über Nacht weitgehend verflogen war, abgelöst von einem allerdings extremen „Verkatertsein", fand sie sich noch keinesfalls voll „zurechnungsfähig". Sich bei ihrem Chef krankmelden zu müssen, war ihr superpeinlich, nach der Einladung gestern Abend. Bauchweh? Verkehrsunfall? Erkältung? Oma sterbenskrank? Fuß verstaucht? Wasserschaden zu Hause? Alles Blödsinn, alles unglaubwürdig. Sie entschied sich diesmal für unerwartet, besonders heftig einsetzende „Tage": Da fragt kein Mann weiter nach, sondern nimmt so etwas diskret zur Kenntnis.

Geschafft. Das Telefonat war unangenehm, aber die Begründung zwingend. Jetzt erst mal zwei Aspirin einwerfen und dann wieder zurück ins Bett, langlegen eben, später mochten dann starker Kaffee und etwas Essen den überdrehten Körper beruhigen. So gegen Mittag fühlte sie sich bemüßigt, nun doch das warme Bett zu verlassen – und es ging besser als erwartet, sie war wieder einigermaßen zu gebrauchen, stand auf und schlüpfte in ihren hellblauen Morgenmantel. Aus dem Haus wollte sie heute nicht mehr … Ihre normalerweise zurückhaltende Vorsicht war gestern in der Bar von

Anfang an aus unbegreiflicher Selbstüberschätzung ins genaue Gegentiel umgeschlagen: in übermäßig zutrauliches Verhalten dem Typen gegenüber samt nichthinterfragter Vertrauensseligkeit gegenüber der ganzen Situation und sträflicher Ahnungslosígkeit. Nach den drei Inhalationen gabs kein zurück mehr – ein völlig durchgeknallter Abend (nach der netten Kollegenrunde). Wie konnte das nur sein?

„Und sowas ist mir passiert? Unglaublich. Da hat mich gestern einer einen Joint rauchen lassen und ich blöde Kuh, hab das vertrauensselig zugelassen ..., unglaublich! Und nicht nur das, der Typ hat mich in meinem bunten Delirium auch gleich abgeschleppt und hemmungslos-schamlos vernascht, meine hilflose Lage missbraucht, jawoll, anders ist das nicht zu nennen ...“

Laut redete sie mit sich selbst, fasste sich an den Kopf. So viel Einfalt und Blindheit auf einmal? Darf nicht mehr passieren! Nie mehr! Einmal Lehrgeld bezahlen reicht.

Am Freitag erschien sie wieder wie üblich im Geschäft. Keiner fragte weiter nach, warum auch? Auch der Chef ging von Anfang an zur Tagesordnung über. Am Wochenende stand nichts im Kalender. War ihr diesmal sehr recht. Ausruhen stand an, nichts machen, die Woche, vor allem den Mittwochabend nach-verdauen, vielleicht 'ne Stunde an ihrer geliebten Isar spazieren gehen – und nachdenken. Wäre wohl angebracht.

Isabelle meldete sich am frühen Samstagnachmittag per Telefon mit Belanglosigkeiten, wie manches Mal, wollte einfach nur mit der Freundin ratschen. Weil ihr der Mittwochabend letzte Woche immer noch in den Knochen hing, konnte Algena nicht hinterm Berg halten und erzählte ihr haarklein die ganze Story, und weil sie sich nun doch vor sich selbst schämte, vor allem wegen der Drogengeschichte, rückte sie mit den tatsächlichen Geschehnissen nur peu à peu heraus – und bereute es trotzdem bitter, denn sie hatte sich Vorwürfe wie noch nie anzuhören. Isabelle musste jedenfalls am anderen Ende der Leitung die Hände über dem Kopf zusammengeschlagen haben, als sie Algenas Schilderungen lauschte.

„Sag mal, bist du von allen guten Geistern verlassen, Algena? Verhältst dich wie ein einfältiges, junges Gör, dumm wie 'n Suppenhuhn? Wenn man mit einem fremden, gerade kennengelernten Mann in dessen Wohnung geht, ist doch sonnenklar, was passieren kann – und meistens auch passiert …, wie dir." Und setzte ärgerlich nach: „Wenn du schon unbedingt in eine solche Kaschemme rein musst, dann bitte souveräner, – das Männervolk, egal welcher Couleur, wird stets heiß, wenn 'ne hübsche Maid da rein-rauscht. Kann mir vorstellen, dass es nicht immer leicht ist, sich die geilen, in solchen Etablissements nicht gerade zimperlichen Kerle vom Leib zu halten. Umso mehr solltest du dich solchen Situationen gar nicht erst aus-setzen. Algena! Weil das deiner nicht würdig ist!"

Isabelle schimpfte wie ein Rohrspatz, konnte sich gar nicht mehr beru-higen. „Ich fass es nicht: Sich das Bier bezahlen lassen und dann mit Sex den Gegenwert begleichen? Sowas Primitives! Algena, hast du sie noch alle?!" Isa war wütend auf die haltlose Freundin.

Kleinlaut bekannte Algena: „Isa, ich stand leider unter starkem Drogen-einfluss!"

„Waaas? Wie denn das?"

„Der Mann hat mich an seinem Joint ziehen lassen, er bestand darauf, es würde mir guttun, meinte er, denn ich … Isabelle fuhr ihr umgehend ordentlich über den Mund.

„Also, Algena, das kann doch alles gar nicht wahr sein!", Isabelle war fassungslos. „Der hat dich tatsächlich unter Drogen gesetzt? Das ist ja noch dümmer als sich abschleppen lassen, wo man wenigstens weiß, dass man gerade dabei ist, Scheiß zu bauen."

„Isa, keine Ahnung, was da drin war in dem Joint, jedenfalls irgend was Starkes, denn nach zwei, nein drei kräftigen Zügen schon so high zu sein, dass ich mehr oder weniger willenlos geworden war, kann mit einfachem Zeugs kaum erreicht werden, hab da allerdings keinerlei Erfahrung."

Mit betretener Stimme versuchte sie sich entschuldigend herauszureden. Doch das zog bei Isabelle nun überhaupt nicht.

„Aber das ist's doch gerade, Menschenskind! Wieso lässt du dich über-haupt darauf ein, an einem Joint zu ziehen? Ist ja das Allerletzte!", schimpfte Isabelle geradeheraus. „Drogen, ob Extasy, Marihuana oder He-roin oder sonst was, egal …, ich glaubs einfach nicht! Was die anrichten, weiß doch inzwischen jedes Kind, nur du anscheinend nicht! Du hattest sogar rechtzeitig vermutet, dass es sich um einen Joint handeln könnte und hast trotzdem daran gezogen, sicher ordentlich, wie ich dich kenne. So was darf einfach nicht passieren, verdammt noch mal …, hörst du? und sich dann noch wehrlos klassisch abschleppen lassen …" Isabelle war voll in Rage und stinksauer auf die labile Freundin. „Sei doch nicht so grenzenlos naiv-vertrauenspusselig, Algena!"

„Bin ich doch gar nicht …", protestierte die, „Ja schon, ein einfacher Typ war er, aber kein *Dahergelaufener* und sogar sympathisch …, irgendwie sogar anziehend, hab ihm halt nicht widerstehen können, und wenn ich ehrlich bin auch gar nicht wollen …" Algena reagierte durchaus geknickt auf die Vorwürfe ihrer Freundin, weil sie im tiefsten Herzen wusste, wie berechtigt sie waren …, aber sooo einfach wollte sie sich nicht geschlagen geben. „Und außerdem sagtest du mir öfters schon, ich solle mutiger sein."

„Ja, Herrschaftszeiten noch mal, natürlich, aber bitte nicht zugleich dümmer." Isabelle redete jetzt Tacheles.

„Wie tief willst du denn eigentlich noch sinken, hä? frag ich dich als deine Freundin! Glaub mir, in diesen Kreisen wirst du niemals jemanden finden, der deinen hehren Wünschen und Sehnsüchten gerecht wird. Da laufen doch nur Underdogs herum, letztlich Gschwerl, 's gibt übrigens auch g'studiertes Gschwerl, sogar welches mit 'm Schlips um 'n Hals, kapierst du das denn nicht?", und setzte völlig unnötig hinzu: „So einen tollen, wie deinen leider tragisch verunglückten Philipp findest du dort jedenfalls nicht, niemals!"

„Weiß ich auch, verdammt noch mal, lass doch Philipp aus dem Spiel!", brüllte Algena in die Muschel, jetzt selbst wütend und außer sich. Nicht die insgesamt undiplomatisch rotzige Antwort von Isa ärgerte sie, sondern der draufgesetzte, salbungsvolle Hinweis auf Philipp schüttete bei ihr, die bei solchen entwaffnend-anerkennenden Aussagen über ihren toten untreuen Ehemann stets höchst empfindlich reagierte, vollends das Fass aus. Es war kristallklar, dass Isabelle so reagieren musste (und durfte), weil sie, wie alle, von der Betrugsaffäre mit Laura nicht das Geringste wusste. Algena fühlte sich trotzdem tödlich beleidigt und beendete kurz angebunden, nur mühevoll die Contenance wahrend, mit wortkargen Floskeln das Telefonat. Ja, Isabelle hatte natürlich recht bezüglich ihrer blödsinningen Verfehlungen, trotzdem war sie stinksauer auf sie wie schon lange nicht mehr, eigentlich noch nie! Die salbungsvollen Litaneien über Philipp konnte sie nicht mehr ertragen.

Isabelle dagegen hatte den Hörer wegen Algenas offensichtlicher penetranter Ignoranz und völlig unverständlichem Beleidigtsein wohl genauso empört „auf die Gabel geknallt" (wie man sagt). Dicke Luft zwischen den beiden.

***

Der wortgewaltige Vorwurf Isabelles hallte wie ein Menetekel durch ihren Kopf. Algena tigerte voller Zorn wie ein wildes Tier durch das Wohnzimmer, fluchte lauthals über die grenzenlose Verständnislosigkeit ihrer Freundin und war drauf und dran, diesen Gedanken auf ihr gesamtes soziales Umfeld zu verallgemeinern, um zugleich laut und deutlich trotzig festzustellen:

„Ich denke ja gar nicht dran, nie mehr in solche Bars reinzugehen. Was bildet die sich denn ein? Will mich erziehen und gängeln wie 'ne Gouvernante! Mir vorschreiben, wo ich hingehe und wie ich mich dort zu verhalten und zu benehmen habe. Naiv-vertrauenspusselig hat sie mich genannt. Es gibt eben Situationen, wo man auf die Menschen eingehen muss." Und dann schon deutlich ruhiger: *„Ja, schon, das nächste Mal bin ich halt vorsichtiger ..., umsichtiger, aber ansonsten woll mer doch mal sehen."*

Algena führte ein aufgebrachtes, lautes Selbstgespräch, wie selten zuvor: *„Natürlich, der Joint hätte nicht sein müssen, aber mal im Ernst ..., war denn das alles wirklich sooo schlimm? Der Sex? Ach was ..., außerdem hat der Kerl mich zumindest anfangs angemacht. Daran – jaaa, schon –, dass das dann unkontrolliert wurde, hab ich selbst Schuld, weil ich mich eben unnötigerweise unter starken Drogeneinfluss habe setzen lassen. Na und? Worin liegt der Unterschied zum Sex ohne Drogeneinfluss?"* Sie wollte es negieren, aber das klappte nicht, denn das Unterbewusstsein wusste natürlich: *„Er ist riesig, Algena, denn du hast während der ganzen langen Zeit des Drogen-Deliriums keinerlei Kontrolle mehr über dich, was bei bewusst erlebtem Sex nur der Phase des Orgasmus vorbehalten bleibt ..."*

Heftig atmend stierte sie auf die sonnendurchflutete Terrasse hinaus.

„Muss ich deshalb gleich zukreuze kriechen, mich deshalb gleich als tief gesunken bezeichnen lassen, wenn ich mich auch mal in Kreisen bewege, die dieser ach so kreuzbraven gesitteten Lady nicht behagen?"

„Natürlich nicht", wütete ihre spontane innere Antwort in das leere Wohnzimmer hinein. *„Deshalb gerate ich schon nicht gleich vor die Hunde. Bisschen forscher sein, bisschen mehr erleben, bisschen rauern Wind mir um die Ohren wehen lassen, andere Kreise und seien sie tiefer im Niveau, mein Gott, was sagt das schon? Was solls? Eintauchen ins Gewöhnliche, in die Marotten einfachen, aber authentischen Volkes – was soll da falsch daran sein?"* So dachte sie – und das sogar mit durchaus elitären, ganz neuen progressiven Gedanken. Kamen ihr jetzt eben erst:

Und wenn sie dabei fehlende Erfahrungen nachholen sollte, die in ihrem unterschwellig stockkonservativen Denken überhaupt nicht vorkamen, aber einem modernen Menschen nicht fremd bleiben sollten? Sie ein Gegengewicht bräuchte, mochten das biedere Elternhaus, der brave Bruder und die vernünftige Isabelle ihr Verhalten noch so verurteilen. Müsste ihr jedenfalls egal sein, ganz abgesehen davon, dass die Denke auch in sog. besseren Kreisen absolut nicht immer edel war, wie es äußerlich oft den Anschein hatte, weil die inneren Motive auch dort bisweilen richtig gemein und niederträchtig sein konnten. Mit solchen unehrlichen Menschen hatte sie genügend negative Erfahrungen gemacht bzw. machen müssen (Laura kam ihr in den Sinn). „Bessere Kreise!" „Besser?"…, lachhaft! Da irrte Isabelle gewaltig, war sie überzeugt. Drogen? Nein, natürlich nicht, süchtig werden wollte sie keinesfalls, das war sonnenklar, aber so wie vorige Woche? Warum denn nicht, wenn es nur darum ging, erzeugbare heitere Stimmung zu genießen, vielleicht in einem Kreis Gleichgesinnter (solange das nicht in hemmungslosem Sex endete, dachte sie reichlich naiv und unkundig)? Der Rotwein wirkte auch nicht viel anders, ja, viel viel schwächer schon, harmloser. Beides hellte jedenfalls die Stimmung auf und darauf kams an. Eben! Deswegen! Die Begründungsgebirge in ihr wuchsen beständig an.

Es ging schon auf siebzehn Uhr zu und Algena hatte das dringende Verlangen, sich weiter abzureagieren und marschierte mit doppelter Geschwindigkeit hinunter zur Isar. Der stramme Marsch sowie der gleichmäßig dahin gurgelnde Fluss dämpften ihre Erregung beträchtlich.

Bis zum Abend beruhigte sie sich nach und nach in ihren Selbstreflexionen und -gesprächen. Euphorisch hatte sich ihre Stimmung wieder aufgehellt, weil sie befriedigend feststellte, dass das durch die Kraft eigener Argumentationen geschah! Der Ärger über die besserwisserische Freundin verrauchte zunehmend. Trotzdem dürfte bis auf Weiteres Funkstille zwischen ihnen herrschen. Ihre beiderseitige tiefe Empathie hatte ein paar böse Kratzer abbekommen. Es würde Zeit brauchen, bis die wieder verheilt waren. Mal sehen, wie's weiterging, sie wollte jedenfalls vorerst nicht mehr anrufen.

In Isabelle hatte sie an sich die ideale Freundin, eine, vor der sie, wenn sie denn wollte, auch innere Nöte ausbreiten konnte, die ihr zuhörte und, gerade weil sie so bodenständig war, stets plausible Erklärungen fand. Vorerst war das jetzt vorbei, leider. Algena seufzte. Ihre zweifellos exzentrische Erfahrung neulich war halt für eine so kreuzbrave Frau wie Isabelle einfach unerträglich gewesen. Sie, Algena, habe einen Ruf zu verlieren, hatte sie von irgendjemand schon vor längerer Zeit in einem ganz anderen Zusammenhang gehört. Einen Ruf! Einen Ruf verlieren? Quatsch! Weil sie sich manches Mal anders verhielt, als es die berühmten „Anderen" gerne sähen? Lebte sie für deren Vorstellungen ikonenhaft brav und etabliert (wobei diese „Anderen" selbstverständlich oft genug ihr eigenes *auch* zweifelhaftes Süppchen kochten, ohne sich wiederum um Andere zu scheren) oder lebte sie unbeirrt ihr eigenes Leben? Wer bestimmte hier wen?? – Also! Und wenn sie noch so überdreht über die Stränge schlagen würde (was sie bei drohenden wirklich ernsthaften Auswüchsen sicherlich künftig vermeiden könnte)!

Jedenfalls hatte die sonderbare Affaire von besagtem Mittwoch ein Verlangen in ihr geweckt, mal fundamental auszubüxen aus dem Üblichen, sich ganz anderen, zum Beispiel solchen einfacheren Kreisen bewusst auszusetzen. Wenn sie vernünftig war und blieb, gut beobachtete, gut auf sich achtete, was konnte sie verlieren? Nichts. Was gewinnen? Selbstsicherheit! Erfahrungen oder lernen, auch mal selbst zu versuchen, die „einfacheren" Kerle nach ihrer Pfeife tanzen zu lassen ... Allerdings: In der vermaledeiten Drogensache, das musste sie kleinlaut eingestehen, war sie von einem dieser Kerle „*getanzt worden*". Sowas dürfe ihr nie mehr passieren, schwor sie sich.

Im Lauf der nächsten Zeit verblasste die Erinnerung an das ärgerliche Zerwürfnis mit der Freundin und mehr schlecht als recht meisterte Algena ihren Alltag sowohl zu Hause als auch im Atelier. Dort versuchte sie sich besonders zusammenzureißen, denn sie wusste, unter der Beobachtung ihres Chefs zu stehen. Wegen ähnlicher oder derselben Gründe sollte er sie nicht noch mal ansprechen müssen. Trotzdem begann ihre Unkonzentriertheit schon seit geraumer Zeit, deutlichere Spuren zu hinterlassen. Mal vergaß sie ein Telefonat zu führen, mal eine wichtige Bestellung aufzugeben und Ähnliches. Alles noch keine Beinbrüche und reparierbar bzw. nachholbar, aber es begann ihr selbst aufzufallen und sie ärgerte sich über sich. Das beständige Hadern mit ihrer Lebenssituation zehrte und zerrte an ihr. Kein ferner lockender Sonnenschein am Gemütshimmel. Und jetzt noch der fundamentale Zwist mit Isabelle.

***

In der folgenden Zeit setzte Algena ihren schwerwiegenden Entschluss um, ein bis zwei Mal in der Woche am Abend alleine in der Stadt zu verbringen und sich treiben zu lassen: *Jetzt wollte sie's wissen.* Nicht alles war ihr neu. Mit Isabelle war sie bisweilen schon mal an einem trivialen Tresen auf ein Bier gestanden, *aber alleine??* Das war neu!

Mit etlichen ihrer Freunde und Bekannten war es üblich gewesen, gelegentlich das P1 aufzusuchen oder den Nightclub im Bayrischen Hof. Beide gehörten zu den besten und teuersten Edeldiskos der Stadt. Warum nicht ein paar Stufen tiefer einsteigen, wie einst, als sie nach München gezogen war, z.B, ins Backstage an der Donnersberger Straße gehen oder in eine der vielen Jugenddiskotheken im Kunstpark Ost in der Nähe des Ostbahnhofs? Sie war ja de facto Singlefrau und fühlte sich keineswegs schon „zu alt" für dieses Metier. Da wollte sie denn doch noch etwas mitmischen.

Spätabendliche Ausflüge in diese bekannten Münchner Jugenddiskowelten, wo Achtzehnjährige bis Mittzwanziger es krachen ließen bei ohrenbetäubendem, stampfendem Pop, Hip-Hop, Funk oder Rap, die jungen Männer nicht selten mit freiem Oberkörper. Und die DJs verstanden es, den johlenden, tanzenden, flirtenden Massen ordentlich einzuheizen. Algena spürte den Geist von vor zehn Jahren (heute schon deutlich als damals …, die Welt war nicht stehen geblieben) flackernd in sich wieder aufleben, sehnte sich nach der einstigen unbeschwerten Atmosphäre, probierte und beobachtete sich, wie sie sich *hier im inzwischen ungewohnten, besser, ungeübten Milieu* anstellen würde, mischte nach Kräften mit, fühlte sich aber trotzdem sehr bald unwohl, irgendwie fehl am Platz, uralt gegenüber dem Jungvolk, trotz der paar „Berufsjugendlichen" aus bedeutend älteren Semestern, die versuchten, mitzumischen, aber völlig deplaziert und lächerlich wirkten und vom jungen Stammpublikum ignoriert wurden.

Algena merkte deutlich, dass diese Zeiten vorbei waren, endgültig. Nach ein…zwei Anläufen gab sie es auf, wollte solche Diskotheken nicht mehr aufsuchen.

Stattdessen wandt sie sich anderem zu. Mutige (oder sollte man besser sagen, verantwortungslose?) Soloausflüge in die diversen allgemeinen Vergnügungsviertel Münchens, sei es Schwabing, was in den letzten ein, zwei Jahrzehnten den Nimbus der „rockigen, aber kreativen Nachkriegszeit" eingebüßt hatte, oder Haidhausen oder das Glockenbachviertel, derzeit besonders „ *in* ". In so manche schäbige kleine Kneipe hätte sie früher nie-undnimmer auch nur einen Fuß gesetzt; wäre unter ihrer Würde gewesen. Ganz anders heute. In Algena regte sich, ihr selbst völlig ungewohnt, inzwischen pure Neugier. Einerseits von neu erwachtem Ehrgeiz besessen, andererseits von der unterschwelligen Wut auf ihre inneren so renitenten konservativen Maßstäbe getrieben, stürzte sie sich in das Getümmel des sogenannten einfachen Volkes, beseelt von der Vorstellung, „Erfahrungen" zu sammeln, die ihren bisherigen Kreisen und dem gegenwärtigen „offiziellen, äußerlichen" Lebenswandel völlig fremd waren. Welche Qualität diese Erfahrungen hatten und ob sie wertvoll oder ihr irgendwie nützlich sein könnten (oder eher dazu tendierten, ihr Verhalten durch ungute neue Maßstäbe vollends zu verkorksen oder zu verbilden) – darüber dachte Algena nicht nach. Ihr gings äußerlich (und nur das beobachtete sie) nur darum, in diesem Einfach-Milieu bestehen zu können und dabei frecher, ungehöriger zu werden, das Image einer „Braven" abzulegen. Die abfälligen Worte Lauras hallten immer wieder mal durch ihren Kopf: *Konservativ sei sie, hausbacken, ein bieder-kleinkariertes sich ewig zierendes Hascherl.* Das mit dem Konservativsein, mochte ja stimmen, aber alles andere? Jetzt reichte es. *Jetzt wollte sie's allen zeigen,* dachte sie aufgebracht. Sie würde jetzt das angebliche Image einer Landpomeranze (was ja Laura letztlich gemeint haben dürfte) ablegen, und zwar endgültig.

Anfangs betrat sie Stehbars oder Kneipen nur zögerlich, als traue sie sich noch nicht recht, spielte drinnen dann klopfenden Herzens die scheinbar Souveräne, tat so, als suche sie nur jemand, um schnell wieder nach draußen zu verschwinden. Diese anfängliche Unsicherheit schwand aber in dem Maß, wie sie merkte, dass die Aufmerksamkeit, die man ihr bei ihrem erscheinen zollte (war sie gewöhnt ...), sehr schnell nachließ und man von ihr kaum mehr Notiz nahm, außer sie sprach mal Leute gezielt an. Mit wachsender Kenntnis der Verhaltensgepflogenheiten in diesem ganzen Vergnügungsmilieu wuchs ihr Mut und bald ließ sie sich inmitten der Besucher (meistens Männer, aber nicht nur!) ein Bier schmecken. Ganz anders, diese Welt! Meist, aber nicht immer: Sehr viel einfacher gestrickte Menschen waren hier zu finden, im Vergleich zu ihrem angestammten Bekanntenkreis. Ohne es direkt zu merken, entwickelte sich in ihr ein leicht trügerisches Selbstbewusstsein, denn es war keine Kunst, in bildungsferner Umgebung mit redegewandtem Mundwerk und guten Manieren zu glänzen bzw. sich überlegen zu fühlen.

Und immer wieder meldete sich ihr innerer Impetus: *Keiner kann mir am Zeug flicken*, dachte sie euphorisch, *solange ich bestimme, was und wie gespielt wird, sobald es mich betrifft.* Kurzer Gedanke an den stets recht elitär wirkenden Freundeskreis: *Schluss damit. Ihr könnt mich mal!*

Wieder stieß sie die schmale Eingangstür einer Kneipe auf, die sich aber schon beim ersten Blick hinein als Mischung von Einfachrestaurant und Stehkneipe mit einer ausladend langen Theke erwies. Einige niedere Sitzgarnituren, bevölkert von jungem, lärmenden Volk, standen an den Wänden, ansonsten lungerten an den Bistrotischen und dem Tresen unterschiedliche Leute eher mittleren Alters herum. Es gab ein paar abgerissen dreinblickende Einfachtypen, alle nicht sonderlich vertrauenerweckend aussehend, aber interessant zu beobachten. Auch viele Männer im Geschäftsdress mit offenen Hemden (tagsüber sicherlich geziert von topmodischen Krawatten) standen herum. Aha, dachte sie, also ganz offensichtlich Geschäftsleute, ihr Bier auf Bartisch oder Tresen abgestellt, sich distinguiert unterhaltend. Auch *solche* hier? Klar. Hatten am Abend die Nase gestrichen voll von den stundenlangen, überkandidelten Meetings mit ihren vorlauten, meist sich selbst in Szene setzenden Selbstdarstellern, die sich oft nicht mal vom Meetingleiter bremsen ließen, dazu Kaffeegebäck, Häppchen auf silbernen Platten und Prosecco, den neuesten Geschäftserfolg feiernd. Wollten abends raus und mal ein Bad in der einfachen *Mittelwelt* nehmen, bei denen, die ihre Stammkneipe zum meistgeliebten Aufenthaltsort erkoren hatten. Immerhin, gehobeneres Parlier-Vokabular. Von solchen Leuten ließ sie sich durchaus aufgeschlossen auch gerne mal „anmachen" (die Mehrzahl beherrschte es, dabei nicht plump zu wirken). Bei denen tat sie sich recht leicht mit Rumklönen, manchmal sogar Flirten andeutend, aber nicht wenige entpuppten sich über kurz oder lang als brav-biedere Familienväter auf Dienstreise. Von dieser Sorte Mann war sie generell geheilt, hatte sie die Schnauze übervoll, Hermann sei Dank! Auch wenn die hier (anders als

Hermann) vermutlich wie üblich handelten: Zu Hause den verantwortungs-
vollen, treuen Ehemann und einfühlsamen Kindervater spielen und unterwegs in der fremden Stadt dann die Sau rauslassen (so manche versuchens
jedenfalls), willige Weiber, vor allem Singlefrauen, garantiert nicht überse-
hend. Anmache von denen, meist recht stereotyp (also x-mal bereits „bewährt"), prallten an ihr ab – nicht ohne *„den Reiz, sie ein bisschen zu reizen
mit ihren Reizen"*. Da musste sie nicht viel tun, das machte ihre Erscheinung sozusagen en passant (und sie war sich, wie stets, ihrer Wirkung voll
bewusst). Die passenden Antworten fielen ihr dann schon ein …

Sie lernte im Lauf der Zeit eine ganze Reihe solcher Etablissements kennen, war in manchen sogar öfters und schreckte bald auch nicht mehr vor
primitiveren, vernachlässigten Kneipen zurück. Dort tummelte sich „der
Plebs" im Wortsinn, einfachstes Volk eben. Es war im Übrigen reichlich
egal, ob ein hohes oder niederes Bildungsniveau vorherrschte, menschliche
Grundverhaltensweisen waren wenig tangiert davon, allenfalls entweder
feinfühliger oder eben gröber. Weil sie, die „Neue", anscheinend „was Besseres" war, als man selbst, Klassenunterschiede eben sichtbar waren, baute
sich zumindest anfangs eine gewisse Hemmschwelle auf. Aber auch damit
wollte sie zurechtkommen.
Mit denen, vor allem den tumben Vierschrötigen, den Underdogs, den
nichtssagenden *Adabeis* in diesen Kneipen, die überall mitmischten, aber
nichts Wesentliches oder Bedeutungsvolles zu sagen hatten, trotzdem
Stielaugen auf sie warfen, war jegliche Unterhaltung deutlich schwieriger.
Aber genau diese Herausforderung suchte sie und es gelang ihr zunehmend,
einerseits glaubhaftes Interesse für ihr Gegenüber zu heucheln, sogar mal
Augenzwinkern rüberzuschicken – das brachte manche ganz aus dem Häuschen, klopften dann alberne, nicht selten schlüpfrige Sprüche und meinten
Wunder was … – andererseits musste und wollte sie den Typen Paroli bieten, aber nur so begrenzt, dass die sich nicht vor den Kopf gestoßen fühlten
– und sie ihr Spiel mit ihnen spielen konnte – zu guter Letzt bissen sie bei
ihr stets auf Granit. Elementare Erfahrungen.

Gelegentlich, wenn es mal wieder recht „dicht" wurde mit so einem Typen, kam ihr unversehens erneut Laura in den Sinn. Die ließ von Anfang an die „Männerpuppen" tanzen, bis denen Hören und Sehen verging. Nur spielte Laura das Spiel bis zum Ende durch, heißt, bis ins Bett (oder zum fulminanten Rauswurf „schon auf dem Weg dahin", wenn sie ihr doch nicht passten), um sie dann, nachdem sie (sie!) ihren Spaß gehabt hatte, (i.A. eh „wie geplant") lustvoll wieder an die frische Luft zu setzen. So zu handeln, würde ihr schon gefallen. Ob sie so rotzfrech sein oder es werden könnte, war eher unwahrscheinlich. Routine bringt Übung und Übung bringt Routine, ganz einfach (scheinbar wenigstens). Neue Kräfte weiten den Einflussbereich. Manchmal, für einige Minuten, wurde sie zum Star an der Theke. Überhelles Rampenlicht. Musste nicht sein, dachte sie dann. Oder noch nicht. Oder nicht so ... Wo das enden würde, war eh offen. Womöglich auch wie eine der aufgetakelten Tussis werden, von denen manche hier die große „Männeraufmischsause" veranstalteten (oder es recht unverblümt darauf anlegten)? War nicht ihre Intention. Nein, wirklich nicht. Solche Frauen begegneten ihr in diesen und ähnlichen Etablissements immer wieder und Algena fühlte sich wegen ihrer edleren – und anständigeren – Kleidung oft genug von ihnen herablassend, gar feindselig gemustert. Spürten die vermeintliche Konkurrenz? Mochte sein. Mit solchem überdrehten Weibervolk hier adäquat umzugehen, fiel ihr schwer, war ihr noch nicht so recht geheuer, vor allem die oftmals recht zotigen Sprüche stießen sie ab. Und was ihr äußeres Erscheinungsbild betraf, hatte sie es eben nicht nötig, sich künstlich aufzubrezeln, um das Männervolk auf sich aufmerksam zu machen, genau das, was ihren „Kontrahentinnen" gar nicht schmeckte. *Was will das feine Möchtegernflittchen hier*, mochte so mancher Blick signalisieren, *kommt sich vor wie was Besseres, wie?* Algena blieb nie sonderlich lange in so einer Bar, sondern meist nur auf ein kleines Nulldreier-Bier und verdrückte sich rasch wieder.

Dass sie so manchen Mann einfach nicht mehr loswurde, weil der wie eine Klette an ihr hing, betrachtete sie stets als momentanen Betriebsunfall in ihren Bemühungen um *„Anschluss ohne Anschluss"*. Und auch das letzte Mittel, zu sagen, dass sie jetzt gehen müsse und das dann auch prompt tat, brachte nicht immer den gewünschten Erfolg, denn so einer meinte im Allgemeinen dann eben auch, „jetzt" gehen zu müssen, um sie nicht mal draußen auf der Straße ihrer Wege ziehen zu lassen, egal wohin sie sich wendete. Da wurde die Sache dann meist brenzlich, weil Algena energisch und final keinen Zweifel daran ließ, dass das tête à tête von vorhin in der Bar hiermit sein Ende gefunden habe. Das wollten die wenigsten einsehen: heftige Wortgefechte und wüste Beschimpfungen mit meist reichlich primitivem Vokabular.

Ein besonders dreister Typ wollte ihr mal mehr oder weniger gewaltsam seinen Willen aufzwingen – wohin man jetzt gehe, was jetzt weiter passieren würde …, bedrängte sie recht unumwunden, zugleich ziemlich ungeniert faselnd von einem Kaffee in seiner Wohnung

„Ist gleich hier um die Ecke." Klar doch, wo sonst und überhaupt, noch 'nen Wunsch, dachte Algena ironisch, bevor sie kategorisch erklärte:

„Kommt überhaupt nicht infrage, will ich nicht, du machst jetzt ganz schnell die Mücke und verpisst dich und lässt mich gehen – und zwar allein, hast du gehört?" Klarer gehts nicht, dachte sie und traute ihren Ohren nicht, als der energisch nachmaulte.

„Ach was, lächerlich, jetzt komm schon, hab keine Lust hier *rumzudischkerieren*", um sie zugleich mit eisernem Griff am Handgelenk zu packen, dass sie kurz aufschrie.

„Autsch …! Sag mal, spinnst du? Du hast sie wohl nicht alle!", und wand sich, um sich der Umklammerung zu entziehen, was aber, weil der stärker war als sie, zu einem kleinen Handgemenge eskalierte. Jetzt bekam Algena es mit Angst zu tun. Was tun? Dieser Armleuchter lässt einfach nicht locker, will mich quasi mit Gewalt abschleppen. Zum Glück griffen beherzt ein einzelner Mann und ein junges Pärchen ein und versuchten den Mann zu beschwichtigen, der Algena schließlich losließ und nach ein paar scharfen Wortwechseln, von wegen Einmischung und so, fluchend und schimpfend abdampfte. Algena dankte ihren Rettern. Die fragten natürlich nach und meinten, dass man in solchen Bars einfach damit rechnen müsse, auf solch ungehobelte Kerle zu stoßen.

„Ja, hab ich auch gemerkt, muss da künftig schon vorher die Notbremse ziehen" antwortete sie ihnen. „Danke für die Hilfe, ihr drei, habt mir recht selbstlos aus der Patsche geholfen."

„Keine Ursache", entgegneten die und Algena wünschte noch allseits einen schönen Abend. Die drei zogen ihres Weges und Algena ebenfalls. So spät wars an sich noch nicht, elf Uhr durch, aber diesmal reichte es ihr und sie fuhr mit dem öffentlichen Nahverkehr nach Hause.

Dieses zweifelhafte Erlebnis war ihr eine deutliche Lehre, aber abhalten ließ sie sich nicht, denn es gab auch Abende an denen nichts „Unrühmliches" passierte, an denen sie weitgehend unbehelligt blieb, ihren neuen Vorlieben nachgehen konnte, Leute zu beobachten, die Ohren aufzusperren für das was da an Konversation, besser gesagt, leerem Gerede oder im Telegrammstil hin und her Geworfenem so im Schwange war: Wer mit wem und wann und wo?, Blödmann und dumme Gans ..., und haste gehört ..., und bin-voll-bei-dir-Verbrüderung ..., alberner Schisser, der ..., für den hab ich nur totale Abneigung, hallo ..., auch-schon-da? ..., Obertrottel, und so was nennt sich Chef..., na sag dem doch mal ordentlich die Meinung ..., biste doch nicht blöd, hä? und und und. Selten konnte man sich einen halbwegs logischen Reim daraus machen, was da diskutiert werden sollte, was die Leute verband oder trennte, weshalb sie sich nicht grün waren oder umgekehrt sich nahezu symbiotisch oder auch real in den Armen liegen wollten im gleichen Leid der Verhältnisse. Einfaches Alltagsgewäsch eben. Stammtisch in der Trivialszene ...

Algena sog das alles auf – abermals unbekanntes Neuland für sie. Wie anders dagegen das sich etabliert gebende Gelabere ihrer gewohnten Freunde und Bekannten, den sogenannten Arrivierten und Gutsituierten. Wohl drückte man sich dort gewählter aus, aber nicht immer war alles von Wohlwollen geprägt – bisweilen wurde auf intelligente Weise aufgeschnitten, oder salbungsvoll, aber scheinheilig Süßholz geraspelt. Die Tendenz, Überlegenheit rauszukehren, wie es Laura bestens konnte, war nicht zu übersehen ...

Am Bartresen in der Kneipe dagegen war im Allgemeinen Verbrüderung und Schulterklopfen angesagt: Sei meines Mitgefühls sicher und/oder wehr dich, wenn dir jemand dumm kommt. Wo herrschte mehr Ehrlichkeit, Authentizität? Wohl hier in den Trivial-Etablissements.

Die Vielseitigkeit der Stimmungen und Befindlichkeiten der Besucher hängt sehr davon ab, wie sich eine „Spelunke" im Lauf der Zeit „in der Szene" etabliert hat. An manchen Tresen herrscht ehrliche Herzlichkeit vor, Anständigkeit und vernünftiges Reden, in anderen Kneipen tummeln sich auch zwielichtige, oft recht exzentrische Gestalten, die zu identifizieren nicht ganz leicht ist. Man sieht ihnen das nicht an, sie verhalten sich unauffällig, sogar „besonders unscheinbar", würden Kenner der Szene sagen. Unbedarften bleiben die eigentlichen Intentionen solcher Besucher verborgen. So anfangs auch Algena, bis sie an manchen Gesten und mitgelauschten getuschelten Wortfetzen gewisse Zusammenhänge ahnte, dass da nicht alles koscher und mit rechten Dingen zuging. Auch meinte sie mitzubekommen, dass es Hinterzimmer für die *G'schäfte besonderer Art* gab. Wenn der eigene handfeste Vorteil winkt, oder „Geldmachen" lockt, scheren sich eben solche Zeitgenossen wenig darum, ob etwas „verboten" ist, oder nehmen es mit der Gesetzestreue nicht so genau. Vor allem der gesamte Bereich des Drogenkonsums, der Drogenbeschaffung und -verteilung, mit einem Wort, die Dealerei, sind in diesem Milieu angesiedelt (wobei klar ist, dass Drogenkonsumenten, also die Kunden, in allen Gesellschaftsschichten zu finden sind).

Ob sie sich wohlfühlt oder nicht hing für eine unbedarfte Besucherin wie Algena stark davon ab, auf welche Menschen sie gerade traf … und wie unabhängig sie sich dann amüsieren und den Reiz solch einfacher Schankstuben auskosten konnte – nach wie vor ihre Intention. Der Slang und die Slogans der Leute waren ihr inzwischen vertraut.

Im Lauf der Zeit gewann Algena die bedeutsame Erkenntnis, dass das menschliche Zusammenleben in *beiden* Kreisen sich letztlich weitgehend deckt, weil, egal in welchen sozialen Ebenen, stets die Egos den Ton angeben und der Unterschied nur in unterschiedlicher Bildung und

Ausdrucksmöglichkeit liegt. Ob jemand fähig ist, Aussprüche von Goethe zu zitieren oder kaum einen vernünftigen Satz rüberbringen kann – also hohe oder niedere Bildung: Menschliches Grundverhalten ist überall gleich, nur starren viele Menschen vor Ehrfurcht auf die „Gebildeten", weil sie wegen gewählter wirkender Sprache fälschlich annehmen, dass diese auch einen ethisch gesitteteren vernünftigen Umgang untereinander pflegen müssten. Mitnichten! Sie irren sich grandios! Gilt vor allem für das weite Feld der Liebe. Da sind alle Menschen aller Schichten Getriebene ihrer selbst. Wie sich das manifestiert, mag unterschiedlich sein, nicht und nie jedoch die Wünsche, Sehnsüchte und Triebe; vor allem nicht, diese zu befriedigen.

Algena entfernte sich unterschwellig von ihrem bisher kaum hinterfragten angestammten Beziehungsverhalten und wurde unbekümmerter auf ihre Weise. Neuerdings fragte sie sich, ob denn wirklich jeder neue männliche Kontakt gleich auf potenzielle Partnertauglichkeit geprüft werden musste. Nein, musste er natürlich nicht. Dieses kontraproduktive Verhalten hatte sie bei sich auszumerzen. Natürlich blieben ihre Partnerwünsche aktuell, aber mussten nicht immer gleich die erste Geige spielen. Gehörten eben manchmal in den Hintergrund. Nur so konnte sie unbeschwert das freie Leben genießen.

***

Sie wollte ihre vertrauteste Kollegin Lydia in Giesing besuchen. Ein Besuch, der schon lange vereinbart war und jetzt endlich stattfinden sollte. Mit ihr verstand sie sich im Atelier besonders gut, oft zogen sie am selben Strang, vor allem, wenn kontroverse Diskussionen über wirtschaftliche Fragen in der Belegschaft anstanden. Warum sich mit ihr nicht irgendwann auch mal privat treffen, fand sie. Lydia freute sich über die Idee und lud die Kollegin für den heutigen Abend zu sich ein.

In der Stadt fuhr Algena meist öffentlich, sie nahm jedoch an, in den dortigen Wohnstraßen leicht einen Parkplatz zu bekommen, hatte deshalb das Auto genommen, aber wurde wieder mal eines Besseren belehrt. Null

Parkplätze gerade in innerstädtischen reinen Wohnstraßen. Sie hätte es wissen können: Um neunzehn Uhr waren die meisten Leute schon zu Hause. Keine Parklücken in der Nähe. Schließlich fand sie einen Parkplatz in einer verhältnismäßig schmalen Nebenstraße, auf der nur einseitig PKWs parken konnten und musste an die zehn Minuten laufen, vorbei an den typischen mehrstöckigen, aneinandergebauten Stadthäusern, bis sie endlich vor der Haustür stand und auf dem großen Klingelschild den Namen der Kollegin fand. Hätte doch den MVV nehmen sollen, schalt sie sich. Jetzt wars so. Spät sollte es eh nicht werden, gegen halb elf bis elf Uhr abends wollte sie spätestens wieder zu Hause sein. War natürlich illusorisch. Ein Wort gab das andere, ein…zwei Gläser Rotwein, dazu ein paar leckere Brötchen und dann Knabberzeug … und schon wars weit nach elf Uhr in der Nacht, bis sie überhaupt erst mal aufbrach. Algena verabschiedete sich und machte sich auf, Richtung Auto … Bereits erstaunlich milde Temperaturen sogar in der Nacht, auch im späten Frühjahr noch nicht unbedingt zu erwarten, weshalb es ihr nicht pressierte. Nach dem unterhaltsamen Abend mit ihrer Kollegin schlenderte sie, ihren Gedanken nachhängend, die wenig befahrene, schmale Straße auf der angenehmeren, von Autos freien Seite entlang. Außerdem spürte sie die innere Wärme des wunderbaren Roten, den Lydia kredenzt hatte. Fahren war kein Problem, denn sie hatte bei den Brötchen gut zugelangt, das bindet den Alkohol. Sie glaubte es einfach … Und zudem hatte sie sich zurückgehalten und wollte sich insgesamt nicht mehr als ein „Viertele" erlauben, was ihr durchaus schwerfiel, denn gutem Rotwein konnte sie kaum widerstehen und Lydia hatte ihr wiederholt das Glas wieder aufgefüllt. Also wars wohl doch um einiges mehr geworden …

Ein netter Abend. Die war wirklich eine patente, klasse Frau, stellte Algena fest, etliche Jahre älter als sie, leider geschieden und kinderlos. Sie ging in ihrem Beruf als Designerin auf, liebte ihn geradezu. So konnte man also auch leben, grübelte Algena nachdenklich, während sie die triste Straße entlangging, nur für sie wäre dieses einschichtige Leben auf Dauer nichts, das wusste sie seit Langem. Aber immerhin war es vorhin zwischendurch mal ein absolut interessantes Thema gewesen: *Lydias Ansichten vom Alleinleben.* Hatte sie zumindest nachdenklich gemacht.

Ein rotes Cabrio mit zurückgeklapptem Verdeck bremste unvermittelt neben ihr bzw. passte seine Geschwindigkeit ihrer Gehgeschwindigkeit an. Am Steuer ein Mann, wohl um die Vierzig, in hellblauem unifarbenem Hemd mit dezenter farblich gut dazu passender Krawatte, das Sakko locker auf die rückwärtigen Notsitze geworfen, die linke Hand lässig am Lenkrad und mit der freien rechten eine einladende Geste in Richtung der hübschen jungen Frau am Gehsteig machend.

„Hallo, junge Frau, wie viel solls sein?" Algena, unvermittelt herausgerissen aus ihren Gedanken, blieb stehen und wandte sich dem Fahrer mit überrascht fragendem Blick zu. Der hielt sein Fahrzeug jetzt an und musterte interessiert ihre Gestalt. Angesichts der den ganzen Tag über, auch jetzt am späten Abend noch angenehmen Temperaturen, war sie im reichlich kurzen, enganliegenden Rock mit hohen schwarzen Schaftstiefeln unterwegs, ihre recht freizügige Oberpartie vom knappen offenen Bolero kaum bedeckt. Das lange brünette Wallehaar umspielte sanft ihre Schultern. Sie fühlte sich wohl in diesem jugendlich anziehend wirkenden Outfit, vor allem, weil alles perfekt saß und farblich bestens abgestimmt war. Erwartungsvoller Blick aus dem Wagen.

„Na sagens schon, was sie wollen. Biete ihnen zweihundert für klassisch ohne Sonderleistungen, mit Kondom, selbstredend. Okay???"

Algena war völlig perplex. Was sollte denn das jetzt? Sah der in ihr eine Nutte? Hier war doch eindeutig Sperrbezirk! Warum fuhr der nicht in die Ingolstätterstraße, wenn er Prostituierte suchen wollte? Sie brachte kein Wort heraus und sah den Typ nur verständnislos an.

Mit den Worten „Na kommen se schon, bevor noch einer kommt …, hier dürfen se sich eh nich aufhalten, na steigen se schon ein", stieß er von innen den Schlag auf und wies unmissverständlich mit einladend geöffneter Hand auf den Sitz.

„Ich …", begann Algena höchst zögerlich und leise, „ich …, ich bin keine …, ich bin auf dem Weg nach Hause …" Algena wusste nicht im Geringsten, was sie jetzt sagen, wie sie sich verhalten sollte, wie sie den wieder loswerden könnte und und und.

„Ach was …", wiegelte der ab, „so wie SIE aussehen …, natürlich sind sie eine …, was denn sonst?" Wieder sein taxierender Blick ihre Figur entlang.

„Kommen se schon, gehn se auf mein Angebot ein …, oder muss ichs erhöhen?"

Verzweifelt überlegte Algena, wie rauszukommen sei aus dieser absurden Situation, ohne das Gesicht zu verlieren, aber auch ohne den Typen bloßzustellen, gar gegen sie aufzubringen. Mit diesem Metier hatte sie noch nie was zu tun gehabt, völlig unerfahren war sie.

„Bitte lassen Sie mich, ich bin wirklich keine … – Nutte", und wenig souverän klang ihre Aufforderung „Fahren Sie bitte weiter … Bitte!"

Der Mann schaute sie zweifelnd an, murmelte etwas von „Aber daherstolzieren wie eine", oder so ähnlich, Algena verstand es nur rudimentär, aber ahnte, was er meinte. Wortlos knallte er die Beifahrertür wieder zu, würdigte sie keines Blicks mehr, gab zugleich Gas und fuhr mit quietschenden Reifen davon.

Algena stand da und wusste nicht, was sie denken sollte. Was war denn das jetzt? Nur langsam wich ihre Fassungslosigkeit, die nüchtern langweilige Straße gewann wieder die Oberhand über ihr gerade eben so durchgedrehtes Bewusstsein. Veranlasst durch den Vorfall betrachtete sie sich umgehend von oben bis unten. Ja schon, klar …, die fast bis zum Knie reichenden hohen Stiefel, der Rock, eng und knapp geschnitten, die lockende Haarpracht und ihr Gesicht, ihre Augen, ihr so offener Gesichtsausdruck galten allgemein als ausnehmend hübsch und anziehend, würde Männer anmachen, wie sie wusste. Also so was. Und natürlich ihre beneidenswert gute Figur. Zweifel stiegen auf und sie erinnerte sich urplötzlich ihres Vaters, der schon in ihrer Jugend x-mal an seiner Meinung nach zu aufreizender Kleidung rumgemäkelt hatte. Hatte der eventuell damals Sorge gehabt, dass sie mit ihrem Habitus womöglich als Nutte enden könnte? Absurder Gedanke, kam ihr jetzt zum ersten Mal … Und ihr heutiges Outfit? Wirkte das, wirkte sie durch sich selbst „aufreizend"? Sahen denn käufliche Straßenmädchen in etwa so aus? Sie hatte sich über solche Vergleiche noch nie Gedanken gemacht. Unfassbar! Sie und eine Nutte? Wirklich nicht, wäre ja das Letzte! Durfte sie denn nun des Nachts auf solchen einsameren Straßen nicht mehr entlanglaufen? Oder müsste sie sich ab jetzt hier draußen sicherheitshalber anziehen wie eine graue Maus? War doch absoluter Quatsch! Sie war in der Modebranche tätig und da spielte nun mal das Outfit die allergrößte Rolle. Allerdings wusste sie, dass viele Frauen es aus Angst vermieden, nachts allein unterwegs zu sein. Sollte das vielleicht doch berechtigt sein? Sie hatte dem bisher kaum Bedeutung beigemessen. Musste sie diese Meinung revidieren? Möglicherweise ja. In der belebten Innenstadt sicher nicht, da war sie schon oft mitten in der Nacht allein durch die Straßen gelaufen. Nie hatte sie Angst gehabt. Es kam allerdings auch immer wieder mal vor, dass Frauen überfallen und in Hausgängen oder hinter Buschwerk vergewaltigt wurden.

Sehr in sich gekehrt, erreichte sie nach wenigen Minuten ihr Auto und war eine halbe Stunde später zu Hause. Dort setzte sie sich erst mal aufs Sofa und genehmigte sich zur Beruhigung einen Cognac aus der Hausbar. Trank ihn langsam in Etappen und versuchte sich an das Erlebte zu entsinnen. Wie schnell man bei entsprechendem Outfit in dieses Fahrwasser „reingeschätzt" werden konnte? Aber sie hatte auch jetzt nicht den geringsten Funken Lust, sich den Schneid abkaufen zu lassen. *Ängstlich sein gilt nicht, macht noch wehrloser als sie es als Frau eh schon ist.* Auch solche Situationen galt es künftig zu meistern, vor allem rascher bzw. entschiedener zu reagieren, jedenfalls wesentlich souveräner als vorhin. Natürlich: Sie war höchst perplex gewesen, aber hatte insgesamt wohl die richtigen Worte getroffen. Beruhigt fiel sie ins Bett – ohne von einem Freier gekauft worden zu sein, wie sie dankbar zu sich sagte: Gott sei Dank!

***

Es dauerte nur wenige Wochen, bis Algena und Isabelle wieder mal telefonierten. Es gab keinen konkreten Anlass, der Anlass lag in seiner Anlasslosigkeit begründet. Das Zerwürfnis hatte beide ziemlich mitgenommen und sie fühlten, wie wichtig jetzt Empathie für die jeweils andere war. Der beiderseitige flammende Ärger von damals war verraucht. Sie mochten sich eben und betrachteten die unterschiedlichen Mentalitäten letztlich eben doch als das, was sie waren, nämlich eine Bereicherung. Isabelle erzählte freudig, wie gut es ihr als frisch gebackene Ehefrau jetzt ginge und dass sie im Herbst in eine größere Wohnung zu ziehen gedächten, weil „die Arbeit am Nachwuchs" schon begonnen hätte, wie sie sich sibyllinisch ausdrückte. Algena freute sich einerseits für die Freundin, aber es wurde ihr auch erneut bewusst, dass es in ihrem Bekanntenkreis überall „weiterging" außer bei ihr, wo Stillstand herrschte. Keine neue Erkenntnis, fürwahr, aber immer wieder gabs neue Beweise dafür. Neue Freunde, neue Freundinnen, Heirat, zweites, sicher bald drittes Kind, Kindergarten, Schule, Wandel der Interessen ... Und sie ging seit Jahren brav in ihr Atelier und ansonsten passierte an Außergewöhnlichem wenig, vor allem nichts zukunftsgestaltendes. Mal ausgehen, mal ein neuer Mann, auch mal was Intimeres, aber nie was „von verlässlicher Dauer". Nie hatte es „gefunkt!". Schon eigenartig ... Desperate Gedanken.

Algena hatte das Bedürfnis, das damalige Streitthema noch mal aufzugreifen, nachdem wieder Frieden eingekehrt war, bekannte und versicherte ihrer Freundin, dass das damals mit der Bar, den Drogen und dem Abgeschlepptwerden sehr wohl heilloser Blödsinn gewesen sei, für den sie sich eigentlich schäme, und sie hier inzwischen besser auf sich aufpasse. Gerade deshalb, weil das für sie Neuland gewesen sei und sie auch ordentlich hatte Lehrgeld zahlen müssen, habe sie beschlossen, sich dieses Metier aus Neugier nun doch genauer anzusehen, also gezielt mal solche Kneipen aufzusuchen. (Ein wesentlicher Grund war allerdings der Ärger über das Gouvernantenhafte ihrer lieben Freundin, was selbstredent unerwähnt blieb.) Inzwischen sei sie schon etwas rumgekommen und es wäre schon recht interessant, was sich da so alles tummele in diesen sog. einfacheren Kreisen, wie sie es verniedlichend ausdrückte, dem ganzen Unterfangen damit ein schickes Mäntelchen umhängend.

Isabelle stöhnte ein wenig über diese nochmals weitergehende Forschheit ihrer Freundin und meinte, so ganz nicht dieser Meinung zu sein, aber wenn es denn sein müsse, sie auf jeden Fall sehr aufpassen solle auf sich. Algena versprach das hoch und heilig.

Ihre letzten, nicht gerade koscheren Erlebnisse verschwieg Algena wohlweislich, um die Freundin nicht erneut gegen sich aufzubringen: Die lautstarke Auseinandersetzung mit dem aufdringlichen Underdog neulich, die Verwechslung mit einer Nutte wegen wohl allzu freizügiger Kledage und noch einiges mehr an nicht gerade gesellschaftsfähigen Erlebnissen mit Kontakten in den Bars.

In dieser „anderen Welt" ginge es wesentlich rauer, direkter, man möchte sagen „rabiater" zu, als in ihrer angestammten, sich äußerlich weichgewaschen gebenden Lebenswelt, erzählte sie der Freundin, die wie gewohnt interessiert, wenngleich immer noch ein wenig perplex war ob Algenas neuer Unternehmungslust. Algena spürte natürlich unterschwellig Isabelles Zweifel, weshalb es nicht lange dauerte, bis auch in ihr aus dem inneren Off kritische Fragen auftauchten: *Bin ich nicht doch zu tief gesunken mit all dem Scheiß, auf den ich mich derzeit einlasse?*

Andererseits schien es aber, als seien ihre streng konservativen Meinungen und Maßstäbe tatsächlich etwas aufgeweicht worden – aufgehoben ganz sicher nicht, denn alle diese Erlebnisse firmierten bei ihr ganz einfach *wie ein Besuch* in anderen sozialen Gefilden, von dem sie aber sehr wohl merkte, dass und wie er auf ihre Psyche einzuwirken begonnen hatte. Ja, sie wurde lockerer einerseits, aber zugleich schien ihre bisherige Zuverlässigkeit, Besonnenheit und vor allem Zurückhaltung zu erodieren. Wie wenn die Unverbindlichkeit der Sprache und der Sprüche, die sie gehört hatte, in ihr zu keimen begonnen hätten. Halbwegs geregelt konnte man ihr Freizeitleben kaum mehr nennen. Sie ließ sich gehen. Nur die tägliche Arbeit im Atelier hielt ihr Alltagsleben in der Spur und gab ihm Struktur. Ein fester Pflock, der ihrer zunehmenden Sprunghaftigkeit Einhalt gebot.

Sie verplemperte erstaunlich viel Geld, merkte das selbst, aber es war ihr egal – für wen sollte sie sparen? Ihre Einkünfte ließen einigermaßen Großzügigkeit zu, aber die hatte natürlich auch Grenzen. Bei Unternehmungen ihres Freundeskreises, bei Restaurantbesuchen, kulturellen Ereignissen, Partys etc. „glänzte" sie immer häufiger durch Unzuverlässigkeit und sonstiges außergewöhnliches Verhalten oder erschien erst gar nicht trotz Zusage – die Freunde reagierten mit Unverständnis. War doch früher so zuverlässig! Man wunderte sich. Albert kümmerte sich um sie – er mochte sie, sah in ihr eine ungewöhnliche Frau, der er ein wenig die Hand reichen wollte, weil auch er längst bemerkt hatte, dass sie, obwohl der Unfalltod ihres Mannes nun schon zwei Jahre zurücklag, noch nicht wieder „Fuß zu fassen" imstande war. Ja im Gegenteil, es beunruhigte ihn, dass sich in ihr in jüngster Zeit ein gewisses Moment von Haltlosigkeit zeigte und sich zu verstärken schien. Was war mit Algena los, fragten sich er und Eleonore. Aber auch sein Einfluss blieb begrenzt. Und wenn sie mal im Kreis mit dabei war und nach dem dritten Viertel Rotwein ihre Zunge langsam begann sich zu lösen, führte sie – anders als noch vor wenigen Jahren – gelegentlich recht abschätzige, sogar anstößige Reden auf alles und jedes, was sie früher gutgeheißen hatte.

Alles, was sie tat und unternahm, besser gesagt, vom Umfeld erwartet wurde, erfüllte sie zwar, aber nur unter einer unbestimmten resignativ gefärbten Wurschtigkeit. Das Wort „egal" oder „ist doch egal" fand inflationären Eingang in ihr Denken und über ihr Reden bestimmte es bald auch ihr Handeln. Noch aber gelang es Algena, die Form, genauer die übliche Etikette, zu wahren und ihre zunehmende Halt- und Prinzipienlosigkeit verbunden mit einer gewissen Zerrüttung ihres Alltagslebens zu kaschieren.

Der lose, lockerere Lebenswandel forderte seinen Tribut. Die abendlichen Ausflüge wurden länger, bisweilen fragwürdiger im Niveau, sie ließ sich auf ungehobelte Gestalten in Bars und schmierigen Lokalen ein. Isabelle bekam natürlich doch so manches aus den Andeutungen der Freundin mit, redete ihr ein ums andere Mal ins Gewissen, was die Freundin zwar vordergründig zerknirscht aufnahm, aber mitnichten beherzigte. Von so manchen Unternehmungen, von denen sie ihr erzählt hatte, war sie nicht abzubringen. Isabelle resignierte. Algena musste da eben durch, beruhigte sie sich. Sie hoffte nur, dass sie es nicht übertreiben und in ernste Gefahr geraten würde.

Der Einfluss dieses insgesamt liederlichen Lebenswandels begann, sich auch auf Algenas äußerliches Umfeld auszuwirken. Hatte sie schon bisher wenig Lust, ihre Wohnung anfzuräumen, wurde es schlimmer: Sie begann, nicht nur die Wohnung herunterschlampen zu lassen, sondern auch sich selbst. Grund: Tiefe Unlust für alles. Wer fragte schon, wie's hier aussah, oder ob ihre Haare topgestylt waren etc. Für wen, bitteschön? Klar: Für sie natürlich …, aber da genügte das Allernotwendigste. Und bald sah man es in der ganzen Wohnung. Nichts mehr von Kleinod, nach einiger Zeit sah es hier „Messie-like" aus: Alle wagerechten Flächen in den Zimmern voll von Haushaltzeug, Papierkram allerorten, aufgeschlagene Ordner, kreuz und quer die Kontoauszüge der Bank rumliegend, aufs Einheften wartend, Stapel mit Post, geöffnet, liederlich wieder ins Kuvert gestopft und gedankenlos beiseitegelegt, offene Schreiben, meist Amtliches oder mit dem Logo der Bank, dazwischen völlig unmotiviert ein oder gar zwei Rotweingläser mit eingetrockneter roter Kruste am Boden, jede Menge Werbeschriften, mit denen man heutzutage traktiert wird, Infos über Kulturveranstaltungen, Produkte aller möglicher Anbieter, viel schriftlicher Info-Müll (den man hätte sofort entsorgen können) und zwischen dem ganzen gelinden Chaos verstreut diverse Kleidungsstücke, die angeschaut werden müssten, wegen abgerissener Knöpfe, Flecken, einer aufgeplatzten Naht oder Ähnlichem etc. Auch der Fußboden diente als Abstellfläche für manches. Vieles, was sie hätte aufräumen, erledigen oder bearbeiten können, blieb inzwischen achtlos liegen.

Wie früher manchmal Blumen auf den Tisch stellen? Die Deko kreativ erneuern in ihrem eigentlich eleganten Heim? Nichts mehr. Kein Bedarf.

Auch ihr Interesse am Job litt subtil, und damit zwangsläufig ihr Engagement und somit ihre Zuverlässigkeit. Sie versuchte ihren lethargischen Schlendrian nach Möglichkeit zu verbergen, trotzdem fiel nicht nur den Kollegen und Kolleginnen, sondern auch dem Chef, die eigentümliche Veränderung in Algenas Verhalten durchaus auf, sie schnitten das Thema aber nicht an. Ihr Chef erinnerte sich, mit ihr ja im Prinzip über Themen ihres „persönlichen Wohlergehens" schon mal gesprochen zu haben, beließ es deshalb beim weiteren Beobachten seines Mitarbeiterinnen-Schützlings. Der Kollegenkreis reagierte hemdsärmeliger: Jeder habe eben seine Marotten und die könnten auch mal ausgeprägter werden, war der allgemeine

Tenor der Kollegen und Kolleginnen. Einen Reim konnte sich keiner machen. Die Freizeit war privat – bei allen.

**

Wieder eine halb durchzechte Nacht. Ein Taxi hatte sie nach Hause gebracht, ziemlich spät wars diesmal geworden. Reichlich angeschickert fiel sie ins Bett, nicht ohne vorher das Fenster für die kühlende Nachtluft aufzureißen. Ein kurzer Blick auf den Wecker …, oh Gott …, halb drei schon. Wird 'ne sehr kurze Nacht. Einschlafen dauerte natürlich, aufgedreht wie sie war. Sie hatte mit einem Typen einiges getrunken, sich dessen penetranten Avancen aber schließlich erfolgreich verwehrt … Mit dem ins Bett? Neee, konnte sie sich partout nicht vorstellen, trotz des akzeptablen Plaudertons mit ihm. Natürlich hätte er sie gerne abschleppen wollen, was sonst? Wenigstens war er nicht grob, gar gewalttätig, sondern ließ sie irgendwann in Ruhe, verabschiedete sich sogar manierlich.

Unerbittlich der Radiowecker …, sieben Uhr – wie jeden Tag. Nach den wenigen Stunden Schlaf war das nachtschlafene Zeit. Sie drückte die Musikklänge umgehend weg …, nach einigen Minuten Ruhe derselbe Zirkus. Vorhin wars wenigstens Musik, jetzt babbelten Morgenunterhalter ohne Unterlass. Erneut mit der flachen Hand unsanft den Weckquälgeist zum Schweigen gebracht und wieder umgedreht. Keine Lust. Absolut keine. Zum dritten Mal penetrant dasselbe Spiel, dann gab der Wecker endlich Ruhe (so war er programmiert). Algena seufzte. Ein…zwei Minunten noch, dann wollte sie raus … – Helllichter Tag. Algena blinzelte entspannt in die Morgensonne durchs geöffnete Fenster. Auf dem Wecker ein paar Minuten vor neun. Neun??? Oh Gott! … Total verschlafen heute. Im Geschäft wäre sie samt Aufstehen, knapper Morgentoilette und Hinfahrt wohl eineinhalb Stunden zu spät. Peinlich, ja natürlich, dann lieber gleich zu Hause bleiben. Freilich, sie müsste sich korrekt abmelden … hm …, ach was, scheiß drauf! Mir wurscht! Aber es war trotz Sommer morgen-kühl im Zimmer, wenigstens das Fenster schließen … Mühsam quälte sie sich hoch, schwankte schwerfällig um das Doppelbett herum und schloss das Fenster. Kurzer

Blick in den freundlichen Morgen draußen – interessierte im Moment nicht die Bohne …, unschlüssig jetzt, was tun. Bad oder wieder Bett? Jetzt wars eh schon wurscht-egal … *Keine Lust auf nix!* Zurück ins Bett … Aber das angesammelte Gedankengerümpel wollte nicht friedlich sein, im Gegenteil: Grübelnd drehte es sich im Kreis und wurde intensiver. Schließlich erhob sie sich nach wenigen Minuten und klagte die Vorwürfe gegen sich lautstark in den Raum hinaus: *„Alles Blödsinn hier …; was ich mache ist Blödsinn; wie ich lebe ist Blödsinn; wen ich kennenlerne – auch Blödsinn, genauer, Blödmänner; alles Scheiße …, und dann das ganze Normalitätsprozedere jeden Tag aufs Neue: Raus in der Früh, ins Atelier, Tagesgeschäft, wieder heim, Fernsehen, schlafen …, immer dasselbe, wie in einer Tretmühle. Bin ich 'ne Marionette, oder was? Irgendjemand bewegt doch pausenlos mein Gestänge, meine Fäden. Aber wer?"*

Eigentlich müsste sie raus …: *„Wie schön war das früher: Da bin ich rausgesprungen, putzmunter, hab am Wochenende 'ne Tasse Kaffee durchlaufen lassen – und sie meinem Philipp gebracht, den ich erst mit Zwicken in die Zehen habe aufwecken müssen. Philipp – so weit weg …, so lange her …"*

Unversehens und völlig unmotiviert rutschte Harry in ihren Aufmerksamkeitsfokus und – ersetzte ihn, wahrscheinlich, weil er sich erst vor wenigen Tagen telefonisch wieder in Erinnerung gebracht hatte. *Harry?? – Algena! Algeeeena, komm zu dir!!!* Der harte Ordnungsruf aus ihrem Inneren hätte Tote aufwecken können. *„Vergiss ihn, Algena, allerschnellstens! Wann entlässt du diesen Kerl endlich, schubst ihn ins Nirwana ohne Rückkehr, schwimmst dich frei, und zwar endgültig?*

Was war eigentlich für ein Tag heute? Donnerstag. Ach Goooott! Die Putze kommt um vierzehn Uhr, da müsste sie rechtzeitig raus. Aber, keine Panik …, waren ja noch zwei…drei Stunden hin. Sie räkelte sich erneut im Bett, zog immer wieder mal die Daunendecke über den Kopf, als ob sie signalisieren wollte (wem denn???, *„der bösen Welt wohl"*), abgetaucht zu sein. Jedenfalls wollte und wollte und wollte sie nicht raus. Immer noch Tausende trübsinnige Gedanken … Alles verwandelte sich ins

Unerquickliche, als ob in allem und jedem ein Haar in der Suppe zu finden sei. Gegen Mittag quälte sie sich dann doch mühsam aus dem Bett, wankte schwerfällig ins Bad, betrachtete zweifelnd ihre Spiegelvisage, ein reichlich zerknautschtes Gesicht …, unübersehbar die Ansätze von einigen winzigen Krähenfüßchen. Aha, die ersten Falten ante portas. Keine Einbildung, war real. Sie betrachtete sich interessiert im Spiegel, schnitt ein paar Grimassen: *„Das bin also ich"*. Na ja, … war auch schon mal jünger …

Dann Morgentoilette, sparsamer als sonst. Ich lebe allein hier, dachte *es* resigniert *in ihr*. Ist also scheißegal, wie ich aussehe. Dann stand sie vor dem Kleiderschrank und konnte sich nicht entscheiden … Sie war zu Hause, wollte heute keinesfalls mehr weg, da wäre es eh egal … rein mechanisch holte sie ein Winterkostüm heraus, es war aber schon Frühsommer. Obs draußen wohl kalt oder warm war? – Sie hätte auf die Terrasse gehen müssen. Indifferent. Keine Entscheidung. Wieder zurück zum Schrank. Keine Lust, auch hier keine Entscheidung. Nichts reizte sie heute, gar nichts. Sie griff nach dem hellgrau melierten Hausanzug am Haken außerhalb des Schrankes.

Fürs Geschäft müsste sie sich in Schale werfen, sicher, müsste aufpassen, ja nichts anzuziehen, was sie schon paar Tage vorher angehabt hatte.

In ihren Kreisen resp. ihrem Metier tritt man auch im Alltag stets topgekleidet auf. Zu oftmalige Wiederholungen sind verpönt, die Meinung vieler ihrer Kolleginnen. Die Männer tun sich bzgl. Varianz wesentlich leichter. Ein ständiger Selbstdarstellungszirkus! Man könnte ja auch Jeans …, die üblichen blauen, oder schwarz, sogar rot ginge? Nur – Jeans sind generell verpönt in konservativ-kreativen Modesalons, gelten als absolutes *No-go* (über das sich aber so manche in ihrem Laden bereits ohne Hemmungen hinwegsetzen: Entwerfen teure Klamotten und laufen selbst quasi „abgerissen" daher). Etikette hat heute nur noch einen begrenzten Stellenwert. Deren zunehmende Missachtung jedoch kommt einer Art fortschreitendem Kulturverlust nahe. Exzentriker in ihren Kreisen wollen Jeans sogar mit eleganter Oberbekleidung kombinieren – ein Kotau vor der Mehrheit der Bevölkerung in der Jeans längst Kultstatus erreicht haben und sogar – *horrible dictu* – in Theater- und Opernaufführungen getragen werden, vor allem von Männern. Wenn sie durch die Stadt läuft: Nur jeder Dritte, Mann oder Frau, hat keine an … Null Modebewusstsein bei der Masse …? Sie findet, das sei nicht so sehr eine Frage des Geldes, als des Geschmacks, bei vielen wenigstens, oder auch der Einfallslosigkeit.

Zu Hause gabs kein Kleidungsdiktat. Sie entschied sich für den mausgrauen Hausanzug.

Vorgesehen wars nicht, aber jetzt genoss sie es, heute, Donnerstag, einem hundsgewöhnlichen Arbeitstag, zu Hause zu sein. Mochten ihre Kolleginnen denken was sie wollten, es war ihr egal. Anrufen? Ja, hätte sie müssen, gleich in aller Früh, aber dazu war sie absolut nicht fähig gewesen. Und jetzt? Wars eh schon zu spät. Morgen würde ihr fürs heutige „Unpässlich sein" schon was Passendes als nachträgliche Entschuldigung einfallen— und mochten es auch fadenscheinige Gründe sein. Ließ Algena kalt und morgen war ein neuer Tag.

Die Tasse Kaffee war noch nicht ausgetrunken, die Semmel noch nicht gegessen, da hörte sie, wie die Korridortür aufgesperrt wurde … Ein Blick auf die Uhr … Du liebe Zeit, schon vierzehn Uhr? Erna, die Putzfrau stand im Flur. Wie schnell doch zwei Trödelstunden vergehen! „Hallo, Frau Marzahn? Sie heute hier, nicht im Büro?", begrüßte sie die Putzmamsell fröhlich (bei ihr waren Arbeitnehmer entweder auf „der Baustelle" oder „im Büro"). „Gehts ihnen nicht gut – weil sie zu Hause sind?"

„Nein, nein, alles bestens", log Algena ungeniert, „habe heute freigenommen, um zu Hause einiges zu erledigen." Algena stellte ohne Skrupel die tatsächliche Unordnung in ihrer Wohnung auf den Kopf (es ging nicht um „einiges", sondern um faktisch „alles", was beim Anblick der chaotischen Zustände hier vor allem auf einfachere Gemüter wie Erna befremdlich wirken musste!). Sie gab ihr konkrete Anweisungen was zu machen sei einschließlich eines Korbes Bügelwäsche von immerhin vierzehn Tagen (Vor einer Woche hatte sie keine Lust gehabt, und dann wars eh schon egal gewesen.) und verzog sich wieder ins Schlafzimmer, warf sich auf das ungemachte Bett und ruhte aus vom Nichtstun, genauer: wartete auf „bessere Zeiten" in ihrer momentanen Lethargie. *Null Bock auf nix heute.* Die da draußen wurschtelte und gruschtelte herum, der Staubsauger plärrte, das dumpfe Klacken von Türen und Fenstern, Wasser rauschte im Bad, in Putzeimer vermutlich. Die wusste längst, wo alles zu finden war. Im Wohnzimmer wars im Augenblick nicht gemütlich, und das Schlafzimmer hatte sie heute vom Putzdienst ausgenommen, da kam die also nicht rein, und sie, Algena, konnte hier machen, was sie wollte, war eh nicht viel, nämlich nichts. Herumhängen eben, an der Kaffeetasse nippen, gelangweilt in einer Zeitschrift blättern, die sie sich aus dem Wohnzimmer geholt hatte. Lesen in ihrem aktuellen Schmöker war ihr zu anstrengend. Sie versuchte es und legte bereits nach wenigen Zeilen das an sich spannende Buch, wie üblich ein Krimi, genervt zur Seite. Heute nicht. Keine Lust. Normalerweise blieb im Schlafzimmer das Fenster tagsüber gekippt, wegen der Luft. Heute hatte sie es schon nach dem Aufwachen geschlossen, um die noch kalte Nachtluft von draußen auszusperren; inzwischen hatte sie es wieder gekippt. Sie konnte sich hier aufhalten.

Die Putzfrau machte sich allerdings schon Gedanken. Sie benötigte nicht mal ihr gewohnt scharfes Auge, um zu sehen, wie viel Liederlichkeit im Hause Marzahn eingekehrt war. Kaum bzgl. Schmutz und Dreck, sondern weil so viel rumstand und -lag. In der Küche sammelten sich Berge ungespülten Geschirrs – musste von mehreren Tagen sein, Kaffeetassen mit inwendigen Kaffeerändern, angetrocknete Essensreste auf schmierigen Tellern. Also früher sah das anders aus hier, urteilte Erna, eigentlich bis voriges Jahr. Und beim Betrachten des kleinen Weindepots neben dem Schrank in der Küche, wurde sie das Gefühl nicht los, dass hier ordentlich was weggebechert würde. Klar, die Flaschen sahen alle gleich aus, es war nur so ein Gefühl – aber es ging sie ja nichts an.

Frau Marzahn schien recht nachlässig geworden zu sein, konstatierte Erna überrascht. Einen überquellenden Korb Bügelwäsche sollte sie wegbügeln. Sonst war das höchstens die Menge einer Woche. Erna hatte alle Hände voll zu tun, nicht nur mit Bügeln.

Sie räumte auf, soweit sie Bescheid wusste, wo was hingehörte. Seit etwa sieben Jahren putzte sie schon beim Ehepaar Marzahn. Damals hatte sie der Hausherr, Herr Marzahn, höchstpersönlich eingestellt, sie erinnerte sich: ein attraktiver Herr, ungefähr Anfang dreißig damals. Ein harmonisches Paar die beiden, großzügig und freundlich, und dann der furchtbare Autounfall … Mein Gott, welch ein Drama! Frau Marzahn war monatelang untröstlich gewesen. Inzwischen wars deutlich nüchterner geworden in dieser Wohnung. Es fehlte gelebte Lebendigkeit (und übermäßige Unordnung ist Chaos, nicht Leben). Von einem neuen Partner hatte sie nichts mitgekriegt. Sie lebte offenbar allein … Erna hegte gewisse Zweifel, ob Frau Marzahn hier glücklich war. Wenn sie sich so umschaute, sah das seit geraumer Zeit mehr nach tristem Dahinvegetieren aus. Na ja, sie musste nur putzen, evt. bügeln und die Wohnung, soweit sie es konnte, in Schuss halten. Sie mochte diese hübsche junge Frau nach wie vor und sie verstanden sich. Und großzügig war sie, sparte nicht am Trinkgeld und ein Weihnachtspräsent bekam sie auch – wie einst von ihrem Mann. Gegen achtzehn Uhr endete ihr Dienst und sie verabschiedete sich.

***

Seit Monaten hatte Algena keinen Kontakt mehr zu den Eltern gesucht, sich weder mit einem Besuch noch per Telefon nach deren Befinden erkundigt. Der Grund: keine Lust. Die lebten eh fest eingebunden in ihrer überschaubaren Welt. Würden sich schon melden, wenn sie Hilfe bräuchten, danach hatte es aber an Weihnachten nicht ausgesehen. Waren gut drauf, fand sie. Na ja, waberndes schlechtes Gewissen …, als brave Tochter …? Mit Leon würden sie häufig telefonieren, lautete mal eine Aussage, aus der man zwischen den Zeilen den Zusatz „vorwurfsvoll" durchaus heraushören konnte. Kam für sie ausgestreckten Krallen gleich, Lusttötung inclusive. Von den Schwiegereltern hatte sie schon seit mehr als einem Jahr nichts mehr gehört. Seitdem deren Sohn tot war, verebbte der Kontakt mit der (einstigen) Schwiegertochter zunehmend. So ganz warm war sie mit dem Clan ihres Mannes nie geworden, die gemeinsame Verbindung war eben Philipp.

Eines Abends war ihre Mutter am Telefon. Algena meldete sich, ein paar der üblichen Floskeln hin und her, bis das entscheidende Ansinnen, besser der eigentliche Grund, natürlich ein leiser Vorwurf, hochkam.

„Sag mal, man hört gar nichts mehr von dir, wir wissen nicht wie's dir geht, was du so machst, wie's mit der Arbeit ausschaut, ob denn dein Job sicher ist in diesen unsicheren Zeiten und ob du inzwischen einen Freund hast" (Algena empfand die kurzatmige Fragerei wie eine Maschinengewehrsalve und es wurde ihr umgehend kotzübel), „und überhaupt? Bist du gesund, was gibts Neues bei dir? …, ehrlich …, wir machen uns schon ein bisschen Sorgen um dich!"

Ein Gewittersturm von Anklagen, was sie alles nicht wüssten und – Algena glaubte deutlich rauszuhören, dass sie am redlichen Lebenswandel des Töchterchens zweifelten und Angst hatten, es könnte abgerutscht oder liederlich geworden sein.

„Hättest dich ja schon mal melden können, Kind", beklagte sich ihre Mutter mit leidender Stimme durch die Muschel. Algena hörte zustimmende Worte des Vaters im Hintergrund. Wie die Pest hasste sie dieses Sich-verteidigen-Müssen, als ob nur vorauseilende Folgsamkeit ihnen Genüge leisten würde. Und dann noch dieses blöde „Kind". Sie war eine erwachsene, g'standene Frau, jaja, auch Kind, bleibt man für Eltern bis zum Tod, aber sie hatte sie schon so oft gebeten, sich das abzugewöhnen. Vergeblich. Sturheit, Ignoranz oder geistige Verknöcherung, typische Alterserscheinung eben, die lebten ihren Stiefel jahraus, jahrein, da passierte nichts fundamental Neues und heraus kam ein peu à peu eingeengteres, engstirniges Denken und das Kind blieb auch in der Anrede immer „Kind". Um nicht bei jedem zweiten Satz in Erklärungsnot zu verfallen, musste sie nolens volens mitspielen … und das Blaue vom Himmel herunter behaupten:

Natürlich, alles okay – ja …, es gehe ihr blendend, – ja …, sie sei gesund (stimmte ja auch zum Glück), – ja …, sie habe viele Kontakte … und – nein, leider …, einen ganz „festen" noch nicht …, – aber ja doch …, iwo, was denkt iiiihr denn …, an Verehrern leide sie keinen Mangel und da wären schon welche dabei, für die sie sich interessiere, die für sie in Frage kämen …, 's hat halt noch nicht gefunkt, leider."

Sie log wie gedruckt auf der ganzen Linie und es ging ihr, weil es eben ihre Eltern waren, gar nicht gut dabei. Niemanden hatte sie, absolut niemanden, die meisten waren nur lüsterne Schwerenöter oder man passte einfach nicht zusammen, den Rest konnte man getrost vergessen ...

... die Arbeit? Alles bestens. Das Atelier habe eine gute Auftragslage und ihr Job sei sicher (wenigstens das stimmte!), – ja ..., es gefiele ihr immer noch und sie ginge gerne rein ... – ja, natürlich gebe es Isabelle noch ... sei doch ihre beste Freundin, sie verstünden sich bestens, da gäbe es nie was ..., wen? ..., von früher? ..., Laura? Achso die ..., ja sicher, auch die gebe es noch, aber ..., nein, nicht mehr ..., hätten sich auseinandergelebt, passiert halt ... – Ja, ihre Wohnung ..., – nein, sie habe nichts verändert seit Philipps Tod, sie lebe gern hier und wolle auch nicht weg (stimmte sogar...) und und und .... – Pause. Algena schnaufte genervt durch.

So was mochten die Eltern hören, ob sie damit beruhigt waren, sei dahingestellt, sie kannte ihre Pappenheimer, aber zum Glück faselten sie nicht schon wieder von Enkelkindern (da sollten sie sich an Leon wenden, dachte sie sarkastisch, da gäbe es inzwischen deren drei, vielleicht verschaffte er ihnen auch noch ein viertes). Algena wusste genau: Was sie da salbungsvoll ins Telefon geflötet hatte ... Das allermeiste war reinste Schönfärberei, das wenigste stimmte. Musste halt sein. Sie hatte ihnen einen Bären nach dem andern aufgebunden und die glaubten es treu und brav oder ließen sich vom Redefluss des Töchterchens einlullen, fragten höchstens nach, um weitere „Erfolgsmeldungen" zu ernten. Widersprüche bemerkten die eh nicht, nahm Algena von ihren beiden Antiken an. Sie hatte ihnen ein schillerndes Wunschbild gezeichnet, im Grunde genau das, das ihrem Ideal vorschwebte, von dem sie aber meilenweit entfernt war. Die harte, ungeschminkte Realität würden die beiden in ihrer konservativen Kleinbürgerlichkeit nicht verstehen – weil bei ihnen eben nicht sein konnte, was nicht sein durfte (das unterschwellige Credo, mit dem sie einst aufgewachsen war). Und ja, sie waren verwöhnt von der Zeit ihrer Ehe mit Philipp. Von dem waren sie begeistert und waren es posthum immer noch – und Algena durfte nicht widersprechen, weil sie auch ihnen gegenüber nie Philipps Untreue bekannt hatte. Gerade vor ihren Eltern hätte sie sich damals zu Tode geschämt (dass ihr, *ihrer* Tochter, sowas passieren musste ...).

Dieses ganze überbesorgte Getue um sie ging ihr immer schon gewaltig auf die Nerven, seit Philipps Tod ganz besonders, und je mehr Zeit sie alleinlebend verbrachte, umso drängender, als ob sie unfähig sei, solo durchs Leben zu ziehen. – Das Fatale: Sie empfand es leider auch so (im Inneren war sie eben so geprägt), aber hätte es nie zugegeben, höchstens gegenüber Isabelle ... Und wenn die obendrein noch gewusst hätten, in welchen Kreisen sie derzeit auch noch verkehrte, wären die glatt durchgedreht und hätten bei ihr den schlimmsten *Gott-sei-bei-uns* am wirken gesehen, und ihr, dem (in ihren Augen) höchst gefährdeten, alleinlebenden Töchterchen, die ernsthaftesten Leviten zu lesen versucht – sogar übers Telefon.

Und dann erwähnte ihre Mutter, in den nächsten Wochen zusammen mit Papa mal für ein verlängertes Wochenende nach München kommen zu wollen, sie könnten doch im kleinen Gäste-Nebenzimmer schlafen, das gebe es doch noch, oder? Und am Wochenende habe sie doch Zeit, sie könnten auf der Terrasse plaudern so lange sie wollten, um diese Zeit jetzt sei es doch schon recht warm, regnen dürfe es halt nicht, und am Samstag könnten sie ein paar Stunden mit ihr in Münchens Innenstadt verbringen, zu viel könnten sie eh nicht rumlaufen – die Beine, sie verstehe? Aber mittags könnten sie gemütlich essen gehen, damit sie nicht kochen müsse und obendrein wäre das die verdiente Pause und zum Nachmittagskaffee ..."

„Ist ja gut, ist ja gut, ja ja, habs schon verstanden ...", Algena unterbrach recht abrupt den Redefluss ihrer Mutter, die diesen Besuch bereits in den schönsten Farben ausmalte – während Algena das Herz vor Entsetzen in die Hose fiel. Nein, bitte nicht, bloß das nicht ... Es reiche schon, zwei...drei Mal im Jahr für paar Tage die rechtschaffene, züchtige Tochter in ihrer kleinen niederbayrischen Kreisstadt zu spielen, aber hier in Solln? In ihrer Wohnung ...? Ja, irgendwann mal, aber jetzt und demnächst? Keinesfalls. Sie mobilisierte tausend Ausflüchte, um die Absage für die beiden verträglich weichzuspülen. Nach einer Stunde quatschen, war Algena am Ende ihrer psychischen Kräfte. Als das Telefonat die (symbolischen) Telefon"drähte" nach Niederbayern genügend erhitzt hatte und sie es endlich beenden konnte, atmete sie hörbar auf (war das immer anstrengend ...) und ließ sich erschöpft in die Kissen der Couch fallen, auf der sie bis vor ein paar Minuten noch ausgesprochen züchtig gesessen hatte – als ob die beiden sie hätten sehen können …

Minutenlang lag sie unbeweglich einfach nur da, der Länge nach hingefläzt und immer deutlicher wurde ihr bewusst, welche Diskrepanz zwischen dem, was sie erzählt hatte und ihrer tatsächlichen Lebensrealität lag. Sie hatte es tun müssen, die Strenge, die Gradlinigkeit, die Einfachheit, ja Biederkeit des Lebensgefühls und Lebensalltags ihrer Eltern überdenkend. Die würden ihre Probleme niemals verstehen können …

Besuch von ihren beiden Antiken *hier* empfangen? Unmöglich. Absolut unmöglich, derzeit keinesfalls. In objektiven Momenten brachte sie's fertig, schonungslos offen mit sich zu sein: Eine gewisse Tendenz zum *Laisserfaire,* zur Vernachlässigung ihrer urprivaten Hemisphäre, ihrer Wohnung, war unübersehbar (Wenn sie ehrlich wäre, müsste sie nicht von einer „Tendenz" sprechen, sondern von totalem Chaos). Und es war ihr auch bewusst, aber sie wusste nicht, warum sie in dieses Fahrwasser „nach unten" gerutscht war. Und setzte sich beschwichtigend und selbstkritisch hinzu: Ja, schon, unaufgeräumt wars bei ihr seit einiger Zeit tatsächlich und sie wusste auch, dass böswillige Zungen vor allem ihrer etwas entfernter stehenden Bekannten ihr lapidar nachsagen würden, sie wirke inzwischen heruntergekommen, vor allem in ihren angeblich unbesonnenen Äußerungen (verglichen mit früher). Wie dankbar war sie Erna, die, ohne viel zu fragen, über ihren eigentlichen Job hinaus stets auch versuchte, bisschen aufzuräumen, genau das, was ihr derzeit so unendlich schwerfiel. Ja, wenn sie hier in dieser großen, eleganten Wohnung mit einem festen Partner oder Ehemann zusammenlebte – eine explodierende Motivation bei ihr wäre gewiss.

Erneut Gedanken an das Ansinnen ihrer Mutter – und zugleich an den himmelweiten Unterschied ihrer beider Leben. Das ihrer Eltern, eingeschliffen und bieder-konservativ, alltagsfunktionell. Und ihres? War seit Philipps Tod haltlos, unstet und voller Hoffnungen, die sich bis heute nicht mal im Ansatz erfüllt hatten, eher im Gegenteil. Wann löste sich in ihr das fundamentale, ja, aggressive Vorurteil gegen die Lebensweise ihrer Eltern zugunsten harmonisch-friedlich erlebter Unterschiede endlich auf, zermarterte sich ihr Hirn und zweifelte an sich selbst. Jeder müsse doch unbeeinflusst nach seiner Fasson glücklich werden dürfen, die Eltern genauso wie sie. Was brachte sie so in Rage gegen „das Andersartige"? Sie ahnte längst den tiefen Grund: Weil sie aus eben diesem Milieu stammte, das sie einst im Elternhaus so stark geprägt hatte und es wahrscheinlich genau deshalb so „herzlich verabscheute", nachdem sie dies als möglichen Quell ihrer Akzeptanzprobleme erkannt hatte. Diese Diskrepanz hatte sich bis heute nicht aufgelöst, allenfalls war sie gut überdeckt gewesen in ihrer Ehe mit Philipp. Und warum kam das alles jetzt wieder so massiv hoch? So machte doch das alles keinen Sinn mehr!

Ausgelöst durch dieses unselige, von ihren Eltern als harmloses, liebevoll-besorgtes Erkundigen nach dem Töchterchen angesehene Telefonat, stürzte Algena wegen ihrer eh schon stark angeknacksten Psyche unversehens immer weiter in ein beständig tiefer werdendes Loch. Und würgte aufkommende Grundsatzfragen nicht mehr ab …

„Was für einen Sinn machts, *so* weiterzuleben?"

Sie erschrak gehörig vor den Antworten auf die zwingende Folgefrage, die sich umgehend einstellte: „Warum lebe ich eigentlich noch und für wen?" – „Für wen wohl!? Saudumme Frage!" Der Vernunftraum zwängte sich noch erfolgreich in ihre kruden Gedankenzusammenhänge: „Für mich natürlich, es gibt niemand anderen als mich!" Sarkastisch konstatierte sie weiter: „Und wenn ich tot wäre, wer würde um mich trauern? Ja natürlich die Angehörigen …, die schon, sogar sehr! Aber lebe ich für die Angehörigen, für deren Vorstellungen von meinem Leben?" Das fragte sie sich auch vorhin, während der verlogenen Laudatio über die angeblich wohlgeratene Tochter. Es war diese verdammte Krux, immer und überall und gegen all diejenigen eine bestimmte Rolle (bzw. Theater) spielen zu müssen, die man nicht *„ vor den Kopf stoßen "* will (wie sie vorhin die Mutter), letztlich gegenüber allen, an denen *„ einem was liegt "*. Reines Authentischsein ist stets purem Egoismus inhärent (welche Eigenschaft die „mächtigere" ist, sei dahingestellt, die Wertvollere ist die Erstere). Und bewirkt oft einen Ruch von Unverständnis oder Unduldsamkeit, weil eigene Maßstäbe mal hintangestellt werden müssen. „Authentischsein" gilt in manchen heutigen Kreisen als das Nonplusultra des eigenen Verhaltens, des Ehrenkodexes gegenüber

sich selbst, was es auch ist, solange es nicht in das gesellschaftlich zuträg-
liche Zusammenleben mit anderen unter Umständen störend eingreift und
es unnötig erschwert. Es gilt eben, den Mittelweg zu finden zwischen einem
„Sich-einfügen-in-die-Gesellschaft" und der Ehrlichkeit und Treue gegenüber sich selbst, was ja wesentlicher Teil des eigenen Authentischseins ist
– man darf sich selbst nur nicht verraten oder verbiegen müssen. Dass das
ungemein schwierig ist, weiß jeder.

Sie fühlte genau: Dieses ihr typische Unvermögen, ihr eigenes Leben
nach eigenen Maßstäben und Vorstellungen in den Griff zu bekommen,
könnte sie auf Dauer straucheln lassen an ihrer erträumten Lebensvision.

Noch mal klopfte diese fürchterliche Gedankenwelt bei ihr an, als ob sie
sie nicht loslassen wollte, nämlich *nach dem Sinn zu fragen*, ob sie so wie
bisher weiterleben dürfe oder könne? Und was wäre die Lösung, wenn sie
das nicht wolle? Die unverblümte, elementare Antwort lag so erschreckend
klar auf der Hand, dass sie kaum wagte, sie auszusprechen, denn die Konsequenzen wären undenkbar: natürlich der Tod, ihr Freitod. Er würde sie
befreien, aber wäre das nicht zugleich die verwerflichste Art von Davonlaufen vor dem Leben? Und damit unverantwortlich, gerade weil sie gute,
wohlmeinende Freunde und Freundinnen hatte – nicht, dass die ihr unmittelbar hätten helfen können (könnten sie nicht), aber sie würden sie selbstlos
stützen, auffangen, sie ermutigen, die Flinte nicht ins Korn zu werfen. Trotz
alledem blieb gültig: Aus dem Schlamassel hatte sie sich selbst herauszu-
ziehen – oder sie würde grandios scheitern.

Diese bei allem negativen Touch letztlich doch mutmachenden Gedanken lösten Überlegungen aus, denen sie schon mal begegnet war, die sie,
weil ungewohnt, fast revolutionär, stets umgehend wieder verscheucht
hatte: Warum sollte es denn so absolut unmöglich sein, ein erfülltes, unge-
bundenes Leben auch ohne *festen* (Ehe-)Partner oder ohne *feste* Liaison zu
führen? Was ließ sie stets von Neuem vor diesem Gedanken gruseln, ihn
weit von sich weisen? Weil er ihr abgrundtief fremd erschien! Weil einst

im unausgesprochenen Credo ihrer Familie, das sie während ihrer Jugend „inkulturiert" hatte, Heiraten, Familie gründen samt Kindersegen als die einzig richtige, damit basisgebende Daseinsform fürs menschliche Zusammenleben betrachtet worden war und nie auch nur mit einem Sterbenswörtchen *Alleinstehend-zu-Bleiben* als weitere Möglichkeit der Lebensgestaltung überhaupt in Erwägung gezogen worden war.

Bis heute gelang es Algena nicht, diese zukunftsweisende Vorstellung als gleichberechtigt zur Ehe anzusehen, falls es mit „dem Richtigen" eben nicht klappen sollte. Die konservativen Annahmen, nur in einer Ehe, in einer Beziehung ein glückliches Leben führen zu können, überdeckten nach wie vor alle sprießenden Pflänzchen namens *neuer* (besser: anderer) *Denke*.

***

Algena wurde es immer klarer, – das immerhin –, dass mit ihr fundamental etwas nicht stimmte (nach über zwei Jahren konnte Philipp schwerlich noch der Grund sein). Ihr ramponierter Seelenzustand, ihre Unruhe, ihre so oft schwermütigen Gedanken ..., wäre das nicht mal eine Beratung bei einem Therapeuten wert? Diese Frage geisterte schon länger in ihrem Kopf herum – Und das Thema? Anlass oder Grund? Philipp und Laura? Weil sie ihr Leben zerstörten bzw. zurückwarfen? Ihre aktuellen Schwierigkeiten und Probleme mit der Männerwelt? Oder sollte ihre verklemmte Erziehung mal zur Sprache kommen, das Elternhaus? Wäre vielleicht sogar noch der triftigste Grund, weil der Urgrund ...

Alles andere waren doch keine relevanten Zeichen irgendwelcher pathologischen Zustände, war einfach Pech im Leben oder *so-kanns-einem-gehen* oder *Keiner-lebt-nur-auf-der-Sonnenseite-des-Lebens*.

All dieses permanente *Auf und Ab*, vor allem das „*Ab*", verbunden mit vielen Negativgedanken, steigerte in ihrem Alltag und bei allem, was sie so anfing, leider auch in der Arbeit, immer häufiger ihre eh schon fatal niederdrückende Lustlosigkeit. Auf nichts konnte sie sich mehr vorbehaltlos fokussieren oder auch konzentrieren. Sich freuen über irgendwas? Hatte Seltenheitswert. Wäre *das* zum Beispiel ein Thema? Oder die Tatsache, dass sie nach dem Aufwachen so schwer aus den Federn fand, die permanente mentale Müdigkeit? Antriebslos und geradezu erschlagen fühlte sie sich oft, absolut keine Lust für Haushalt oder für sich irgendwas zu kochen oder zuzubereiten …, nachts dagegen lag sie manchmal stundenlang halb wach herum, kaum Tiefschlaf …, dann Grübeln in Halbträumen, die nie auf einen grünen Zweig führten. Wirkliche Lösungen gabs im Traum nicht oder nur scheinbare, das wusste sie natürlich.

Ja, und auch das müsste sie dem Therapeuten beichten: Ein bis zweimal in der Woche trieb es sie abends weg, raus aus allem, wohl, um ihrer seelischen Misere zu entfliehen. Sie wusste um die trügerische Freude solchen Tuns, konnte es aber nicht lassen. Die Vergnügungsbetriebe der Stadt …, es war reinste Betäubung. Mit „Erfahrungen sammeln" in ungewohnten Milieus, wie sie sich das mal naiverweise eingeredet hatte, hatte das überhaupt nichts zu tun, sie hatte das damit nur mehr schlecht als recht kaschiert – es war im Grunde nur die knallharte Gegenseite ihrer depressiven Grundstimmung. Wäre *diese* seltsame Ambivalenz evt. ein Thema? Denn normal war das wohl nicht, so weit irrlichterte ihre Seele ihre derzeitig unstete Lebensweise dann doch realistisch.

Ihr wohlmeinender Chef beobachtete sie mit wachsender Besorgnis. Er hatte sie vor nicht allzu langer Zeit schon mal wegen ihrer nicht zu übersehenden Unkonzentriertheit angesprochen, aber damals hatte sie ihn mit ein paar guten Argumenten beruhigt, und sich in Privates einzumischen verbot sich für ihn eigentlich. Aber er wurde den Eindruck nicht los, dass das nicht nur vorübergehend war, sondern es in Algena zunehmend mehr brodeln würde. Er ahnte, dass bei ihr irgendwas im Busch sein musste, dass sie ihm neulich beim Gespräch ihre Situation geschönt, also ihm Theater vorgespielt haben könnte. Als ob sie mit sich selbst kämpfen würde, gegen sich, um den Schein des Normalseins zu wahren. Aber es schien ihr immer weniger zu gelingen und ließ sie bisweilen geradezu „neben der Kappe stehen". Und erneut passte er einen geeigneten Moment ab, um sie zu sich hereinzubitten – und schloss symbolisch die Tür …

Algena saß über Eck mit ihm an dem kleinen Besprechungstisch. Er bot ihr was zu trinken an. Beide schwiegen eine kleine Weile. Algena spürte genau, warum er mit ihr sprechen wollte.

„Algena, du erinnerst dich? Schon vor einiger Zeit hatten wir miteinander über deine gelegentliche Unkonzentriertheit gesprochen. Das wird leider immer augenfälliger. Was ist los mit dir, Algena? Ich habe inzwischen den Eindruck, dass du doch ziemlich nachgelassen hast in letzter Zeit, jedenfalls so, dass es auffällt – und sicher nicht nur mir, sondern auch deinen Kollegen und Kolleginnen. So kann das jedenfalls nicht weitergehen. Kann ich dir irgendwie helfen? Ich mach mir echt Sorgen um dich!"

Algena blickte in sein bekümmertes Gesicht, in dem sie trotzdem Sympathie für sie wahrzunehmen glaubte, sah dann verlegen zu Boden und sagte erst mal gar nichts. Schließlich schaute sie ihrem Chef erneut gerade ins Gesicht.

„Ja, es stimmt, mir gehts auch nicht gut, gar nicht gut derzeit, die Nächte sind ein Horror und auch Schlaftabletten helfen wenig." (Das war gelogen, aber irgendwas musste, wollte sie sagen.)

„Aber das muss doch einen Grund haben, oder? Warst du denn schon mal beim Hausarzt? Für burn-out bist du viel zu jung, finde ich. Aber abklären müsste man das, wäre schon mal nötig!"

Algena fühlte sich in bedrängender Bredouille. Dass sie letzlich mit ihrer Lebenssituation nicht zurechtkam, konnte sie ihm keinesfalls beichten, schon gar nicht von ihren zweifelhaften Ausflügen was sagen. Aber was dann? Am besten auf die Ärzte abschieben …

„Ja, wollte ich eh schon", pflichtete sie ihm bei, „Vielleicht findet meine Hausärztin heraus, was bei mir schiefläuft. Ist auch möglich, dass ich zur Depression neige, kann mir allerdings partout keinen Grund vorstellen." (Wieder notgedrungen ein veritabler Schwindel, natürlich gäbe es Gründe zu Hauf … Ihre Misere einfach mit einer möglichen Depression zu erklären, würde ihm wohl noch am ehesten einleuchten.)

Mit der Zusicherung, ihre Hausärztin aufzusuchen, war ihr Chef erst mal zufrieden, sicherte ihr jede Unterstützung zu, wies auch auf die Möglichkeit einer Dreivierteltagstelle hin, falls sie z.b. Therapien machen müsste und äußerte noch weitere Vorschläge. Algena war überrascht: Der kam von sich aus auf Gedanken, die sie unterschwellig schon länger gehegt hatte. Damit entließ er sie erst mal – und Algena war heilfroh, halbwegs ungeschoren hier wieder herausgekommen zu sein, vor allem, dass er nicht auf den (für ihn!) naheliegenden, aber für sie eigentlich nicht mehr relevanten Gedanken gekommen war, es könne immer noch mit dem Unfalltod ihres Mannes vor bald zwei Jahren zu tun haben. Von wegen *„seither-nicht-mehr-Fuß-fassen-können"* und so. Sie wusste natürlich, dass das zwar immer noch in ihr nagte, aber inzwischen anderes im Vordergrund stand. Aber über das mit dem Chef reden? Auf keinen Fall.

Dass sie irgendwas unternehmen müsse, da hatte der ja recht. Konkret werden? Ja, ja, zur Hausärztin …, auch, natürlich …, oder erst mal mit Isabelle reden? Wäre 'ne Option.

Isabelle hörte dann zwar wie immer aufmerksam zu und unterbrach sie nur selten (das schätzte Algena besonders an ihr), aber substanziell Neues konnte auch sie nicht beitragen. Wohlmeinendes, aber letztlich fruchtloses Hin und Her. Algena gewann den Eindruck, dass die recht bodenständige Isabelle ihren Nöten zwar nicht ohne Verständnis, aber doch reserviert gegenüberstand, vor allem ihrer (in Isabelles Sicht) bisweilen abstrusen Gedankenwelt oder ihren leicht irreal anmutenden Vorstellungen.

„Algena, du bist eine so hübsche, gebildete junge Frau, wirkst zumindest weltoffen!! Das passt doch alles gar nicht so recht zu dir, was du mir da vorjammerst. Was willst du eigentlich, was gefällt dir an dir nicht?"

Genau das ist meine leidvolle Erfahrung bisher, dachte Algena schon allein von dieser Aussage der Freundin entmutigt und wollte schon antworten: Ich kanns ja selbst nicht sagen, was mich wirklich belastet, besann sich aber. Oh ja, ich weiß es sehr wohl. Das berühmte *Pech in der Liebe* holt mich immer wieder ein. Das ist aber nichts Besonderes, das kennt jeder … Und wenn sie dieses Thema anscheiden würde, wäre die wohl erste Feststellung Isabelles, ob sie nicht einfach viel zu viel von der Männerwelt erwarte, bzw. überzogene Maßstäbe anlege? Dieses Argument war schon zu oft gekommen. Sie wollte es nicht mehr hören. Algena schwieg erst mal. Isabelles Hirn dagegen ratterte und wartete nicht lange auf Algenas Antwort, sondern formulierte weitere Gedanken, die ihr so in den Sinn kamen.

„Ja schon, klar, verstehe, das einflussreiche konservative Elternhaus, das dich vielleicht vermurkst haben könnte – warst ja jahrelang unter dieser unguten Fuchtel gestanden. Aber du hast doch mit dem modernen Philipp alles andere als konservativ gelebt, nicht wahr? Das muss doch Spuren in dir hinterlassen haben …?"

„Isa …, natürlich hat es das und es ist mir ein Rätsel (da log sie wieder, denn ihr war's eben kein Rätsel) – das kannste mir glauben –, dass nach seinem Tod all die alten Vorbehalte wieder sukzessive aufgetaucht waren".

„Also ich versteh das nicht, Algena – dieser souveräne Mann – mit dem hättest du die spießige Hypothek des Elternhauses doch längst loswerden müssen, oder waren die fünf Ehejahre etwa zu kurz dafür? Kaum verständlich!"

Sogar der nur sehr milde Hinweis auf die (in Isabelles Augen) außergewöhnlichen Qualitäten von Philipp genügte, um in Algena erneut schrill die Alarmglocken anzuwerfen. Fünf Jahre nicht genug? Dann hätte sein perfekt inszeniertes Doppelleben noch länger gedauert, bis es aufgekommen wäre? Allein das schon ein satter Horror.

Algena konnte aus mentaler Erschöpfung nicht mehr aufbrausen wie normalerweise, wenn dieses Thema angesprochen wurde, sondern reagierte diesmal total niedergeschlagen, schwieg, aber ihr Hirn ratterte wie ein Maschinengewehr. Dieser grausame Fluch, niemandem gegenüber auch nur ein Sterbenswörtchen über das eigentliche Drama erwähnt zu haben! Jeder sah in Philipp stets den außergewöhnlichen und erfolgreichen Ehemann … Isabelles unschuldig-unbekümmertes Reden tat ihr so weh und sie, Algena, durfte sich nicht das Geringste anmerken lassen. Sie litt wie ein geschlagener Hund. *Verfluchte Scheiße!!* Sie wollte sich damals partout nicht blamieren, von ihm nach Strich und Faden betrogen worden zu sein – was das Schlimmste für sie war. Und jetzt nach über zwei Jahren? Keiner wusste es. Immer wieder holte sie dieses gottserbärmliche Versäumnis ein. Jetzt wars vorbei. Sagte sie jetzt erst was, wäre die Blamage doppelt (*„Warum erzählst du das denn erst jetzt??"*). Deshalb brachte sie's nicht über die Lippen, nicht mal hier und jetzt, Isabelle gegenüber. Der Zug war abgefahren. Time over! Ja, höchstens einem verschwiegenen Therapeuten würde sie diese Wahrheit sagen können – vielleicht …

Isabelle nahm Algenas Klagen zwar ernst, aber wiederum nicht zu sehr, weil sie immer schon den Äußerlichkeiten des Lebens mehr zugetan war, als inneren Einflüssen und ihrem Wirken in und auf den Menschen. In ihren Augen waren Algenas Probleme *Jammern-auf-hohem-Niveau*. Liebeskummer? Mein Gott, ja, hatte doch jeder mal, und dass es nur selten wirklich funkte, war auch ein Allgemeinplatz.

Algena beobachtete ihre Freundin und spürte aber noch ein ganz anderes, ein recht neues Moment bei ihr wirken: Die nahm seit ihrer Hochzeit in Windeseile die Züge und die Rolle einer gestandenen, etablierten (vor allem abgeklärten) Ehefrau an, mit andersartigen Fragen und Interessen als einst als Junggesellin (in denen Algena nach wie vor, besser gesagt *wieder,* feststeckte). Sie nahm es Isabelle deshalb nicht übel, nicht mehr den feinfühligen Sensor für sie, die junge Witwe, die zwangsweise neugebackene Singlefrau, zu haben. Vom Elternhaus abgesehen, waren die Themen für Isabelle zu abwegig, zu wenig greifbar, zu wenig an Konkretem festzumachen. Das Dasein als Single war in Isabelle trotz der längeren Liaison mit Georg einst stets lebendig geblieben, aber jetzt, mit ihrer Heirat, hatte sie es schnellstens ad acta gelegt. War auf dem Weg in eine neue Daseinsform und sicher auch bald als Mutter.

Isabelle konnte ihr also nicht helfen. Ihre einzigen konkreten, freundschaftlichen Aussagen waren offene oder versteckte Mahnungen, sich nicht gehen zu lassen (dass sie damit *auch* goldrichtig lag, merkte Algena in ihrer verengten Grübellaune nicht…).

„Oder geh dorthin, wo jüngere Männer, sicher auch Junggesellen – zu finden sind. Sicher auch Geschiedene. Sind nicht die schlechteste Wahl, haben Erfahrung", meinte sie kundig. Kundig? Darin? Nahm Algena ihr nicht so recht ab.

Algena schwieg.

„Und außerdem, wie wärs denn mal mit psychologischer Hilfe, z.B. einer Therapie oder Selbsthilfegruppe? Gerade wenn du dich so instabil fühlst! Lass dich vom Hausarzt beraten!"

Das wusste sie selbst, sogar ihr Chef war auf diesen Gedanken gekommen.

***

Sie nahm sich die Ratschläge zu Herzen, suchte ihre Hausärztin auf, sprach von Problemen, die sie habe, die mit ihrer Persönlichkeit zusammenhingen und dass sie befürchte, auf Dauer depressiv zu werden. Sie brauche fachkundige Hilfe. Und leider klappe es in der Liebe überhaupt nicht – auch das hinge wohl mit eben diesen Persönlichkeitsmerkmalen und -problemen zusammen.

Weil der Hausärztin diese Begründung zu wenig, zu „flach" war, und sie sie ermunterte, sich etwas genauer auszudrücken, schilderte Algena alsdann ihr Leben, schon einigermaßen realistisch, aber doch stets so, dass man sie nicht als (psychisch) „sterbenskrank" ansehen musste. Sie wollte ihre Probleme und Problemchen ansprechen, aber sich nicht zugleich damit bloßstellen (*Dass genau das eines ihrer Hauptprobleme war, kam ihr nicht in den Sinn*). Die Hausärztin äußerte einen bemerkenswerten Gedanken: *„Wenn wir nicht mit unseren Gefühlen übereinstimmend leben können, wozu auch die unbewussten oder unterschwelligen gehören, vor allem, wenn sie Ängste oder Frust auslösen, das Selbstbewusstsein und auch die seelische Stabilität beschädigen, werden wir auf Dauer krank!"*

Da spitzte Algena die Ohren. Aha, allerdings, da wird sie wohl recht haben ... Ein Grund für ihre ins Krankhafte hineinreichende, oftmalig niedergedrückte Stimmung zu Hause? Fiele es ihr leichter, sich bei einem Facharzt bzw. Therapeuten, zu offenbaren, als hier in der Praxis, fragte sie sich.

In einer längeren Anamnese ihrer gegenwärtigen Situation war sie in den paar detaillierten Einzeltherapiegesprächen mit einem Therapeuten durchaus offener. Der Unfalltod ihres Mannes, den sie immer noch nicht verwunden habe (obwohl sie das in ihrem Umfeld inzwischen stets betonte), die strenge konservative Erziehung im Elternhaus, die so tief in ihr verwurzelt sei, dass sie auch heute noch zu hohe Maßstäbe anlege, vor allem wenn es um neue Partnerschaften gehe, und auch ihre Tendenz zu einer gewissen Haltlosigkeit mache ihr zu schaffen. Alles zusammen ängstige sie, weil sie fürchte, darüber depressiv zu werden. Nur einen Punkt erwähnte sie nicht: den Seitensprung ihres Mannes, einer der wichtigsten Ursachen ihrer Misere und darüber hinaus die abgrundtiefe Enttäuschung über die Männerwelt. Der Therapeut verwies sie in eine Selbsthilfegruppe. Zweimal die Woche würden die sich treffen. Wäre schon ein hoher Zeitaufwand, aber es würde sich für sie lohnen, meinte er.

Dort hineingeworfen, wurde sie konfrontiert mit den Leben und Kalamitäten anderer und fand, dass es ihr doch noch vergleichsweise gut ginge. Ob Schwierigkeiten und Probleme wirklich (gravierende) *Schwierigkeiten* oder nur *Problemchen* sind, ist eben höchst subjektiv. Was den einen bedrückt, wäre einem anderen nur lockeres Abwinken wert (oder eben „schlaue" Reden). Sich öffnen war angesagt, mühevoll sich abzuringen, Details rauszulassen … Auch sie musste da mitspielen und es fiel ihr außerordentlich schwer. Vieles, was sie erzählen konnte und wollte, schönte sie manchmal so sehr, dass es gar nicht mehr sonderlich belastend wirken musste, wie zum Beispiel die spießige, harte Erziehung samt der Vermittlung eindeutig falscher bzw. rückständiger Werte, die sie kaum noch verändern, höchstens lindern könne, es aber müsse, weil sie nicht in die heutige Welt passten … (Hier hätte auch der ganze Komplex ihrer Probleme mit der Liebe hineingepasst und vor allem die Riesenenttäuschung über die Untreue ihres Mannes. Obwohl an sich zwei Paar Stiefel, könnte beides indirekt mit den urkonservativen Wertmaßstäben aus der elterlichen Familie zusammenhängen. Angeblich habe sie ihrem Ehemann ja nicht "genügt", wie Laura rotzfrech behauptet hatte. Also ein weites Feld, wo es viel aufzuarbeiten gegeben hätte …).

Nichts erzählte sie. Nichts! Aus gutem Grund: Sie hätte die Büchse der Pandora geöffnet … War ein schwerer Fehler, denn hier wäre es ans Eingemachte gegangen, was für Algena entscheidenden Nutzen gehabt hätte.

Algena nahm die Sitzungen einerseits ernst, tat sich aber schwer damit, sich völlig zu öffnen. Sie fühlte sich von Sitzung zu Sitzung unwohler. Wenn sie dran war, schilderte sie ihre Situation immer leicht bagatellisiert, jedenfalls nicht so ungeschminkt, wie es nötig gewesen wäre (und es andere bei ihren Schilderungen taten), denn ihre Angst vor vermeintlicher Blamage war auch hier so stark, dass die sich selbst verordnete Offenheit kläglich in sich zusammenbrach – absolut kontraproduktiv für jeglichen Therapieerfolg. Algena verstand die segensreiche Wirkungsweise *eines geschützten Raumes* nicht, sah statt (durch Verständnis) hilfegebenden Gruppenmitgliedern nur Menschen, die sie mit gezielten Fragen piesackten. Sie erkannte nicht, dass sich vor allem dadurch der Erfolg der Therapie vorbereiten würde. Algena merkte auch nicht, wie sehr es genau *diese* Angst war, die dem Familienverhalten in ihrem Elternhaus aufs Haar glich, und die durch deren Erziehung tief in ihrem Wesen verankert worden war, was wohl nur per langwierigem, tiefenpsychologischem Schürfen in ihren familiären Urgründen hätte herausgearbeitet bzw. verändert werden können. Sie merkte nicht, dass genau *das* das eigentliche Thema ihrer Therapie gewesen wäre, denn alles oder das meiste Andere bzw. Weitere würde sich mehr oder weniger davon ableiten.

Algena litt nur noch, ängstigte sich vor jeder neuen Sitzung. Weil sie sich mehrmals in Widersprüche verwickelte, glaubte man ihren angeblich authentischen Berichten nicht mehr so recht, manchmal entwickelte sich im anschließenden Gespräch eine Art Kreuzverhör durch die anderen Teilnehmer, um objektiv rauszufinden, „um was es denn nun wirklich gehe", was sie denn nun wirklich bewege, was sie wirklich auf dem Herzen habe, der Kern des Problems sei. Man wollte erreichen, dass sie in Worte fasste, was sie im Innersten bedrückte und quälte. Klappte selten bis nie.

Nach mehreren unerquicklichen Sitzungen hatte sie „*die Nase voll von all dem Gewäsch*", wie sie es inzwischen geringschätzend nannte. Algena träumte vom schnellen Therapieerfolg, *ein anderer Typ Mensch zu werden (mit mehr „Laura-Eigenschaften"?)* und musste damit scheitern, weil das völlig unmöglich war. Aber diese Zusammenhänge erkannte sie nicht, sondern analysierte laienhaft: Der eigentliche Kern ihrer Disharmonie war wohl nur einer geballten Ladung im Wesentlichen schlechter Erfahrungen zu verdanken – oder deren letzte Gründe lägen womöglich einfach nur in ihren Genen (womit sie in ihrem Fall eben gründlich falsch lag – ein weiterer Irrtum, den sie nicht erkannte).

Eine Selbsterfahrungsgruppe zur Therapie war ihr zu wenig erfolgversprechend. Das, was sie bewegte, müsse, so forcierte sie ihr Anliegen, *frontal angegangen werden, nicht mit Tanz um den heißen Brei.* Exakt genau so hätte sie ihr Anliegen angehen müssen, rumorte es in ihr, ohne ihren Kardinalfehler zu erkennen, das Pferd damit von hinten her aufzäumen zu wollen. Im Gegenteil: Jeden richtigen Ansatz hatte sie (was ihren Part betraf) während der Gespräche mehr oder weniger torpediert und damit zugleich auch jeglichen Therapieerfolg obsolet gemacht.

Das bringt so nichts, sagte sie sich und verließ die Gruppe und beendete auch die therapeutische Einzelberatung. So sehr sich der leitende Therapeut um sie bemühte, merkte er schließlich sarkastisch an, renitenten Menschen auch mit viel *Goodwill* nicht helfen zu können, und die gäbe es auch in jungen Jahren – und er meinte Algena!

***

Albert und Eleonore waren einige der wenigen ihres Freundeskreises, die mit Algena aktiven Kontakt hielten, sie gelegentlich anriefen, seit sie seit Herbst letzten Jahres oft wochenlang abgetaucht war, bis sie sich wieder mal blicken ließ. Allgemein munkelte man, es müsse mit ihr irgendwas „passiert sein", Algena sei doch stets ein gewissenhafter, wenn auch etwas altbacken wirkender, aber gutmütiger willig-engagierter Mensch gewesen? Was ritten denn die plötzlich für seltsame Präferenzen? Könne man nicht mehr so recht einschätzen. Die alten bisherigen jedenfalls nicht, aber was stattdessen, war unklar. Könnten es vielleicht nur dumme Flausen sein? Kopfschütteln allenthalben! Der Unfalltod ihres Mannes hatte sie anfangs gehörig aus der Bahn geworfen. Dann schien sie sich gefangen zu haben, aber seit mehreren Monaten gebe sie erneut Rätsel auf. Wenn man sie direkt anspreche sei alles paletti. Stimmte aber nicht. War mehr als deutlich zu sehen …

Algena nahm die Verwunderung über sie durchaus wahr, begegnete ihr aber nur innerlich und dachte frustriert: Wenn die mich doch endlich in Ruhe, einfach mich mein Ding machen ließen. Hab eben nicht immer Lust drauf, was da so aufs Tapet kommt und auf großes Tamtam und Trara und *„Begründung, weil…"* und so weiter erst recht nicht. Und man dürfe doch mal keine Lust haben, oder?

Jede und jeder erwartete eigentlich, dass sie, die einst so gerne, ja leidenschaftlich, Ehefrau gewesen war, als junge Witwe nach inzwischen etwa zwei Jahren doch längst wieder auf einen grünen Zweig gekommen sein müsse. So eine hübsche Frau und kein neuer Freund, keine neue (Dauer-)Begleitung? – gibts doch gar nicht!

Man war stattdessen irritiert über ihre seit einiger Zeit nur mühsam verkappte Sprunghaftigkeit. Bei feuchtfröhlicheren Events zog sie sich entweder in sich selbst zurück oder verheddderte sich rotweingeschwängert in wirren Ausführungen, Argumenten und Begründungen, denen kaum zu folgen war. Was sie erzählte, blieb manchmal rätselhaft nebulös, jedenfalls oft nicht nachvollziehbar oder plausibel. Sie verwickelte sich öfters in Widersprüche (wenn sie's denn selber merkte), über die sie lächelnd nonchalant hinwegging, die fragenden Mienen der Zuhörer schlicht ignorierend. So mancher zweifelte an ihrer Ehrlichkeit, wenn sie was erzählte.

Die an ihr weniger interessierten Gemüter taten das alles als neue Algena-typische Marotten ab, ließen sie links liegen. Die Wohlmeinenden, wie Albert und Eleonore, aber auch Rebekka, sogar Henning (der ihr trotz fester Freundin immer noch zugetan war) fanden das alles dagegen reichlich besorgniserregend. Es ging schließlich um ihre so auffällig gewordene Freundin.

Algena beobachtete das übliche vernehmliche Gehabe der Leute: Jeder und jede wollte sich stets ins beste Licht rücken, immer gings um Highlife und supergute Laune; es war ungeschriebene Parole, Lacher zu erzeugen, einander übertreffen zu wollen im Witzigsein, Nachäffen oder mit Bonmots in nicht-bayrischen Dialekten zu glänzen – als ob die Botschaft an jegliche Außenstehende heißen müsse: *Hach, was sind wir alle toll!* Selbstbeweihräucherung schwang subtil in allem Gerede und jedem exzessiven Gelächter mit. Freunde? Algena fremdelte inzwischen innerlich. Gehörte sie da noch dazu? Ja und Nein. Sie wollte indifferent bleiben, vorerst jedenfalls. Abwarten!

Einige begannen, sie nicht mehr so recht ernst zu nehmen, allen voran Laura, die, sich oft und gerne in Szene setzend, nach wie vor wie eine routiniert lässige Königin agierte, was zumeist ergebenst goutiert wurde. Sie hatte im Prinzip nichts mehr gegen die frühere Freundin, denn das Thema Philipp war bei ihr längst ad acta gelegt, aber fragwürdige Argumente Algenas zerlegte sie mit Lust und Wonne und brachte diese damit massiv gegen sich auf. Laura lachte dann bloß über die in ihren Augen *kleine Möchtegern-Angeberin ...*, ließ sie das auch deutlich spüren (ohne es auszusprechen), um sie, bevor das alles eskalierte, links liegen zu lassen und sich Anderem zu widmen. Algena, in neuem oft recht flapsig wirkendem Reden nicht mehr verlegen, nannte sie innerlich eine *Edelnutte und Kurtisane.* Denn nach wie vor beherrschte Laura ihr Metier perfekt, und wurde ja auch stets von irgendeinen sie anhimmelnden Kasperl begleitet.

Auch Tanzengehen stand immer wieder mal auf dem allgemeinen Programm. („Wer geht mit", wurde rumgefragt, oft per Email). Bayrischer Hof, Nightclub, P1 oder auch mal das Nachtcafé ... Sie sagte da schon lange ab, obwohl sie eigentlich leidenschaftlich gerne tanzte, – aber nicht in dieser Gesellschaft. Wenns ums Tanzengehen ging, dachte sie stets an Rüdiger. Mit ihm öfters tanzen, das hätte sie sich gewünscht, nicht seine Triebe bedienen. Hm, ... hatte sie eigentlich mit Philipp jemals das Tanzbein geschwungen? Komisch. Nur nebulöse Erinnerung. Wohl sicher an den Geburtstagsfesten. Wird also so aufregend nicht gewesen sein. Harry dagegen war ausgewiesener Schlechttänzer gewesen ..., hatte auch nie Ehrgeiz entwickelt (aus zwei linken Beinen konnte kein harmonisches Bein-Duo werden). Vielleicht sein einziger maßgeblicher „Fehler" ... In Gedanken schwebte sie in Alberts kleinem Fortbildungssaal bereits wieder mit Rüdiger übers Parkett, geborgen in seinen Armen und seiner formvollendeten Haltung. Ach, war das schön, wie glücklich war sie damals in diesen Augenblicken gewesen – alles perdu ..., Algena seufzte ..., warum nur war dieser Kerl so wenig handsam, so fixiert auf Sex ...? Sie hätten sich vielleicht dem argentinischen Tango gewidmet, er hätte sie souverän geführt und sie wäre ihm bedingungslos gefolgt und mit ihm zu einem Körper verschmolzen. Tango ist ein erotischer Tanz ... Wer weiß, wie das dann ausgegangen wäre?

Algena träumte mit offenen Augen. Frustriert kippte sie ein ganzes Glas Rotwein hinunter ... Bald fühlte sie den Kopf schwer werden. Egal ... Sie hing ihren Gedanken weiter nach ...

Und Hermann? Ob der tanzen konnte? Keine Ahnung. War nie die Rede draufgekommen. Hätte sie's gerne gewusst? Vielleicht anfangs ... Wäre dann sogar ein Anknüpfungspunkt gewesen – war vorbei und auch egal. Und eine Tanzschule? Die alte Krux: Ohne Partner nur der halbe Spaß und meistens herrschte eh Frauenüberschuss, weil die Mannsbilder oft Tanzmuffel sind ... Und „Springerin" spielen, sogar wenns dann nichts kostet? Wenig Lust.

Erneut Rotwein ..., dann wieder rumzappen durch die abendlichen Fernsehprogramme, parallel dazu Tagträumen oder im Kreis herumgrübeln über völlig anderes als auf dem Bildschirm gerade zu sehen war. Kurzer Gedanke an die neulich erst abgebrochene Therapie. War blödsinnig, dorthin zu gehen, all die sonderbaren Typen da, Frauen wie Männer, wohl weil jeder und jede eine Leidensgeschichte repräsentierte, die sie überhaupt nicht interessierte. Die aber prägte die Teilnehmer und indem sie sie erzählten im „geschützten Rahmen der Anderen" würden sich Lösungen zeigen – so die Intention der Selbsthilfegruppe. Angeblich würden sich mentale Kräfte, Energien eben, verstärken, wenn mehrere als Gruppe zusammensäßen. Sie hatte davon nichts bemerkt. Hm, ... und die meine? Hatte sie vermutlich beim Erzählen zu sehr „geschönt", was irgendwie aufgefallen war – und sie sich prompt höchst unwohl gefühlt hatte bei den kreuzverhör-ähnlichen Nachfragen. Das hatte sie sich nicht mehr antun wollen und war deshalb ausgeschieden. Einzelstunden mit dem Therapeuten wären ihr wohl besser bekommen, aber – jetzt war eh alles gelaufen. Ob zum Glück? Offen! Ach was ... müde war sie.

Desolate Unkonzentriertheit, die Fernsehkiste flimmerte immer noch, längst hatte sie den Faden der Handlung verloren. Uninteressanter Schmus. Lief halt vor sich hin. Der Ausschaltknopf der Fernbedienung. Urplötzlich gespenstige Ruhe rundherum, minutenlang – *oder hörte sich so Leere an?* Algena sinnierte. War nicht auszuhalten. Deshalb schnell ab ins Bett. Die Flasche, nicht mal das Noagerl Roten im Glas interessierte noch ..., alles blieb stehen. Auf der Couch die zerwühlten Kissen ... Totmüde wankte sie ins Bad. Komischer Tag heute. Sie konnte zwar rasch einschlafen, wachte aber bald wieder auf, mitten in der Nacht, und *nicht sie,* sondern *es* grübelte in ihr weiter und weiter und weiter über ständig wechselnde Episoden ihres gerade aktuellen Alltagslebens, was halt gerade hochkam, aber alles stets stark verfremdet und albtraumartig übersteigert.

***

Ein Samstagvormittag im Hochsommer. Ein Sommertag *par excellence.* Auf der Terrasse blühten die Sommerblumen um die Wette und lagen zugleich in Konkurrenz mit den farbenprächtigen Rosen, als ob die mit ihrer vollendeten Ebenmäßigkeit alles andere Blühende degradieren wollten.

Beste Voraussetzungen für einen entspannten Samstag bzw. sogar Wochenende, wenn nur ... Algena war mental aus den Fugen geraten. Die seltsame Mischung ihrer Freizeit forderte ihren Tribut. Ihr Wochenablauf nach Dienstschluss folgte nicht mehr einer gediegenen Lebensweise (wie einst in den fünf Jahren mit Philipp), sondern rumpelte mehr oder weniger gedanken-, interessen- und reflexionslos vor sich hin, unüberlegt eben, allenfalls von irgendwelchen Pflichten oder mal einem Kinobesuch mit einer

Freundin, auch einem date mit einem Mann, unterbrochen. Kurzes sinnieren. Begann meist recht nett, aber es lief letztlich stets auf dasselbe hinaus. Wirkliche Motivation entwickelte sich nur für den Freitagabend, ihr Ausgehabend, der allerdings oft genug ihrer Psyche so zusetzte, dass erholsamer Schlaf ausblieb.

Schon seit den noch dunklen Frühmorgenstunden lag Algena wieder mal wach im Bett, wälzte sich hin und her und ein unseliges Gedankenkaleidoskop drehte sich ohne Unterlass in ihrem Kopf. Zwischendurch eindösend, wandelte es sich in leichte oder schwerere Albträume, die sie schließlich recht unsanft wieder aufweckten, … um sie erneut dem Grübeln verfallen zu lassen. Sie erlebte in ihrem Alltag ja auch schöne, entspannte Stunden, – warum feierten nachts, wenn psychische Widerstandkräfte im Halbschlaf minimiert waren, die Unterwelten der Probleme und Ängste offen und rücksichtslos, von keinen Verstandeskräften gebändigt, ihren düsteren Tanz, zeigten ihre schaurige Fratze und jagten ihre Psyche vor sich her?

Sie erwachte schließlich total gerädert, obwohl das gestern Abend nur ein kleiner Absacker gewesen war. Zu sonderlich viel Kommunikation war sie nicht aufgelegt gewesen. Gleißender Sonnenschein flutete durch die Fenster, ließen sich kaum von den nur bedingt dichten Vorhängen bremsen. Acht Uhr war's, viel zu früh – erst mal liegenbleiben …, Halbschlaf …, neun Uhr …, zehn Uhr …, eigentlich müsste sie ja …, keine Lust, elf …, – sie konnte sich nicht aufraffen, schaffte es nicht, aufzustehen, kam einfach nicht raus aus den Federn. Oder war es ein *Will-nicht*, ein *Zeit-verbummeln-wollen*, oder … Nicht mal die lockende Sommersonnenwärme konnte ihre gnadenlose Tristesse vertreiben. Algena zog in innerer Trägheit erneut lieber die Bettdecke über den Kopf, wollte nichts hören und sehen. Sie hätte rausmüssen, in den Supermarkt, während der Woche kam sie nicht dazu. Mehrmalige Anläufe, unendlich mühsam alles … Sie schaffte es nicht, saß dann aber doch frustriert am Bettrand – nur, um widerstandslos, ungebremst wieder zurück in die weichen Kissen zu fallen …, fragte sich, wozu eigentlich das ganze Aufsteh-Theater? Und wenn sie den ganzen Tag im Bett bliebe, wer fragte schon danach? Kurz vor halb zwölf … Unendlich langsam quälte sie sich schließlich raus, strich gedankenverloren über die weiche Daunensteppdecke, den Überzug mit den romantischen aufgedruckten Blümchen. Sie liebte das altmodische Design heute noch, die reichlich einfältig dargestellten Ornamente und kleinen auf dem Überzug verteilten blühenden Arrangements. Eine ferne Erinnerung an Festtage in ihrer Kinderzeit. Die Überzüge sowie noch weitere Erstausstattungen (schließlich heirate sie ja mal, hieß es unisono ...) hatten die Eltern für sie als Kind gekauft. Mein Gott, dieser Uraltbrauch der *Aussteuer* ..., Aussteuer! Kein Mensch benutzte dieses Wort heute noch, Jüngere werdens gar nicht mehr kennen. Aber ihre Eltern legten damals, als sie ein kleines Mädchen war, größten Wert darauf, Jahr für Jahr zu allen Festen nebst Spielsachen und sonstigen nützlichen Dingen für ihre kindliche Seele, ihr ein weiteres Trumm dieser ominösen *Aussteuer* zu schenken. Algenas Gedanken verloren sich in vergangenen Zeiten ... Und was das Verrückteste war? Sie hatte in ihrem kindlichen Gemüt diese auch damals schon überkommene altmodische Einstellung der Eltern übernommen, sich gefreut darüber und sich dann nur gewundert, wie wenig die Freundinnen solchen Sachen Reize abgewinnen konnten. Achselzucken allenthalben. Deren Elternhäuser waren moderner als ihres ... Philipp jedenfalls, fünfzehn Jahre später, hatte schallend gelacht, als Algena die Truhe öffnete, die ihr die Eltern zum Einzug in die neue, gemeinsame Wohnung mitgebracht hatten. Er war aber gutmütig gewesen und sie hatten eine strenge Auswahl getroffen und das Unbrauchbare, sprich restlos altmodisch angestaubte, karitativen Zwecken zugeführt. Dieser Blümchenüberzug für die Steppdecken (es gab logischerweise zwei) hatte die Zeiten überdauert.

Kurz vor zwölf Uhr schleppte sie sich ins Bad, machte sich mit Sparprogramm fertig. Zu ausführlicher Morgentoilette fehlten Lust, Motivation und Ausdauer. Die vielen Fläschchen, Döschen und Tuben mit großenteils sündteuren Inhalten von meist namhaften Parfümeriefirmen – dazu perfektes Make-up mit Lippenstift, Lidschatten, Wimperntusche und Puder für die Gesichtshaut – ließ sie alles links liegen. Kein Bock auf „Schön-sein" heute! Wozu, für wen und warum? Etwa für die Kassiermamsell im REWE-

Supermarkt später? Ja, natürlich, sie könnte Bekannte, Nachbarn treffen. Ach was ..., egal, basta.

Schon fertig, im Bad noch gelangweilt rumtritschelnd, in Gedanken verfangen. Draußen klingelte das Telefon. Samstag Mittag. Normalzeit, jemanden erreichen zu wollen. Wusste ja niemand, was an Wochenenden für sie „Normalzeit" war. Sie lebte inzwischen einen anderen, einen eigenen Rhythmus, zweifelte zwar an dessen Richtigkeit, war ihr aber auch ziemlich egal. Sie griff im Flur nach dem mobilen Telefon und schaute auf das Anzeigefeld: *„Nummer unbekannt"*. Wer konnte das sein? Isabelle? Nein, die unterdrückte die Rufnummernübermittlung nicht, oder ...? Sie nahm, ins Wohnzimmer gehend, das Gespräch an.

„Hallo Algena, hier ist Leon", tönte eine fröhliche Stimme aus dem Off. Oh Gott, das auch noch, den könne sie im Augenblick ja gar nicht vertragen, wehrte sie sich innerlich. Andererseits mochte sie ihren Bruder. Also gut. Kurzer Small Talk, das Übliche eben. Dann rückte er aber heraus mit einem Anliegen, das ihr gar nicht schmeckte.

„Algena, mich haben vor ein paar Tagen die Eltern angerufen und sich geradezu ausgeweint oder beklagt bei mir, du hättest ihnen einerseits erzählt, wie gut es dir derzeit ginge und wie zufrieden du seist mit deinem Leben, – dann aber, für sie völlig unverständlich, dich anscheinend recht kurz angebunden gegen einen Besuch von ihnen gewehrt. Sie meinten, das passe doch alles nicht zusammen. Jedenfalls machten sie einen reichlich verunsicherten Eindruck. Sie hätten sich so sehr gesehnt, ihre Tochter wieder mal in München zu besuchen ..."

Leichte Wut, gepaart mit Angst, stieg in Algena auf ..., hatte sie vielleicht doch zu dick aufgetragen? Es müsse ihr doch auch erlaubt sein, mal absagen zu wollen, es gehe ja nur um jetzt, ums derzeit, – aber typisch, gleich sich bei Leon beschweren ... und was sie ihm dann noch alles gesagt haben könnten? Sie wollte es gar nicht wissen. Aber Leon hatte noch mehr auf dem Herzen:

„... die Eltern waren eben irritiert, das musst du verstehen, Algena ... und außerdem gehen mir persönlich immer noch die letzten

Weihnachtstage durch den Kopf, vor allem deine damalige Stimmung. Ist zwar schon ein halbes Jahr her, aber ich erinnere mich noch sehr gut: Du wirktest so anders als sonst, nicht direkt bedrückt, nein, das nicht, aber irgendwie resigniert oder genervt oder in dich gekehrt. So kenne ich dich gar nicht, wollte das eh schon länger mal bei dir ansprechen, hat mich jedenfalls beunruhigt, und als jetzt die Eltern anriefen und meinten, sie verstünden dich nicht mehr und ich meinerseits dummerweise das Thema Weihnachten anschnitt, weil es mich beschäftigte, bestätigten sie mir …"

Kalt unterbrach Algena Leons Redefluss und hakte sofort nach: „WAS bestätigten die dir??" Leon ließ sich nicht rausbringen:

„Ich wollte das alles, auch die Widersprüche, die ihnen offenbar aufgestoßen sind, nicht vertiefen, du kennst ja die Eltern, mit Problemen oder langatmigen Erklärungen braucht man denen nicht zu kommen und für eine längere Unterhaltung wars ein denkbar schlechter Augenblick, drei lärmende Kinder rund um mich …, du verstehst …, aber jetzt gerade, – sie sind bei der Mama, – sag mal, hast du ein paar Minuten Zeit für mich?"

Algena sträubte sich innerlich, hatte, immer noch ein bisschen schlaftranhappig, im Moment absolut keinen Bock auf Tiefschürfendes, sann krampfhaft nach ein paar Ausreden, um diesen ganzen Zirkus beiseite zu wischen, wollte den Bruder aber keinesfalls vor den Kopf stoßen und brachte schließlich ein knappes, einschränkendes „Schon okay, wenns nicht zu lange dauert" über die Lippen.

„Ich will doch nur kurz reden mit meiner Schwester und hören, wie's dir denn nun wirklich geht, ob bei dir alles stimmt oder ob du mit irgendwas hinter dem Berg hältst oder was mit dir los ist. Mit mir kannst du ehrlich sein, Schwesterchen, weißt du doch!"

Ja, der gute Leon, er wusste, wie er mit ihr reden musste. Aber alles wollte sie eben auch vor ihm nicht ausbreiten, bremste sich Algena selbst.

In ihrem Inneren ratterte es wie in einem Maschinenraum. Was sagen? Mit dem Bruder hatte sie sich immer gut verstanden, konnte ihm auch oft mal Intimes sagen oder gar beichten, aber seit er in Familienpflichten und –freuden aufging verstand er die Sorgen und Nöte einer Singlefrau wie sie immer weniger, wie sie an den kurzen Weihnachtstagen feststellen musste.

374

Der lebte in einer anderen Welt, genauer, einer genauso konservativen Vorstellungswelt wie ihre Eltern und noch dazu sehr religiös: da wurden normale Lebensunstimmigkeiten schnell mit dem Hinweis auf den rechten Glauben erklärt und gelöst.

„Nein nein, keine Sorge, da täuschst du dich, lieber Leon …, mein Gott, ja, manchmal geht mir nicht alles so 'naus wie's soll, aber das ist doch normal, oder?"

„Ja schon, aber wenn bei dir, wie sie meinten, alles paletti sei, warum musstest du dich ihnen gegenüber dann so unwirsch verhalten? Die wollen doch nur das Beste für dich!"

„Mensch, Leon, erstens hab ich mir nur erlaubt, zu sagen, dass es mir *jetzt gerade* nicht passt. Nicht mehr und nicht weniger. Muss doch erlaubt sein, oder? Außerdem: Kapier doch endlich, mein ganzes Verhältnis zu ihnen ist eben das Dilemma, was ich nicht mehr ertragen kann, nicht mehr ertragen will, wahrscheinlich gerade, weil ich aus ähnlichem Holz geschnitzt bin wie sie und diese Erkenntnis mich kolossal nervt – schon seit Langem", und fügte hinzu, „das ist das Kernproblem! Wir hatten schon mal darüber gesprochen, erinnerst du dich? Ich will raus aus dem unterirdischen Einfluss, finde aber keinen Weg, keinen rechten Absprung. Ja, mag schon sein, dass ich zu dick aufgetragen hab. Ich habe ihr Unverständnis so satt, Leon, vor allem mich ständig rechtfertigen oder verteidigen zu müssen. Ja, es läuft nicht alles so ideal, wie ichs ihnen erzählt hatte, aber du sagst ja selbst, dass die beiden Probleme einfach nicht ertragen können."

„Algena, du musst die Eltern nehmen wie sie sind, die können nicht anders, ja, ihre Betulichkeit geht mir auch manchmal auf den Keks …, aber du? Ich dachte wirklich, du hast dich längst emanzipiert von ihnen, vor allem in den Jahren mit dem weltoffenen, modern denkenden Philipp. Welch ein Unglück für dich, dass dieser Mann sterben musste …", setzte Leon mitfühlend nach.

Unversehens stieg Algenas eh schon leicht gereizte Psyche ins Unermessliche. Sie geriet ins hyperventilieren, konnte es kaum unterdrücken. Und resignierte zugleich: Erneut, wie gehabt, dieses gottverdammte Versäumnis, die folgenschwere Entscheidung damals, niemandem auch nur ein

Wörtchen von ihrer persönlichen Schmach erzählt zu haben, aus lauter Angst, sich unsterblich als Versagerin zu blamieren, weil sie betrogen worden war, wo sie doch so von der Treue ihres Philipp überzeugt war und sich das überall auch recht offen hatte anmerken lassen ... Es holte sie immer und immer und immer wieder ein: jetzt Leon, vor einiger Zeit Isabelle und auch vorher schon diverse Male andere. Wer würde noch alles davon rumfaseln? Jedes Mal, wenn die Rede auf Philipp kam, egal durch wen, gabs Lobhudeleien über ihn. Und sie musste das ertragen und war auch noch selbst Schuld daran. Sie bat Leon, kurz zu warten, in der Küche müsse sie die Herdplatte runterdrehen ... Dabei wollte sie nur mal eben durchschnaufen, sich beruhigen. Der Herd? Quatsch als Alibi.

Zurück am Telefon, nachdem sie sich wieder gemeldet hatte, fuhr Leon ungeniert fort, hatte aber anscheinend in der kurzen Unterbrechung den Zusammenhang verloren: „... ganz abgesehen davon, dass Rechtschaffenheit und unser gemeinsamer Glaube auch keine schlechten Werte sind."

Da war er wieder, der lapidare, wenn auch (wie immer) gut gemeinte Hinweis auf seinen christlichen Glauben. Dem huldigten sie alle in seiner Familie, in der seiner Frau und natürlich ihre beiden Eltern. Brave Kirchgänger, die beiden Alten sowieso und Leons Familie sicher auch so oft es möglich war. *„Wir tun unsere Pflicht"*, beteuerten die Eltern oft und auffällig penetrant, was Algena stets befremdete, denn sie meinte herauszuhören, sie unterschwellig beeinflussen zu wollen, endlich wieder *aktive Christin* zu werden, dann würde sie auch das Beten wieder lernen, was höchst entlastend für jegliche Sorgen und Nöte wirke. Auch Leon blies in dieses Horn und meinte allen Ernstes, sie würde mit mehr Glauben und Beten ihre derzeitige „ramponierte" mentale Verfassung zuversichtlicher sehen können. Noch zusammen mit Philipp hatten sie beide nach längerer Diskussion, auch mit interessierten Freunden, beschlossen, aus der Kirche auszutreten. Das Heil im von der Kirche als Institution sanktionierten Glauben zu suchen, statt in aktiver Lebensbewältigung im Alltag, war ihnen beiden suspekt. Und an dieser damals „erarbeiteten" Einstellung hatte sich seither nichts geändert. Sie war kein Mitglied einer christlichen Kirche und dabei bleibe es, auch wenn ihr die Eltern das manchmal vorhielten: Jetzt wo

Philipp nicht mehr da sei, da könne sie doch wirklich wieder ..., – als ob sie wegen Philipp ausgetreten sei. Ein erneuter (später) Misstrauensbeweis gegen sie, immer noch die alte Leier, dass sie ihr wirkliche Unabhängigkeit nicht zutrauten ... Sie bräuchte eben die Sicherheit starker Schultern. All das wurde nicht laut und deutlich formuliert, Algena spürte aber die Intention dieser Argumentation. (Starke Schultern – ja schon, bräuchte sie, – aber aus ganz anderen Gründen ...). Sie war überzeugt davon, dass ihr der Glaube bei der Lebensbewältigung absolut nicht helfen könne. Jedenfalls nicht in dieser üblichen Art dogmatischer Unterwürfigkeit und des Nicht-hinterfragen-Sollens, die „dem Glauben" zugrunde lag. Andere Menschen mochten das ganz anders sehen, war ja okay, aber sie eben nicht. Typisch für Leon, dieses Argument angebracht zu haben.

Es lag ihr auf der Zunge, von ihrem *Ausflug in die Therapie* zu erzählen, ließ es dann aber schnell bleiben. Sie hatte die ja abgebrochen und wenn das die Runde machte (egal in welcher), war sie überall unten durch, auch bei Leon ...

„Schwesterchen, ich kenn dich halt auch anders, fröhlicher, lebensbejahender, wenn ich das mal so drastisch sagen darf. Ich mach mir schon Sorgen – *weil du doch immer noch einschichtig lebst*, und du mir auch mal bekannt hast, dass dich das irgendwie unglücklich macht, und ich im Übrigen auch gar nicht verstehen kann, dass sich da nichts tut bei dir. Neue Ziele, eine neue Partnerschaft im Leben anstreben, ist doch so was Großartiges, oder? Ich sehe schon die Gefahr, dass diese, ich sag mal ungeliebte Lebensweise auf dein Gemüt durchschlagen könnte, du in Trübsinn verfällst, gar depressiv wirst. Würde dich gerne bewahren davor."

In Algena echote mehrmals die Wendung „*weil du doch immer noch einschichtig lebst*" so lebhaft im Kopf herum und ärgerte sie so sehr, dass seine nicht minder ernsthaft geäußerten weiteren Befürchtungen darüber untergingen. Sie fürchtete das totale Unverständnis der Eltern, niemanden „Geeigneten" zu finden. Sie könnten nicht verstehen, warum ihre hübsche Tochter denn nicht wieder heirate.

Diese Traumtänzer …! Alle sind sie Traumtänzer, ärgerte sich Algena. Sie versuchte, das Thema ins Lächerliche zu ziehen, indem sie sich Leon gegenüber noch mal ausführlich dem Thema „einschichtig leben" widmete. „Leon, glaubst du im Ernst, ich lebe freiwillig *einschichtig*, wie du das nennst? Geeignete Männer laufen nicht wie die brünstigen Karnikel auf den Straßen herum, sodass man sich nur bedienen muss!"

Leon ging notgedrungen darauf ein und gab ihr ähnliche, wohlfeile Ratschläge, wie unlängst lang und breit auch Isabelle, wo und wie man Männer im gehobenen Milieu finden könne. Algena gähnte, ließ es sogar hören …, das sollte er jetzt sogar hören …! Und bedeutete ihm, dass sie das alles wisse und dass er sich deswegen keine Sorgen machen müsse und und und …

Schließlich gelang es ihr, Leon irgendwie zu beruhigen und zufriedenzustellen. Ja, selbstverständlich, er dürfe jederzeit wieder mal anrufen, log sie ergeben in die Muschel, innerlich zumindest *für solche Themen* das glatte Gegenteil hoffend. Ambivalentes Fahrwasser derzeit, das Verhältnis zu ihrem Bruder, leider, resignierte Algena. Machte ihr so zu schaffen …. Betont herzliche, aber förmliche Verabschiedung, versöhnlicher Ton, war ja ihr lieber Bruder, trotzdem …, aufgelegt.

Sie hatte sich während des langen Telefonats auf ihre Couch gesetzt, war jetzt fix und alle und fiel wie ein Klotz nach rückwärts in ihre weichen Sofakissen. Brummend und dröhnend jagte all das Gedankengewäsch in ihrem Kopf herum. Erst nach einer weiteren Viertelstunde wich deren penetrante Impertinenz langsam und sie erinnerte sich, einkaufen gehen zu sollen, weniger zu wollen, es musste halt sein. Sie wälzte sich hoch, schlich zum Kühlschrank, inspizierte ihn lange gelangweilt und gedankenlos, schloss ihn wieder ohne Beschluss, was denn zu kaufen sei bzw. was denn fehle, wollte sich beim Supermarkt inspirieren lassen. Einen akribisch genauen Einkaufszettel schreiben so wie früher? – Oh Gott, dieser Aufwand und überall vorher nachsehen, ob alles da war was man so brauchte? – Viel zu anstrengend und überflüssig. Sie musste ja nur für sich einkaufen. Eh egal …, – solange der Rote nicht ausging … und warf auf die Boxen neben dem Küchenschrank kurz noch einen prüfenden, wohlwollenden Blick. Dann zog sie los.

***

Wie recht Leon mit seiner nachgeschobenen Befürchtung hatte, seine Schwester könne aus purer Verzweiflung an ihrer Lebenslage womöglich „durchdrehen" – er hatte es genannt, „in Trübsinn verfallen, depressiv werden" – bewies seit Monaten Algenas seltsame Tendenz, in der Stadt ein…zweimal in der Woche in eine Art authentische Subkultur einzutauchen und sich in diesem Milieu treiben zu lassen, um ihre Misere zu vergessen. Dort, so glaubte sie, musste sie nichts, konnte ihren inneren Antrieben oder, aktueller, ihrer inneren Lethargie nachgehen, wie es ihr gerade so kam. Sie wollte weder über sich noch über „die Anderen" nachdenken. Dort war ihr beides schlicht egal.

Ihre im Normalleben zunehmende „Lebensteilnahmslosigkeit", ihr Sich-gehen, Sich-treiben-lassen, ihre Wurschtigkeit allem gegenüber (ob zu Hause oder am Arbeitsplatz, wo sie sich eher noch mühsam zusammennehmen musste) spielte hier keinerlei Rolle.

Wieder mal an einem Freitag unterwegs und in der Bar gelandet, die, wie sie längst wusste, auch von Geschäftsreisenden abends nach anstrengenden meetings gerne aufgesucht wurden, traf sie diesmal auf ein Pärchen, vermutlich so um die vierzig, also ein paar Jahre älter als sie, das einen irgendwie „gebildeteren" Eindruck als das sonstige Volk hier machte, gut gekleidet war (das sah sie sofort und imponierte ihr immer) und mit dem sich am Tresen mehr zufällig ein interessantes Gespräch entwickelte. Im Lauf des anfänglichen Small Talks und einigen tiefer schürfenden Gedanken, kam man auch auf den jeweiligen Gesellschaftsstatus zu sprechen. Die beiden erzählten, schon einige Jahre in fester Liaison zu leben und sich einander durchaus gewisse Freiheiten zu gewähren. Als Algena neugierig wurde, und ihrerseits erzählte, einen guten Freundeskreis zu haben und ansonsten ihr Interesse nach vielen Seiten offen sei, merkten die beiden deutlich auf …, und die Frau, eine ausgesprochen attraktive, wohlgeformte Blondine, rückte raus mit ihrer Vorstellung von Freiheit und „sich gegenseitig Freiheiten zu gewähren".

„Sie fragen, was es mit den *gewissen Freiheiten* so auf sich hat. Na ja, es gibt da so bestimmte Clubs, in denen wir uns wohlfühlen, Gleichgesinnte treffen und – ja, natürlich – da geht's dann schon recht freizügig zu … und …", die blonde Frau warf einen warmen Blick auf Algena, „ach ja, wir haben Sie noch gar nicht nach ihrem Namen gefragt – wir sind Sabine und Ralf – und Sie?"

„Ich bin die Algena", sprudelte sie eilfertig heraus, zugleich über die vorangehenden Worte der beiden rätselnd: *freizügig, Freiheiten gewähren,* was mochten die damit meinen?

„Algena, welch ein hübscher Name, ein seltener, wie ich meine", mischte sich Ralf mit angenehmer Stimme erstmals in das Gespräch ein. *„Algeeena* …", wiederholte er leicht gedehnt, „der Name einer wirklich bildhübschen Frau", ergänzte er mit tiefem Blick in ihren so charakteristisch offenen Gesichtsausdruck, den sie *jedem* Gegenüber schenkte, weil er zu ihr gehörte, ihre Erscheinung wesentlich prägte.

„Sie würden bestens zu uns, zu unserem Kreis passen", ergänzte Sabine die Feststellung ihres Freundes, während der in seiner Brieftasche kramte und eine Visitenkarte herauszog.

„Sagens mal, Frau Algena, wollen wir uns nicht duzen?"

Algena sah der sympathischen Sabine ins Gesicht. „Aber ja doch", freute sich Algena aufrichtig. Sie stießen mit ihren Getränken kurz an, gaben sich das obligatorische Freundschaftsküsschen und begossen ihre neue, so urplötzlich hereingebrochene, vertraute Freundschaft.

„Du bist zwar unverheiratet, wie ich vermute, aber hast doch sicher einen festen Freund, so wie ich dich einschätze", forschte Sabine weiter. Auch ihr fielen Algenas hübsche, ebenmäßige, anziehend-weibliche, vor allem ihre gewinnend-offenherzigen Züge auf. Könne unmöglich ohne Freund sein, sagte sie sich.

„Ja, schon …, einen festen aber derzeit nicht, ich lebe allein", erneut war es Algena super peinlich, sich, wie schon so oft, als alleinlebenden Single bezeichnen zu müssen.

„Oh …, tatsächlich?" Sabine war ehrlich überrascht. „Das macht die Sache allerdings ein bisschen schwieriger …", sinnierte sie, unschlüssig wirkend, teils in sich hinein, teils ihrem Ralf zugewandt. Dessen Miene blieb reichlich unbekümmert und er unterstrich das mit einer locker abwinkenden Handbewegung, ganz in dem Stil, dass man das regeln könne.

„Ich denke …", meinte Sabine, sich wieder Algena zuwendend und sie ein wenig sphinxhaft fixierend, „du …", sie zögerte etwas verlegen, „du weißt, was wir meinen, oder?"

„Naja, nicht genau, aber …, ich glaub schon …, inzwischen …"

In Algena hatte es ordentlich gerattert und es konnte wohl nicht anders sein … Es musste sich um einen Sexclub handeln, was die meinten, wahrscheinlich Swingerclub, was sonst? Algenas Miene verriet, mit sich zu kämpfen. Wie sich jetzt verhalten? Interessiert oder gleich von vornherein abweisend? Oder sich erst mal neugierig stellen und dann weitersehen. Da gewönne sie etwas Zeit zu entscheiden, ob sie „so was" überhaupt wolle, ja sich dafür interessieren könne.

Sabine sah sie an, deutete mit ihrer Erfahrung Algenas Miene richtig und war gespannt, ob und welche Fragen die neu gewonnene Freundin stellen würde.

„Und …, äh …, wenn ich fragen darf …", sie war unsicher in der Wortwahl, „wie …, wie läuft das so ab, wann trifft man sich und zu wievielt und so, ich bekenne, da völlig unerfahren zu sein."

Sabine erkannte erfreut, dass ihr „Opfer" anscheinend angebissen hatte, denn die Fragen waren typisch für Anfänger.

„Wir gehen regelmäßig in einen Swingerclub", bekannte sie nun ganz offen und ungeniert.

„Ja ja, dachte ich mir", Algena fühlte sich bestätigt und drückte das mit leicht unsicherer, belegter Stimme aus.

„Das Problem, liebe Algena, ist, dass man *unseren* Club nur als Paar besuchen darf, andere mögen andere Regeln haben, ob verheiratet oder liiert, ist egal, man müsse aber in einer festen Beziehung leben, sonst funktionieren unsere Spielregeln nicht, du verstehst, nicht wahr?" Sabine drückte das alles mit entwaffnender Offenheit aus, was Algena durchaus kleinlaut werden ließ (Hatte Laura sie vor zwei Jahren nicht mal als biederes, sich ewig zierendes Hascherl oder so ähnlich, bezeichnet? Und jetzt? Diente ihr ein modernes Paar den Besuch eines Swingerclubs an?)

Es ratterte in Algenas Psyche: Das passte ja nun gar nicht in ihre bisherige Grundeinstellung gegenüber dem Leben, den Männern, ihren Zielen und Visionen künftiger Lebensgestaltung hinein. Aber mal ganz anders gedacht: Wollte sie nicht das verdammt biedere Etabliertsein überwinden – und zwar ohne ihre einst so großartige Eminenz Philipp, der sie auf seine Weise aus ihren gesellschaftlichen, altbackenen Ressentiments herausholen wollte?

Ralf räusperte sich und mischte sich ungeduldig in das Gespräch ein.

„Jaja, jajaja, Sabine, stimmt natürlich, schon, aber ich denke, da dürfte sich ein Weg finden lassen. Wir sind solange dabei, haben Einfluss und viele Paare kommen und wieder gehen sehen und vor allem: Nicht immer war's sonnenklar, ob die Neuen dann tatsächlich ein Paar waren. Algena ist eine so hochattraktive Frau …", er warf einen fast ehrfürchtigen Blick auf sie, „da sollte sich nun wirklich ein Weg finden lassen."

„Wenn du meinst?" ließ sich Sabine schließlich von der Zuversicht ihres Freundes anstecken.

„Na klar, es gibt immer wieder mal Männer, die mich fragen, also da sollte sich ja nun wirklich was arrangieren lassen."

Mit einer Mischung aus Interesse und Abwehr registrierte Algena messerscharf, dass sie letztlich, weil sie keinen festen Freund habe, mit einem unbekannten Mann da aufkreuzen solle. Eigentlich ein ihr völlig abwegiger, ja absurder Gedanke. Aber, meldete sich ihr Inneres, die Zweifel abwiegeln wollend, es werden sich ja nicht grad hässliche oder abstoßende Männer für diese Art von Sex-Toys anmelden (vielleicht wären sogar interessante dabei, wer weiß?) … und dümmlich oder gar einfältig dürften die auch nicht sein …, Sex wollen zwar alle, ist ein fundamentaler Trieb, sie nahm aber eher ein gehobenes Niveau an (und dachte kurz an ihre vertrauten Freunde und Bekannten, ob sie sich von denen jemanden, ob Mann oder Frau vorstellen könnte bei sowas mitzumachen. Naja, durchaus … Solche Interessen hängt man nicht an die große Glocke). Sabine durchschaute schnell Algenas Zweifel und auch ihre Befürchtungen, denn die lagen auf der Hand und als Neuling musste sie die einfach haben.

„Also was so einen Begleiter, sozusagen einen *pro-forma-Lover* betrifft, mit dem du dich da zeigen solltest, so kann ich dir versichern, dass der insbesondere *unserem* kritischen Befund und Blick standhalten muss, da kannst du drauf vertrauen! Und außerdem", fuhr sie fort: „Was ist schon dabei? In den Spitzenkursen von Tanzschulen, sind viele Paare auch keine Liebespaare, sondern Tanzpaare, die viel Übungszeit miteinander verbracht und sich bestens aufeinander eingetanzt haben und schließlich gute Freude geworden waren. Bei bestimmten Tänzen müssen sie sogar Intimität andeuten, was ihnen dann auf jeden Fall nicht schwerfällt. Zum Beispiel beim Salsa, dem südamerikanischen Tanz, dessen erotische Note vor allem der Suche nach dem richtigen Partner bzw. der Eroberung einer Frau dient, und natürlich dem Tango, der schon von seiner Tanzhaltung mitunter sehr erotisch, ja fast intim getanzt wird … Wo liegt der Unterschied?"

Prinzipiell leuchtete ihr natürlich diese Begründung ein, aber, widersprach Algena bei sich ganz spontan, da gabs doch einen gewaltigen Unterschied: Denn hier gings nicht um harmlose Schrittfolgen und gute Haltung, sondern um Sex, um Miteinander-intim-werden, ja um Miteinander-schlafen, um ein Sich-unterwerfen, allem Gleichberechtigt-sein zum Trotz, hier gings sicherlich auch um ausgefallene Sexpraktiken und das auch mit anderen und mehreren und zugleich und und und …, das war eine ganz andere, viel tiefer reichende Ebene. Eine, die man verkraften musste, was ihre noch vor wenigen Minuten vorherrschende Euphorie sofort wieder gewaltig dämpfte.

„Und wie viele Paare kommen da zusammen und wie oft?" Nach der ersten Irritation über die völlig ungewohnten Begleitumstände siegte bei Algena wieder die Neugier.

„Ganz unterschiedlich", erklärte Sabine rundheraus, „meist treffen wir uns so ein bis zweimal im Monat und es sind unterschiedlich viele Paare da, auch nicht unbedingt immer die Gleichen, es ist ein größerer Kreis, aber nie mehr als vier oder fünf und man muss sich anmelden. Und, liebe Algena ...", Sabine hatte das Gefühl, Algena zu mehr Vertrauen zu verhelfen, „unsere Treffen sind immer auch gesellschaftliche Ereignisse, es wird zusammen gegessen, getrunken, viel geklönt und gelacht, auch getanzt. Zumeist ohne Drogen, aber nicht immer, das schon. Und wenn, dann nur sehr leichte, nur wenig psychedelisch Wirkende. So kommen wir uns alle auch als Freunde immer näher. Wir sind gerne dort – auch aus diesen Gründen!"

Sabine griff nach Algenas rechter Hand. Die spürte die beruhigende Wirkung dieses Händedrucks und war zugleich höchst angetan, wie viel Empathie die beiden ihr schenkten. Ralf hielt immer noch die kleine Visitenkarte in der Hand und übergab sie jetzt Algena, die sie kurz studierte: Sie las die beiden unterschiedlichen vollen Namen von Sabine und Ralf, Berufe, Adresse (sie wohnten zusammen), und die üblichen Kommunikationsdaten. Von besagtem Club kein Wort. Natürlich nicht, was sonst?

Sabine unterbrach die kurze Stille: „Kommendes Wochenende, also nicht morgen, sondern den Samstag drauf, ist wieder ein Treffen angesetzt. Ruf uns an ..., möglichst schon Anfang der Woche, damit wir das mit deinem Begleiter regeln können – und fühl dich nicht unter Druck gesetzt, liebe Algena, wenns aus irgendeinem Grund entweder mit dem Mann nicht klappt (wir haben da einen im Auge, der passen würde, aber der hat ja manchmal auch was anderes vor ..., wie jeder in seiner Freizeit) oder eben bei dir was dazwischen kommt. – Dann verschieben wir das aufs nächste Mal, einverstanden? Du meldest dich einfach, ja?"

Also die denken wirklich mit, freute sich Algena, so was aber auch!!! Nur das mit dem unbekannten Mann belastete sie. Und wenn ihr der nun ganz und gar nicht zusagte, was dann? Und gab sich sogleich die Antwort: Dann bliebe es eben bei dem einen Mal entweder mit diesem Mann oder gleich mit dem Club ...

Und Ralf ergänzte: „Wir würden uns jedenfalls sehr freuen! Und ..., ja, ganz bestimmt, wir sind sogar sicher ..., es wird dir gefallen, du wirst es nicht bereuen ..., es tut gut, sehr gut sogar."

„Ich glaubs euch", pflichtete Algena bei, innerlich wieder aufgewühlt, weil sie sich sogleich erinnerte, genau mit diesen Worten vor einiger Zeit zum Rauchen eines allerdings harten Drogenjoints verführt worden zu sein. Der hatte zwar auch „gutgetan", war aber damals trotzdem ein böser Fehler gewesen ... Sie ließ sich ihre innere Irritation nicht anmerken, sondern versprach, nächste Woche anzurufen ... ganz bestimmt! (Jetzt siegte wieder die Euphorie in Algenas virulenter Gefühlsverfassung.)

Noch leichter Small Talk über alles Mögliche, sozusagen das, was man so miteinander redet, wenn man sich frisch kennengelernt hat, dann, es war bereits nach ein Uhr nachts, die Kneipe immer noch gut besucht (eine der wenigen, denen eine verlängerte Sperrstunde genehmigt worden war), verabschiedete sie sich freundschaftlich und überschwänglich von den beiden und ging, die „heiße" Visitenkarte in ihrer Handtasche wissend, hinaus auf die Straße, um nach einem freien Taxi Ausschau zu halten ...

Zu Hause konnte sie lange nicht einschlafen ... Sollte sie? Oder lieber doch nicht? Oder doch? Was würde sie verlieren? Könnte sie das überhaupt, im Beisein und vor anderen ..., womöglich mit mehr als einem gleichzeitig? Und was denen dann noch so einfallen würde ... Keine Ahnung, das wären aber die entscheidenden Fragen ... Und überhaupt: ein unbekannter Mann als „*Alibi-Lover*"? Ganz was Neues, eigentlich totaler Quatsch! Das Pendent wäre die Scheinehe, wie sie eingegangen wird, um für Ausländer eine Einbürgerung in Deutschland zu erreichen, nur: Hier folgte kein formaler Akt, sondern der *Vereinigungsakt von Mann und Frau,* um das mal elementar auszudrücken. Aber, wenn sie sichs recht überlegte, dessen Aufgabe war genauso wie die ihre, eine feste Beziehung zu *mimen,* auf die entsprechend den Spielregeln „offiziell" jederzeit wieder „zurückgegriffen" werden konnte. So laufe das bei ihnen, hatte Sabine erläutert. Nur, sich ihrer bisherigen Kontakte mit Männern bewusst werdend: So gut wie alle Männer trachteten danach, „*sie* zu gewinnen" und waren dann doch durchgefallen ... und hier sollte es unter diesen sogenannten Spielregeln einer solcherart Freiheit plötzlich ganz anders sein? Andererseits gings ja gerade um dieses *eine.* Eben unter ungewohnten Voraussetzungen also ..., prinzipiell wenigstens. Ob sie sich da so umpolen könnte, so mir-nix-dir-nix? Algena schwankte zwischen Neugier und Abscheu, ja, Abscheu, das eben auch! Absolutes Neuland ... Noch lange funkten völlig irreale Vorstellungen, mögliche Szenarien etc. in ihrem unerfahrenen Kopf herum, bis sie endlich einschlief.

Tagelange Zweifel. Die Karte des Pärchens auf der Anrichte im Flur funkelte sie lüstern an. Ein Anruf würde genügen! Sie zögerte und zögerte, konnte sich einfach nicht entschließen und das Ende der Woche nahte. Ihr Gewissen, ihre ganze Einstellung wankte bedenklich wie ein Schiff auf hoher See im Sturm, was die Wahl hatte, einen sicheren Hafen anzulaufen oder sich auf eine abenteuerliche Reise einzulassen – um sie zu bestehen, was sonst? ... Und so war es vor lauter Zweifel plötzlich Samstag geworden, – und sie hatte nicht angerufen. Vorbei der Termin, dieser zumindest. Sie könne es sich ja immer noch überlegen (hatte Sabine angedeutet), ihre waidwunde, aufgerüttelte Seele beruhigend, zwischen Lust auf (erotische) Abenteuer und innerer Skrupel hin- und herschwankend. Die Karte mit der glühenden Telefonnummer blieb ihr ja erhalten ...

***

Dessen ungeachtet führte Algena ihr „Lotterleben" am Freitagabend oder auch mal samstags weiter. Woche für Woche. Und es konnte nicht ausbleiben, dass ihr auffiel, dass vor allem von der einst erhofften Motivation, souveräner zu werden im Umgang mit Menschen auch exzentrischer, ihr befremdlicher Couleur, wenig bis nichts bleibenden Eindruck hinterließ. Möglich, dass Algena tatsächlich lernte, Vorbehalte gegenüber Menschen, die ihr nicht lagen, abzubauen. Ein fühlbarer fundamentalerer Nutzen hatte sich nicht eingestellt, war ihr jedenfalls nicht bewusst geworden. Es häuften sich Stunden kritischen Nachdenkens.

Wieder mal, wie so oft nach Mitternacht zu Hause angekommen, nach ein paar durchzechten Stunden, den Abend kurz rekapituliert, stellte sie bisweilen ernüchtert fest, dass auch diese außergewöhnliche Art von

„Freizeitbeschäftigung" im Lauf der Zeit ihren Außergewöhnlichkeits-Nimbus verloren hatte, sozusagen „normal" wurde, dass es nicht nur heute Abend, sondern eigentlich immerzu und überall dasselbe gewesen war, nichts wirklich Neues oder Wichtiges oder Interessantes passierte. Derselbe Menschenschlag, dieselben flachen Flachsereien, dieselben Anmach-„Formeln" (ob plump oder gekonnt), dasselbe Gequatsche der Leute, alles routinemäßig gleich. Ja, sie machte mit, ließ sich einfach treiben, ohne viel nachzudenken, aber wenn sie's genau bedachte: Auf Dauer sich dort zu etablieren? Diesen Umgang sich als ihren Normalumgang vorzustellen? Nein! Keinesfalls! Möglicherweise verbarg sich hier das gewichtigste Ergebnis dieser vielen Ausflüge in die „Einfachwelt": Zu erkennen, dass sie doch eher in den gehobenen Lebensstil ihrer langjährigen Freunde und das dort gepflegte kulturelle Milieu gehörte.

Algena wusste längst, ahnte es zumindest, dass diese Art von „Freizeitgestaltung" nicht „Depressionstendenzen" entsprang, sondern purem Lebenstrotz, vor allem sich selbst „zeigen zu wollen", (ohne es rauszuposaunen, also eher als eine Art innere Bestätigung), keine naive Landpomeranze zu sein.

Diese Erkenntnis wühlte seit Längerem als leiser Zweifel in ihrem Inneren, denn unterlassen wollte sie ihre fragwürdigen Ausflüge nicht. Sie waren längst zu einer Manie geworden, die sie innerlich geradezu antrieb, immer wieder und stets von Neuem loszuziehen. Wie wenn eine unbekannte, penetrante Macht an ihr zerrte, gleich einer Art mentaler Droge. Kaum ein Freitag verging, ohne dass sie, wenn nicht andere Events, wie Kino oder Einladung oder sonst was angesetzt waren, los *musste* in die Vergnügungsviertel der Stadt. Es verlangte sie zwingend danach und sogar das einzig berechtigte Argument, zu Hause würde ihr die Einsamkeitsdecke auf den Kopf fallen, geriet in den Hintergrund. Trotz der aufsteigenden Zweifel war ihr derzeit immer noch nicht bewusst, dass dieses gegenwärtige Verhalten niemals ihre Defizite würde heilen können.

***

„Ihr Name?"

„Algena…"

„Und weiter?", fragte der Polizist ungehalten. Der Streifenwagen hatte mit Blaulicht, aber ohne Martinshorn, in zweiter Reihe auf der breiten Leopoldstraße angehalten. Der Beifahrer stieg gerade aus.

„Marzahn …, Algena Marzahn …, äh …, was wollen Sie eigentlich von mir?", fuhr Algena den Streifenpolizisten mit nur mühsam zurückgehaltener Erregung an.

„Geboren wann?" Ungerührt von der provokanten Frage fuhr der Beamte fort.

„Wann…? Am …, äh …, 10. Oktober 1976."

„Und sie wohnen?"

„In …, ähmm …, Solln, in der … xx-Straße, Nummer …, äh …, 17." Nur mit Mühe und Anstrengung brachte sie ihre Antworten raus.

„Können Sie sich ausweisen?" Algena kramte unter dem strengen Blick des Mannes in ihrer Handtasche, und zeigte ihm ihren Personalausweis. Der Beamte verglich flüchtig ihr Gesicht mit dem Konterfei auf der Karte und reichte den Ausweis weiter an seinen Kollegen: „Bitte einlesen."

„Was …, äh (hicks!) …, was soll das alles eigentlich?", wagte Algena trotzig zu fragen.

Der Beamte schien auch diese Frage zu überhören, konzentrierte sich auf das Erhebungsblatt, füllte es weiter aus, kreuzte geschäftig und routiniert weitere Felder an, ließ welche aus, machte Striche, er fragte beiläufig noch ein paar Details, die sie, sich dem Verhör jetzt notgedrungen ergebend, langsam und lallend beantwortete, kam dann an ein größeres freies Feld und hob sein Gesicht, Algena durchdringend ansehend. Er war nicht nur Polizist, sondern auch männliche Privatperson, um außerdienstlich festzustellen, dass er es hier mit einer ausnehmend hübschen Frau zu tun hatte, jedenfalls einer *eigentlich sehr gutaussehenden Frau*, in ihrem momentanten Erscheinungsbild aber einen reichlich beklagenswerten Eindruck machend. Das Sommerkleid, modisch knapp und kurz und recht aufreißerisch

388

geschnitten (es war ein lauer Juli-Abend), war reichlich zerknittert und ihr Gesicht wohl vom Alkohol leicht gerötet, der verwahrloste Teint sprach Hohn gegenüber dem, der er sein sollte und könnte (was ihm seine Erfahrung sagte), und das lange brünette Haar hing reichlich zottig und ungepflegt bis auf die Schultern herunter. Er fragte sich, wie die, wie so eine Frau, die mit Sicherheit bessere Tage gesehen haben musste, in so eine Situation kommen oder auch sich so gehen lassen konnte. Warum sah die so überaus derangiert aus? Doch er war im Dienst, ließ sich diese Gedanken nicht anmerken … Oder war sie womöglich doch nur eine verkappte Nutte nach getaner „Arbeit" auf dem Heimweg? Wenn ja, hatte die hier auf der Leopoldstraße absolut nichts zu suchen, das wollten sie überprüfen.

„Kein Eintrag." Die beiden Streifenpolizisten zuckten die Schultern, sprachen ein paar unverständliche Worte und der Begleiter gab den Ausweis direkt an Algena zurück.

„Wir haben Sie in einem recht jämmerlichen Zustand aufgegriffen, reichlich betrunken, wo waren Sie vorher gewesen? Ich muss das hier eintragen!"

„Ich?"

„Ja natürlich Sie, wer sonst? – Blöde Frage!"

„Weiß ich …, äh …, weiß ich nich mehr …, was trinken halt …, ähm …, ja wo? Hmmm, kann ich nich mehr sagen."

„Na, Sie werden doch um Gottes willen noch sagen können, wo Sie gerade hergekomen sind? So sternhagelvoll sind Sie auch wieder nicht. Sind doch von dort auch weggegangen."

„Dahinten irgendwo. Weiß es trotzdem nich mehr, ehrlich …"

Algena schaute den Polizisten mit einer Mischung aus treuherzigem Beagle-Hund-Blick und leicht verdrehten Augen unbekümmert offen ins Gesicht. „War 'ne Bar, Haufen Leute da …, superlaut dort, hab …, äh (hicks) …, paar Gläser Roten …, dann der blöde Typ da …, einen Doppelten wollte er, dass ich trinke. Habs zuerst abgelehnt, aber …, ähm …, als er sich selbst einen g'nehmigt hatte, hab ich halt auch … Keine Ahnung, war 'ne Seitenstraße dort weiter hinten", drehte sich halb um und deutete in irgendeine Richtung, sicher nicht die Richtige.

„Also ..., hätte ja auch ein Freier sein können, oder?" Erwartungsvoll schaute der Polizist Algena an.

„Freier? ..., Freier??? Was denken sie? ..., äh ..., ich bin keine solche, hören Sie!" Algenas Augen blitzten verärgert auf und mit deutlich erhöhter, leicht aggressiver Stimme: „Haben Sie doch verstanden, oder?"

„Schon gut, schon gut ..., glaubs Ihnen, aber wir müssen das schon überprüfen oder wenigstens danach fragen. Müssen deshalb nicht gleich pampig werden!"

„Bin i doch gar net."

Entnervt starrte der Beamte neben der Fahrertür stehend auf den Aufnahmebogen und trug, zu sich sprechend, ein: „Keine Angabe, offenbar Erinnerungslücken wegen Alkohols".

Als sie sie vorhin aufgegriffen hatten und sie sogleich bzgl. Alkohol hatten blasen lassen, war der Pegel reichlich hoch. Sie hätte den Test ohne Folgen für sie ablehnen können, weil sie ja zu Fuß war, aber ließ es geschehen. War eben nicht mehr ganz Herr ihrer Sinne.

Eine junge, auffällig heruntergekommene Frau um zwei Uhr in der Nacht, allein den Gehsteig entlangtorkelnd – da hatten er und sein Kollege beschlossen, doch mal genauer hinschauen zu wollen, was mit der los war.

„Und wo wollten Sie denn jetzt hin?"

„Jaaaa ..., wohin? Heim natürlich, nach Solln ..., was ... sonst ..., schlafen legen."

Algena gähnte herzhaft und reichlich ungeniert. Auf irgendwelche Haltung oder Etikette legte sie überhaupt keinen Wert mehr. Der stand sie auch zu nüchternen Zeiten und anderen Gelegenheiten inzwischen recht skeptisch gegenüber. Hier, in dieser Umgebung, spielte das alles sowieso keine Rolle.

„Sie sind in Schwabing, gute Frau. Solln liegt im Süden. Darf ich neugierig fragen, wie Sie sich das vorgestellt hatten, zu Fuß hier auf der Leopoldstraße entlang? Sind mindestens fünfzehn Kilometer quer durch die Stadt. Ist unmöglich – in ihrem Zustand."

„Wollte ..., wollte ein ..., ähm, Taxi an ... anhalten, kam aber keines ..., bisher."

Okay, stimmt, nachts ist's oft schwierig ein freies Taxi zu finden, den nächsten Taxiplatz wird sie nicht gekannt haben, sagte sich der Polizist.

„Ach ja, noch eine Frage! Sie sprachen von einem Typen in der Bar. Hat der sie belästigt, gabs irgend was Gewalttätiges?"

Die Frau hatte sich ja nichts zu Schulden kommen lassen, aber Ganoven oder gewaltbereite Männer oder auch welche, die wenig Skrupel hatten, hübsche Frauen abzuschleppen ..., man kennt das ja, die KO-Tropfen ..., auch deshalb machten sie ihre Runde hier in diesem Vergnügungsviertel (wobei es verruchtere gab in München).

„Der? ..., ach der! ..., ein kleiner Wichser ..., ähmm, nicht der Rede wert ..., zudringlich werden sie alle ... Einmal die ..., äh ..., Meinung sagen, dass ihm hörn und sehn vergeht. Ha!! ..., ähm ..., was meinen Sie? Der, äh ..., wich zurück wie'n verängstigter kleiner Pinscher."

Das letzte Feld im Aufnahmeblatt war noch leer.

„Angehörige? Sollen wir jemand verständigen?" Da musste halt irgendein Name rein, war hier wohl überflüssig, sagte sich der korrekte Streifenbeamte.

„Hab keine hier..., nich in.... München."

„Sie leben ganz allein hier? Nicht zu glauben. Kein Freund, keine Freundin, keine Eltern?"

„Eltern? Leben in Niederbayern ... Und 'n Freund hab ich grad nich ... Ja schon, 'ne Freundin ..., möchte aber nicht, dass die was erfährt." (Beim bloßen Gedanken, wie Isabelle sie „zur Minna machen" würde, wenn sie von diesen neuerlichen Eskapaden erfahren würde, ließ sie für einen kurzen Moment aus panischer Angst fast nüchtern werden.)

„Schon gut ... Ich schreib einfach rein: „Keine! Ist in ihrem Fall wohl egal."

Der Beamte entnahm das Papier der mobilen Schreibunterlage, die er mit der Linken gegen seinen Körper gedrückt gehalten hatte und heftete es sorgfältig in einem schmalen Ordner im Wagen ab. Für ihn war der Fall harmlos und damit gegessen.

Er besprach sich kurz mit seinem Dienstkumpel, der sich während des Verhörs mit anderen Unterlagen beschäftigt, sicher trotzdem alles mitgehört hatte, was eruiert wurde und ebenfalls die Harmlosigkeit dieses Falles bestätigte.

„Okay, Frau Marzahn, dann sind wir fertig", erstmals sprach er sie ausgesprochen freundlich mit vollem Namen an.

„Kann …, ich …, dann jetzt gehen?" Algena hatte das alles schon viel zu lange gedauert und sich eh gefragt, warum sie hier Rede und Antwort stehen musste, wo doch alles klar war, ihrer Meinung nach, wagte aber nicht erneut zu fragen.

„Natürlich, aber weil sie reichlich angetrunken sind, werde ich ihnen mit dem mobilen Diensttelefon ein Taxi rufen, damit sie nach Hause fahren können."

„Oh …, danke bestens für …, ähm …, Ihre Freundlichkeit."

Der Kollege telefonierte, während der Vernehmungsbeamte sie fest fixierte, entschlossen, ihr sicherheitshalber doch 'ne kleine Warnung unterzujubeln.

„Ach ja … Sie wollten vorhin wissen, warum wir sie hier zum Wagen gebeten haben?"

„Ja …, doch! …, schon!" Sie habe doch nichts Unrechtes getan, fand sie bei sich.

„Wissens …, Hand aufs Herz …, um zwei Uhr nachts, eine Frau, leicht torkelnd und offensichtlich betrunken auf der Straße …, ist ja einerseits Privatsache, aber …, schaun Sie mal auf ihre aufreizende Kleidung, doch ziemlich provozierend, oder? Auch wenn sie reichlich zerknautscht und liederlich daherkommen … und ihre ungepflegten strähnigen Haare … Sorry, viel unterscheidet sie nicht von einer heruntergekommenen Frau, die sich in Bars rumtreibt oder eben einer Prostituierten nach getaner Arbeit oder längerer nächtlicher Zeche. Darüber sollten sie mal nachdenken, meinen Sie nicht?"

Algena war zwar stark angetrunken, aber das Verhör hatte ihr zugesetzt und sie kurz beinahe ernüchtert, jedenfalls fiel ihr jetzt, nach dieser Rüge, schon auf, sich vielleicht doch zu „leichtsinnig gekleidet" zu haben. Zu viel Bein zeigend, zu herausfordernd, ihr Outfit. Vor allem die hohen, aalglatten schwarzen Schaftstiefel bis übers Knie … Ein Jäckchen schützte sie zwar vor der Nachtkühle, hüllte brav ihre nackten Schultern ein, aber immerhin. Und weils so eng war da drinnen in der Bar, hatte ihr empfindliches Kleid auch ziemlich gelitten … Und sie erinnerte sich bedrückt, vor einiger Zeit schon mal in ähnlicher Kleidung mit einer Nutte verwechselt worden zu sein, damals war sie aber nüchtern gewesen … Ich mag einfach nicht brav und bieder daherkommen …, dachte sie trotzig, warum ist denn flott, modisch und jung Gekleidet-sein gleich verdächtig? War ja nicht die Kleidung (die hatte die Typen höchstens auf mich aufmerksam gemacht), sondern der verdammte Rote und dieser Armleuchter mit seinem Doppelten …, war zu viel. Mittlerweile wars halb drei Uhr in der Nacht – da latscht man vielleicht doch nicht mehr so unbekümmert mit ordentlich was intus durch die Straßen … Sie gelobte sich Besserung. Neben dem Streifenwagen hielt das gerufene Taxi.

Dass Algena sich überhaupt so gehen ließ in dieser Kneipe, war dem Rotwein geschuldet, dem sie im Überschwang der lebendigen und engagierten Unterhaltungen mit den Besuchern rundherum – sie war gut drauf gewesen – einfach deutlich zu viel zugesprochen hatte (und darüber ihr eigentlich gesetztes Zeitlimit völlig vergessen hatte – später als dreiundzwanzig Uhr hätte es nicht werden sollen!), und dann noch der zweifache Doppelte, den dieser lästige Deppenhaufen ihr angedient hatte… der war das i-Tüpfelchen gewesen (beim zweiten hätte sie eisern „No" sagen müssen). Sie hatte dem dann, zwar mit schwerer Zunge, aber klar genug, seine Grenzen aufgezeigt, dass da absolut nichts ginge, und hatte dann, um weiteren Zudringlichkeiten zu entgehen, abrupt und überstürzt die Bar verlassen. Sich für die Straße ordentlich machen, war da nicht mehr drin. Vorne auf der Leopoldstraße wollte sie ein Taxi anhalten, um schnellstens nach Hause zu kommen. Hatte nicht geklappt, weshalb sie blödsinnigerweise in diese Polizeikontrolle gefallen war.

Im Grunde war dieser Abend, genauer, diese Nacht, recht harmlos abgelaufen, beruhigte sie sich, im Fond des Wagens sitzend, unsicher hin- und herschwankend bei jeder Kurve (der verdammte Alkohol …). So vergleichsweise kommod lief das natürlich nicht immer ab. Hier war die

Polizei ihr Freund und Helfer gewesen und dank ihr lag sie 'ne knappe Stunde später in ihrem Bett ..., halb vier Uhr wars trotzdem geworden.

Nur, so spät hätte es keinesfalls werden dürfen, denn diesmal war es ein Donnerstag. Normalerweise waren inzwischen die Wochentage außer Freitag tabu fürs Ausgehen. Aber ihr war wieder mal die Decke auf den Kopf gefallen und sie hatte dann beschlossen, nur mal eben auf'n Ratsch und 'n schnelles Bier oder 'nen Roten in eine ihrer bevorzugten Kneipen zu fahren wo man sie schon kannte. Unterhaltung gabs deshalb da immer ... Das mit ihrem selbst verordneten Zeitlimit war diesmal gründlich schiefgegangen. Sie musste sich deshalb am nächsten Tag, dem Freitag, im Atelier krankmelden ..., peinlich, peinlich ...!

Teil 7

K aum zwei…drei weitere Wochen waren ins Land gegangen und Algena hatte die jüngsten Ereignisse schon wieder beinahe vergessen, jedenfalls relativiert. Die Polizeikontrolle? Ach was! War ja nichts. 'N bisschen zu voll war sie gewesen, und gleich mussten sie kontrollieren, mein Gott …

Gelegentlichen generellen Zweifeln an ihren gegenwärtigen Hauptinteressen in ihrer Freizeit und den damit verbundenen eigenwilligen Vorstellungen, aber auch den Irritationen all ihrer Freunde und Bekannten rundherum (die sie spürte), begegnete sie innerlich vordergründig und verharmlosend damit, *sich doch überall gut durchgeschlagen zu haben, vor allem stets heil und unversehrt wieder herausgekommen zu sein,* vor allem, wenns mal Probleme mit irgend 'nem Typen gab, der sie anbaggern wollte. Dass man als unabhängige Frau in diesem Metier jederzeit mit rasch eindeutig werdenden Anzüglichkeiten rechnen musste, die nicht immer harmlos, bisweilen sogar ausgesprochen frech daherkamen (als ob man Freiwild wäre), wusste sie natürlich. Und schon! Damit konnte sie umgehen.

Die Karte der Swingerclubleute? Der ominöse Sexclub? Irgendwann war da 'ne Entscheidung fällig, sonst machte sie sich posthum unglaubwürdig bei den beiden: also zusagen oder absagen. Beides würde Ergebnis innerer Kämpfe sein. Zerrissen fühlte sie sich bei diesen Überlegungen, denn es kämpften Unbekümmertsein und Neugier mit Ängsten und ihren im Grunde konservativen Einstellungen: Könnte sie sich trotzdem anfreunden mit „sowas", wollte sie es, oder würde sie es gar *wollen lernen*? Gehörte sie überhaupt in „solche Kreise"? Sie? – Ach ja! – Das angebliche *„Hascherl vom Land"*: Algena!!! Ja, schon wieder diese dummdusselige Formel!! Nun lös dich doch endlich von dieser blöden Tussi, Herrschaftszeiten, wetterte Algena innerlich gegen sich und ihr begrenztes Selbstwertgefühl ... Was strahlt dieses verdammte Weib mit den wenigen Worten von damals nach wie vor für eine Macht über mich aus? Die kann mich mal ...!

Trotzdem änderte sich absolut nichts an der bestehenden Unentschlossenheit ... Wie auch immer: Das Kärtchen lag seit mehreren Wochen wie ein heißes Eisen auf dem niedrigen Flurschränkchen und schaute sie stets fragend an – und das trieb sie um ... Weiterhin vertagt.

Das wirklich drängende Problem war Beruf und Arbeitsplatz, und das war schlimm, denn beides wurde von ihrer Lebensweise zunehmend in Mitleidenschaft gezogen, weil nicht mehr so sakrosankt und über jeden Zweifel erhaben wie früher. Ihre morgendlichen Anrufe im Atelier wegen „Unwohlsein" heute nicht kommen zu können häuften sich. An wohlfeilen Ausreden für ihr Kranksein litt sie keinen Mangel. Die Fantasie erfand stets irgendwas Plausibles (Ob das dann geglaubt wurde, war ihr zunehmend egal geworden). Bisweilen blieb sie unentschuldigt weg oder meldete sich erst nach Dienstschluss auf dem Anrufbeantworter. Stets waren ihre ausschweifenden nächtlichen Eskapaden und der schwere Kopf am Morgen die Ursache (Ihre selbst verordnete Enthaltsamkeit während der Woche war in jüngster Zeit wieder gebröckelt), aber gelegentlich auch totale Unlust, überhaupt zur Arbeit zu gehen. Lieber *blaumachen*, verbrämt durch eine gewisse unverantwortliche Wurschtigkeit oder auch nur den Anklang eines Anflugs davon. Es war ihr so ziemlich alles egal.

Ihre Arbeit im Atelier, die sie eigentlich liebte, immer noch, war von großer innerer Verirrung bedroht. Anfangs nahm man ihre Fehltage achselzuckend hin, aber die Häufungen veranlassten den Chef, sie erneut zum Gespräch zu bitten – das diesmal wesentlich weniger konziliant ablief als das letzte. Sie möge ihm doch mal erklären, warum sie sich so häufig immer genau für einen Tag oder zwei krankmelde, es fiele auf und er habe generell den Eindruck, dass sie nicht mehr so uneingeschränkt hinter ihrer Arbeit stehe, er zweifele inzwischen an ihrer Zuverlässigkeit. Natürlich: Krank sei krank, selbstverständlich sei das so, aber zur Sprache bringen müsse er es, sagte er mit fester Stimme.

Und er ließ es dabei nicht bewenden, sondern meinte geradeheraus, dass ihr Job gefährdet sein könne. So jedenfalls könne es nicht weitergehen. Und er erkundigte sich, ob sie denn mittlerweile bei ihrem Hausarzt gewesen sei und was der gemeint habe zu ihrer Instabilität.

Algena registrierte mit nicht gelindem Entsetzen, dass ihr wohl letztlich der Rauswurf, die Kündigung drohte, wenn sie nicht die Kurve kriege. Umgehend mutierte sie wieder zur früheren zuverlässigen Algena, wollte am liebsten vor Scham im Boden versinken, aber sie musste den Schein krankheitsbedingter Unpässlichkeit aufrechterhalten, koste es was es wolle. Wenn ihr Chef von ihrer fundamentalen Lebenskrise, ihrem absonderlichen Freizeitverhalten auch nur das Geringste mitbekäme und vor allem, dass sie das letztlich durch mangelhafte Selbstdisziplin oder Unfähigkeit mit sich selbst zurechtzukommen durch eigene Schuld herbeigeführt hatte, könnte sie einpacken hier. Sonnenklar stand plötzlich diese Alternative vor ihren Augen. Langes, umständliches Begründungspalaver.

Ja natürlich, die Hausärztin …, die habe eine gewisse psychosomatische Labilität konstatiert, die sie sich nicht so recht erklären könne. Anfang dreißig wäre für „sowas" noch kein Alter, da sei man belastbar ohne Ende, ausgenommen, sie wäre psychisch angeschlagen, aber das glaube sie nicht. Wie auch? Schon beim letzten Besuch habe sie ihr zu einer Therapie geraten, und ihr auch einen Therapeuten vorgeschlagen, bei dem sie sich hätte melden können. Habe sie auch, erzählte Algena jetzt ihrem Chef, aber die Therapie mangels freien Platzes noch nicht beginnen können. Es wirkte ein bisschen jovial, wie sie das so dahinsagte.

Algena log, ohne rot zu werden, das Blaue vom Himmel herunter, fühlte sich schrecklich dabei, ihren so nachsichtigen Chef derart gnadenlos täuschen zu müssen. Der wollte Algenas wortreichen Erklärungen erst mal Glauben schenken, blieb aber reichlich unzufrieden zurück. Warum war dieser, sein einstiger Schützling so abgesunken? Denn ihm fiel auch auf: So adrett gepflegt wie noch vor ein…zwei Jahren sah sie nicht mehr aus. Warum? Verbrachte sie ihre Freizeit „zu wenig erholsam" oder gabs sonst eine plausible Erklärung? Alles reinste Mutmaßungen. Er hatte immer viel von

Algena Marzahn gehalten, aber wenn das nicht wieder besser würde, müsste er sich von ihr trennen. Das verlangte die Arbeit.

Ein höchst unangenehmes einstündiges Gespräch mit ihrem Chef! Algena wusste genauestens über sich und die wahren Gründe ihrer Unpässlichkeiten, ihrer „Krankmeldungen" Bescheid, ließ natürlich nicht das geringste Wort darüber fallen, aber begann verunsichert zu zweifeln: Hatte sie sich vielleicht doch zu sehr gehenlassen in den letzten Monaten, es doch zu bunt getrieben? Aber was soll sie tun? Sicher war nur: So wie *bisher und zuletzt* konnte es nicht weitergehen, so wie *vorher* aber auch nicht. Also wie weiterleben???

Schon am nächsten Freitag stand sie erneut, wie von einem Automatismus gesteuert vor dem Spiegel, um sich herzurichten für die Stadt, um „was zu erleben", wie sie sich das seit Langem beschönigend einredete, wurde sich aber – und das war immerhin neu – bewusst, nicht einer freien Intention zu folgen, sondern einer Art Zwangshandlung nachgeben zu müssen. Schon neulich, vor ein paar Wochen waren ihr erstmals leise Zweifel gekommen, dann vor wenigen Tagen erst die nur mühseilig wohlwollend gehaltene Philippika ihres Chefs.

Bis vor Kurzem hatte sie Zweifel an ihrem Tun erst gar nicht aufkommen lassen, und falls doch, sie kalt weggedrückt, verdrängt. Aber heute „argumentierte" es in ihr unerwartet stark: *Was soll das eigentlich, diese Wegrennerei und so?*

Sie war an diesem Freitag dann trotzdem wie gewohnt ausgegangen, aber erlebte sich in ihrem bevorzugten Etablissement wegen eines deutlich schlechteren Gewissens wesentlich stiller als sonst, betrachtete mehr das Geschehen rundherum, als sich selbst einzubringen (zum Glück keine bekannten Gesichter diesmal), trank in Ruhe ihr Bier, sah sich um: *Was hab ich hier eigentlich zu suchen?* Eine ungewohnt neue Frage. Algena beschoss, es diesmal strikt bei diesem einen Bierchen zu belassen und dann umgehend wieder nach Hause zu fahren, es war erst halb elf Uhr und kurz nach elf Uhr war sie zurück in Solln.

Ungewohnt nüchtern – es war ja nur ein kleines Bier gewesen – saß sie noch ein paar Minuten auf der Couch, ließ den Fernseher diesmal aus, dafür den gerade erlebten harmlosen kurzen Abend Revue passieren, dann aber auch die wesentlich aufregenderen in den letzten Wochen zuvor und kam zu der Erkenntnis: Auch wenn nie wirklich Schlimmes oder Unangenehmes passiert war, war das absolut keine Garantie für die Zukunft. Wenn sie so weitermachte wie bisher, würde die Gefahr wachsen, eben doch mal nicht wiedergutzumachenden „Scheiß" zu bauen. Unbehaglich spürte sie, dass ihr Verhalten pathologische Züge angenommen haben musste. Und der gelegentliche Sex? Ja natürlich … und trotz manchmal mäßiger Bedingungen musste sie diese „Schäferstündchen" selten bereuen … Als junge Frau wollte sie keinesfalls enthaltsam leben, und im Allgemeinen kam sie auf ihre Kosten, auch wenn sich diese Abenteuer „hinterher" stets als erotisch-sexuelle Luftnummern erwiesen haben, „Eintagsfliegen" eben – wenn Männer nur an Sex interessiert sind ... Wie recht doch Isabelle hatte, erinnerte sie sich. Die hatte ihr genau das, genau diese Erkenntnis prophezeit. Selbstsicherheit mochte sie ja gewonnen haben, aber der diffus erhoffte „Kick" in puncto Sehnsüchte-erfüllen blieb komplett aus.

Erstmals begann sie sich vor sich selbst zu ängstigen. Wohin würde das alles führen? Sie sah sich im Wohnzimmer um. Aufgeräumt und adrett so wie früher war ihr Zuhause nicht mehr. Im Gegenteil: restlos vernachlässigt – wie auch ihr Inneres, wie ihr in einer kurzen Gedankenaufwallung klar wurde.

Höchst nachdenklich fiel sie müde ins Bett. Eine erstaunlich klare Stunde heute Abend. Nachdenklich war sie geworden, geheilt keineswegs …

***

Und in den nächsten beiden Tagen, dem Wochenende, vollzogen sich überraschende weitere Erkenntnisse in ihrer neu erwachten Selbstreflexion.

So viel Haltlosigkeit, so viel Kopflosigkeit – *Isabelle würde sagen: Dummheit* – ein dem Frust über ihr Leben geschuldetes, mickriges Dasein, denn ihre ganze Persönlichkeit schien Schaden genommen zu haben. Anfangs war sie euphorisch gewesen wegen der neuen (angeblichen) sogenannten Erfahrungen, inzwischen erkannte sie den *Schall und Rauch* all dieser Motivationen. War doch letztlich alles irgendwie Quatsch.

Die pure Tristesse. Nur um situationsbedingter Niedergeschlagenheit auszuweichen, koste es was es wolle. Haltlos, motivationslos, ohne (realistische) Visionen, nur dem momentanen Füllen der Leere verschrieben, ohne Ambitionen auf gehobene Ansprüche, taumelte sie derzeit auf abschüssiger Bahn. Ja, ihre Ausflüge in die Vergnügungsszene waren inzwischen – genau besehen – längst routinierte Langweiligkeit. So richtig freute sie nur noch sehr wenig. Von Herzen lachen? Bei Situationskomik am Tresen bisweilen und mit Isabelle gelegentlich, wenn sie sich beide selbst vergaßen. Ansonsten? Ein Fremdwort geworden!

Seit sie als Witwe und wieder wie ein Single lebte, leben musste, war ihr Lebenslauf steckengeblieben, nun schon so lange unverändert. Was sie machte, wohin sie sich auch orientierte, mit wem sie sich abgab (von Isabelle mal abgesehen und auch von Albert und den paar weiteren wohlwollenden Konsorten ihrer engeren Freunde), nirgends ein Schimmer von längerfristiger Zuversicht. Ja was denn nun? War ihr Leben überhaupt noch etwas wert, wenn sich penetrant keinerlei Weiterentwicklung zeigte, schon gar nicht eine zum Besseren?

Erschreckend klar wurde ihr, wie sehr sich ihre „Lebensfantasie" in letzter Zeit verengt hatte, ihre Zuversicht spürbar am Sich-auflösen war … Bei aller Zerstreuung im Alltag, im Geschäft, in ihren Unternehmungen, es breitete sich gefährlich intensiv eine grundsätzliche Leere in ihrem Kopf aus. Seltsam korrespondierend mit der physischen Leere zu Hause: Die fehlende Ansprache und die Decke, die ihr so oft auf den Kopf fiel. Und was ist Leere? Zu Ende gedacht: der Tod – erneut diese schreckliche Vorstellung, diese Ahnung eines Endes ohne (Er-)lösung von ihrer Pein. *„ Und wenn ich eines Tages nicht mehr da wäre? "* In ihrem sozialen Umkreis würde es heißen: *Die arme Algena, manchmal haben wir sie einfach nicht mehr verstanden – und –* verlogen *– ob man ihr hätte helfen können…? So tragisch das* *alles* ... Und bald würde man wieder zur Tagesordnung übergehen. Der Lauf der Welt!

Sie versuchte, die vergangenen paar Monate zu rekapitulieren: Anfangs schlichte spätabendliche Ausflüge in Münchens Jugenddiscowelten. War altersmäßig ein Irrtum. *Game over* bzgl. Jugendlichkeit. Dann die Welt der kleinen Bars und Stehkneipen, bisweilen primitiven Kaschemmen mit mehrheitlich männlichen An-der-Bar-Hockern, stundenlang, oft lose lockere Sprüche herumposaunend, manche in sich gekehrt, in halb ausgetrunkene Biergläser stierend wegen Liebeskummer oder Ärger im Geschäft, von zuhause Geflüchteten wegen Krachs mit der renitenten Ehefrau. Stammtischparolen klopfende Weltverbesserer, im Beruf Gescheiterte, die ihren Kummer im Bier zu ertränken trachteten. Nur wenige Frauen, ihre Zeit am Tresen ablungernd, von Anmut kaum eine Spur, zumeist doch nur Anhängsel oder „Mätressen" irgendwelcher begleitender Männer, trotzdem sich hin und wieder aufspielend, wenn ihrer Ansicht nach Dummzeug in der (männerdominierten) Runde gequatscht wurde. Ungehobelte Kommentare oder lockere Sprüche deuteten darauf hin, letztlich eigene Sorgen vergessen oder Frust überspielen zu wollen. Ein bunter Haufen, diese Menschen!

Sie, Algena, oft mittendrin!

Sich ein Bierchen dort genehmigen? Kein Problem. Sich der anmachenden Sprüche eines Typen erwehren? Auch nicht. Nur höchst selten führten solche einschlägigen Kontakte zu „Weiterführendem". Mal flockig rumklönen mit sonst wem, mitmischen allenthalben im Kreis dieser einfach gestrickten Bierdimpfeln am Tresen? Sogar das hatte sie im Lauf der Zeit gelernt und konnte sich gut behaupten, weil sie sich auf den ungeschriebenen Verhaltenskodex dieser Kneipen eingestellt hatte: Vor allem leutselig zu bleiben ...

Natürlich blieben so manch unschöne, gar hässliche Szenen nicht aus. Die meisterte sie zwar alle, aber erzählen würde sie davon nichts, niemandem gegenüber auch nur ein Sterbenswörtchen darüber fallen lassen – und

401

dabei dachte sie vor allem an die gesittete, etablierte Isabelle. Der band sie (nach dem ärgerlichen Erlebnis mit dem Drogentyp damals in Haidhausen, von dem sie ihr brühwarm erzählt hatte) inzwischen jede Menge Bären auf über das, was sie so unternahm, oder schönte es zumindest ordentlich.

Weil sie sich öfters mit Isabelle traf und ihr auch einiges von sich erzählen *musste* (weil die das erwartete), mutierten so manche realen Erlebnisse zu puren dreisten Lügenmärchen, vom tatsächlich Erlebten zum vorgetäuschten Leben, einem hübschen Phantombild gleich …. Die kalte Unaufrichtigkeit ihrer Freundin gegenüber machte ihr zu schaffen, sie fühlte sich schofel und schlecht dabei, aber es ging nicht anders.

Im Grunde wäre es egal, ob akzeptiert würde, was sie tat, aber dann müsste sie bei der Wahrheit bleiben, authentisch sein, dazu stehen. Genau das konnte sie nicht. Die Meinung „der Anderen" (über sie!) spielte eine wichtige Rolle in ihrem Selbstwertgefühl.

Wars in ihrem Elternhaus viel anders? Oh weh!!!!

Sie ahnte die Gefahr, endgültig abzurutschen, wenn sie dem allem nicht schleunigst Einhalt gebot – sie kannte ihren strengen (bisweilen das Falsche) bewahrenden Imperativ. Ja, sie musste Leon recht geben: Abgleiten war nicht ausgeschlossen, ja sie befürchtete, bereits mitten drin zu stecken, ohne Illusionen, es wirksam verhindern zu können … Dazu fehlte ihr einfach die Energie.

„Zusammenreißen" solle sie sich, hörte sie oft genug Isabelle bekümmert salbungsvoll sagen, wenn mal das Gespräch auf ihren Lebenswandel kam. Was für eine unüberlegte Allgemeinfloskel! Die redete sich leicht …, dachte sie resignierend.

***

Sie kannte alle ihre Symptome. Waren es Depressionen? Oder nur Lebensschicksal? Oder nur grenzenlose Enttäuschung? Oder das erziehungsbedingte latent mangelhafte Urvertrauen? – Oder eine fatale Mischung von allem? Dass sie diese Causa selbst lösen musste, war ihr inzwischen sonnenklar. Niemand konnte ihr dabei helfen.

Algena grübelte: Hatte sie vor längerer Zeit die damalige Selbsthilfe-Therapie mutwillig vielleicht doch zu früh und vor allem kopflos leichtfertig abgebrochen? Das belastete sie heute und trotz mulmigen Gefühls schaffte sie es, erneut ihre Hausärztin aufzusuchen.

Sie habe ihr doch schon mal eine Therapie vorgeschlagen, was sei denn aus dieser geworden, erkundigte sich die Ärztin eindringlich.

Die habe sie leider abbrechen müssen, bekannte Algena, sie sei mit den Leuten dort nicht zurechtgekommen. Wieder mal verbog sie die Wahrheit ... und hatte dabei riesiges Glück: Denn der Therapeut hatte aufgrund des Abbruchs nach nur wenigen Sitzungen anscheinend keinen Befund geschrieben. Die Hausärztin erfuhr somit erst von ihr davon, also ihre Version, sonst hätte sie ihr wohl gehörig die Leviten gelesen, ob sie denn nun ernsthaft ihre Probleme angehen wolle oder nicht.

Die Ärztin machte wegen Algenas diffuser Erzählungen einen etwas ratlosen Eindruck und tippte dann folglich doch einigermaßen richtig auf eine generelle Lebenskrise, ohne sie genauer spezifizieren zu können und versuchte, Algena ihren Verdacht mit folgenden Worten zu begründen:

„Nach den vielen einzelnen Symptomen, die Sie mir geschildert haben, erscheinen Sie mir innerlich als recht zerrissen und unerfüllt in ihren Lebensvorstellungen, Frau Marzahn, vielleicht auch bedingt und ausgelöst durch den Unfalltod Ihres Mannes. Und das alles droht sich immer deutlicher zu einer depressiven Störung auszuwachsen, wenn wir nicht energisch gegensteuern. Da muss man schon was tun, finde ich, aber nicht medikamentös, zumindest noch nicht."

Algena rätselte, worauf das hinauslaufen würde.

„Weil Körper und Geist ja zusammenhängen", dozierte sie, Algena mit ihren Augen eindringlich fixierend, „sowohl was Gesundheit des Körpers als auch der Seele betrifft, sollten Sie mal versuchen, Ihren Körper ordentlich zu belasten. Wir versuchens mit einer strengen, aber, wie ich hoffe, wirksamen Sporttherapie. Ich schreib Sie erst mal vier Wochen krank und empfehle Ihnen Folgendes – und bitte – das ist wirklich ernst zu nehmen, ja? Und Ihre aktive Mitwirkung deshalb ganz unerlässlich! Keine Ausflüchte bitte!"

Die Ärztin setzte ein energisches Gesicht auf, als sie die Details rausließ: „An jedem Vormittag mindestens zwei Stunden strammes Nordic Walking – Sie dürfen schon ordentlich ins schwitzen kommen", drang sie in sie. Mittags ein leichtes Essen, und an den Nachmittagen, am besten jeden Tag, im Schwimmbad etliche Runden, also mindestens eine dreiviertel Stunde kraftvoll schwimmen. Sie brauchen ganz viel Bewegung und die muss auch ordentlich anstrengen, verstehen Sie? Der Körper, und damit auch der Geist müssen von "etwas anderem" als ihren recht eingeschliffenen einschlägigen Problemen in Anspruch genommen werden. Weshalb es auch ganz wichtig ist, bei diesen sportlichen Betätigungen sich ausschließlich auf ihren Körper zu konzentrieren, ihm „nachzuspüren", wo es zwickt und zwackt, angenehm oder auch unangenehm ist. Nur das zählt. Und schon deshalb wird damit vermieden, ins Grübeln über „Ungelöstes in Ihrem Leben" verfallen! Das ist ganz ganz wichtig, hat hier nichts zu suchen, wäre kontraproduktiv. Wenn es doch passiert, bleiben sie kurz stehen, oder suchen festen Halt beim Schwimmen, um sich sofort wieder zurück auf ihren Körper zu besinnen bzw. sich wieder ausschließlich auf ihn zu fokussieren, um negativer Gedankenwelt keinerlei Raum zu überlassen. Draußen in der Natur, beim Walking, dürfen Sie sich natürlich auch mal auf Bäume, Blätter, Steine auf dem Weg oder die Vogelstimmen, halt alles, mit was sich die Natur bemerkbar macht, konzentrieren. Hat denselben Effekt wie der eigene Körper. Am besten wirkt das alles, wenn Sie Abend für Abend körperlich so richtig erledigt und geschafft sind. Da findet dann all das Andere, das Negative keinen Platz mehr in Ihrer Gedankenwelt. Sie verstehen?"

Diesen abschließenden Hinweis gab sie ihr bereits unter der Sprechzimmertür stehend, dann war Algena wieder draußen und wusste nicht so recht, was denken. „Die ist zwar keine Heilpraktikerin, eher normale Schulmedizinerin, aber immerhin scheint sie mich mehr oder weniger ganzheitlich betrachtet zu haben." Andererseits wusste sie um ihren eigenen heimlichen

Anteil an der Konfusion um ihre Symptome, weil einiges eben ungesagt geblieben war. Aber bei den Zielen der sogenannten "Sporttherapie", so wie sie sie vornehmen sollte, dürfte auch dieses Ungesagte sozusagen gleich miterschlagen werden können.

Und nachdenklich zu sich ...: „Leide ich wirklich an beginnenden Depressionen? Wohl schon. Aus Sicht der Ärztin sei es ja nur eine Tendenz dazu! Aber ansonsten? Mit einem problematischen Lebensschicksal nicht fertig zu werden, ist keine Depression, könnte aber zu einer führen." Kurz überdachte Algena ihre letzten Monate: Was hatte sie nicht alles versucht und getan. Ihr ausschweifendes Leben sollte sie über ihre Kummerthemen hinwegtrösten, sie gewaltsam verdrängen, „wegdefinieren". Sie war überzeugt gewesen, dass Übung in Frechheit, in spontanen Reaktionen ihr zu mehr Durchsetzungskraft oder Selbstbehauptung verhelfen könnte, sonst niemand und nichts. Aber, inzwischen ahnte sie: All die damit verbundenen Eskapaden brachten eben nicht nur nichts ..., womöglich hatten sie die gar noch härter, noch unempfindlicher, ja sarkastischer gemacht.

***

Die wegen der Krankschreibung freien Septemberwochen vergingen rasch. Ihr Chef war alles andere als begeistert, musste er doch eine andere Kraft zwischenzeitlich ihren Job weitermachen lassen, was im Prinzip eigentlich gar nicht ging, weil jeder und jede einen eigenen Stil in den Kollektionen pflegte. Die neuen Entwürfe von Algena blieben zwangsläufig liegen, hinsichtlich der Vermarktung der mehr oder weniger abgeschlossenen Produkte konnte auch jemand anderes das Nötige veranlassen.

Zu Hause große Umstellung! Schluss mit Rumtändeln, Grübeln und unproduktivem Nachdenken. Mit dem ärztlichen dringlichen Gebot im Nacken, verordnete sie sich – und wenn es noch so mühsam war, – einen neuen, streng strukturierten Tagesablauf, der ihr nur wenig „anderweitigen", vor allem zeitlichen Freiraum ließ, wenn sie das ärztliche Programm einhalten und beherzigen wollte, und das müsste schon deshalb sein, um sich vor der Ärztin nicht zu blamieren. Algena stand fast täglich bereits am frühen Vormittag samt Nordic Walking Stöcken unten auf dem Radweg entlang ihrer geliebten Isar und versuchte sich in dieser Sportart. Sie erinnerte sich an die Bewegungsabläufe aus einem Kurs, den sie zusammen mit Philipp vor Jahren mal gemacht hatte. Außer Atem geriet sie zwar nicht, aber für eine Anfangsdreißigerin ließ ihre Kondition schon etwas zu wünschen übrig, stellte sie mittags erhitzt und ziemlich schwitzend verdrießlich fest. Aber das könnte sich ja ändern.

Nach einem leichten Mittagessen, das zuzubereiten sie in ihrer neu gewonnenen Euphorie erstmals wieder Lust hatte, suchte sie in den Nachmittagsstunden eines der Münchner Bäder auf, um ihre Runden zu schwimmen. Auch das erwies sich als anstrengender als erwartet. An die zwanzig Bahnen rauf und runter – das kostete schon Kraft. Und tatsächlich saß sie an den Abenden reichlich groggy auf ihrem Sofa, war aber mit sich zufrieden, zappte am Fernseher herum, nicht ohne sich zuvor Rotwein samt ein paar unterschiedlich belegten Knäckebrötchen hinzustellen – froh, *nicht mehr aufstehen zu müssen*.

Ein Bilderbuchseptember dieses Jahr – als wenn der Sommer sich künstlich verlängern wollte und dem Herbst nicht vor Anfang Oktober das Zepter zu überlassen gedachte. An sehr warmen Tagen änderte sie deshalb ihr Schwimmprogramm und verlegte es an ihre geliebte Isar. Da gab es einige Altwasser, in denen Schwimmen möglich war. Es musste ja nicht unbedingt ein Hallenbad sein, wie ihre Ärztin meinte. Aufs kraftvolle Schwimmen, auf körperliche Bewegung kams an. Und auch in diesen Altwassern konnte man mehrere Runden drehen …

Bisweilen suchte sie das Flauchergelände auf, wo die Isar (einst künstlich erzeugte) große Gumpen aufweist, die auch zum schwimmen einladen. Im Wildfluss zu schwimmen ist mühsam, dafür viel schöner als in einem langweiligen Freibadbecken. Natürlich: Reichlich kalt ist die Isar schon, ist sie immer, selbst im Hochsommer, ist ja ein Gebirgsfluss und die recht frische Wassertemperatur würde ja auch zehren und den Körper belasten.

Der *Flaucher* ist ein Dorado für FKK-Liebhaber. Schon mit Philipp war sie einst hier gewesen. Sie waren beide keine ausdrücklich bekennenden

FKKler, aber hin und wieder…, warum nicht? Mit der Nacktheit vor anderen Menschen hatte sie persönlich nie Probleme gehabt (und fand es heute noch eine Frechheit, von Rüdiger als *prüde* hingestellt worden zu sein). Sie suchte meist einen Platz im Halbschatten, breitete Decke und Matte aus, legte sich im Eva-Kostüm leger nieder, entspannte erst mal und spürte den milden Luftzug über ihren Luxusbody hinwegstreichen. Ihr Blick schweifte über die zwei…drei Arme des rasch fließenden klaren Flusses hinweg auf die von ihm geformten Kiesbänke, auf denen sich die Badenden tummelten oder ausgebreitet hatten, viele im FKK-„Kostüm". Eine wunderbare Naturlandschaft mit viel Buschwerk und hohen alten Weidenbäumen, das ganze Gelände im Süden begrenzt durch den berühmten hölzernen Flauchersteg mit Hunderten von Vorhängeschlössern an seinen Stahlgittern mit eingravierten Namen von Liebespaaren, die, sich ewige Treue schwörend, den Schlüssel in die Isar geworfen hatten (Ob's welche inzwischen bereuten?) … Sie genoss den von einigen Grillplätzen herüberwehenden würzigen Duft von Gegrilltem und von Saucen, die auf glühende Kohlen tropften und an denen junge Leute (um die zwanzig, schätzte sie …) ausgelassen mit Pop und HipHop aus kleinen tragbaren Musikanlagen feierten, mit Bierflaschen herumfuchtelnd, auch die Mädchen. Gefeierte Sorglosigkeit, jedenfalls von außen betrachtet. Algena beneidete die Unbekümmertheit des scheinbaren zeit- und weltvergessenen Tuns bei all dem Jungvolk und merkte sofort, dass dieser Gedanke sie umgehend wieder in ihren Problemzirkus lenken könnte, wenn sie ihm Raum gäbe. Innerer Imperativ: Nichts da!! Keine trüben Gedanken, hier schon gar nicht! Die jungen Leute freuen sich ihres Lebens, was denn sonst. Also!

All das geschäftige Treiben wurde übertönt vom beruhigend gleichmäßig lärmenden Stürzen der kristallklaren Wasser über die kaskadenartigen Wasserfälle. Ihren Auftrag zu schwimmen nahm sie ernst, und blieb solange es ging (die Kälte!) im Wasser.

Wieder auf der Decke zurück, widmete sie sich ihrem mitgebrachten Paperback-Krimi, griff bisweilen nach ihrer Trinkflasche in Reichweite und stellte beiläufig befriedigt fest, von kaum jemandem, auch wenn er oder sie nahe an ihr vorbeiging, weiter beachtet zu werden – trotz ihres gut gebauten, ziemlich gleichmäßig leicht gebräunten, attraktiven Körpers. Die normalerweise sanft herunterschwingende brünette Haarpracht hatte sie zu einem kräftigen aufgebauschten Pferdeschwanz zusammengebunden. Störte dann nicht beim Schwimmen. Beim Blick in das Rund mit den vielen „Nackerten" räsonierte sie: Ist schon interessant, dass splitternackte Körper, ob Männer oder Frauen, selbst wenn sie wohlproportioniert und deshalb meist jung sind, weniger ästhetisch anzusehen sind als bedeckt von gutsitzender modischer Badekleidung (die dann durchaus recht knapp ausfallen darf). Da war Algenas Auge unbestechlich und stilsicher. Wieder ein Beweis, dass erst gute attraktive Kleidung sexy macht – weil das „darunter" in den Fantasien, Visionen und Sehnsüchten wesentlich besser aufgehoben ist als in blanker Natura …

Auch vom Flaucher kam sie regelmäßig recht entspannt wieder zu Hause in ihrem Domizil an, körperlich aber reichlich erledigt, wie es pflichtgemäß angesagt war. Algena fühlte sich erstmals seit Wochen wieder wohl in ihrer Haut. Es war Halbzeit in ihrer vierwöchigen Auszeit. Noch zwei Wochen war sie krankgeschrieben und nach wie vor herrschte Badewetter, auch wenn der beginnende Herbst schon ordentlich an der überständigen Sommerpracht zu rütteln begann, sie endlich ablösen wollte. An so manchen Spätnachmittagen nach dem Heimkommen legte sie sich zunächst noch eine Stunde zum Entspannen in ihre Liege auf der Terrasse, die letzten Strahlen der Sonne genießend, bevor sie hinter den Giebeln der westlichen Häuser versank. Keine Frage: Die *Sporttherapie*, wie die Ärztin dieses Programm genannt hatte, tat ihr ausgesprochen gut. Vor allem der Wechsel intensive sportliche Betätigung in den langen Tagesstunden und anschließende wohlverdiente Ruhe samt der gesunden Müdigkeit am Abend. War das vielleicht der Plan ihrer Ärztin, der ihr womöglich wirklich helfen könnte?

Algena lebte seit Langem wieder halbwegs im Einklang mit sich selbst, jedenfalls besser als bisher, und die Eindrücke beim Nordic Walking sowie

im Schwimmbad, aber auch am Flaucher hatten sie ihre eigentliche so ein-
geschliffene Misere zeitweise vergessen lassen.

***

Weil sic krankgeschrieben war, mussten die gewohnten Ausflüge in die
Stadt ausfallen und sie bemerkte, dass ihr diese Enthaltsamkeit deutlich weniger schwerfiel als befürchtet. Die Erkenntnis, dass diese Art die Freizeit
zu verbringen auch nicht so recht „das Gelbe vom Ei" war, hatte Algena ja
schon vor Wochen gedämmert. Begann dieses Thema sich jetzt langsam
von selbst zu erledigen, bevor es sie, wie noch vor einiger Zeit ernsthaft
befürchtet, wegen seines wachsenden Einflusses endgültig herunterziehen
könnte? Es gab Anzeichen …, und alle hatten bereits eine überdeutliche
Sprache gesprochen. Also derzeit keine Ausflüge mehr in die Kneipen und
Bars der Stadt. Nur einmal noch fuhr sie am frühen Abend für vielleicht
zwei Stunden rein, letztlich um vor sich selbst die schlaff werdende Fahne,
ihr neu erwachtes Desinteresse wegen des Immergleichen nochmals als bestätigt zu erkennen – und um schnellstens wieder „abzuhauen". Musste sie
nicht mehr haben! Ihre überraschende Quintessenz!

Die schlimmen Auswüchse ihrer so unwiderstehlichen Manie schienen
endgültig überwunden zu sein. Nordic Walking und Schwimmengehen waren nach wie vor sakrosankt, weil von der Ärztin verordnet, und sie wollte
sich vornehmen, wenn sie demnächst wieder ins Atelier ginge, sooft wie
möglich dieses Programm weiterzuführen, vor allem an den Wochenenden.

Nur beim Haushalt und in der Wohnung klemmte es noch gewaltig. Die
Menge des vielen Unerledigten, Unaufgeräumten, achtlos Hingekeilten
überforderte das zarte Pflänzchen neuer Einsicht in ihre mentale Kraft. Das
alles wieder auf Vordermann zu bringen wie es früher war, dazu reichte es
noch bei Weitem nicht, trotz des starken Wunsches, auf Dauer nicht in einer
„Räuberhöhle" oder „Messi-Behausung" leben zu wollen. Wo anfangen?
Ein „Fass ohne Boden"! Vor diesem „Sisyphos-Job" kapitulierte sie
schlicht und einfach immer noch. Der innere Schweinehund stand ihr im
Weg, aber last not least auch ganz real die Müdigkeit durch die ernst

genommene sportliche Betätigung. Da musste der zündende Impuls noch kommen – oder Hilfe von außen.

Andererseits hatte sich an der imperativen Hintergrundfrage in ihr natürlich auch nichts geändert: Wozu das alles? Genauer: Für wen denn? Die Antwort lag wie immer bei dieser Frage, die sie sich schon tausendmal gestellt hatte, auf der Hand: Für sie natürlich, für wen denn sonst! Das war ihr auch klar und zugleich ihr größtes empfundenes Defizit: Nur für sich, für sonst niemanden?? Es gab niemanden anderen! Eben. Immerhin klopfte jetzt eine ganz neue weitere Argumentation in ihr an: *Weil sie es sich wert war*. Genau in diesem Gedanken der fiktiven Antwort lag der Casus knacksus. Beim nächsten Putztermin mit Erna am Donnerstag der letzten Krankheitswoche bat sie diese, mit ihr zusammen zu versuchen aufzuräumen, wieder mehr Ordnung zu schaffen in Wohnzimmer und Küche. Sie betrachtete Erna sozusagen als ihren Motivator. Die spürte erfreut den „neuen Wind", der bei ihrer Auftraggeberin wehte, fragte nicht lange, sondern half Algena nach Kräften. Bald sah die Wohnung zwar noch nicht so adrett aus wie einst, aber deutlich hübscher, wohnlicher – auf jeden Fall wars ein wesentlicher Erfolg. Gut so, stellte sie befriedigt fest und fühlte sich bereit: Ab kommenden Montag musste sie wieder ins Atelier. Ein weitgehender Neuanfang konnte beginnen.

***

Tagsdrauf, am Freitag, spätnachts, schon bettfertig im Schlafgewand, griff sie, weil noch nicht schlafmüde, in einer Art Anwandlung zu alten Fotoalben im untersten Fach des Bücherregals, zog eines, das nächstbeste heraus und betrachtete Fotos – ihr Leben während der fünf Ehejahre, immer wieder war ihr verstorbener Mann zu sehen. Seltsam nüchtern, ja fast neutral, jedenfalls nicht mehr mit Abscheu, betrachtet sie ihn – das war er, der Don Juan, der Casanova, der Frauenverführer, der Untreue, der alles kaputtgemacht hatte, bevor er seinem Geschwindigkeitsrausch erlegen war. Sie hielt sich nicht länger auf bei ihm …, blätterte weiter, Toskana,

Nordsee, Griechenland, Einladungen hier zu Hause, viele Schnappschüsse, auch Laura dabei … Laura! Nicht alle Bilder waren gut gelungen, aber geronnene Augenblicke, festgehaltene Szenen und Posen der gerade Anwesenden bei den unterschiedlichsten Anlässen aktiven Alltagslebens im stetig unbeeindruckt weiterlaufenden Strom der Zeit damals. Wert heute? Keiner mehr! Konkrete Erinnerungen sind weniger wert als bleibende Erfahrungen. Wann hatte sie das letzte Mal den Fotoapparat gezückt? Keine Ahnung mehr …, wahrscheinlich noch vor Philipps Tod. Sie legte das Album emotionslos und reichlich desinteressiert zurück.

Im Fach mit den Alben lag noch eine kleine Schachtel mit vielen frühen Einzelfotos aus der Studentenzeit, die nie den Weg in ein „ordentliches Album" geschafft hatten. Sie durchblätterte die Bilder, auch hier viele Schnappschüsse von allen möglichen Festen, kunterbunt durcheinander gemischt … – Gott, wie jung wir damals waren, ist doch erst zehn Jahre her …, hielt mal das eine, mal das andere länger in der Hand, versuchte sich zu erinnern …, längst verflossene Typen und Freundinnen, meist in ulkigen überdrehten Posen, wie hießen die doch gleich wieder? Bei einigen erinnerte sie sich. Andere? Weiter! Werden schon nicht so 'n mordsgroßen Eindruck gemacht haben damals, würden heute unter der Bezeichnung *Adabeis* firmieren. Schon wollte sie das alles wieder beiseitelegen, da fiel ihr Harry in die Hände … Natürlich. War ja auch in jener Zeit.

Sie holte tief Luft, fingerte das kleine sieben mal dreizehn Zentimeterbild aus der Schachtel, eine Großaufnahme, kein Porträt, aber eine ausgesprochen vorteilhafte und fotografisch gut gelungene Nahaufnahme von ihm – ob *sie* die damals gemacht hatte? Keine Ahnung mehr …, sie betrachtete das Bild …, Harry als junger Student vor etwa zehn Jahren …, sein Gesicht, sein Blick – fast noch wie ein erwachsen gewordener Pennäler mit den berühmten Eierschalen hinter den Ohren. Heute war sein Gesicht markanter geworden, reifer eben (sie erinnerte sich an ihn samt seiner Rosi auf Isabelles Hochzeit). Kurz umgedreht las sie „*Für Dich, meine liebe Algena, Dein Harry*". Die markante steile Handschrift. Irgendwann musste er die Widmung draufgeschrieben haben, sie erinnerte sich nicht mehr, aber dass das Bild ihr viel bedeutet haben musste damals, das stand fest. Lange, sehr lange, vertiefte sie sich in seine Gesichtszüge, den sinnlichen, kuss-hungrigen Mund – wie oft hatte der den ihren geküsst, sie schmeckte ihn förmlich …, hörte gleichsam innerlich seine männlich betörende Stimme, wurde immer elegischer, verlor sich in Erinnerungen an diese damalige Zeit, an Harry – unsterblich verliebt war sie in ihn damals … Oh Harry!! Ein Seufzer entrang sich ihrer Brust … Sie schloss die Schachtel und legte sie bedächtig-langsam wieder auf ihren Platz zurück, betrachtete erneut das herausgenommene Bild und auch auf der Rückseite seine Liebeserklärung, spürte ihre Erregung … und nahm es mit ins Schlafzimmer, ins Bett, betrachtete es im Licht der Nachttischlampe erneut lange und intensiv, spürte sich in ihren Gedanken in die einst gemeinsame Zeit abdriften, konnte und wollte sich nicht mehr an sich halten … und liebte es laut stöhnend in völliger Auflösung ihres Gegenwartsbewusstseins zugunsten damaliger Sphären, Sphären ungehemmten Verlangens nach den in ihrem Kopfkino so lebhaft lebendig erinnerten Gefühlen und Bildern …

… die Stunden der Nacht vergingen traumlos …,

… um es, am frühen Morgen, sobald sich ihr Bewusstsein aus den früh-morgendlichen Schlummern herausgeklärt hatte und sie sich ihrer spätnächtlichen Handlungen vor dem Einschlafen erschrocken erinnerte, vom Nachtkästchen zu nehmen, aufzustehen und langsam mit leerem Kopf in die Küche zu gehen, genauer, zu schleichen, in einem seltsam ungesteuerten Automatismus aus der Schublade den Kerzenanzünder herauszunehmen und das Bild anzuzünden. Emotionslos betrachtete sie die kleine auflodernde Flamme, sah das Bild und Harrys Gesichtszüge, den Mund …, sich kräuselnd und krümmend langsam zerfallen und ließ, bevor die Flamme ihre Fingerspitzen erreichten, den noch unverbrannten Rest gerade noch rechtzeitig in einen zufällig herumstehenden Glasuntersetzer fallen, wo die Flammen ihr Werk vollendeten. Nur langsam wurde sie sich der Bedeutung des sich gerade vollzogenen Geschehens bewusst: Harry war verheiratet, hatte Familie, war tabu für sie, für alle Zeiten, sie durfte ihn nie mehr sehen, nie mehr! Ein *moralisches Es* in ihr bekräftigte diesen Gedanken, geboren in der gerade abgelaufenen Handlung, dessen bedeutsame Nachhaltigkeit ihr in diesen wenigen Sekunden in seiner ganzen Tragweite bewusstwurde. Weil sie in Bezug auf Harry panische Angst vor einem stets möglichen Umfallen hatte, nämlich der Riesengefahr eines Rückfalls ihrerseits, bei welchen Gelegenheiten auch immer, weil sie an die Treue seiner Rosi gegenüber nicht so recht glaubte – sie spürte das in seinen Telefonaten … Ein paar lange Minuten betrachtete sie tief versunken die zarten Aschereste in dem kleinen Schälchen. Ihr Denken schien ausgeschaltet, abgetötet zu sein. Leere, absolute Leere … Dann, in einem urplötzlichen wilden, lichterloh brennenden Wutanfall, gepaart mit unsäglichem Schmerz, packte sie es und pfefferte es mit aller Kraft auf den Kachelboden. Die Glassplitter stoben wie winzige Schrapnellkugeln auseinander, die paar ängstlich-verschreckten Ascheflöckchen entschwanden langsam und locker schwebend ins weite Rund der Splitter. Wie wenn der Knall des zerschellenden Schälchens sie aufgeweckt hätte, betrachtete sie mit bestürztem Blick das Chaos am Boden, das sichtbare Ergebnis endgültig zerstobener Träume, zog sich zurück, ließ alles so liegen wie es war und gab sich im Schlafzimmer unter der Steppdecke schluchzend all ihrem Kummer hin. Aber es war vollbracht! Sie hatte es geschafft. Tränen befreien und sie erkannte bei aller Trauer, dass es trotz irrer mentaler Schmerzen möglich ist, sich von den Fesseln zerstörerischer Verbindungen zu lösen.

Es war noch viel zu früh zum Aufstehen, aber an Schlafen war nicht mehr zu denken nach diesen aufwühlenden Minuten. Der ganze unglaubliche, ungeplante, spontane Vorgang beschäftigte sie weiter und weiter ohne Ende, wandelte sich zum Rubikon, der unwiderruflich überschritten war. Es war vollbracht. Jetzt stand sie vor der Aufgabe, dem kraftvollen Ritual auch ebenso kraftvolles Handeln in der Realität des Alltags folgen zu lassen. Eine automatisierte Lösung gabs nicht, der Mensch ist keine programmierbare Maschine, aber sie würde alles dafür tun, in dieser Causa ein für alle Mal Klarheit in ihrem Kopf zu erringen … Nie hatte sie einen kategorischen Imperativ machtvoller gespürt als den vor wenigen Minuten im frühen Morgengrauen. *Er nötigte ihr ein geradezu heiliges Versprechen ab. JA, sie würde es tun!* Nicht der geringste Zweifel blieb. Diese innere Sicherheit beruhigte sie.

Schließlich duselte sie erschöpft dann doch noch für ein…zwei Stunden weg.

***

Der anschließende Vormittag verlief völlig anders als alle bisherigen. Das frühmorgendliche Ritual hatte tiefe Spuren in ihrer Psyche hinterlassen. Jetzt! Jetzt wars endlich vorbei. Sie hatte mit seinem Bild zugleich auch ihr so hartnäckiges Erinnerungszentrum an ihn ausgebrannt. Jetzt endlich konnte und durfte sie Harry vergessen. Noch in Nachtkleidung schlüpfte sie in ihr seidenes rosa Negligé, nahm dann ganz profan Schaufel und Besen zur Hand und kehrte in aller Ruhe und sehr bewusst sorgfältig die Scherben und das was sich an schwarzen Ascheresten erhalten hatte, zusammen und warf das Kehrgut unspektakulär in den Abfalleimer. Nach ausführlicher Morgentoilette, bewusster als sonst verrichtet, kam ihr, entspannt und gelassen am Frühstückstisch sitzend, die entscheidende, ja geniale Idee. So. Jetzt wars so weit! Das diesem Ritual innewohnende Versprechen würde eingehalten, ohne Wenn und Aber: *Sie werde ihm einen Abschiedsbrief schreiben, ihm klarmachen, warum ihrer beider Lebenssituationen nicht und nie mehr zu vereinen wären und dass sie ihn dringend bäte, sie nicht mehr anzurufen, den Kontakt abzubrechen*, formulierte sie im Kopf. Denn auch wenn Algena es bisher gut gelang, sich nie auf seine stets erneuten versteckten Annäherungsversuche einzulassen, – immer endeten diese Telefonate aufwühlend für sie. Durfte nicht mehr sein. Sie wollte diese Verstrickungen und Probleme nicht mehr. Waren überflüssig, irrelevant, überholt, Schnee von vorgestern …, der Kontakt perdu. Jetzt endlich würde sie sich von ihm lösen können …

Mit der Kraft des erst vor wenigen Stunden erlebten Rituals würde ihr das mühelos gelingen, davon war sie überzeugt. Kein längeres Rumgrübeln: Euphorisch holte sie aus dem unteren Fach des Schreibtischs einen Briefpapierblock, nicht das einfache Papier für Amtliches, sondern das gelbliche Edelbütten für feine Briefe, suchte im Aufnahmeständer für Stifte einen schwarz schreibenden Kuli und begann handschriftlich ihre

Gedanken niederzulegen. Den PC anzuwerfen, verbot sich ihr bei einem so fundamentalen Akt. Hier zählte nur persönliche Handschrift. Und lang müsste der Brief auch nicht werden. Die Situation, die Sachlage und ihr beiderseitiges Verhältnis waren im Grunde restlos geklärt, waren rasch zusammengefasst und es bedurfte nicht vieler umständlicher Worte. Und tatsächlich: Nach gerade mal zwanzig Minuten war alles fertig. Sie las noch mal bewusst und laut die wenigen Sätze, war zufrieden mit der Formulierung, faltete den säuberlich geschriebenen Bogen, steckte ihn in einen Briefumschlag, klebte ihn zu und schrieb Harrys Adresse auf die Vorderseite. Ganz altmodisch (so wie sie das als Kind gesehen hatte) warf sie ihre Initialen A.M. auf den Klebefalz in der Mitte der Rückseite des Umschlags, auf eine Absenderangabe verzichtete sie. Briefmarke drauf, fertig. Später, beim samstäglichen Einkauf, wollte sie ihn einwerfen – beim Supermarkteingang gabs einen Postkasten.

Während der Fahrt zum Supermarkt dröhnten pausenlos alle möglichen Text-Wortfetzen in ihrem Kopf herum. Vom Parkplatz waren es nur ein paar Schritte zum Postkasten ..., aber die genügten, sie zögern zu lassen. Hatte sie das auch wirklich klar genug formuliert? Dass er's endlich kapierte? An manchen Formulierungen, an die sie sich rudimentär erinnerte, zweifelte sie plötzlich, würde es jetzt lieber doch anders ausdrücken wollen. Wie würde er reagieren? Und, oh Schreck, wenn womöglich Rosi den Brief in die Hände bekäme, ihn sogar unberechtigterweise öffnete? Was dann? Algenas Herz rutschte umgehend in die Hose, dann ..., dann wars eben so, dann säße nicht sie, sondern Harry in der Patsche. Konnte sie nicht verhindern, aber, beruhigte sie sich sofort wieder, nein, das würde sie nicht machen, bestimmt nicht. So wie sie sie damals bei Isas Hochzeit kennengelernt hatte, war sie eine korrekte Person, zweifellos.

Und sie selbst? Wie gings ihr damit? Jetzt? Nachdem das Bild-Ritual seine Wirkung in diesen Brief gleichsam hineinverlängert, das Ergebnis in ihn hineinverlegt hatte, und sie nur noch Überbringer war? Wollte sie etwa ...? Nein! Ja! Oder ...? Algena!!! Ihr Herz zersprang vor lauter Zweifel. Erneut: *Müsste einiges nicht doch ganz ganz anders formuliert werden ...?*

Schon stand sie vor dem gelben Kasten mit dem breiten Schlitz, griff nach dem Corpus Delicti in ihrer Jackentasche, zog es heraus, drehte es hin und her, betrachtete die Adresse, ihre Initialen, die Frankierung ..., zögerte wieder – und schob den Brief zurück in die Innentasche. Sie atmete hörbar auf. Erst mal vertagt. Dann im Markt, die wenigen Einkäufe erledigen ..., Kasse, einpacken, fertig. Wieder draußen ... Sie schaute in die reichlich trostlose Parkplatzrunde, sah die Menschen mit Einkaufswagen oder vollen oder leeren Taschen geschäftig hin und her eilen, schaute in die Kulisse der fernen hohen Bäume in den großzügigen parkartigen Privatgärten in ihrem Viertel. Die Sonne ließ ihre weiß-grellen Strahlen ungerührt auf das funktionierende samstagmittägliche Erledigungstreiben fallen ... Ein kurzer scheeler Blick auf den Postkasten neben dem Eingang. Sie stellte die Einkaufstasche ab, griff hastig in die Tasche ihrer leichten Jacke, spürte den Brief zwischen ihren Fingern, zerrte ihn heraus, drehte und wendete ihn unschlüssig, schaute auf die Anschrift – alles klar und unmissverständlich – dann wieder in die Runde, fühlte den Postkasten sie mahnend und fordernd anschauen: *Hier! Hier wirf all deinen Kummer, all deine Freude, all deine Liebe, all deine Verpflichtungen, all deine Entbehrungen, alles was du anderen Menschen sagen willst, musst, sollst, magst hinein....*, sie wandte sich ab von ihm, von seiner so neutralen animierenden Botschaft, schaute ängstlich auf den Brief, zögerte, zitterte, zweifelte ..., – das unbeherrschbare „*es*" in ihr fällte eine Augenblicksentscheidung, kopflos und folgenschwer: *Sie zerriss ihn* ..., und energisch die Hälften gleich noch mal ..., und die Viertel ebenso, stopfte die vielen Schnipsel eilig wieder in die Jackentasche, einige fielen zu Boden, packte die Einkaufstasche und verließ geradezu fluchtartig diese Stelle, kaum einen Blick auf das hektische Kommen und Gehen rundherum werfend, schon gar nicht auf den Postkasten, und beruhigte sich erst wenige Meter vor ihrem Auto ein wenig. Ihr Kopf war leergefegt, total leer, aber sie fühlte sich erleichtert von einer unsichtbaren Last, von der finalen und unumkehrbaren Entscheidung befreit, die sie überfordert hatte. Sie hatte ihren selbst gestellten Auftrag vollbracht und zugleich nicht vollbracht. Die Schizophrenie dieser Gedanken war ihr zwar bewusst, aber sie spürte zugleich das „innerliche imperative Verbot", über die Konsequenzen, vor allem das „Warum" nachzudenken. Ein unbezwingbares „*es*" in ihr sperrte sich, hatte ihre festen Vorsätze und Absichten, sich klar zu äußern und zu handeln massiv hintertrieben, weshalb das ganze Unterfangen schief gehen musste. Dieses „*es*" unterdrückte jedes Argument, jeglichen Gedanken an eine stichhaltige Begründung. Der Wahrheit ins Gesicht zu blicken war unüberbrückbar blockiert. Sie öffnete ihr Auto, verstaute sorgfältig ihre Tasche im Kofferraum, zögerte etwas, sah einen Metallbehälter für Abfälle jeglicher Art nur wenige Meter entfernt, schritt auf ihn zu, langte in ihre Jackentasche, griff darin nach dem Schnipselsalat, rupfte ihn unsanft heraus und warf alles in den jetzt als Papierkorb definierten Behälter, wiederholte es sorgfältig und penibel, bis auch das letzte Fetzelchen Papier entsorgt war. Mit leeren Gedanken fuhr sie nach Hause, fühlte sich total ausgelaugt und schöpfte erst wieder Hoffnung, als sich auch vernünftige Gedanken wieder in ihr seelisches Chaos einschlichen und sie zur Räson zu bringen versuchten: „*Aufgeschoben heißt ja nicht aufgehoben*", sagte sie sich, sich selbst beruhigend. Sei doch ganz easy: Sie müsse das eben noch mal schreiben und dann viel viel besser formulieren, deutlicher …, damits wirklich ankäme bei ihm! Nächste Woche dann …

Algena bemerkte nicht, wie fadenscheinig all diese vorgeschobenen Argumente waren …

Im anschließenden Alltagsablauf des Samstagnachmittags und auch des Sonntags – da war sie mit Isabelle verabredet, vor der sie mit keinem Wort das so intensive Ritual erwähnen wollte – verlor sich der imperative Impuls, den Brief sich erneut vorzuknöpfen und vor allem „anders" zu formulieren. Isabelle sollte im Glauben bleiben, dass die Causa Harry längst abgeschlossen sei.

Im Übrigen war „*anders formulieren*" nur vordergründig das Synonym für „*besser*", in ihrem tiefsten Inneren aber hieß es „*vorerst mal nicht*", eine Wahrheit, die sich in ihr so restlos ausblendete, dass sie sich dieser Selbsttäuschung nicht im Entferntesten bewusst wurde. Das so entschlusskräftig abgelaufene Bildritual drohte schon nach diesen ein…zwei Tagen seine urwüchsige allererste Kraft, seine Unbedingtheit zu verlieren. Wäre es anders, hätte sie sich am Samstagnachmittag umgehend hingesetzt und den Brief erneut geschrieben. Dazu reichte der frühmorgendliche Impuls aber schon nicht mehr aus. Sein entscheidendes Ziel, so vehement und zwingend begonnen, blieb also unerfüllt.

Wenigstens waren Nachhaltigkeit und Stärke des Rituals insofern nicht verloren, als es sich fest in ihre Gedanken eingenistet hatte.

Algena tröstete sich mit der faulen Ausrede: *Nächste Woche nehm ich mir einen Abend Zeit. Dann werde ich ihn schreiben, ganz bestimmt!!!*

***

Montag in der Früh die Nagelprobe: Der Wecker! Ab heute musste sie wieder rein ins Atelier. Wieder reinspazieren in die gewohnten Räumlichkeiten, als Genesende. Es war ihr seltsam peinlich, weil sie merkte, dass niemand so recht wusste, was ihr denn gefehlt hatte. Sie fürchtete fragende Blicke der Kollegen und Kolleginnen, aber wie in jedem Betrieb so auch in ihrem Atelier herrschte *business as usual*. Man hielt sich nicht lange auf, sie wurde herzlich begrüßt, vielleicht eine Idee zu jovial. Ehrliche Herzlichkeit ist in Kollegenkreisen im Allgemeinen seltener anzutreffen. Warum auch? Unterschwellige Reserviertheit glaubte sie allenfalls zu ahnen, wohl eher, weil sie die für möglich gehalten hatte, aber sie blieb aus. Der Chef freute sich ehrlich, sie wiederzusehen:

„Und, Algena, wieder auf der Höhe?"

Womit habe ich sein unerschütterliches Wohlwollen eigentlich verdient, fragte sich Algena betreten (und dachte an das ernste Gespräch im Sommer, das diese „Genesungs-Auszeit" zur Folge hatte).

Man ließ sie in den ersten Stunden weitgehend in Ruhe erst mal ankommen. Algena fragte nach, was es Neues gäbe, was so passiert sei, wo sie bzw. ihre Arbeit betroffen gewesen sein könnte. Man ebnete ihr schon am ersten Tag und auch in den folgenden bereitwillig wieder den Weg in den Arbeitsalltag. Sie war erleichtert und spürte innerlich eine gewisse neue

Stabilität. Die vier Wochen sportlich-intensiver Betätigung waren Gold wert gewesen! Die Hausärztin hatte rechtgehabt.

Der Weg ins Abseits war abgewendet. Sie schätzte wieder das Zuhausebleiben, ahnte inzwischen, eigentlich stets nur *vor sich selbst davongelaufen* zu sein, telefonierte an den Abenden gelegentlich mit Freundinnen, vor allem mit Isabelle, erzählte ihr vom Neueinstieg im Atelier nach der vierwöchigen Pause, traf sich mit ihr und anderen in der Stadt und fand in dieser Art, die freie Zeit zu verbringen, wieder mehr Genuss, begann ein „solideres" Leben zu führen.

Auch im angestammten Freundeskreis ließ sie sich jetzt öfter blicken (allerdings nicht, wenn *tanzengehen* angesagt war). Vor allem beim ersten Treffen nach der längeren Pause (während ihrer „Auszeit" hatte sie alle Kontakte unterbrochen) verhielt sie sich sehr zurückhaltend, weil sie noch manches missbilligende Gerede im Ohr hatte, und erwähnte daher mit keinem Sterbenswörtchen ihren baldigen Geburtstag gegen Mitte Oktober. Wurde auch zum Glück von niemandem angesprochen. Ein bisschen außenvor war sie eben immer noch. Sie hielt sich hauptsächlich an Albert und seine Frau und die paar anderen ihr gewogenen. Laura schien ihre neuerliche Anwesenheit kaum zu beachten. Algena selbst legte allerdings auch keinen Wert darauf, mit ihr viel zu reden.

Natürlich: Ihre inzwischen vertrauten Bars besuchte sie in den kommenden Wochen dann doch hin und wieder, aber es waren stets nur recht kurze Besuche. Eventuellen Bekannten dort band sie irgendwelche Geschichten auf, weshalb sie heute „ganz schnell" wieder verschwinden müsse … etc. Drauflosschwindeln ohne rot zu werden, wenns denn nötig war, fiel ihr nach wie vor leicht.

Und Männerbekanntschaften? Insbesondere in ihrem externen Arbeitsumfeld kannte sie ja einige und es traten auch mal neue auf den Plan, ging mit dem einen oder anderen auch gelegentlich aus, ließ sich einladen – nur „den, den sie suchte, der sie gar zu entzünden vermochte" war nicht dabei (falls sie überhaupt „suchte", so sicher war sie sich inzwischen auch da nicht mehr …, von „entzündet werden" ganz zu schweigen). Mal Sex, ja, schon, aber ohne emotionale Liebe (wie sie Algena sich vorstellte)? – War einfach zu wenig! Ja, ihre Begleiter gaben sich ernstlich Mühe, sich so vorteilhaft wie möglich zu präsentieren, um diese schöne, aber in ihren Augen irgendwie spröde Frau zu gewinnen, aber es scheiterte stets an Agena. Offen, ob an ihren Ansprüchen, an ihrem unterschwelligen, nach wie vor nebulösen Misstrauen (meint der's ehrlich?) oder sonst einem Grund. Isabelles Mahnung an sie, ihre „harten Kriterien ein wenig abzufeilen", hatte nichts genutzt, bisher jedenfalls. In ihrer tiefsten Seele tickte es nach wie vor wie immer. Ihr mentales Erbe hatte sich nicht oder nur kaum geändert.

Algena fühlte sich trotzdem gestärkt. Gestärkt von der Sporttherapie, ihrem anschließenden geglückten Wiedereinstieg in die Arbeit und der großen Hilfe, die ihr Erna beim Auf-Vordermann-Bringen der Wohnung war. Ohne sie hätte sie sich deutlich schwerergetan, aber zu zweit wurde sogar Aufräumen-müssen zur kurzweiligen Angelegenheit.

Trotzdem: Der schmerzende Stachel einer wesentlichen noch nicht erfüllten Pflicht setzte ihr gewaltig zu: Die völlig missglückte Reaktion auf das frühmorgendliche Ritual vergangenes Wochenende, das ihr den endgültigen Abschied von Harry, genauer die „Lösung der so penetranten Harry-Frage" bescheren sollte, es auch hätte können, wenn …, ja wenn sie nicht im allerletzten Augenblick wieder umgefallen wäre. Hätte nur Isabelle sie auf dem Gang zum Supermarkt begleitet, der Brief wäre eingeworfen worden ohne Wenn und Aber und alles hätte den vorgesehenen Lauf nehmen können. Freilich: Isabelle hätte mit ihrer Menschenkenntnis glasklar ihre Zögerlichkeit bemerkt und messerscharf Algenas nach wie vor viel zu tiefe Bindung an Harry erkannt, wobei sie nicht ausschließen wollte, dass Isabelle das eh seit Langem ahnte. Weil sie ihr nicht abgenommen haben könnte, dass Harry angeblich längst nur noch eine Lappalie für sie sei, längst ad acta gelegt.

Alles fiktive Gedanken. Keine Isabelle. Sie war auf sich gestellt gewesen und hätte es allein durchziehen müssen – und hatte versagt.

***

Wann hatte sie Harry das letzte Mal gesehen, überlegte Algena. Wohl zu Isabelles Hochzeit, immerhin über ein halbes Jahr her. Aber nach wie vor war dieser Kerl nicht abzuschütteln. Penetrant rief er so alle ein…zwei Monate an, um irgendwas Nichtiges (nach Algenas Ansicht) zu erzählen. Algena beeilte sich stets, ihm mitzuteilen, wie gut es ihr ginge. Ihre inneren Nöte, ihre innere Zerrissenheit, gingen den überhaupt nichts an, schon gar nicht ihr geheimes Faible für ihn (durfte er nicht mal „durch die Blume" ahnen) und über ihre „Ausgeheritis" und die Therapie ließ sie nicht ein einziges verräterisches Wort fallen. Algena spielte ihm absolute Souveränität vor. Es fiel ihr nicht schwer.

Heute, Dienstagabend, klingelte wieder mal das Telefon und wer war dran? Er natürlich! Algena haderte sofort zerknirscht mit sich selbst. Wenn sie den Brief am Samstag eingeworfen hätte, wäre ihr dieser Anruf wohl erspart geblieben oder sie hätte im Brustton der Überzeugung sein Telefonat brüsk zurückweisen können mit der Begründung, er wisse doch – sie habe es doch klar genug formuliert, oder? –, *dass endgültig Schluss sei mit der Vorstellung mit ihnen beiden.*

Schön wärs! Und jetzt die Quittung für ihre Schwäche, *dass der vermaledeite Brief immer noch nicht geschrieben war ...,* also das Thema „Harry" nach wie vor der Lösung harrte. Warum nur hatte sie den verdammten Schrieb nicht abgeschickt? In stimmungsmäßiger Euphorie des Rituals geschrieben, war der eben doch gut gelungen gewesen. Warum nur diese ängstlichen Zweifel, diese Panik damals am Parkplatz? Ja, warum nur? Weshalb? Weil … Weil? Algena lebte erneut ihre Verwirrung dieser Momente vor dem Postkasten … *Ein neuerlicher Versuch? „Besser" sollte er werden ..., so 'n Quatsch!* Eine vorgeschobene Schutzbehauptung vor etwas anderem, was ihr eigentlich klar war, aber diesem machtvollen Gedanken bezüglich Harry nicht erlaubte, nicht erlauben durfte, sich konkret zu formulieren. Genau das war der Unterschied zu den Stunden nach dem Ritual damals: Da hatte sie handeln können, *ohne dieser unseligen inneren Macht folgen zu müssen.* Da war das weitere Geschehen nur der Kraft des Rituals entsprungen und die richtigen Worte hatten sich von allein formuliert, weshalb es keinen „besseren" Brief geben konnte, als den damals geschriebenen ... Und der lag in tausend Fetzen zerrissen und längst aufgelöst weiß Gott wo in der Gosse ... Und jetzt? War diese Kraft durch die abgelaufene Zeit der wenigen Tage bereits reichlich verzwergt, besaß nicht mehr die einstige alleinstellende Unbedingtheits-Durchschlagskraft – weshalb sie jetzt wieder mühsam die auf der Hand liegenden Gründe *formulieren* musste, um die beabsichtigten Abschiedszeilen hinzubekommen.

So kam sie aus Anstandsgründen nicht drum herum, mit ihm ein paar Worte zu plaudern, obwohl es wie immer nur um Belanglosigkeiten ging. Mündlich wollte sie sich keine Blöße geben, trotzdem sie diesen wie auch alle bisherigen Anrufe für überflüssig hielt. Aber seine Stimme, das Timbre ... (das sprach sie an, hörte sie einfach gerne, ob sie's sich zugab oder nicht). Er erzählte von seiner Familie, von den Kindern (was Algena im Grunde überhaupt nicht weiter interessierte), fragte nach irgendwelchen Nebensächlichkeiten, nach Bekannten, die sie beide kannten, natürlich wie es ihr so gehe und was sie so treibe in ihrer freien Zeit und und und. Als ob er's, wie stets, nur drauf anlegte, sie deshalb zu kontaktieren, sich in ihren Gedanken, in ihrer Erinnerung präsent zu halten.

Algena allerdings hörte keinerlei Alarmglocken läuten, erkannte nicht seine klare, gut kaschierte Zielrichtung, dass er mit all seinem salbungsvollen Reden nur geschickt verbarg, auf *den Zeitpunkt* zu warten, der seinen Erwartungen nach irgendwann kommen müsse – und auch werde: Dass sie umfalle und einem „richtigen" Treffen zustimme. Er war sich sicher, Algenas innere Gefühlswelt ihm gegenüber bestens zu kennen, es müsse in ihr nur noch „zünden". Er dachte nicht im Traum daran, sein Ziel Algena „rumzukriegen", aufzugeben.

Er war felsenfest davon überzeugt, dass sie geradezu verrückt nach ihm sein müsse, ungeachtet seiner Ehe mit Rosi. Und erinnerte sich lebhaft daran, wie sie ihn damals auf Isabelles Hochzeit auf dem Tanzparkett über die Schulter ihres Tanzpartners angeschaut hatte. Sie konnte in ihren leuchtenden Augen kaum ihr Verlangen verbergen, auch wenn sie sich noch so neutral zu geben versuchte. So hatte er jedenfalls diesen Blick in Erinnerung, tief und den seinen geradezu einsaugend, und er deutete ihn dementsprechend (*Er sollte nicht nachlassen*, rumorte es schon damals in ihm … – irgendwann wird sie in seinen Armen liegen …). Und dann das Treffen in Schwabing. Sie hatte seinen Kuss nach nur anfänglichem Zögern intensiv erwidert … Seine Lebenserfahrung mit Frauen sagte ihm überdies, dass eine Frau, die einerseits Feuer gefangen hatte, andererseits wenig Begabung für evt. gebotene enthaltsame Askese hatte (allenfalls, wie Algena, nur äußerlich Abwehr zu zeigen vermochte), letztlich irgendwann schwach werden und ihr Verantwortungsbewusstsein hintanstellen würde, umso eher, wenn sie ungebunden lebte … Auf eine solche Konstellation bei ihr hoffte er und war sich sicher, dass diese kommen würde, offen nur wann. Was ihn und *seine Gebundenheit* betraf, so sah er die als mehr oder weniger nebensächlich an. Mal ein kurzer Seitensprung, wenn sich eine Gelegenheit bietet – ja, ist nicht gut, aber *so* schlimm sei das doch auch nicht, vermittelte ihm sein etwas hemdsärmeliges Denken in solchen Sachen.

Am nächsten Tag ging sie bereits mit dem Gedanken in ihr Atelier, dass es heute Abend geschehen musste: der Brief. Es war sonst nichts geplant und sie würde Zeit haben. Heute Abend würde der Brief geschrieben werden! Sie musste es tun, es musste sein, *musste!* Und sie wollte es ja auch! Ein entschlossener Anlauf. Die penetranten Anrufe von ihm nervten sie kolossal und das Verbrennungsritual vergangenen Samstag hatte eben doch ganze Arbeit geleistet, trotzdem sie im entscheidenden Moment wieder mal versagt hatte. Aber das ließe sich ja wiedergutmachen, war sie in neuer Zuversicht überzeugt, das ganze frühmorgendliche Ritual wie mit Flammenschrift geschrieben überdenkend und vor ihrem geistigen Auge ablaufend, gebieterisch den Abschluss der ganzen Angelegenheit einfordernd. Am Spätnachmittag, kaum zu Hause angekommen und ein paar wenige Erledigungen gemacht, holte sie erneut das Edelbütten heraus, setzte sich an den Schreibtisch und begann, über mögliche Formulierungen ihrer Botschaft nachzudenken.

Zu dumm. Wie schnell das doch ging, vergangenen Samstag: *Kurz entschlossen den Brief formuliert, überlesen, für gut befunden, rein in den Umschlag, zugeklebt und ab in die Post ... leider dann am Parkplatz nicht eingeworfen.* Sie hatte ihn zerrissen. An eine Kopie hatte sie nicht gedacht, war doch eh alles klar ... Was war ich blöde, schalt sie sich.

Jetzt dagegen quälten sich die Anfangssätze nur mühsam, ja widerwillig aufs Papier ... Die damaligen Formulierungen waren ihr nur noch in ein paar wenigen Textfragmenten präsent. Und die wollten und wollten sich heute nicht zu einem flüssigen, kurz-knappen Text verbinden lassen. Algena ärgerte sich über ihre innere Blockade. Warum ging das heute so zäh, so schleppend? Sie verzweifelte beinahe an der Suche nach triftigen Begründungssätzen und der richtigen Wortwahl.

Urplötzlich klingelte das Festnetztelefon und unterbrach den zähen Gedankenstrom. Sie kaute gerade verlegen am Kugelschreiberende herum ... Kurze Unterbrechung? – Auch nicht schlecht! ..., Kam ihr gerade zupass, vielleicht lockerte das sogar ihre Blockade. Sie holte das Mobilteil aus der Ladeschale im Flur, schaute, während sie zum Schreibtisch zurückging, auf den kleinen Bildschirm und erschrak: *Hermann.* Oh Gott, jeden und jede, aber nicht den ... Der hatte ihr jetzt, ausgerechnet jetzt, gerade noch gefehlt. Sie könnte ihn wegdrücken oder kurz angebunden vorschützen, keine Zeit zu haben, gerade aus dem Haus gehen zu müssen, es warte jemand auf sie; sie könnte versprechen, sich später oder morgen zu melden etc., aber die Neugierde siegte schließlich. Ja, sie würde ihn bitten, sich kurzzufassen ...

„Ja, Algena hier!"

„Hallo Algena, hier ist Hermann, das ist ja schön, dass ich dich antreffe, du bist zu Hause?" Die vertraute Stimme Hermanns!!

„Hermann, du? ... Ja ..., zu Hause ..., ja natürlich ..., bin bisschen im Druck gerade, wenig Zeit. Was führt dich zu mir?" Algena bemühte sich mit zitternder Stimme um einen konzilianten, aber knapp gefassten Ton.

„Will dich nicht aufhalten, nur ganz kurz, äh ..., sag mal ..., ich weiß, ist sehr kurzfristig, aber hat sich halt so ergeben – hättest du morgen am späten Nachmittag oder am Abend Zeit? Ich werde nur eine Nacht in

München sein. Wir könnten zusammen Abendessen oder wenigstens in ein Café in der Innenstadt gehen, du weißt schon welches ..., waren wir schon öfters, was hältst du davon?"

In Sekundenschnelle ratterten weitausholende Gedankenbäume durch ihr Hirn. War schon eigenartig: Von all den Männern, die sie im Lauf der Zeit kennengelernt hatte, gabs zwei, die sich seit Langem unbeirrt für sie interessierten und dabei partout nicht lockerließen, obwohl sie keine Chance bei ihr hatten. Und warum? *Sie einte die Kleinigkeit Verheiratet-zu-Sein.* Der Tod aller romantischen Visionen. Absolutes Tabu für jegliche weiterführenden Vorstellungen, wie ihr Isabelle seit Langem mit drastischen Worten vor Augen führte.

Und was passierte jetzt gerade?? Während sie intensiv an der Erfüllung eines Versprechens arbeitete, dem einen brieflich endlich die Sinnlosigkeit seiner penetranten Werberei zu vermitteln, rief der andere an und wollte sich mit ihr treffen. Verrückter konnte ein Zufall wohl nicht passieren! Wenns nicht so ernst gewesen wäre, hätte man schallend lachen müssen ... Was tun?

„Du, das ist ganz schlecht morgen, da haben wir wichtige Kunden im Haus und ich komm erst später raus; die bleiben auch am Abend noch da, wir sind eingeladen von denen; und wenn das überstanden ist, dürfte ich fix und foxi sein, da will ich nur noch ins Bett!"

Algena flötete diese komplette Lüge salbungsvoll und wie geschmiert in den Apparat hinein. Nix Kunden, nix Abendessen, ganz normaler Tag und Abend morgen – aber sie hatte schlicht keine Lust auf Hermann – und vor allem im Augenblick ganz anderes im Kopf. Der begonnene Abschiedsbrief vor ihr auf der Schreibunterlage schaute sie vorwurfsvoll fragend an, wie lange er denn noch auf sie warten müsse.

„Ach, das ist aber schade, Algena, ich hätte dich so gerne getroffen, vor allem weil wir uns in wenigen Tagen, am elften Oktober vor genau zwei Jahren, kennengelernt hatten, erinnerst du dich?"

„Vor zwei Jahren? Ja, stimmt ... so lange ist das schon her ...," Algena dachte eher mit Grausen daran, was da alles aus ihrer Sicht an Frust mit ihnen beiden, vor allem bei ihr zwischenzeitlich passiert war. „... ändert aber nichts an der Sachlage, Hermann, es geht nicht, tut mir leid, ist halt so", antwortete Algena freundlich, aber kurz angebunden.

„In ein paar Wochen werd ich voraussichtlich eh wieder in München zu tun haben, dann ruf ich dich vorher beizeiten an, ja?"

„Ja, tu das, Hermann. Also dann …, tschüss!"

„Tschüss, Algena, schönen Abend noch, mmh …, was machst du gerade?" Hermann wollte wohl auch verbindlich bleiben, hoffte noch auf paar Minuten Unterhaltung.

„Ich? Ach, äh …, nix Besonderes. Hernach kommt ein Film auf ARTE, den werd ich mir anschauen." War auch gelogen (Hoffentlich fragt er nicht nach dem Titel …).

„Na dann, viel Spaß! Gute Nacht, Algena."

Anscheinend hatte er's bemerkt, dass es nix mehr würde mit Unterhalten.

„Gute Nacht."

Endlich aufgelegt, seufzte Algena. Na ja, war nur 'ne kurze Unterbrechung. Wurde immer schwieriger mit dem Mann. Erotische Liebe, vor allem wenn sie einseitig ist, und normale Kumpel-Freundschaft gehen einfach nicht zusammen, passen überhaupt nicht zueinander, im Gegenteil, sie führen bei ihm zu Frust und enttäuschten Erwartungen und bei ihr zu schlechtem Gewissen, weil sie seine Liebe nicht erwidern kann.

Zerstreut las sie den begonnenen Brief …, las die Anfangszeilen, las sie erneut, fand sie reichlich mühselig-künstlich formuliert, keine Spur von „schlagend" in den Argumenten …, so ein Blödsinn, jetzt gerade …, versuchte weiterzudenken …, keine Konzentration mehr möglich. So ein Mist, der hat mich völlig aus dem Konzept gebracht, resignierte sie genervt. Erneut die Zeilen … Und wie weiter hier? Oder besser gleich neu anfangen? Keine Chance. Ging nicht … Es kam nichts …, sie fühlte den aufkeimenden Ärger in blanke Wut übergehen: Endlich in Stimmung und durchgerungen für das kritische Schreib-Unterfangen an den einen, fuhr ihr der andere in die Parade und verhinderte, dass der Erste schon mal in den Orbit geschossen werden konnte. Verdammter Mist! Wütend packte sie die

Schreibutensilien wieder zusammen, keilte den ganzen unvollendeten „Vorgang" angewidert und unsanft in die obere Schreibtischschublade hinein, knallte die mit grobem Schubs in das Möbel zurück, rauschte in die Küche und schnappte sich die angefangene Rotweinflasche von vor zwei Tagen, ging ins Wohnzimmer, suchte die TV-Fernbedienung, zappte herum, ließ sich ein...zwei Stunden berieseln, bis die Augen schwer wurden. Auf irgendeinem Sender schaute es nach Krimi aus, gerade lief eine dramatische Bedrohungsszene mit einer Pistole ..., kurzer Blick ins Programmheft: Eine Krimikomödie sei das. Algena ließ den Film laufen, obwohl schon ins letzte Drittel fortgeschritten. Und erinnerte sich: Hatte sie nicht genau solche Szenen vor etwa einem Jahr mal fiktiv nachgespielt – mit einem echten Revolver, in dessen Besitz sie auf ziemlich verrückte Weise gekommen war? Seither lag der unberührt in der untersten Schublade des Sideboards, auf dem nach wie vor das Bild Philipps stand und seit einiger Zeit daneben seine saubere Freundin Laura. – Wie locker sie das inzwischen aussprechen konnte, wunderte sie sich über sich selbst.

***

Während Algena eher zerstreut der laufenden nicht sonderlich fesselnden Krimikomödie folgte, ging ihr Hermanns unglücklich getimter Anruf nicht aus dem Sinn und Gedanken schwirrten in ihr herum, wie das denn mit ihm und ihr weitergehen sollte und ob überhaupt: „Da muss auch eine endgültige Entscheidung her – wie bei Harry. Das Problem 'Hermann' ist eine völlig andere Baustelle. Trotzdem: Auch eine. Also zwei dringende Abfuhren hab ich durchzuziehen", dachte sie unemotional kalt berechnend und wusste was zu tun war: „Es muss ein Ende haben mit beiden! Ja, Hermann ist attraktiv, spendabel und man kann sich über Gott und die Welt mit ihm unterhalten, das wars dann aber auch schon. Wohl deshalb hab ich bis jetzt bei den meisten Treffen, die er wünschte, zugesagt", rekapitulierte sie etwas verdrießlich. Ihr Verhältnis zu Hermann war inzwischen klar: Erotisch war es von ihrer Seite her mausetot, aber leider nicht von seiner.

Algena ließ ihren Gedanken freien Lauf und dachte sich in frustrierte Zeiten zurück: „Warum nur ist der denn damals in Grünwald auf meine versteckten Zeichen nicht eingegangen – als erfahrener Mann … Er hat doch in meinem Gebaren, meinem Verhalten, ja sogar Aussagen lesen können wie in einem offenen Buch und meine Bereitschaft erkennen können, und als echter Mann eigentlich darauf eingehen müssen. Stattdessen diese verdammten Skrupel, dieses unsägliche, vor allem unnötige Verantwortungsbewusstsein. Jeder andere Mann hätte sich auf ein Abenteuer mit mir eingelassen in einer solchen Situation – weil die Liebe sich auch von sich bietenden Gelegenheiten entzünden lässt und solch fadenscheinigen Begründungen, die er ins Feld geführt hatte, verständnislos gegenübersteht."

Damals hätte ziemlich sicher ein Liebesverhältnis zwischen ihnen beginnen können. Ob es sich hätte entfalten können, war jetzt eine völlig müßige Frage. Stellte sich nicht mehr. Tempi passati!

Aus und vorbei! Die Zeiten hatten sich radikal geändert. Algena bekräftigte sich selbst gegenüber, diesem absurden Spiel schnellstens ein Ende bereiten zu wollen.

***

Am zehnten Oktober, ihrem vierunddreißigsten Geburtstag, einem Sonntag in diesem Jahr, traf sie sich nur mit Isabelle und Georg im Stadtzentrum zum Abendessen. Sie hatte keine Lust auf Feiern zu Hause. So hübsch und solide wie einst sah es bei ihr immer noch nicht aus, trotz Ernas tätiger Mithilfe neulich. Sie schämte sich vor ihrer korrekten Freundin wegen der Unordnung. Außerdem befürchtete sie Harrys telefonische Geburtstags-Schalmaiengesänge und müsste ihm womöglich erklären, diesmal nicht groß zu feiern und warum nicht und und und. Besser, nicht zu Hause zu sein oder, falls er tagsüber anriefe, einfach nicht abzuheben.

Fröhliche Glückwünsche. Mit Isabelle und Georg wars immer lustig und entspannt. Vor einem dreiviertel Jahr hatten die beiden geheiratet und sie kamen auf das damalige tolle Fest zu sprechen. Algena betrachtete gelegentlich verstohlen neugierig Isabelles Gesicht (sie sollte es nicht merken…). Das jugendlich unbekümmerte schien einem fröhlichen, wenn auch ernsthafteren, weitsichtigeren Blick, ihr Inneres reflektierend, gewichen zu sein. Ungewohnt fand Algena das bei der stets unbeschwert locker-flockigen Isabelle. Die Lösung vermeldete Isabelle aber bald selbst: Sie werde im nächsten zeitigen Frühjahr Mutter, sei im vierten Monat schwanger und genau hingeschaut, würde man ihr kleines Bäuchlein schon bemerken, schmunzelte sie. Aha, dachte Algena, alles klar. Wie doch beginnende Mutterschaft eine Frau subtil verändern kann!

Natürlich hatten die beiden Pläne. Vor allem ein Umzug in eine größere Wohnung war dringend geboten.

„Und würdest du denn dann zu Hause bleiben?", erkundigte sich Algena neugierig.

„Natürlich, jedenfalls die ersten zwei…drei Jahre und dann käme ja vielleicht noch eines …" Und meinte weiter, zum Glück nicht an ihrer Berufstätigkeit als Sekretärin und schon gar nicht an der Speditionsfirma zu hängen. Sei letztlich doch immer das gleiche, wenig Abwechslung und beruflichen Aufstieg gäbs auch keinen, dazu sei die Firma viel zu klein. Vielleicht in fernerer Zukunft mal einen Halbtagsjob …

„Im Moment jedenfalls ist mein Kind im Bauch das Wichtigste. Die beiderseitigen Großeltern sind ganz aus dem Häuschen", erzählte sie engagiert.

Algena hörte aufmerksam zu, weil ihr hier jede Erfahrung fehlte. Sie hatte mal gehört, wenn ein Kind, zumal das erste, auf die Welt gekommen ist, würden angeblich auch die Karten der Paarbeziehung neu gemischt werden. Das ginge meistens gut, aber es könne passieren, dass der angehende Vater es nicht immer leicht verkrafte, vermeintlich ins zweite Glied geschoben zu sein, weil das neue Kind, vor allem solange es noch Baby sei, die volle Aufmerksamkeit der Mutter in Anspruch nehme und er als Ehemann das Nachsehen habe. Da müssten aber alle jungen Eltern durch, hieß es.

Auch dieser Abend ging zu Ende – es durfte eh nicht spät werden, morgen früh war Montag und sie mussten alle wieder raus. Algena wünschte ihrer Freundin aufrichtig alles alles Gute und bot ihr jede Hilfe an, wenn sie sie mal brauche, weil Georg doch öfters geschäftlich verreist sei.

Nachdenklich fuhr sie nach Hause, um später im Bett vor dem Einschlafen fast krampfhaft den Spagat zwischen mitfühlender Freude für die Freundin und dem Frust über ihre eigene Lage, in der sich so gar nichts weiterentwickele, zu bewältigen. Sie wollte diesen inneren Zwiespalt nur noch so rasch wie möglich wegschlafen.

***

Als sie am Montag spätnachmittags vom Atelier wieder nach Hause kam, stand vor ihrer Korridortür ein wunderschöner Rosenstrauß. Ein Fleurop-Mitarbeiter musste ihn bei Helmstedts in der Wohnung unter ihr abgegeben haben und die hatten ihn in eine Vase gesteckt und vor ihre Wohnungstür gestellt. Rosen nachträglich zum gestrigen Geburtstag? Wer könnte das sein? Die beigelegte Karte mit einem stilisierten Herz darauf löste das Rätsel: *"Zum zweijährigen Jubiläum unseres Kennenlernens in der Waldwirtschaft Großhesselohe! Alles Liebe, Hermann."*

Algena war platt! Wann hatte sie das letzte Mal so wunderschöne Blumen, ja Rosen, geschenkt bekommen? Ja, manchmal beschenkten Männer vor einem gemeinsamen Abendessen sie mit einer einzelnen Rose, das schon, aber ansonsten? Dürfte Jahre her sein …, ja, natürlich von Philipp – und nicht nur einmal. Er hatte sie geliebt und das mit Rosen gezeigt, aber es war eben nur das gekonnte Ablenkungsmanöver eines gerissenen Casanovas …

Ungläubig betrachtete sie den großartigen Strauß, wusste nicht, was dazu sagen oder denken. Auf den Couchtisch gestellt, beherrschte die feuerrote Pracht das ganze Wohnzimmer. *Zwei Jahre …?* Stimmt, damals am Samstag in der Waldwirtschaft Großhesselohe, einen Tag nach ihrem zweiunddreißigsten Geburtstag hatte sie ihn kennengelernt und sich nach dem Opernbesuch bald darauf rettungslos verliebt in diesen distinguierten, reifen Mann; reichlich kopflos, ohne viel nachzudenken, musste sie sich heute eingestehen. Damals lebte er in Trennung …, aber leider nicht so endgültig, wie sie das gerne gesehen hätte, weshalb sie sich die Konsequenz dieser Unklarheit sträflich kleinredete, um nur ja nicht ihre rosarote Verliebtheit hinterfragen zu müssen oder gar Zweifel aufkommen zu lassen. Die aber wären dringend geboten gewesen, denn so ritt ihre unüberlegte Gefühlsseligkeit sie immer tiefer in eine trügerische Bindung an diesen Mann hinein, den sie ja damals noch gar nicht richtig kannte, ja sie war geradezu abhängig geworden, hatte Isabelles Warnungen mit leichter Hand vom Tisch gewischt. Die Enttäuschung in Grünwald war zwar ein erster deutlicher Dämpfer für ihre Visionen mit ihm, aber erst als er bekannt hatte, zu seiner Ehefrau zurückgekehrt zu sein, fiel ihr mentales Kartenhaus endgültig in sich zusammen und damit alle verbundenen Träume. Nicht auf Isabelle gehört zu haben, war ein schwerer Fehler gewesen, wie sie heute wusste.

Die Rosen betrachtend, ihr liebevoll-einschmeichelndes Rot, Intimität erheischend ..., ließ sie dann doch kurz in ihren Gefühlen schwanken – Blumen können suggerierende Wirkung ausströmen. Ja damals ..., schmerzlich erinnerte sie sich ihres heißen Verlangens nach ihm …

Die anfänglich warmweiche Erinnerungsstimmung wich rasch aufsteigendem Unbehagen, bald in Ärger übergehend über die heutige Uneinsichtigkeit dieses Mannes: Sag mal, hat der 'nen Knall? Was soll denn das jetzt noch? Begreift der denn gar nichts? Scheint nicht im Entferntesten ihr Verhalten in den letzten paar Treffen richtig gedeutet, richtig reflektiert zu haben! Damals hatte er ihre Bereitschaft ignoriert, jetzt, inzwischen, ihre emotionale Distanz zu ihm … War sie in jüngster Zeit insgesamt womöglich doch zu unvorsichtig gewesen, war zu offenherzig mit Komplimenten auf ihn eingegangen? Hatte sie damit versehentlich ein Faible für ihn vorgetäuscht, was es längst nicht mehr gab? Da müsse sie künftig wesentlich besser aufpassen, sagte sie sich: Keine noch so unscheinbare Zuwendung mehr rauslassen, die fälschlich als *liebevolle Zuneigung* gedeutet werden könnte. Was will der eigentlich von mir? Er ist mit seiner Frau wieder zusammen …, will er mich als Liebchen in der fremden Stadt „halten", sozusagen als unverbindliche Freundin, über kurz oder lang auch im Bett? Es ist stets aufs Neue irritierend, dass sich ansonsten gescheite Männer in Gefühlsdingen so irren können, so wenig die Zeichen (ob positive oder negative) deuten können und einen Fehler nach dem anderen begehen.

Dieser Mann, der damals auf sie einen so überlegenen Eindruck gemacht hatte, der sie gekonnt in die Enge, beinahe in den emotionalen Abgrund getrieben hatte, der sie – heute sah sie's so – praktisch bloßgestellt, sie herausgefordert hatte bis zur faktischen Unterwerfung, also offenem Bekennen ihrer Liebe zu ihm –, hatte sie dann, als er auf ganzer Linie gewonnen hatte, trotzdem verschmäht und das ihm zu Füßen liegende Geschenk, nämlich sie, nicht angenommen, was sie neben der grenzenlosen Enttäuschung damals heute als eine ihrer größten Niederlagen empfand.

Und *der* schickte jetzt Rosen?? Sie nahm den Strauß und stellte ihn in die Küche. Im Wohnzimmer hatte der nichts verloren.

Sie beschloss, das nächste Treffen mit Hermann dazu zu nutzen, ihm unmissverständlich klar zu machen, dass sie sich trennen müssten. Endgültig.

Algena musste nicht lange warten. Hermann hatte ja bei dem kurzfristig gewünschten Treffen angekündigt, in den nächsten Wochen wieder nach München zu kommen.

Schon Ende der Woche simste er.

„Liebe Algena, ich werde vom Mittwoch, den 27. bis Freitag, den 29. Oktober wieder in München sein. Wir könnten uns also am Mittwoch oder Donnerstag treffen und gemeinsam Abendessen gehen. Gib mir Bescheid, welcher Tag Dir besser passt. Alles Liebe, Hermann.“ Diesmal hatte er tatsächlich länger vorausgeplant: Ende Oktober also! Ist noch gut zwei Wochen hin. Wollte sie überhaupt? Neulich für den kurzen Kaffee hatte sie keine Lust gehabt. Diesmal regte er eine Abendeinladung an, von ihm womöglich wegen des Sich-jetzt-zwei-Jahre-Kennens“ superromantisch gestaltet. Nein, das nicht. Geht gar nicht. Für abends müsste sie absagen. Bei einer knappen Kaffeestunde war ihr Anliegen noch am ehesten rüberzubringen. Sie simste ihm zurück, dass die beiden Abende leider schon belegt seien.

Am Mittwoch, den siebenundzwanzigsten Oktober sei sie eingeladen, da könne sie unmöglich absagen und am Tag darauf, dem Donnerstag, in den Kammerspielen mit ihrer Freundin. Die Karten seien längst gekauft.

Aber ein begrenztes Kaffeestündchen an eben diesem Donnerstag z.B. schon ab halb vier Uhr wäre drin. Sie würde die Arbeit 'ne Stunde eher beenden, da hätten sie dann bis etwa achtzehn Uhr Zeit.

Die Abendtermine waren die reinste Lüge, in einer SMS völlig gefahrlos anzubringen. Sie wollte keinesfalls ein „romantisches Abendessen" mit ihm.

Hermann bedauerte ihre Absage zu tiefst, bestätigte aber den Kaffee-hausbesuch. „In unserem Café" meinte er jovial in seiner Antwort-SMS, ihre Vertrautheit betonend.

***

In den folgenden zwei Wochen ging sie ihren Geschäften nach und ver-suchte, so wenig wie möglich über dieses Treffen mit Hermann nachzuden-ken. Sie wusste, dass ihr Anliegen schwierig rüberzubringen war, wollte sich aber nicht schon vorher zu sehr konditionieren. Es sollte laufen, wie es sich selbst entwickelte. Es müsste nur die entscheidende Aussage am Ende rauskommen, egal wie.

An besagtem Donnerstag richtete sie es so ein, dass sie ein paar Minuten früher da war, um das Heft des Handelns so weit wie möglich bei sich be-halten zu können. Pünktlich erschien Hermann im dunklen Geschäftsanzug mit auffallend gemusterter Krawatte elastischen, dynamischen Schrittes im ersten Stock des Cafés, sah Algena und ging freudestrahlend auf sie zu. Ein groß gewachsener attraktiver Mann, zweifellos. Algena bemühte sich um äußerste Konzilianz, stand auf, begrüßte ihn per demonstrativem Hand-schlag, um die für ihn obligatorische Umarmung gleich mal mehr oder we-niger geschickt abzuwehren, genauer, nur Ansätze zuzulassen. Er setzte sich recht salopp über ihre leisen Widerstände hinweg, auch wenn er spüren musste, dass es Algena unangenehm war. Während seiner Umarmung ver-mied sie aber, indem sie ihr Gesicht dezent deutlich zur Seite neigte, dass sein Wangenkuss allzu innig ausfallen konnte. Um die Situation zu über-spielen, signalisierte sie ihm zugleich, sich über sein Kommen zu freuen. Hermann, leicht irritiert, aber gefasst, setzte sich und sah sie kurz indigniert an, ging aber sofort zur Tagesordnung über, erkundigte sich nach ihrem Befinden, bedauerte, dass sie so in Hetze sei und und und.

Er ließ es sich nicht nehmen, zwei Prosecco zu bestellen, orderten für sie Kaffee, er bevorzugte Earl Grey Tee (wie üblich), dann wählten sie gemeinsam jeder ein Tortenstückchen am Buffet aus. Noch bevor sie sich wieder setzten, dankte Algena ihm für den wundervollen Rosenstrauß.

„Dass du daran gedacht hast, dass wir uns am elften Oktober exakt vor zwei Jahren begegnet sind – unglaublich."

„Nicht der Rede wert, liebe Algena, ich wollte dir eben eine Freude machen und hoffe, das ist mir gelungen."

Algena dachte an ihre beabsichtigte Mission und ihr „Na klar ist dir das gelungen!" kam deutlich weniger euphorisch rüber, als es Hermann vielleicht erwartet hatte.

Der Ober brachte den Prosecco, anschließend Kaffee und Tee sowie die bestellten Torten und entzündete die kleine Kerze, ein Teelicht im Glas, das nebst einem kleinen Sträußchen künstlicher Herbstastern den Tisch schmückte.

Hermann nahm mit seiner Rechten das Proseccoglas, animierte sie, das nämliche zu tun. Seine freie Hand legte er zartfühlend auf ihre freie linke. Ganz offensichtlich suchte er Verbundenheit. Algena ließ es zu.

„Komm, Algena, trinken wir auf zwei Jahre Freundschaft."

Sie stießen an, er schaute ihr erwartungsvoll in die Augen, seinen Oberkörper ein wenig über den Tisch gebeugt. Sie wusste genau was er wollte …, den kleinen Freundschaftskuss über den Tisch hinweg. Es kostete sie durchaus Mühe, dieses schon so oft in ähnlichen Fällen praktizierte Verhalten diesmal zu unterlassen, zwang sich dazu, wollte es nicht. Weil es partout nicht zu dem eigentlichen, dem schwierigen Thema, das es zu besprechen galt, passte. Nicht mal einen nur angedeuteten Kuss wollte sie, denn hätte sie sich dazu hergegeben, würde sie *hernach* bei dem heißen Eisen, das es zu schmieden galt, völlig unglaubwürdig erscheinen. Kam deshalb nicht in Frage. Hermann spürte ihre Zurückhaltung, wich erkennbar enttäuscht zurück, konnte es kaum verbergen, aber überspielte es umgehend mit einem anderen Thema … Er hatte sich im Griff.

Hermann hatte immer etwas Interessantes zu erzählen, von seiner Arbeit, von früheren Urlaubsreisen, von seinen Plänen, soweit sie unverfänglich waren, manchmal gings auch um aktuelle Politik und Wirtschaft. Dieser gesetzte Mann sprach echt gut und fesselnd, auch mit angenehmer Stimme. Sie hörte ihm gerne zu. Kurz erinnerte sich Algena daran, wie sie Philipp vor vielen Jahren kennengelernt hatte. Der war damals viel jünger als Hermann, war ebenfalls Meister guter Unterhaltung und strahlte Weltläufigkeit aus – wie Herrmann hier und jetzt. Algena wusste seit Langem, solche Eigenschaften an Männern zu schätzen, aber es sollte eben nicht sein: Hermann war verheiratet, Schluss mit Träumen.

Wenn sie dann von sich erzählte oder auf seine Fragen einging, hing er geradezu an ihren Lippen, trank gewissermaßen alle ihre Worte aus ihrem Mund. Unschwer dies festzustellen, beunruhigte sie diese seine Verehrung für sie. Genau das war's, was sie nicht mehr wollte, was nicht mehr sein durfte!

Verstohlener Blick auf die Uhr. Die Zeit zerrann, sie musste ihr Anliegen anbringen.

„Lieber Hermann", unterbrach sie den laufenden Redefluss, „wir haben noch ein ganz anderes Thema zu besprechen!"

Algena schluckte. Es war ihr peinlich, aber es musste sein. Jetzt oder nie. Sie würde alle Kraft brauchen für ihre Argumentation, das spürte sie schon bei ihren ersten Worten.

„Ja?" Hermann ahnte mitnichten, was da kommen würde …

„Hermann, du bist ja nun schon seit Längerem wieder zu deiner Frau zurückgekehrt, nicht wahr? Hast du dir eigentlich seither nie Gedanken darüber gemacht oder dich gefragt, was es bedeutet – für dich, aber eben auch für deine Frau, deine Ehe, und auch für mich, ja, auch für mich", betonte sie wiederholend, „dich auf deinen Dienstreisen nach München regelmäßig und vor allem sehr engagiert mit einer jungen ledigen und, ja, hübschen Frau zu treffen?"

Algena versuchte vorsichtig zu formulieren, war sich bei dem recht gewandten Mann nicht sicher, wie der reagieren würde … Sie wollte ihn behutsam mit diesem kritischen Thema konfrontieren. Was sie erreichen wollte, hatte sie ja noch gar nicht ausgesprochen.

„Achsooo, *darauf* willst du raus", lachte Hermann, „also …, wo soll da ein Problem liegen? Versteh ich nicht, ich seh da keines, da musst du schon deutlicher werden. Wenn man Bekannte hat in einer anderen Stadt, ists das Normalste, dass man sich mit denen auch mal trifft, oder? Egal ob die jung oder alt sind, ob Mann oder Frau, auch egal ob öfters, oder nur alle heiligen Zeiten."

Algena erkannte seine unbewusste Strategie, die er, wohl ohne viel nachzudenken, anwendete: Er stellte sie als normale, problemlose Bekannt-schaft hin. Wenns denn so wäre – aber genau das war sie eben für ihn nicht, das blendete er aus. Sein bisheriges Verhalten sprach Bände.

„Mein lieber Hermann", begann Algena sehr persönlich werdend, um die Überraschung für ihn sanft zu konkretisieren und verdaulich zu machen. „Soweit ich weiß, hat deine Frau nicht die geringste Kenntnis davon, dass es mich gibt, um das mal vorsichtig auszudrücken. Und gerade deshalb: Muss ich dich denn wirklich daran erinnern, dass ich für dich eben absolut nicht nur die *normale Bekannte* bin, sondern sehr viel mehr. Du signalisierst mir das seit Langem!"

Hermann schaute ihr jetzt direkt und ziemlich unverfroren kühl ins Ge-sicht.

„Was signalisiere ich dir seit Langem? Dass ich dich gerne sehe, dich gerne treffe, mich mit dir gerne unterhalte …, dir gelegentlich Blumen mit-bringe? Sorry, ich dachte immer, Frauen freuen sich, wenn man ihnen Ehre, vielleicht sogar Verehrung entgegenbringt, oder nicht? Was soll da dran schlecht sein? Algena, ich versteh immer noch nicht, wo du da ein Problem siehst!"

Algena war beunruhigt und fasziniert zugleich. Hermann ließ sich nicht so einfach einschüchtern, gar aus der Ruhe bringen! Unglaublich, wie der seine Rolle, und ihre gleich mit, dahingegen instrumentalisierte, ihr einzu-reden, dass Männer seiner Meinung nach bei einer attraktiven Frau so wie er reagierten, und dass das nichts Besonderes sei. Der saß dem gar nicht so selten männlichen Trugschluss auf, vordergründig Coolness zu signalisieren, aber hintergründig an nichts anderes zu denken, wie man sie am besten „rumkriege". Es war die gewisse Frechheit in seiner Erklärung, die sie bewunderte, aber eben zugleich fürchtete, was ihn zu einem ernst zu nehmenden Gegenspieler machte. Ungemein männlich wirkte er, keine Frage! Dieses grundsätzliche Verhalten kannte sie zur Genüge. Hermann machte da keine Ausnahme, er war höchstens weniger plump als andere direktere Typen. Ich muss wohl wesentlich deutlicher werden, ahnte Algena besorgt, ihm vor allem rüberbringen, *wie's mir geht* bei der ganzen Angelegenheit. Das scheint er überhaupt nicht einzubeziehen.

„Hermann, du bist nicht ehrlich mit dir, oder willst es nicht sein. Ich will jetzt nicht unsere ganze Geschichte seit zwei Jahren wiederholen, da gabs alle möglichen Regungen sowohl bei dir wie bei mir. Aber du wirst doch nicht abstreiten, dass du mich seit Langem heftig umwirbst, unerklärlicherweise deutlich mehr, ich bin versucht zu sagen, aufdringlicher, seit du zu deiner Frau zurückgekehrt bist. Spürst du denn wirklich nicht meine Zurückhaltung seither? Dieser fundamentale Zwiespalt beengt mich kolossal, macht mir zu schaffen. Kannst du das nicht verstehen?"

„Unsinn, Algena, was soll der Unsinn! Natürlich hab ich ein Faible für dich, was ist da schon dabei? Ja, ich seh dich eben gerne, du bist eine attraktive, gescheite Frau, mit der man sich gerne zeigt, egal wo. Mit meiner Ehefrau hat das überhaupt nichts zu tun! Und dass es bei jeder Freundschaft *Aufs und Abs* geben kann, ist auch normal, oder? Deine Zurückhaltung versteh ich auch nicht. Gegen was soll die gehen? Was ist gegen liebevolle Umarmung einzuwenden oder gegen einen kleinen Kuss? Ich glaube, du hast dich mit deinen angeblichen Befürchtungen ziemlich verstiegen! Ich denke, wir sollten diese seltsame Diskussion hier beenden, meinst du nicht?"

Erstmals sah Algena ihre Argumentationsfelle schwimmen. Der Mann war schwer zu packen, weil er zum einen nicht einsichtsfähig war, oder es nicht sein wollte, und weil er geschickt versuchte, sie und ihre Argumente zu zerpflücken, geradezu als lächerlich abzuwerten. Ihre Gefühle betrachtete er damit reichlich geringschätzig als verstiegene Randerscheinungen. Sind sie aber nicht, im Gegenteil, widersprach sie innerlich energisch. Sie sind das Wichtigste, das Allerwichtigste! Der nimmt mich einfach nicht ernst! Algena begann innerlich leicht zu köcheln. So nicht, Hermann, so nicht, wirklich nicht! So kommst Du mir nicht davon! Algena setzte ein deutlich strengeres Gesicht auf und verlieh ihrer Stimme einen schneidenden Tonfall.

„Das ist kein Unsinn, Hermann, absolut keiner. Ich merke, ja ich spüre und bin mir sicher, dass du in mich verliebt bist, niemand weiß das besser als du selbst, warum gibst du das nicht einfach zu? Und dass du es am liebsten sähst, wenn ich deine heimliche Münchner Geliebte wäre, mit der man alle paar Wochen zusammenkommen und, ja auch das: gelegentlich das Bett teilen könnte. Das ist wesentlich mehr als bloß ein Faible für mich zu haben ..." Algena atmete tief aus.

So, jetzt wars raus, endlich, und in aller Deutlichkeit. Jetzt brauchte sie das nur noch so weit vertiefen, dass keine Widerrede mehr möglich war. Er wollte antworten, sie unterbrechen, aber Algena bedeutete ihm gebieterisch, sie ausreden zu lassen und fuhr umgehend fort:

„... mag ja alles angehen, ist dein Vergnügen, dir das zu wünschen, aber ich kann, will und werde nicht deine Geliebte spielen, Hermann. Es geht nicht, so ein Typ Frau bin ich nicht! Wenn du dich damals endgültig von deiner Frau getrennt hättest, und bald darauf als Geschiedener solo herumgelaufen wärst, hätte unsere Bekanntschaft möglicherweise einen ganz anderen Verlauf genommen. Darüber denk mal nach, bevor du hier alles ins Nebensächliche, Banale runterzuspielen versuchst!"

Sie war mit ihrer Argumentation sicher zum Kern ihres Anliegens gekommen. Und Hermann reagierte auch entsprechend.

Er war während ihres längeren Plädoyers merklich stiller geworden, stierte unbeweglich vor sich hin. Als hätte er begriffen, dass Algena ihn an seinem wunden Punkt erreicht hatte. Er zog kurz die Schultern hoch, wollte ansetzen zu antworten, unterließ es dann aber ...

Minutenlange unheil-schwangere Pause. Jeder starrte auf sein Kaffeegedeck und widmete sich, in sich gekehrt und ohne große Begeisterung, seinem Kuchenteller. Gespenstische Stille an ihrem kleinen Tisch. Die kleine

438

Vase mit den lila Herbstastern und das romantisch brennende Teelicht in seinem bauchigen Glas kontrastierten gewaltig zu den inneren Stimmungen und Spannungen der beiden. Übliche Caféhaus-Geräusche gewannen die Oberhand, gedämpftes Stimmengewirr, dazwischen leises Kaffeetassengeklapper, geschmeidig die Tische umrundende Bedienungen, unentschlossen umherblickende neue Gäste ..., all das überspielte die Peinlichkeit ihrer Nicht-Unterhaltung, die Algena schließlich erneut unterbrach:

„Hermann ..., damals in Grünwald ..., als wir uns verabschiedeten, erinnerst du dich? Hattest du wirklich nicht meine grenzenlose Enttäuschung bemerkt? Du bist doch der perfekte Beobachter, wie ich inzwischen längst weiß, deshalb ist mir das bis heute ein Rätsel!" (Den Grund für seine ihr völlig unverständliche Abweisung erwähnte sie taktvollerweise nicht, wäre auch zu plump.) Sie forschte fragend in seinem Gesicht – es blieb unbeweglich. "Egal, jetzt ists wie's ist. Dein sogenanntes *Faible für mich* mag an diesem Abend ja trotzdem geboren worden sein, nur war das dann zu spät und seitdem deine häuslichen Verhältnisse wieder geklärt sind, ist mir das einerlei geworden. Kannst du das nicht nachvollziehen? Ich gehöre nicht zu den Frauen, denen es, wenn sie unsterblich verliebt sind, weil sie Feuer an einem Mann gefangen haben und ein Verlangen nach ihm verspüren, egal ist, ob der Angebetete verheiratet ist oder nicht. Ich will und brauche saubere, klare und sichere Verhältnisse. Verheiratete Ehemänner sind absolut tabu für mich."

Unmerklich, aber ihr eben doch hintergründig bewusst, spürte sie die leichte Brüchigkeit ihrer Argumente. Klare Verhältnisse? Das schon, und das Tabu galt auch, auf jeden Fall, aber sie kannte sich, sie kannte ihre eigene innere Schmerzgrenze, wusste, dass sie nicht unbedingt die Superstabile war, die sie gerade gegenüber Hermann zu mimen imstande war. Ja, im Tiefsten wusste sie auch um *ihre* Labilität (kurz schweiften ihre Gedanken ab zu Harry, dem ebenfalls Verheirateten ...).

Nach diesen kristallklaren Worten und Gedanken schien Hermann zu resignieren und geradezu kleinlaut leise quälte sich die naheliegende Frage über seine Lippen. Eine Frage, der er nur allzu gerne ausgewichen wäre, aber Algena war nicht zu bremsen gewesen.

„Und wie hast du dir vorgestellt, unsere Freundschaft, jetzt wohl eher Bekanntschaft, künftig weiter zu gestalten …, falls du das überhaupt willst, liebe Algena?"

Algena registrierte zufrieden den Aufwind, merkte aber zugleich, jetzt ungemein feinfühlig sein zu müssen. Der grobe, alles erschlagende Vorschlaghammer wäre sicherlich genauso verkehrt wie ein halbseidener Rückzug bzw. Relativierung ihrer Vorstellungen. Es lag an ihr, eine klare Linie zu definieren, mit der sie leben konnt, und letztlich auch er. Algena gab sich erst mal diplomatisch, ohne ihr Ziel zu verraten.

„Ja, das ist eine gute Frage, Hermann. Ändern muss sich was in unserer Beziehung, und zwar deutlich und nachhaltig, aber was? Ganz ehrlich gesagt: Die sauberste, klarste Lösung wäre natürlich die endgültige Trennung, was hieße, uns nicht mehr, nie mehr, zu sehen. – Ja, ich seh's an deinem bekümmerten Gesicht, wie sehr dich das treffen würde."

Hermann war bei ihren letzten Worten tatsächlich bleich geworden und rang nach Worten, Alternativen oder wenigstens Antworten zu einer finalen Trennung. Er klang reichlich kläglich:

„Das kann doch alles nicht dein Ernst sein, Algena, wir haben eine so gute Freundschaft entwickelt, haben schöne unterhaltsame Stunden miteinander verbracht …, ja, ich gebs ja zu, in dir mehr, wesentlich mehr gesehen zu haben, als nur eine gute Bekannte, aber…"

Algena unterbrach ihn freundlich, aber bestimmt.

„Doch, Hermann, es ist mir wirklich ernst damit, sehr ernst sogar, glaubs mir! Falschen bzw. unpassenden Gefühlen in unserer neuen Beziehung dürfen wir uns nicht mehr hingeben."

Erneut unheilvolle Stille an ihrem kleinen Tisch. Die kleine Kerze flackerte bedeutungsvoll.

Algena widmete sich den Resten ihres Kuchens und trank ihren Kaffee aus. Hermann saß wie versteinert am Tisch, beachtete sie im Moment nicht. Er fühlte sich denkbar unwohl in seiner Haut. So hatte er sich dieses

Nachmittagsstündchen mit seiner Münchner Freundin im Traum nicht vorgestellt. Zweijähriges wollte er feiern mit ihr, es vielleicht mit einem liebevollen Kuss besiegeln … Alles perdu jetzt … Freundin? Durfte er jetzt nur noch „Münchner Bekannte" sagen, und selbst das mit Einschränkung? Er fühlte sich am Boden zerstört. Alle Träume zerstoben im Wind …

Algena übernahm erneut die Initiative.

„Ich mach dir 'nen Vorschlag, Hermann. Wir bleiben in Kontakt miteinander, mailen oder simsen uns gelegentlich, was es so Neues oder Interessantes gibt in unserem Leben, treffen uns alle paar Monate auf einen Kaffee so wie heute, und dann sicher ohne Problemdiskussionen. Die persönliche Nähe, so wie bisher, macht einfach keinen Sinn mehr. Versteh das doch bitte …"

Algena hielt kurz an und legte ihre rechte Hand auf seine linke und fuhr fort:

„… Hermann, ums noch mal zu sagen: Ich habe längst beobachtet, dass du dazu neigst, allein schon meine Präsenz in deiner Nähe als Zuneigung zu interpretieren und vor kaum verhohlener Freude – oder nenn es Genugtuung, von „Liebe" möchte ich jetzt nicht sprechen! – fast aus dem Häuschen zu geraten, als ob dir der Himmel wieder voller Geigen hänge".

Algena nahm ihre Hand wieder von der seinen, sah ihn durchdringend an und las in seinen Gesichtszügen geradezu sein inneres Aufgewühltsein.

„Das alles, diese Ambivalenz, diese Theaterspielerei auch von meiner Seite, darf nicht mehr sein, Hermann! Ich muss auch an mich denken, werde mich künftig vor unangebrachten, ungewollten Signalen an dich in Acht nehmen, damit ich nicht von dir welche bekomme, die mir dann nicht nur nicht gut, sondern sogar weh tun, weil ich sie abwehren muss. Wir müssen künftig ehrlicher zueinander sein und miteinander umgehen, gerade weil ich dich ja als guten Bekannten nach wie vor schätze. Hermann! Das ist's, was ich erreichen will, ja? Und noch mal: Ich kann und will nicht deine Geliebte spielen, kann und will dich nicht mal küssen …"

Algena holte tief Atem. So richtig die ganze Begründung war, so schwer fiel es ihr doch, das alles unumwunden und schnörkellos auszusprechen.

„… Und deshalb möchte ich dich nur noch von Zeit zu Zeit, aber nicht mehr jedes Mal, wenn du in München bist, treffen, und wenn, wie gesagt, dann nur zu einer kurzen Kaffeestunde, so wie heute. Und ich möchte, dass du diese Entscheidung respektierst, ohne Wenn und Aber, letztlich in unserem beiderseitigen Interesse."

Hermann hatte das lange Plädoyer nolens volens über sich ergehen lassen, sie hatte ihm keinerlei Einwand erlaubt, aber dann, nach ein paar Sekunden Schweigen, doch leise angemerkt:

„Was du mir da alles so gesagt hast, Algena …, also, sorry, aber da bleibt nicht mehr viel übrig für uns. Was macht dann unsere Bekanntschaft noch für einen Sinn?"

Algena frohlockte. Endlich stellte Hermann die richtigen Fragen. Da so gut wie alle Aktivitäten bzgl. Treffen bisher von ihm initiiert wurden, müsste er sich auf einen adäquaten neuen Modus Vivendi einstellen, der ihm und ihr und beiden gerecht würde. Wenns ihr zu viel wäre, dürfte es ihr ohne schlechtes Gewissen ein Leichtes sein, vorzuschützen, keine Zeit zu haben, egal ob das stimmte oder nicht. Musste sie nicht mal begründen.

„Welchen Sinn? Ganz einfach, den, der uns beiden gerecht wird und vor allem ehrlich ist. Du bist ein unterhaltsamer Mann und ich schätze dich deshalb und es tat mir, wie schon gesagt, regelmäßig in der Seele weh, deine Annäherungsversuche ein ums andere Mal abweisen zu müssen. Das muss ein Ende haben, Hermann, ehrlich! Ich will, darf und kann dir keine Zuneigungsshow mehr vorspielen. Man kann nicht *wollen müssen*!"

Hermann zuckte mit den Schultern, machte ein säuerlich verdrießliches Gesicht und rief den Ober zwecks bezahlen. Dass er Algena einlud, war selbstverständlich, damit hatte sie auch gerechnet.

Algena erhob sich. „Ich denke, wir solltens dabei bewenden lassen. Es ist alles gesagt", sie sah ihm bei diesen Worten freundlich ins Gesicht. Sie strebten beide dem Ausgang entgegen. Algena mit ihrem seidig-brünetten, langmähnigen Wallehaar, der schicken modischen Kleidung und ihrer vorteilhaften Figur, rauschte gleichsam durch die Tischreihen; er, der distinguierte Herr, knapp hinter ihr her.

Nun hab ich sie verloren, dachte Hermann resigniert und am Boden zerstört bei diesem anmutigen Anblick vor ihm. Dieser Cafébesuch wird ihn noch lange beschäftigen.

„Es ist nun doch kurz nach sechs geworden, hoffentlich kommst du noch rechtzeitig ins Theater, das wolltest du doch, mit deiner Freundin. Was werdet ihr sehen?"

Oh Gott, auf diese Frage war sie gar nicht eingestellt, denn das mit dem Theater war ja nur vorgeschoben. Lügen haben bekanntlich kurze Beine – nicht bei ihr, denn ihr gingen sie locker geübt von den Lippen.

„Ach, wir gehen in die Kammerspiele, dort wird Shakespeare gespielt, *Der Sommernachtstraum*, glaub ich, meine Freundin hatte eine Karte übrig und ich hatte zugesagt, aber mich nicht um Näheres gekümmert. Beginnt erst um zwanzig Uhr."

Mein Gott, der wird doch nicht heute Abend das Programm studieren, denn das hatte sie sich gerade mal flugs und überzeugend aus dem Ärmel geschüttelt.

„Na dann … Viel Spaß!"

Sie verabschiedeten sich freundlich, aber betont kühl, mit einer noch recht ungeübten linkischen Förmlichkeit. Nur ein Handschlag. An diese wunderbare warme, zart-weiche Algena-Hand würde er sich noch lange entsinnen … Es dürfte auf längere Zeit das letzte Treffen gewesen sein, befürchtete er. Ein gegenseitiger Blick in die Augen und das wars dann. Sie trennten sich, mussten unterschiedliche Wege nehmen.

***

Zu Hause angekommen (die Theaterlüge war längst vergessen), freute sie sich, dieses Treffen ihrer Meinung nach erfolgreich überstanden und gemeistert zu haben. Es hatte sie, eingestandenermaßen, ein wenig die Sorge geplagt, ihr Anliegen nicht klar genug rüberbringen zu können. Nun hatte sie nach ihrem schon längeren innerlichen Abstand zu ihm auch den seinen erzwungen, wie erfolgreich, würde sich weisen. Wenn alles gut verlief (was heißt, dass er einsichtig wäre), wars vorbei mit den oftmaligen Einladungen, vorbei mit den ihr als unangenehm empfundenen Annäherungsversuchen beim Begrüßen und Verabschieden samt ihrer inzwischen reflexartigen, ihr selbst peinlichen Abwehr. Sie würden sich deutlich seltener sehen und, mochte er rückfällig werden, würde sie's zu verhindern wissen – oder sich rar machen, oft absagen eben.

Sie fläzte sich auf ihre geliebte Couch im Wohnzimmer, draußen wars längst dunkel geworden. Die Uhr zeigte dreiviertel Acht. Für ihn weilte sie gerade im Foyer der Kammerspiele …, was solls?

Das tagsüber prachtvoll bunte Oktoberkleid der großen Ahornbäume in den Nebengärten zeigte sich jetzt am Abend nur noch als Schatten seiner selbst. Als erstes sind es die Farben, die bei fortschreitender Dämmerung zugunsten abgestufter Grautöne verschwinden. Jetzt, kurz vor acht Uhr abends begannen sie allmählich in gleichmäßiges sattes Schwarz überzugehen. Die Silhouetten der Bäume blieben aber erkennbar gegen die Lichtreste des tiefdämmrigen Himmels. Auch die Straßenlaternen sorgten für ihre fahlen Konturen. Dafür bildete sich ein rauschendes, mehr hör- als sichtbares Naturschauspiel, wenn bei jedem leisen Windstoß haufenweise Blätter durch die Luft stoben. Spätherbst eben, nur wenige Tage noch, dann würden die Bäume im nackten Winterkleid dastehen … Algena war guter Stimmung heute Abend, genoss das unbestimmte, aber deutliche Gefühl der Genugtuung, eine seit Längerem anstehende dringende Bereinigung in ihrem Leben, ein Problem-Date, überstanden zu haben. Heute wollte sie den Triumph über Hermann auskosten und wie ginge das am besten? Mit einem Schluck ihres geliebten Roten, auf sich selbst getrunken, mit sich selbst angestoßen. Aber sie wollte sich heute, gerade heute, vor dem „berühmten Glas zu viel" besonders in Acht nehmen. Hermann war im Grunde ein netter, ein angenehmer Mann – aber eben verheiratet. Keinerlei Vision für sie wie noch zu Anfang ihrer Bekanntschaft geglaubt und, ja, auch gehofft. Gelöst hatte sie sich von ihm innerlich schon länger, aber heute ihm das endlich offen gesagt, weil er's selbst nicht gemerkt hatte, wahrscheinlich gar nicht merken wollte.

Ja ja ja …, sie wusste …, – ein Schatten sprang durch ihr Gemüt – das war leider erst die halbe Miete. Denn da gabs noch einen, bei dem ihr dieses Kunststück gelingen musste, eine große, weil noch elementarere Herausforderung, die ihr alles abverlangen würde. Das ahnte sie nicht nur, das wusste sie nachgerade: Harry … Aber auch das würde sie noch schaffen, dachte sie euphorisch – und zog mal eben, mehr aus herausforderndem Übermut, die Schreibtischschublade auf. Die Wirkung war niederschmetternd: Das Corpus Delicti, der angefangene Brief, schaute sie frech und herausfordernd – ja vorwurfsvoll! – an, weckte umgehend ihr schlechtes Gewissen und ließ die eigentlich gerade vorherrschende Hochstimmung urplötzlich wie ein Kartenhaus in sich zusammenfallen: *Mist, blöder, ja, muss sein – ist ja gut, ja ja, keine Bange, mach ich schon noch – bald, na ja demnächst halt. Nur nicht gerade heute!* Wohlfeile Vorsätze: *Kommt auch noch dran, ganz bestimmt …, klar doch!* – Herzlos bugsierte sie die Lade mit energischem Schwung krachend wieder in das Möbel zurück.

Als ob die im Augenblick sich ins Möbel hineinknallende Schublade in ihrem Kopf produktive Gedankenblitze freisetzen würde, wurde ihr kristallklar: Erst wenn sie innerlich wieder völlig frei, ungebunden und unbelastet wäre, wenn also sowohl das Thema Hermann als auch das Thema Harry endgültig bewältigt sein würde und auch sonst wieder Gleichklang in ihrem Leben herrschte, könnte sie wieder Erfolg versprechend in die Zukunft sehen. Was sicher dann auch bedeuten würde, aussichtsreicher als bisher neue Männerfreundschaften eingehen zu können. Sie würde freier, offener sein können als bisher. Erst dann würde ihre fatale Grundbelastung weichen, die auch Isabelle nicht verborgen geblieben war, auch wenn die nicht alle Gründe kannte. Hermann war erledigt! Aber Harry leider noch nicht, genauer: noch völlig offen! Erst wenn dieses glühend heiße Eisen erkaltet wäre und endgültig den Weg auf den Schrottplatz der Gefühle gefunden hätte, dürften die unterschwelligen, unseligen Vergleiche aller neuen männlichen Anwärter mit ihm ausgedient haben, dürfte sein Schatten seine Macht über sie verloren haben, der alle ihre bisherigen Bekanntschaften über kurz oder lang, dem Fallbeil einer Gulliotine gleich, hingerichtet hatte. Es fehlt nur noch ein klitzekleiner Schritt bis dahin, aber der, das ahnte, ja wusste sie längst, düfte es insich haben, er würde ihr alles an Selbstüberwindung abverlangen, dessen sie fähig war. Sie müsste all ihre Selbstbehauptung aufbringen. Es musste sein!

Andererseits, mein Gott, das sollte doch zu schaffen sein, dachte sie plötzlich wieder euphorisch.

Algena bemerkte das Glatteis nicht, *auf dem sie ihre Abnabelungskür von Harry tanzte*: Es drohte der kapitale vernichtende Sturz. Die dramatische Handlung damals, sein Bild verbrannt zu haben, der mächtige Initiationsakt, anschließend mühelos den Brief verfassen zu können, war ihr zwar nach wie vor hoch bewusst – sie erinnerte sich an jede Einzelheit der damaligen späten Nacht und des frühen morgens – hatte aber seine imperative Kraft längst komplett eingebüßt. Die nicht hinterfragende Unbedingtheit war weg und damit der Elan, den dieses kraftvolle Ritual ausgelöst hatte.

Die Lösung des ganzen Themas *Harry* dauerte inzwischen schon so lange, dass es verdächtig danach ausschaute, als wollten sich in ihr im Unterbewusstsein ganz andere mentale Kräfte vor der finalen Konsequenz, dem Bruch zu Gunsten destruktivem Weiter-so drücken. Der Gordische Knoten aus inneren Verstrickungen, Abhängigkeiten, einander widersprechenden Gefühlen, fehlender Disziplin, Unfähigkeit zu heilsamer Askese erschien nahezu unlösbar.

Trügerische Ruhe – oder war es schlicht das eigene Unvermögen, harte auf der Hand liegende Konsequenzen zu ziehen, wenn es um die Liebe, *diese Liebe*, ging? Der Enthaltsamkeit aus Vernunftgründen trotz heißer Anziehung, heißem Verlangen, eine Durchsetzungschance zu geben, gehört zu den härtesten Prüfungen vieler Menschen. Offen, ob sie bei Algena eine hatte!

Algena wischte angewidert die penetranten, einander widersprechenden Botschaften der im Kopf herumschwirrenden Bilder beiseite; *Heute nicht! Nein! Nullkommanull Lust!* Heute war die Feier ihres spätnachmittäglichen Triumpfes über Hermann angesagt, nichts anderes! Mit einem oberflächlich-gedankenlosen *„Jaja jaja, mach ich schon noch, kommt auch noch* *dran"* beendete sie energisch ihr inneres Aufgewühltsein wegen der Harry-Angelegenheit. Und wandte sich ab, wollte in anderen, aufbauenderen Gedanken schwelgen.

***

Und wirklich blieb an diesem Abend der Fernseher stumm. Keine flimmernde Berieselung, uninteressante Bilderflut und reißerische Werbung, keine der ständigen Katastrophennachrichten aus aller Welt oder Dauergequassel in den Talkshows … Gerade an dem heutigen Abend wollte sie nicht in Problemen untergehen, sondern lieber zuversichtlichen Gedanken freien Lauf lassen, die diesmal beschwingt sein durften. Sie wollte zudem heute versuchen, in dieser positiven Stimmung sich selbst zu reflektieren vor dem Hintergrund ihrer ureigenen Situation. Heute wollte sie ungeschminkt *sie* sein, *sie selbst*, wollte nachdenken …, nachdenken über sich, über ihre Möglichkeiten, Träume und Sehnsüchte, über neue Wege und Visionen, aber auch über Versäumnisse und die Stolpersteine in ihrem bisherigen Leben, über das was sie behinderte …, das alles aber dieses Mal ohne dabei in unproduktives Grübeln zu verfallen. Die Gefahr bestand natürlich – besteht immer – aber heute fühlte sie sich dagegen gefeit …

Sie machte sichs gemütlich in ihrem mittlerweile wieder leidlich ansehnlichen Wohnzimmer, hatte sich ein leichtes Abendbrot gemacht, den Rotwein nicht vergessen, dem sie aber heute ganz bewusst sehr spartanisch zugetan bleiben wollte, hatte sich einige CDs rausgesucht, von denen sie wusste, wie sehr deren Musik sie ansprach, ihren Gedankenstrom zu beflügeln vermochten ...

Nachdenklich ihre gegenwärtige Gesamtsituation reflektierend wurde sie sich bewusst, dass diese doch irgendwie besser war, als es ihr im alltäglichen Einerlei so vorkam. Die Tendenz zur „Schwarzseherei" aus ihrer beginnenden depressiven Phase schien überwunden. Es war ihr persönliches dichtes soziales Netz, das enormen Halt bot, jedenfalls mehr als vordergründig unmittelbar wahrnehmbar, obwohl sie längst auch um den sozialen Druck wusste, der es mitunter mit sich brachte, sich stärker gebunden zu fühlen, als sie glaubte, ertragen zu können. Dankbar dachte sie an ihre Eltern, die trotz ihrer gelegentlichen Widerborstigkeit ihnen gegenüber stets wohlmeinend blieben. Deren Versagen in ihrer Jugend hatte sie ihnen schon lange verziehen. Nur die grundlegenden Prägungen von damals führten in ihr ein zähes, nachhaltiges Leben, wie sie längst wusste. Gehörten zu ihren mentalen Dauerbaustellen. Und es gab ihren lieben Bruder Leon und seine Familie an den sie sich stets wenden konnte. Hier in München warens die Freundinnen, vor allem die gute Isabelle und diverse weitere wohlgesinnte Bekannte … insgesamt ein gutes Netz, wohl wahr. Dass sie für den Vorteil des Getragenseins eben bisweilen auch Erwartungen erfüllen musste, die ihr nicht behagten, war halt so! Da kam sie nicht drum rum. Sollte aber zu schultern sein, wiegelte sie aufkommende Zweifel ab.

Sie nippte an ihrem Rotwein, kuschelte sich in die Kissen des behaglichen Sofas und ließ ihre Gedanken in inneren Selbstgesprächen schweifen, wohin auch die sie führen mochten und was sie zum Inhalt hatten, chaotisch oder geordnet ... Es war egal:

„Jeder Mensch lebt in seiner unhinterfragten, weil selbstverständlichen Lebenswelt, aber zugleich im dichten Kontakt mit der vieler Anderer, wodurch ein eng geknüpftes „Beziehungskneuel" entsteht. Dessen Dynamik ist deutlich spürbar – in so gut wie allen Lebenslagen.

Natürlich: Alles zerrt an mir ..., alles bietet sich mir an, alles biedert sich mir an ..., Sympathien und Antipathien, Liebe und Wohlwollen, aber auch „Wurschtigkeit" oder pure Fremdheit, schlimmstenfalls Feindschaft bis hin zum Hass ..., die breite Palette menschlicher Gefühle und Verhaltensweisen bei allen Begegnungen ... Wer hat nicht schon alles eine Rolle gespielt in meinen bisherigen Lebensjahren, oder wird sie noch spielen. Ich könnte sie aufreihen wie auf einer großen Perlenschnur: Ganz vorndran natürlich die spießigen Eltern samt deren oftmaligem Unverständnis für meine einstigen Jungmädchen-Nöte; dann die diversen Erwachsenen und Lehrer und Lehrerinnen aus der niederbayrischen Kleinstadt; die

*Freundinnen und Mitschülerinnen, die alle während ihrer Kindheit und Ju-
gend eine wichtige Rolle gespielt hatten; in heutiger Zeit Leons brave kon-
ventionelle Familie mit Kindergeschrei, Pampers und bisweilen unverhoh-
lener Bigotterie; mein verflossener und verunglückter Ehemann Philipp,
den einst Vergötterten, jetzt abgrundtief Verachteten, weil er mich bitter
hintergangen hatte; die Arbeitskolleginnen und mein so wohlmeinender,
nachsichtiger Chef; die unselige Laura, die ich wegen ihrer Selbstsicherheit einst so bewunderte, bis zu dem Tag, an dem sie sich als eiskalte Hyäne
entpuppt hatte; die rechtschaffene Isabelle, die mir schon so oft so manche
Flausen ausgetrieben hat; Harry, mein einst heißgeliebter Freund, der
mich, seit ich wieder solo lebe, zunehmend mit Telefonaten werbend be-
drängt, obgleich er längst Familienvater ist ... Mein Gott, warum kapiert
der's einfach nicht?? 'Harry, es darf einfach nicht mehr sein, es hat keinen
Sinn mehr!!'; und Hermann, in den ich mich, bald nachdem ich ihn kennenlernte völlig kopflos verliebt hatte, der meine damalige Bereitschaft
dann unbegreiflicherweise ignorierte, obwohl er in Trennung lebte und bei
mir alle Chancen gehabt hätte; ja und natürlich Rüdiger, der Draufgänger,
der mich erst auf dem Tanzparkett in den siebten Himmel entführt hatte
aber später in der Nacht im Bett leider zu keinerlei Einfühlungsvermögen
für mich und meine eigenen Wünsche und Vorstellungen fähig war. Noch
heute bin ich enttäuscht von ihm; und der gute Henning. Ja, den hätte ich
haben können – wenn die 'Chemie' gepasst hätte. Da war mal eine erotische Nacht mit ihm ... ich erinnere mich gar nicht mehr so genau – ja, schön
war sie sicher, aber folgenlos für unsere Beziehung; Und da wären noch
meine weiteren speziellen wohlmeinenden Freunde, Freundinnen und guten Bekannten, allen voran Albert und Eleonore, und ..., du liebe Zeit, ja
auch all die männlichen Kurzbekanntschaften der letzten ein...zwei Jahre,
wer auch immer – die meisten Namen sind mir entfallen – sogar manch
zweifelhafte Typen in den Kneipen hatten bisweilen eine 'Anfangschance',
die sich aber im Lauf des Zusammenseins oft schnellstens verflüchtigte und
selten übers Küssen hinaus ging; – du liebe Zeit, ja, vor Kurzem erst: das
Swingerclub-Pärchen, dessen Karte längst im Müll gelandet ist, das*

immerhin so viel Taktgefühl bewiesen hatten, nicht nach meinem Verbleib zu fragen ... und mir lange Rechtfertigungen ersparten.

Zu so manchen Bettgeschichten habe ich mich hinreißen lassen, erlegen den kurzfristigen Begierden, den körperlichen Befriedigungen und Freuden ... Sie endeten stets in anschließender bald einsetzender Ernüchterung ...
Warum komme ich einfach nicht auf einen grünen Zweig bei so viel Abwechslung und mannigfachen Begegnungen: guten, schlechten, gefährlichen, sorgenvollen, ängstlichen, einfühlsamen und liebevollen, fürsorglichen und wohlmeinenden Erlebnissen. Vor allem beim Sex bin ich nie das Gefühl losgeworden, vor allem wegen meiner Attraktivität benutzt worden zu sein...! Ich darf gar nicht mehr daran denken – schon die Gedanken daran verletzen mich heute noch ...
Aber ich kenne schon lange auch einen weiteren tieferen Grund für all dieses Verhalten: Es sind last not least über allem schwebend, eher lastend, meine so penetrant wirksamen inneren, sich kaum verändernden Maßstäbe, mit denen ich es mir bisweilen so unendlich schwer mache. Warum werde ich diese Grundstruktur meines Denkens, Fühlens und Handelns einfach nicht los? Der Mensch ist eben keine programmierbare Maschine, wie es heutzutage so manche Vertreter des New Age glauben machen wollen. Es ist ein langwieriger, mühsamer Prozess mit ungewissem Ausgang. " --

Der Gedankenstrom war im Moment versiegt … Algena nippte an ihrem Rotweinglas, der leichte Abendtoast war längst verspeist. Kurz öffnete sie die Terrassentür, trat hinaus, betrachtete die vom Wohnzimmerlicht fahl beleuchteten Koniferen und die schwarzen Konturen der laublosen Ahornbäume dahinter; am dunklen Himmel ein paar Sterne. Sie fröstelte etwas und zog sich eilig wieder zurück. Stille. Die CD war abgelaufen. Sie legte eine neue ein.

„So vieles mischt mit in meinem Leben, mischt sich ein in mein Leben, gehört aber untrennbar zum großen sozialen Beziehungskreis, dem ich zugehöre.

Aber ungeachtet all dessen: Wo bleibe denn eigentlich ich??? Ich selbst, meine ureigenen Vorstellungen, Bedürfnisse, Träume und Sehnsüchte? Gibts die überhaupt? Natürlich gibts die, aber sind sie mir auch klar bewusst? Noch klarer: Handele, lebe ich danach? Wohl eher nicht, das ist die Krux. Vor allem: Wie unabhängig bin ich eigentlich? Ich kann doch nicht immer nur für die Bedürfnisse anderer leben, den Bedürfnissen anderer dienen?

Der soziale Kontext schützt einerseits wie ein wohlig-warmer Kokon, aber gängelt auch. Selbst leben, selbst entscheiden, den eigenen Weg finden zum Glück, unbeeinflusst von den Meinungen und Vorstellungen anderer? Geht das überhaupt, halbwegs wenigstens? Vollkommen authentisch leben zu wollen ist weitgehend Illusion, weil man im sozialen Netz, das so oft hilft und hält, schnell Gefahr läuft, anderen auf die Zehen zu treten, sie vor den Kopf zu stoßen. Der Grat zwischen einem authentisch selbstbestimmt ausgerichteten Leben und zugleich in der sozialen Umwelt verträglich zu bleiben ist extrem schmal, weil es Überwindung kostet, um des sozialen Friedens willen auch mal zurückzustecken ohne gleich sich 'verbogen' zu fühlen. Die meisten Menschen spüren das. Mir gehts da nicht anders! Mit Grausen erinnere ich mich an das offene Unverständnis, das mir vor gar nicht so langer Zeit von den Leuten im Freundeskreis eine Zeit lang entgegengebracht wurde, als ich eigene Wege gehen wollte ...

Wie schön wäre es, sich einerseits nahtlos einbringen zu können, andererseits aber ohne dabei sich selbst untreu zu sein oder zu werden. Ich erkenne jetzt glasklar, dass das nur möglich ist, beziehungsweise Erfolg zeitigt, wenn ich akzeptiere und hinnehme, dass sich das umgebende Leben beständig wandelt und ich mich in meinen äußeren und inneren ureigenen Antrieben meines Lebens ebenfalls mitwandele, also beständig anpasse. Andernfalls wäre ich über kurz oder lang Außenseiterin.

Man kann auch sagen: Mitreisen auf dem großen Treck der Jahre meines Lebens! Weil mir das bisher zeitweise gar nicht gut geglückt ist, bin ich beinahe depressiv geworden ... Wie oft habe ich versucht, wenigstens ein Minimum an Ordnung, an Selbstverständlichkeitsniveau, an

Selbstbewusstsein, an gesunder Selbstreflexion, in welchem gesellschaftli-
chen Umfeld auch immer, zu erlangen. Ohne eine gewisse Anerkennung
durch die Mitwelt tut man sich schwer, entspannt zu leben.

Philipp schien fünf Jahre der Garant für den Erfolg gewesen zu sein. Es
war nur ein Pseudoerfolg. Ja, ich schwebte damals im siebten Himmel,
hatte im Glück gebadet, – aber eben nur scheinbar. Alle hatten mich benei-
det um diesen angeblich so tollen, erfolgreichen Mann – dabei hatte mich
der Schuft zur Närrin gemacht ... Seit seinem Tod bin ich jetzt auf mich
selbst gestellt und weiß, wie schwer mir das fällt. Nachhaltige Erfolge ha-
ben sich bisher nicht eingestellt. Wann überwinde ich endlich diesen unse-
ligen Stillstand? Vielversprechende Ansätze gabs ja immer wieder mal,
aber keiner hat letztlich gehalten, was er anfangs versprochen hat. Heute
weiß ich, dass das an mir liegt.

Sich selbst zu überwinden, heißt der Zauberspruch, der noch der Reali-
sierung bei mir harrt. Die 'sportlichen vier Wochen', von meiner Hausärz-
tin energisch verordnet, haben mich ja tatsächlich die erste Hürde nehmen
lassen, mich wieder in positivere Grundstimmungen zu bringen. Alles wird
gut, wenn ich vertrauensvoll daran glaube, auch an den Erfolg, wenigstens
in meinen elementaren Lebensabläufen. Das hat mir mein neues Tun und
Handeln verheißen. Und so ist's dann auch gekommen. Der Anfang ist ge-
macht!" --

Algena hielt inne. Fast sehnsuchtsvoll verhallten die zuversichtlichen
letzten Gedanken in ihr zu Gunsten einer wohltuenden Leere im Kopf.
Auch die CD war längst wieder abgelaufen und in der Stille ihres Wohnzimmers schien nur das *unhörbare schwingende Flirren des Seins* „hörbar"
zu sein.

Aber die Untiere in ihr schliefen nicht. Unversehens stiegen sie aus der
Tiefe des Unbewussten mit dem so penetrant bekannten „Grollen" auf aus-
getretenen Pfaden hinauf ins Oberbewusstsein ..., wo sie Algenas samtene,
zuversichtliche Stimmung urplötzlich wieder zu kippen suchten und durch

eine andere ersetzen wollten. Sie fröstelte. Ungute, vor noch nicht allzu langer Zeit alt-eingeschliffene Betrachtungsweisen ihres Alltags, ihrer oft genug gehätschelten „Lebensdefizite", wollten sich machtvoll in bekannter Manier breitmachen, einnisten, sie packen, piesaken, sie in die ihr so geläufigen ausgelatschten Denk- und Gefühlsbahnen zwingen und all ihre positiven Gedanken wieder in den Nebel des Unbestimmten, Unbestimmbaren drängen …

Weg damit! Kraftvoll kämpfte es in ihr. Sie wollte das nicht! „So" über alles nachzudenken führte doch unweigerlich nur wieder in das sattsam bekannte tiefe Loch des gottverdammten Grübelns! *Wenn man im Kreis denkt, bleibt alles unlösbar.* Alles. Wollte sie nicht! Wo war nur die Ursache dieses vermaledeiten unbarmherzigen inneren Zwangs, der sie gerade wieder energisch heimsuchen wollte? Algena hatte die Gefahren dieser gefährlichen Denke längst erkannt. Der durfte sie keinerlei Einfluss mehr geben und wenns noch so schwer erschien, das zu erreichen. Wann würden die neuen Bahnen sich stabilisiert, endgültig etabliert haben? Irgendwann …? Ein leiser Zweifel blieb zurück: Waren wohl noch nicht tragfähig genug gewesen. Aber wann war denn dieses ominöse „irgendwann"? Wann?? Hoffentlich nicht am St. Nimmerleinstag? Aber sie wollte sich nicht geschlagen geben:

„Was ist denn meine Rolle in dem ganzen Spiel? Dem großen Tohuwabohu im „leben des Lebens"? Bin ich Spielball befremdend-üblicher Vorstellungen und Eigenheiten, aber auch Unabänderlichem, bin ich den Zwängen des Seins verpflichtet – auch meines Seins? Wo komme ich her: Aus der breiten, granitharten Basis meines Elternhauses. Und von überall her die Meinungen anderer. Gut gemeinte Ratschläge von allen Seiten, offen oder versteckt, egal, man kann all deren Zweifelhaftigkeiten spüren. Das sind doch deren Maßstäbe und deren Ratschläge, nicht unbedingt mit meinen Vorstellungen kompatibel, oder?? Ratschläge sind eben auch „Schläge". Man muss sie gut reflektieren. Warum meint denn jeder und jede, direkt oder indirekt, mir sagen zu müssen, was ich tun soll und wie? Falsche oder fatale Vorbilder (Laura??), aktivierte Sehnsüchte, wer pflanzt

453

denn die in mich hinein? Auch in der Liebe ... Ist's der triebhafte Naturun-
hold 'Begierde', der die ehrliche Liebe zur scheinbar entbehrlichen Rand-
figur in der Vereinigung der Geschlechter herabwürdigen will? Warum
giere ich so sehr nach all diesen Verheißungen? Sind meine eigenen Vor-
stellungen etwa nebelhaft, unausgegoren, unerfüllbar oder gar ambiva-
lent? Warum eigentlich? Wer leitet mich, wenn nicht ich? Warum ist es so
schwierig, Sex und Liebe zu vereinen was ja normales Verhalten sein sollte
und nicht nur bei romantisch Veranlagten. Natürlich: Fast jeder nennt sich
'Romantiker', selbst die Männer, die's nur für eine Nacht wollen ...! Weil
beides zusammengehört und doch sich voneinander strikt trennen lassen
kann. Enttäuschte Träume, betrogen werden aus Dummheit oder Einfalt ...
Niemand wehrt sich für mich, wenn ichs nicht tue. Warum ist das alles so
unendlich schwer, umzusetzen? Wo bleibe bei all dem eigentlich ich??? Ich
selbst! Wo liegt denn mein 'Schnittpunkt'?

Und die Folge? Überall stehe ich im Kreuzfeuer, muss mich wehren
nach Kräften, ohne falsche Rücksichtnahme. Bei Zumutungen ists eben un-
vermeidlich, auch mal selbst kräftig auszuteilen, andere zu kränken, wo-
möglich sogar beleidigen zu müssen. Auch ich habe Ansprüche. Irritierend
ist das alles trotzdem, aber ja doch: Mut ist von Nöten! Mut, beherzte Cou-
rage! Und jetzt?

Spiegelgefechte, Reflexionen allüberall: Ich hier, meine Freundin da!
Isabelle, die ausgleichende Schiedsrichterin, superstreng – hat sie mir nicht
zurecht ein ums andere Mal den Kopf gewaschen? Gründlich. Geradezu
geschruppt, bis es wehtat? – Aber gerecht war sie, realistisch vor allem,
brav ... Und deswegen zugleich irgendwie langweilig? Ist Isabelle utopien-
los? Ehrlich gesagt: Ja! Was ihr Leben betrifft, so verläuft das jetzt schon
in den schmalen, wohlgeordneten Bahnen des Stinknormalen! Auch wenn
sie dem garantiert heftig widersprechen dürfte ..., was natürlich auch okay
ist, vor allem aus ihrer Sicht und weil sie glücklich ist! Damit ist klar, dass
sich unsere Wege derzeit trennen: Sie wird Mutter, wird bald ein völlig an-
deres Leben führen ... Und ich? Was habe ich ihr an eigenen Vorstellungen
entgegenzusetzen? Gibt es bei mir überhaupt ernst zu nehmende eigene,

oder sind es nur unausgegorene Pseudovorstellungen? Was stimmt davon?
Was nicht? Habe denn ich Utopien? Einst mit Philipp zusammen auf jeden
Fall, denn meine Lebensvisionen hatte ich auf ihn und unser Zusammenle-
ben übertragen, jedenfalls mit ihm abgestimmt. Ist jetzt alles perdu. Und
hab ich denn heute – sein Tod ist zwei Jahre her – neue eigene Visionen
entwickelt? Gute Frage. Ich weiß es nicht. So wie mein Leben sich derzeit
entwickelt, anfühlt, vermutlich eher nicht. Oder sie sind bruchstückhaft, un-
realistisch oder unter Bergen von Vorbehalten, Vorurteilen und Ängsten –
ja Ängsten, verschüttet. Ich will meine Zukunft in rosigen Farben sehen,
danach sehne ich mich. Naja, vielleicht so wie Isabelle, nur irgendwie 'ne
Idee flotter ... Hmm ..., sonderbar: Da kommt aber nichts, nur Bilder des
einst ängstlichen, gegängelten Kindes unter der Fuchtel des Übervaters ste-
hend. Egal was: Niemandem mach ichs recht ..., bis heute nicht, mir selbst
wohl auch nicht! Das ist das Dilemma! Der inneren Stimme vertrauen heißt
es allenthalben: rückhaltlos, selbstverständlich, unerschrocken und unbe-
dingt! Aber kann ich denn mir selbst wirklich vertrauen? Bin mir da nicht
so sicher. Und wie weiter?? Kehrtwende hin oder her oder vorwärts oder
zurück? Ja was denn nun? Die Brechstange, mein fataler Ausbruch vor ein
paar Monaten hats jedenfalls auch nicht gebracht ...

Und mein problematisches Verhältnis zu Harry? Ist leider das beste Bei-
spiel dafür, mir selbst nicht bedingungslos vertrauen zu können. Warum
verschwende ich immer noch müßige Gedanken an ihn? Er kommt nicht
mehr infrage für mich, das ist mir längst kristallklar, aber es gibt ein Mo-
ment in mir, das mich eisenhart im Griff hat. Ich muss es vor mir selbst
aussprechen, und wenns mir das Herz dabei zerreißt: Ich liebe ihn abgöt-
tisch. Furchtbar ist das! Ein unverzeihliches Verlangen. Weder die Ver-
nunft noch das Ritual neulich vor einigen Wochen, dessen innewohnende
Unbedingtheit und Kraft ich sträflich habe sausen lassen, waren imstande
diese fatale Bindung nachhaltig aufzulösen. Die Entscheidung ist an sich
längst gefallen, aber es ist das fehlende Vertrauen in mich, mich auf die
Sicherheit meiner vernunftgesteuerten Entscheidungen verlassen zu kön-
nen, was mich hindert die einzig mögliche Konsequenz ohne Wenn und

Aber zu ziehen – weshalb der alternativlose Abschied in Form des angefan-
genen Briefes in der Schreibtischschublade bisher nicht vollzogen ist.

Wenn es mir nicht gelingt, mich von ihm nachhaltig und für alle Zeiten
zu lösen, so gnade mir Gott! Das weiß ich nur zu gut. Die so penetrante
körperlich-innere Abhängigkeit von ihm könnte zu einem furchtbaren Ende
mit mir führen! Tragik in Reinkultur." --

Algena schwankte beim Thema Harry zwischen labiler Zuversicht und
panischen Ängsten hin und her. In den letzten Minuten hatte sie sich mehr
mit ihm beschäftigt als eigentlich gewollt. Dagegen sollte doch heute anderes im Vordergrund stehen: Hermann endlich adieu gesagt zu haben, jedenfalls so, dass sie sich keine Gedanken mehr über diese Beziehung machen
musste. Und das war ja erreicht! Aber jetzt Harry …? Nein, heute bitte
nicht! Heute wollte sie sich mit ihm eben gerade nicht beschäftigen, es gab
reichlich weitere, andere psychische Baustellen in ihrem Leben …

„Es ist die ganz große Frage: Wo bleibe ich in dem ganzen Lebens-
chaos? Ich?? Wenn es in meinen Lebensverhältnissen so offen ist, ob ich
sie selbst akzeptiere oder nicht oder ob ich das Gefühl nicht loswerde, sie
könnten sich gegen mich, gegen mein ich, stellen, führt mein Leben, Denken
und Handeln womöglich auf einen Irrweg? Erwarte ich zu viel, viel zu viel
vom Leben? Ginge es mir besser, gar nichts mehr 'zu erwarten', sondern
das Leben, die Liebe, die Menschen, die Männer (ja, auch die!), die Ver-
hältnisse, schlicht so zu nehmen wie sie sind und nicht wie ich 'sie gerne
haben möchte'?

Wahre Sicherheit stellt sich nur mit vorbehaltlosem Annehmen der eige-
nen Situation ein. Ich erkenne es jetzt schon klar: Viel zu lange hab ich mich
in einer bequemen Opferrolle eingerichtet: Die anderen seien verantwort-
lich, seien 'schuld' für mein Versagen. Das ist nicht nur falsch, es ist
schlicht Dummheit so zu denken. Ich muss mich selbst aus all dem gefühlten
Schlamassel rausziehen. Anders gehts nicht!

Wenn ich die Spielregeln des Lebens besser zu beherzigen verstehen würde, wäre letztlich alles leichter regelbar, würde sich alles irgendwann zum Guten wenden. Auch in der Liebe, obwohl da die Spielregeln so tief in die eigene Psyche und den eigenen Typus hineingreifen, dass sie sich jeglicher Objektivierbarkeit entziehen. Genau deshalb bin ich gerade in ihr so oft nur Spielball unbeherrschbarer Kräfte, meiner eigenen und der Anderer, vor allem der Männer ... Ja, ich weiß: Ich habe einiges erlebt, in meiner kurzen Ehe auch die edle, die wahre Liebe gekostet. Nachträglich stellte sich diese Zeit als nur vermeintliche Wunscherfüllung heraus. Es war stattdessen eine fünfjährige Lebenslüge und ich muss weitersuchen, 'wieder' möchte ich fast sagen ... Es ist so: Die wirkliche, die wirklich wahre, die nachhaltig verlässliche, die liebevolle Liebe habe ich bisher nicht gefunden, schlimmer noch: Nur unter heuchlerischen Aussagen kennengelernt!"
--

Die Gedanken versiegten ... erneut breitete sich Leere in ihr aus, wohltuende, weil alles Wichtige zu ihren „Problemthemen" längst hundertfach gedacht und umgewälzt worden war ...

Obwohl der Abend schon fortgeschritten war – elf Uhr vorbei – legte Algena erneut eine ihrer Lieblings-CDs ein, griff zum Rotweinglas, schwenkte es genüsslich hin und her, berauschte sich am verlockenden Bukett, ließ sich gedankenleer in die vertrauten Klänge hineinfallen, gab sich der Musik hin, die sie innerlich zu neuen Ufern führte, jenseits der Couch, des Raums ..., um sich träumend einem von Romantik und Liebe durchzogenem Leben hinzugeben ... Was war das damals für eine traumhafte Zeit gewesen. Die Erinnerungen stiegen in ihr auf, als ob alles erst vor Kurzem geschehen war ...:

Pinien und Zypressen säumten die Straße zu ihrem toskanischen Domizil, ragten in den dunklen nachtblauen Himmel. Zikaden allüberall in der abendlichen, immer noch flirrenden Wärme. Das Konzert des mediterranen Südens. Philipp suchte stets romantische Ziele aus. Kleine lauschige, meist alte Häuschen in Dörfern oder in Alleinlage. Rausch der Träume. Rosenbüsche säumten die Terrasse aus alten Terrakottaplatten … Mäuerchen aus ungeformten Natursteinen. Kleine Tymianbüsche angeschmiegt oder aus den Ritzen herauswachsend. Lavendelduft durchzog die abendlich-seidige Luft …; durch Fliegengitter geschützte Zimmer im ganzen Haus, damit nur die wunderbaren mediterranen Wohlgerüche ungehindert in alle Räume ziehen konnten, aber nicht lästige Insekten … Sehnsuchtsorte im Süden, leichtes, unbeschwertes Leben, Sorgenfreiheit … In den Weinbergen roch es überall nach frisch vergärender Maische. Auf manchen Feldwegen zogen Traktoren große Anhänger, übervoll mit Trauben beladen … Des Öfteren boten ihnen Weinbauern ein Glas des angärenden Safts an. Sie sahen einander in die Augen, kosteten die edlen Tropfen …, oh, was war sie glücklich in diesen Augenblicken, sie liebte diesen Mann, der ihr gegenüberstand oder -saß, ihr das alles bot und all ihre Träume verkörperte …

Und flugs mischten sich wieder die schlechten Erfahrungen in ihr rosa erinnertes Lebensbild ein. Damals ahnte sie mit keiner Faser ihres Herzens, dass es eine weitere Frau gab, der sein Herz auch gehörte. Eine verliebte, aber verlogene Zeit … Algena wollte sich die reinen Gedanken an die schönen Stunden nicht vermiesen lassen. Jetzt war eh alles, aber auch alles anders. Die Toskana, so, wie erlebt, war geronnene Vergangenheit …

Alberts wilder romantischer Garten im Würmtal fiel ihr plötzlich ein, auch ein Natur-Dorado, wie man es selten sieht: Dieser Garten verbreitete auch eine Art südländisches Flair im rauen bayrischem Oberland mit weniger Natur-Wohlgerüchen, aber durch eine gekonnt angepflanzte Blumenpracht trotzdem alle Sinne bezaubernd. Edelrosen unterschiedlicher Züchtungen ohne Ende. Auch die verbreiteten ihr liebliches Natur-Bukett. Er oder seine Frau hätten ein „grünes Händchen", sagten alle …

Und dann das Tanzen. Wie glücklich war sie in den starken Armen und der kraftvollen Führung dieses jungen Mannes damals. Sie hätte mit ihm bis ans Ende der Welt tanzen mögen …, stattdessen endete der Abend höchst zweifelhaft. Hätte nicht sein müssen. Musste denn wirklich alles Schöne, Erhabene, Angenehme irgendwo auch eine – seine – negative Seite haben? Eigentlich ja nicht, aber dann? wohl schon! Um beides unterscheidbar zu halten. Hätte sie sein Verhalten bei ihr zu Hause emotionslos akzeptieren müssen oder sollen (und sich selbst verleugnen dabei?) Wäre *das* damals die richtige Lösung, das richtige Verhalten gewesen? *Man kann nicht immer nur auf der Sonnenseite des Lebens leben und spazieren, auch das Raue, Grobe beansprucht in ihm seinen Platz ….*

Sie war Witwe, fühlte sich aber als Single, neu „geboren", genauer, erschaffen, vor weit mehr als zwei Jahren und überständig seither, ja …, aber die Zeiten würden besser werden. *Dran glauben* war das Zauberwort. Immer nur romantische Vorstellungen zu hegen, war wie steckenbleiben in unreifen jungen Jahren. Laura war jünger als sie. Komisch: Warum fiel ihr jetzt gerade Laura ein? Wieder mal? Weil die ihrer Meinung nach völlig unromantisch lebte. Laura und Romantik passten genauso zusammen wie Marmeladensemmel mit drüber gelegtem Bismarckhering … Blödsinniger Vergleich, ja, aber so empfand sie's. Weg mit diesen albernen Gedanken, den Vergleichen – und überhaupt dieser Mistgurke von Frau …

Lieber zur Isar …, den schönen Wegen am Fluss entlang, der so oft ihre Gedanken schweifen ließ und sie auch jetzt wieder ins Träumen brachte:

„*Ein Fluss verkörpert sowohl Flüchtigkeit als auch Konstanz und ist somit eine gute Metapher für das Leben. Die Konstanz des steten Gurgelns der ewig gleichen Wellen verkörpert das 'Fließen ohne Ende'. Mit dem Wasser selbst, das sich in seiner Flüchtigkeit ständig erneuert, sind die unendlich vielen Einzelschicksale der Kreatur schlechthin gemeint. Jedes Lebewesen 'erlebt' aber nur die Einzelschicksale all jener, die seinen Gesichts- und Wirkungskreis berühren. Beim Menschen ist es das gesamte soziale und mediale Netz, denn über dieses ist er in mannigfacher Interaktion mit allen seinen 'Mitlebenden' verbunden. Als sterbliche Individuen müssen wir für die Dauer unserer Anwesenheit in der Welt unseren Platz finden, nämlich arbeiten für den Lebensunterhalt, für Essen, Trinken, Schlafen und für ein Dach über dem Kopf sorgen, uns entscheiden, allein zu leben oder einen Partner / eine Partnerin zu suchen. Aber jegliche Einsicht in den*

Sinn all dieses 'Fließens' muss aus der Erkenntnis der steten Veränderung
des Lebens kommen. Kleinkrämerische egoistische Wünsche sind oft gegen
das natürliche Fließen des Lebens gerichtet und können, weil zumeist un-
realistisch und somit unerfüllbar, unglücklich machen. – Auch das Wasser
eines Flusses lässt sich nur eine Zeit lang mit Gewalt mit einer Staumauer
aufhalten, bis es sich unweigerlich Bahn bricht ...

Wer es dennoch versucht, wird sich über kurz oder lang in einer Traum-
welt wiederfinden, aus der es am Ende des Lebens nur ein böses Erwachen
geben kann. [7]*. "*

Der Flauchersteg fiel ihr ein. Wie oft war sie dort in der Sonne gelegen,
hatte geruht, geblinzelt, und dem vielstimmigen Gesang des Lebens und
Treibens der Menschen gelauscht. Missliebige Gedanken hatten in dieser
Naturumgebung keine Chance. Im Gegenteil: Sie dachte an die ewige
Liebe, die sich manches junge Pärchen geschworen hat und zum Zeichen
dafür an den Eisenstäben am Steg ein Vorhängeschloss mit eingravierten
Namen angekettet und den Schlüssel vertrauensselig in die Fluten geworfen
hat.

Dann sah sie sich auf den langen, manchmal breiten Wegen, auf denen
sich auch Radler tummelten, entlang wandern ..., links die Isar, rechts rie-
sige Bäume und Buschwerk.

Algena träumte weiter mit offenen Augen, gab sich restlos ihren romantischen Gedanken hin, sah sich an der Seite eines geliebten Partners hier
ihre geliebte Isar entlangspazieren, Arm in Arm, gemeinsam dem Gurgeln
des Wassers, dem Plätschern an den kleinen felsigen Stromschnellen lauschen. Vogelgezwitscher, das Keckern der Elstern und das penetrante krah-
krah der schwarzen schreckhaften Krähen – unterbrochen vom profanen

---

[7]) Dieser letzte Satz gibt (nicht wörtlich zitiert!) Gedanken wieder, die aus Joris-
Karl Huysmans' Roman von 1884: *„Gegen den Strich"* entnommen sind.
Der Roman spielt im *Fin de Siècle*, Ende 19. Jahrhundert und schildert das Schicksal eines Adeligen, der aus Überdruss an der realen Welt sich entscheidet, in einer
„morbiden Scheinwelt" (Traumwelt) zu leben, was ihn am Ende seines Lebens unglücklich und unerfüllt werden lässt.

Klingeln vorbeiziehender Freizeitradler. Das alles war keineswegs eine armselige unrealistische Vision, so hätte sie's erleben wollen, so sah sie sich – irgendwann halt. War kein bloß vernebelnder Rausch. Warum? Andere Pärchen tatens ja genauso …

„Rausch und Ramsch. Liegt nah beieinander. Im Rausch schmeckt sogar der Ramsch! Ist trotzdem penibel auseinanderzuhalten. So viele Verrücktheiten bisher. Bin ich verrückt? Natürlich nicht. Bin ich es in meinen schlichten Sehnsüchten? Hmm.... Nein! Wer hegt denn keine Sehnsüchte? Niemand! Wie werde ich morgen sein und leben? Alles unbekannt, liegt in der offenen Zukunft. Christen sagen 'in Gottes Hand'. Sind das unwirkliche Visionen, gar falsches Glück deswegen? Nein!!

Scheidewege. Jetzt oder nie. Offen sein, annehmen was kommt und wenns der Tod ist? Na, dann eben der Tod. Leben, lieben, glücklich sein – oder eben dahinvegetieren, versagen, Looser sein. Sind das Alternativen? Vor der letzten Konsequenz des Lebens: Sind sie das wirklich? Ich weiß es nicht. Der Grat zwischen konstruktivem Glauben an das Gelingen der Zukunft und ihren destruktiven Pendants samt aller negativer Gedanken ist schmal. – Will mich jetzt dem allen nicht mehr stellen. Klar ist nur: 'Falsche' Alternativen kommen jedenfalls nicht mehr in Frage.

Das Leben ist eine beständige Folge von Aufs und Abs und der Tod? Beendet einfach diese Folge, emotionslos und ungerührt.

Nur eines weiß ich ganz genau: Ich möchte mich nie nie mehr in den Schmutz, der allüberall neben allem Glück produziert wird, hineinziehen lassen, egal von wem und wie ………………… Nie mehr!"

Teil 8

E in Steilhang ohne Anfang und Ende im Hochgebirge. Kaum bewusst wahrgenommene sommerblühende Matten, dafür umso mehr felsig-unwegsame Passagen und viel Geröll, das sie mit Sorge betrachtet. Ängstliches Schielen auf schemenartig sich verlierende Menschen im weiten Bergrund. Es sind viele. Alle in Eile, kämpfen alle mit dem schwierigen Vorwärtskommen.

Er hilft ihr über kleine verstreute Geröllflecken hinweg. Trittsicherheit ist gefragt, Standfestigkeit auch. Sie hat Angst, Beklemmungen wegen der Endzeitstimmung allüberall – warum sind die anderen so viel flotter, hüpfen über Schwierigkeiten hinweg wie Gazellen? Kaum sichtbar der Pfad, hohe Konzentration erforderlich. Hinfallen droht, Ausrutschen, Abgleiten, das Gleichgewicht verlieren … Kein Gesträuch zum Festhalten, wenn man abrutscht ist kein Halten möglich – schließlich abstürzen im steil abfallenden Felsen unten im milchigen Nebeldunst. Vorsicht bremst die gebotene Eile, den inneren Drang, vorwärtszukommen, und zwar rasch – mithalten mit den anderen, unbedingt. Unabdingbar! Sie will nicht zu spät kommen, keinesfalls. Er hält sie fest. „Pass auf, wo du hintrittst …", mahnt er, „schau auf den Pfad, man erkennt ihn". Sein eiserner Griff – ihr Schutz. Er ist mein Beschützer, besorgt um mich, hält mich fest, will nicht, dass ich einen Fehltritt begehe. Sie vertraut seiner Führung. „Dort droben, siehst du? Dort an der Scharte beginnt das gelobte Land, der ewige Friede, die Ruhe, die Erfüllung des Lebens, das dauerhafte Glück. Dort findet man verlorene Lebensträume, auch du! Deshalb wollen alle da hin, auch wir!" Sie bibbert um ihre Chancen, seufzt …, warum hat der nur so die Ruhe weg? Aber sie vertraut ihm blind, will ihm glauben, muss ihm glauben ..., ihre einzige Chance ..., alles wird gut, nur vorsichtig, bedächtig gehen, das ist der Preis. Sie weiß es, aber die innere Unruhe, gesteigert bis zur Hektik, lässt sie trotzdem immer wieder straucheln, stolpern, danebentreten, umknicken. Sie kommt stets nur mühsam wieder auf die Füße, schaut ihn entgeistert an. „Hab dir doch gerade gesagt, pass auf, oder?" Ärgerlich umklammert seine rechte Hand noch fester ihr Handgelenk. – „Nicht so fest!! Willst du mir die Knochen brechen?", jammert sie. „Ich pass doch auf ..., hab mich doch immer wieder gefangen!" – „Schön wärs! Wenn ich dich nicht festhalten würde, wärst du längst weg vom Fenster, dort unten wirds brandgefährlich, dort stürzt du in den sicheren Tod, lägst zerschmettert zwischen den Schrofen." – Sie schaudert, schielt schlotternd in den Dunst des furchterregenden Abgrunds, beginnt zu zittern. „In den Tod?? Hast du *Tod* gesagt?" – „Ja, in den sicheren Tod! Du würdigst es anscheinend nicht, schätzt es nicht, wie sehr du dich mir anvertraust, an mir abstützt!" – „Doch!" – „Nein ..., aber ich fang dich immer wieder auf, weil dir nichts zustoßen darf. Allein kannst du's nicht". – „Weiß ich doch ..., danke ...", sie schaut zu ihm auf ..., „Lieber!" Ihr transzendenter unwirklicher Beistand, ihr guter Geist, ihr Schutzengel. Scheinbar ist's nicht mehr weit zur erlösenden Scharte. Nur noch ein kurzes steiles Wegstück nach oben, dann ist es geschafft. In der Natur täuschen Entfernungen bekanntlich ... Dort wartet die Wende der Zeit, ewiges Glück und ein neues Leben, neue Chancen ...

Die Wolken verziehen sich zunehmend. Blaue Flecken am Himmel. Sie schaut um sich, das Menschengewusel, bisher noch weit entfernt, rückt bedrohlich näher, Kommandoschreie, Bestätigungen, *Platz-da!* Rufe, Gestikulieren ..., manche, weiter oben, treten einzelne Steine los, die wie Geschosse hinunterrasen, oder sollten sie absichtlich losgetreten worden sein, um Rivalen zu behindern?? Der große Run, der Schicksals-Run ... Von den verschiedensten Seiten wollen die vielen Menschen so schnell wie möglich die Scharte des umfassenden Glücks erreichen. Alle in Angst, nicht mehr zu bekommen, was sie sich sehnlichst wünschen, dass abgesperrt, zugemacht wird oder all der Vorrat an Glück aufgebraucht ist, vergeben an die Ersten, und die Letzten dann leer ausgehen. Sense, finito, nicht auszudenken, wenn … Und das so kurz vor dem Tor in neues Leben, neues Glück. Rechts und links in den höheren Regionen bedrohlich wirkende Steilwände, an denen sich Kletterer versuchen, Männer wie Frauen, sie haben diese Route als die kürzeste, die schnellste, wenn auch schwierigste erkannt. Sie beide suchen den bequemeren für Normalgänger möglichen Aufstieg, die ideale Führe zum Ziel, dem Ziel aller Suchenden. Sie sieht schwingende Seile und hört das Einhämmern von Haken für die lebensversichernden Karabiner. Hier auf ihrem Weg sind diese der eiserne Griff von *ihm*. Sie will ihn erdulden.

Sehnsuchtsvolle Blicke. *Oh, wär ich doch schon dort droben …*, sie hat Angst, die letzte, die schwierigste, die gefährlichste Stelle, die letzte steile Steigung nicht überwinden zu können. Unerbittlich nähert sich die Prüfung. Sie weiß, jetzt oder nie. Ihr Begleiter sagt nichts, steigt gleichmäßig und scheinbar gleichgültig voran, sie eisern haltend und mitziehend, emotionslos ermutigend zugleich. Sie, hoffend und bangend und verzagend in einem, dem Mut der Verzweiflung Platz machend. *Ich muss …*

Die blauen Flecken am Himmel vergrößern sich zusehends. Wird die Sonne durchkommen? Weit oben? Oder täuscht die Perspektive und es ist gar nicht mehr weit? Der Pass, die schmale Scharte. Sie bleibt stehen, er duldet es notgedrungen, aber gelangweilt, sie schaut empor, sehnsüchtig, verzagt und zugleich mutig, erneut Elan fassend … Kurzer Panikanfall: Die Anderen! … *Wenn die eher da sind? Oh, wenn doch diese schaurige Wegstrecke endlich ein Ende nähme.* Die müden Beine schmerzen, sie kann bald nicht mehr. Seit Stunden, Tagen unterwegs …, nur laufen, laufen, laufen oder sinds schon Wochen, gar Monate? Aus dem Dunkel ihrer Vorgeschichte. Vorwärts, vorwärts, nur immer vorwärts, stets Ziel, Pass, Durchgang ins andere verheißungsvolle Land, klar und deutlich ins Visier genommen und vor Augen, schon lange …, egal wie weit sie noch entfernt waren oder wie jetzt, ihm scheinbar nähergekommen sind. Leuchtender Ansporn für physische Kräfte und mentales Durchhalten ringen mit ihrem Misstrauen. Und wenn es nur eine Fata Morgana wäre, eine Sinnestäuschung, eine Luftspiegelung am halb bewölkten Himmel, weil dort oben inzwischen

die Sonne scheint? Und das dort beginnende Land des Glücks nur eine at-
mosphärische Störung wäre und gar nicht existierte, oder wenn sie ankä-
men, sich als solche entpuppte und alles doch noch viel weiter weg wäre,
sie weiterlaufen, weiterstolpern müssten, eine weitere lang gezogene,
wilde, schwer zu überwindende Bergflanke zu bezwingen wäre, übermäßige, gar übermenschliche Anstrengungen erfordernd? Wenigstens teilen
all die Anderen dasselbe Schicksal ..., oder gibts Bevorzugte, Günstlinge
gar oder vom Glück begnadete Lebenskünstler, denen alles mühelos zuzu-
fliegen scheint? Nicht daran denken. Nein. Keine Täuschung! Nochmals
nein. Nein, Nein! Darf einfach nicht. *Dort oben hat die Schinderei ein Ende.*
Dort beginnt auch mein neuer Lebenstraum, ganz sicher, spricht sie sich
innerlich Mut und Zuversicht zu, um nicht zu verzweifeln. Durchhalten,
einfach nur durchhalten. „Sag mal, wie lange, meinst du, brauchen wir noch
bis dort oben?" – „Keine Ahnung", gibt ihr Begleiter zerstreut und ungerührt zurück. Es scheint ihm egal zu sein. *Der hat auch nie über müde Beine*
geklagt, als ob die bei ihm selbstlaufende Roboter wären. „Schaut nahe aus,
aber das kann gewaltig täuschen. Denk nicht drüber nach, lauf einfach weiter!" Ein strenges Regiment. Sie fügt sich widerstrebend, spürt kaum Besorgnis in seinen Worten, dafür umso mehr Gefühllosigkeit und Unverständnis zugleich in dieser Antwort. *Vorhin bei den Abgründen war er be-*
sorgter um mich, denkt sie enttäuscht. Alles nicht beruhigend. Sie kann mit
dieser Gegensätzlichkeit nichts anfangen, verwirrt, verunsichert sie eher.
Ängstlich suchen ihre Füße Halt auf den Felsbrocken, die, je steiler der Pfad
wird, umso größer werden, manche der Kolosse bewegen sich leicht beim
Drauftreten, unheimliche Kräfte am Werk, wie tonnenschwer – der Preis
für ihre Sehnsüchte? Spitze beinharte Schreie dringen zunehmend an ihr
Ohr. Klingen nervös und verzweifelt und wer stößt sie aus? Die vielen Menschen hier inzwischen, denn es treffen sich mehrere Pfade. Das steile Gelände wird beständig unwegsamer und sie immer mutloser. Brutaler Konkurrenzdruck mit all den anderen Menschen, inzwischen auf demselben
Weg. Verdrängen, abdrängen, zurückstoßen, wüste Drohungen. Ihr groß-
gewachsener, starker Begleiter bahnt sich stoisch seinen Weg, mit ihr im
Schlepptau. Trotzdem ist für beide inzwischen kaum mehr ein

Vorwärtskommen. Jetzt wo's drauf ankommt! Menschen über Menschen, allüberall, Geschiebe, Gedränge, Gedrücke, handfester Streit, lautstark, um den Platz für den nächsten Schritt. Der Existenzkampf der menschlichen Kreatur entlädt sich in voller Wucht, tritt in seine entscheidende Phase: Ich oder du oder keiner von uns. Gegenseitige Vernichtung droht kurz vor dem erlösenden Ziel. Kein Weiterkommen mehr. Schluss. Alle haben sich rettungslos ineinander verkeilt, sitzen fest. Keine Aussicht auf Auflösung. *Wenn die oben doch nur weitergingen,* hämmert ihr logisches Denken, *dann müsste es doch ...* Andere, viele, ja alle die festsitzen, denken dasselbe. Aber die oben gehen nicht weiter, verharren dankbar und erstarrt im neuen Lebensglück, leben bereits in der anderen Welt, scheinen die alte restlos vergessen zu haben. Fürs Platzmachen-sollen ist keinerlei Gedankenraum mehr vorhanden ... Nachrückende haben das Nachsehen ... blanke Wut entlädt sich allenthalben. Gellende überschnappende Verzweiflungsschreie, im Tumult abstürzende, aufbrüllende Menschen, wüste Schlägereien um Leben und Tod, Menschen stolpern, fallen zu Boden, werden niedergetrampelt von den ungerührt nachschiebenden, selbst nachgeschobenen, haben keinerlei Chance mehr ... Sie verfällt in tödliche Panik, schreit angstvoll auf – oben an der Scharte winkt die Erlösung, die leuchtende Vision und hier droht der Tod. Er hält sie, so gut es geht, heraus aus dem Chaos ..., versucht sie mit seinen Armen zu schützen, wehrt nach Leibeskräften alle ab, die sie bedrohen, seltsam unbeeindruckt von der näherrückenden Gefahr realer Vernichtung. *Wie lange wird das noch gut gehen?* Hyperventilierend schnürt ihr dieser Gedanke beinahe das Herz ab. Inzwischen spitzt die Sonne jetzt auch hier hervor, beleuchtet ungerührt das chaotische Schlachtfeld, wird immer gleißender. Bisher hat sie nur die *fernnahe* Scharte beschienen. Wenigstens das. Wunderschön, aber kein Trost angesichts des bevorstehenden Todes aller durch Selbstvernichtung. Der ausgeträumte Traum vom dauerhaften Glück ...

Vögel zwitschern in der Ferne. Wo die plötzlich herkommen in dieser furchtbaren, grausam-unwirtlichen Szenerie? Bisher gabs keine, anfangs nur menschliche Rufe ferner Vorwärtsstürmender allüberall oder von den Beschwernissen Gepeinigter. Inzwischen lautstarker, knallharter

Nahkampf um die besten Bedingungen fürs mittlerweile aussichtslose Vorwärtskommen. Aber Vögel? …, oder hat sie nur nicht darauf geachtet? Die glasig strahlende Sonne blendet. Die trostlos brutale Umgebung, gerade noch ihrer beider volle Aufmerksamkeit erfordernd, tritt merkwürdig in sich selbst zurück, wandelt sich und mit ihr entweichen die Menschen samt ihren Schreien ihrer unmittelbaren angstvollen Aufmerksamkeit, werden Schemen. Der bisher so eiserne Griff ihres Helfers lockert sich … *Will er nicht mehr, überlässt mich meinem Schicksal? Bitte lass mich jetzt nicht im Stich,* jagt es noch besorgt durch ihren Kopf im durchsichtigen Schweigen der flirrenden Sonne … Die Scharte, das Ziel ihrer Sehnsucht verschwimmt in milchigweißer gleißender Helligkeit. Die Sonne …, sie spürt warme Strahlen auf ihrer Haut …

Algena blinzelt. Wo bin ich? Völlig benommen ringen Antipoden in ihr … Die Felsbrocken, das prophezeite gelobte Land, der Begleiter, der sie vorm Absturz bewahrt, die bedrängenden restlos enthemmten, wutentbrannten Menschen? Das grausame Niedertrampeln? Wo ist das alles geblieben? Wärmende Sonnenstrahlen spielen auf ihrem Gesicht, ihre Wangen belebend. Sie hatten spätnachts die lichtdämpfenden Vorhänge des großen Schlafzimmerfensters nur schlampig zugezogen, ein breiter Spalt war offengeblieben.

In Bruchteilen von Sekunden ordnen sich die erwachenden Gedanken und separieren alles Erleben dorthin, wo es hingehört. *Oh Gott, es war ein Traum* …, es war zum Glück nur ein Traum, ein Albtraum, und was für ein furchtbarer, denn es gibt kein gelobtes Land, kein Land des ungetrübten Glücks, keine Zeit, nach der das Leben neu anfängt, einen völligen Neubeginn ermöglicht … Es gibt keinen vorgezeichneten Weg, und sei er noch so schwierig, und es gibt keinen Menschen, der sie am Arm fest hält …,

oder doch???

***

467

Ruhige Atemzüge … Sie wendet langsam ihren Kopf und schaut direkt in das selig schlummernde, von der Bettdecke halb verdeckte Gesicht von Harry … Ihr Blick heftet sich lange Minuten auf seine entspannten Gesichtszüge. Der Fleck der morgendlichen Sonnenstrahlen, der ihre Wangen zum Glühen gebracht hatten, gleitet langsam nahe an ihm vorbei, berührt ihn nicht. Er atmet gleichmäßig, scheint tief zu schlafen … Sie betrachtet seinen Mund, die vollen männlichen Lippen mit ihrem überraschend weiblichen Touch in Form und Farbe, sogar jetzt im Schlaf.

Und dieser Mund hat sie heute Nacht geküsst, wie von Sinnen, sie trunken machend, stundenlang, so kommts ihr vor, zartfühlend hat er ihren Kopf zwischen beide Hände genommen, seine Finger in ihren langen Haaren vergraben, hat sie gekost und alle Wonnen der Liebe spüren lassen, und sie hat sich ihnen und ihm hingegeben wie eine Ertrinkende, sich in seinen liebevollen Armen geborgen gefühlt und dabei jegliches Denken verloren … Erneut befällt sie die ungeheure Gefühlsaufwallung dieser vergangenen Stunden … Sie vermag ihren Blick von ihm nicht loszureißen. Sein abgewinkelter Arm, ein muskulöser, leicht behaarter männlicher Arm, presst ein großzügiges Stück der romantisch geblümten Bettdecke mit seiner dezenten blauen Grundfärbung gegen seinen Körper. Unten schaut vorwitzig eine Fußspitze heraus. Sein Gesicht ruht sanft, wie hingegossen auf dem schmalen Kissen. Der kleine E-Wecker auf ihrem Nachtkästchen zeigt acht Uhr fünfzehn. Es war eine ausgesprochen kurze Nacht gewesen.

Hemmungslose Sehnsucht nach diesem Mann flammt in ihr auf. Er hatte sie und ihren ganzen Körper vergangene Nacht viele Stunden in *„alle Siebten Himmel"*, in ein herrliches Zugleich all ihrer Sinne geführt, ja entführt. Und sie war seine zärtliche Venus gewesen, in dionysischem Liebesrausch zerfließend. Ein einziges sinnliches Fest erotisch-intimer Zärtlichkeit. Sie hatte seinen Körper genossen wie noch nie und noch nie einen anderen – ein subjektiver Eindruck, das weiß sie natürlich, denn da gabs mal Philipp …, aber der war weit weit weg in ihrem momentanen Vorstellungsgebäude, sie war durch und durch mit diesem Mann hier eins gewesen und geworden, ein Körper … Und er, Harry? Er hatte sie spüren lassen, wie sehr er sie liebt, ernsthaft liebt, nach wie vor und wie gut er auf sie einzugehen imstande war, all ihre innersten Träume, Sehnsüchte und Erwartungen ihr von den Augen und ihren körperlichen Reaktionen abzulesen …, immer noch, denn es waren viele Jahre vergangen, seit sie sich einst getrennt hatten. Daran hatte sich bei ihm nichts, aber auch gar nichts geändert. In seinem Familienstand als Ehemann und Vater zweier Kinder war er im Gegenteil reifer, irgendwie abgeklärter, souveräner geworden. Jetzt liebte er *sie, seine Algena* … und nichts und niemanden anderen. Wie wenn es weder vorher noch nachher eine „andere" Zeit gegeben hätte. Es war, als knüpften sie unmittelbar an die damalige Zeit an, an *ihre damalige gemeinsame Zeit* …, und die vergangenen zehn Jahre? Ausgeblendet, nicht existent, in einem Nichts aufgelöst. Sie ist noch immer hemmungslos ihm, ihrer ersten, ihrer ganz ganz großen Liebe verfallen. Sie kennt Harry und weiß seit Langem um seine nie nachgelassene Verehrung für sie – er hat auch nie einen Hehl daraus gemacht – auch wenn er sich nach ihrer damaligen Trennung, wie sie schmerzlich damals mitbekam, wilden studentischen Eskapaden mit anderen Mädchen hingab und sich irgendwann in Rosi verliebt haben musste – und jetzt Familie mit zwei Kindern hat.

Schon bald nach Beginn ihrer kleinen Wanderung gestern um die Mittagszeit fand sich Algena zunehmend in einen blinden Rauschzustand verfallen – und merkte es nicht, bzw. fand nichts dabei … Harry verheiratet? Ja! Klar! Ja und? … Was solls! Interessierte gerade herzlich wenig. Trotzige Eigendynamik in ihrem inneren Gedankengebäude: Sie wollte mit ihm einen schönen unterhaltsamen Tag verbringen, so hatten sie es ein paar Tage zuvor vereinbart.

Er hatte während der Winterzeit wie üblich alle paar Wochen angerufen und die anschließende Aufbruchstimmung des Frühjahrs, die sie so liebte, vor allem den Anblick der frühlingsblühenden Terrasse, löste in ihr oft entspannt-aufgeräumte Stimmung aus. In genau einem solchen warmen inneren Wohlbefinden hatte er sie beim letzten Telefonat vorgefunden, weshalb sich ihre Unterhaltung diesmal deutlich länger hingezogen hatte als üblich, wo sie eher wortkarg reagierte. Er musste ihre überraschende Aufgeschlossenheit bemerkt haben, weshalb sein Vorschlag, sich doch am Samstag auf eine kleine Wanderung oder einem längeren Spaziergang mit ihm zu treffen, prompt ihre Zustimmung gefunden hatte. „Und der Wetterbericht meldet gutes Wanderwetter", meinte er jovial (und versuchte dabei, seinen Worten eine gewisse Beiläufigkeit zu verleihen …). Sie wollten sich viel unterhalten, über alte gemeinsame Bekannte reden, was aus ihnen geworden sei und so … *Das wird doch wohl noch gestattet sein*, protestierte sie gegen einen kurzen Impuls inneren Zweifels samt einem aus der Tiefe aufsteigenden schlechten Gewissen, weil sie im Begriff war, ein sich vor Langem aus „Sicherheitsgründen gegebenes heiliges Versprechen", ein Credo geradezu in Bezug auf Kontakte mit Harry, gnadenlos zu brechen und nun doch mit ihm zusammenzukommen, ihn zu treffen. Und schon …! Blasiert setzte sie sich darüber hinweg! Schließlich hatten sie einst während des Studiums eine längere gemeinsame Zeit miteinander verbracht. Und überhaupt, beruhigte sie ihr innerlich-dämonisches, widerstreitendes Unbehagen, am Abend nach der Wanderung würden sie wieder auseinandergehen, wie eben gute alte Freunde … Was denn sonst? Also bitteschön! Weg mit ärgerlichen Zweifeln …

Es war dann doch ganz anders gekommen, weil es nicht ausbleiben konnte, dass sich alte Gemeinsamkeiten wieder meldeten, vor allem, weil Harry beredt und kunstvoll ihre Unterhaltung in diese Richtung gelenkt, ja sie forciert hatte … Die sich wohl unaufhaltsam anbahnende Liebesnacht mit ihr, die er so lange schon erhoffte, würde heute *vielleicht* wahrwerden, ja klar, wäre ein klassischer Seitensprung …, Skrupel plagten ihn keine – *und Rosi wirds eh hoffentlich nie erfahren.*

Aber auch Algenas Gedanken wanderten in diese Richtung und aufkommende Gewissensbisse wegen *Verheiratetsein* und vor allem *Rosi*, schob sie mit Nonchalance beiseite, trotzdem sie seit ihrem Kennenlernen bei Isabelles Hochzeit deutlich mehr Achtung vor dieser kleinen Frau empfand. Algena wollte sich ihre euphorische Stimmung nicht kaputtmachen lassen und gab leise aufsteigenden Abwehrkräften keinerlei Chance. Sie wurden von den Wünschen ihres Körpers längst überwunden, ja ausgelöscht. Sie wollte ihn und die Liebesnacht mit ihm.

Harry war bereits am späten Vormittag mit einem Strauß roter Rosen vor ihrer Tür gestanden. Sie zeigte Freude, vorsichtshalber keine überschwängliche, und versuchte, ihre Verlegenheit zu verbergen so gut es eben ging. Rosen …, *Rosen der Liebe?* (In ihrem Kopf brodelte es bereits). Oh Gott, Harry … Es machte sie befangen, ihre Wangen erglühten und ein zarter rötlicher Hauch zauberte sich auf sie … Sie war sprachlos, aber ihr Innerstes konnte nicht anders als sich tief beglückt zu fühlen … und Harry hatte es ihr ansehen, er kannte sie und ihre leuchtenden Augen, kaum verhohlene Zustimmung andeutend – und war beglückt darüber, seine geheimen Vorstellungen und Wünsche bestätigt zu sehen.

Algena hatte ein paar Vorschläge für die Gestaltung der weiteren Stunden parat und er hörte geduldig zu – höchst ungewohnt bei ihm. Kein überstülpender Egoismus mehr wie früher? Das war neu … Sie einigten sich schnell auf eine längere Wanderung an der Isar auf ihren so geliebten Wegen. Man konnte, wenn man wollte, bis nach Baierbrunn laufen, immer den sanft gurgelnden Fluss im Ohr. Algena jubelte innerlich: *Wie wunderbar, sich gemeinsam auf Beschlüsse einigen zu können …*

Späteres spätnachmittägliches Zusammensein zuhause. Endlose Gespräche über ihre Lebenssituationen, ihre beruflichen Ambitionen, ihre Interessen, die sich immer noch gut deckten, bis auf das Tanzen; da meinte Harry, nicht besonders begabt zu sein, was Algena in ihrer aufgeräumt, nachsichtigen (man könnte aber auch sagen „liebesblinden") Stimmung gar nicht weiter als Manko empfand. Ein Wort gab das andere, kein Leerlauf, Einigkeit par excellence, was nicht hieß, immer einer Meinung zu sein, nein, sie diskutierten beim „Fünf-Uhr-Tee" und wohlschmeckenden „Schleckereien" aus der Bäckerei unweit ihrer Wohnung über alles und jedes, über Gott und die Welt, tauschten ihre Ansichten aus, manche Fragen auch durchaus kontrovers, aber in überraschend gleichberechtigter Manier. Seine Verantwortung für die Familie und die beiden kleinen Kinder klangen ernsthaft besorgt …, ansonsten war er bei diesem Thema zurückhaltend, nur wenig gesprächig, lag ja bei ihm auch absolut nicht im Fokus dieses Tages. Erneut spürte sie deutlich: Harry war reifer geworden, inzwischen auffallend gekonnt *miteinander* redend im gleichberechtigten Ansinnen, würde sie am liebsten sagen wollen. Es sah so aus, als habe er seinen einstigen unangenehmen Egoismus weitgehend abgelegt, sei in den vergangenen zehn Jahren *rund geschliffen,* auf ein jedem Menschen zustehendes „Normalmaß", jedenfalls in dieser Hinsicht, zurechtgestutzt worden. Er wirkte gewandter, flexibler, irgendwie sogar geläutert, ohne seinen schon immer vorhandenen Esprit eingebüßt zu haben. Der Spätnachmittag zog sich bis in die Abendstunden hinein, ging sozusagen nahtlos in sie über, ein paar salzig-herzhafte Fertiggericht-Schmankerl als Gegengewicht zu dem Süßzeug fanden sich in Algenas Kühlschrank, und auch eine Packung Chips im Vorratsschrank. Bald leuchtete guter Rotwein im bauchigen Kristallglas … Algena hatte noch CDs aus „ihrer" einstigen Zeit, für die sie beide geschwärmt hatten – und legte eine auf. Harry stöhnte auf: „Und die hast Du noch?" – „Aber ja, wie könnte ich die ausrangieren?", lachte sie ihn gewinnend und erinnerungshungrig an. Tiefsinniger Blick von Harry auf seine einstige studentische Freundin … *Sie liebt mich nach wie vor, ich spüre es.* Harry sah seine Saat aufgehen … Ein Abend wie im Bilderbuch … Er war sich sicher, wie er enden würde …

Algena genoss entspannt *das scheue Reh mit dem Namen „Glück",* das sich heute Abend bei ihr eingefunden hatte. Sie fühlte sich ungebunden und zugleich in einem Rausch inneren Wohlfühlens wie schon lange nicht mehr. Dieser Mann hielt sich zurück (wie einst, was sie damals so geschätzt hatte an ihm), ließ ihr genau den Freiraum, den sie wollte (und brauchte), so zu sein, wie sie ist (und sich damit auf ihn einzustellen). Er übersah einfach ihre manchmal sprungartig-schrullig anmutenden Anflüge oder bisweilen unorthodoxen Ansichten bei Argumenten und erzählten Handlungen, die sich bei ihr, egal über welche Themen sie sich austauschten, stets mit einer kaum verhüllten Gefühlsambivalenz – *abwehren und wollen zugleich* – ausdrückte. Ihr stark verwurzelter fundamentaler Konservatismus verhinderte schon immer unvorbelastetes Denken und bisweilen sogar Fühlen und führte nach wie vor einen inzwischen unbegreiflich heroischen Kampf gegen ihr Wollen – weshalb das Abwehren eben bisher meist gesiegt hatte, leider zu oft. Normales Männervolk versteht „*weibliche Komplexität*" egal welcher Art oft nicht, geht einen direkteren Weg, eckt an und hat damit bei ihr zumindest schon verloren. Auch im Anschein nur überrumpelt zu werden, verträgt sie nicht – vertrug sie noch nie! … Harry – und das wusste sie – war anders, er konnte mit ihr umgehen, beobachtete sie, bedächtig abwartend, bis sie sich „öffnete", er ihr „inneres Klingen" vernehmen konnte und sei es noch so leise und dauere noch so lange, weshalb bei ihr im Kontakt mit ihm jegliches Abwehren ausblieb.

Dass sie sich näherkamen im Lauf des Abends, der sich in ihrer Unterhaltung immer länger hinzog, war nur eine Frage der Zeit. Als es „so weit war", gabs für beide kein halten mehr … In seinen Armen konnte sie schließlich dahinschmelzen. Nichts mehr trennte sie von ihm, waren die einzigen Gedanken, die noch konkret durch ihren Kopf geisterten.

Er hatte Erfahrung mit dem weiblichen Körper. Die hatte sich seit damals, als sie ihn *Naturtalent* tituliert hatte, noch mal gesteigert. Er genoss jeden Fleck ihres Körpers mit so viel ausdauernder Hingabe und so offensichtlichem Genuss, dass bald sämtliche Glocken ihrer eigenen sinnlichen Begierde zu läuten begannen, denn jegliches seines Tuns ließ die Resonanz in ihr in immer neuen Höhen aufjubeln.

In einem unendlichen, scheinbar nie endenden Akt führte er sie gekonnt, zugleich verhalten ihrem eigenen absoluten Mittelpunkt ihres weiblichen Wesens entgegen, so wie sie das unbewusst immer erträumt hatte – und in dieser Vollendung nie bekam. Und alles trotz seines natur-gegebenen, aber männlich-beherrschten Drängens. Sie spürte eine neue, bislang ungekannte Unbedingtheit bei ihm in all seinen Handlungen, spürte, wie er unmerklich sich selbst in einen gleichberechtigten Rang mit ihr brachte: Ein neuerliches Zünden bei ihr. Wie von selbst öffneten sich all ihre weiblichen Portale für ihn, sie in ein inneres Vorstellungsmeer zauberhafter Liebesdüfte, leuchtend-warmer Farben und anrührender Klänge tauchend … Das, was er wollte, was er von ihr wollte, führte jetzt geradewegs in ihr Inneres, klopfte mächtig an ihr vibrierendes, immer noch sich steigerndes Wollen, ließ in diesem Spiel ohne Grenzen ihre Körperseele final aufjubeln … und sie überließ den Triebkräften der Natur ihre restlos entfesselten, nicht mehr beherrschbaren Gefühle, keiner Kontrolle des Verstandes mehr zugänglich …, um in einem ekstatisch-rauschenden Höhepunkt der Hingebung zu gipfeln, der eine halbe Nacht lang währen mochte …

Liebevoll sieht sie in sein Gesicht. Lang, sehr lang hatte dieser Rausch gedauert, wie lang tatsächlich ist egal. Vor zehn Jahren waren sie junge Studenten gewesen und er war schon damals mit Abstand der einfühlsamste Mann unter seinen eher unreifen, oft recht raubeinig sexgeilen Kommilitonen gewesen. Die Wenigen, mit denen sie sich eingelassen hatte, kamen bei Weitem nicht an Harrys Begabung heran. In so jungen Jahren schon so ein begnadetes Talent in der Behandlung von Frauen – *von ihr???*

Warum nur hatte sie sich damals getrennt von ihm? Warum nur hadert sie jetzt ernsthaft beim Anblick des schlafenden Harry. Es wäre alles, aber auch alles, ganz anders gelaufen. War das der Kardinalfehler ihres bisherigen Lebens? Nein, denn damals gabs Gründe, die eben genau in dieser Zeit ausschlaggebend waren und kein anderes Handeln vernünftig erscheinen ließen. Keiner kann in die Zukunft blicken, keiner kann mögliche menschliche Entwicklungen voraussehen …

Wunderbare Erinnerungsminuten …, Algena schwelgt, ja badet im Glück der vergangenen nächtlichen Stunden, auch wenn diese über kurz oder lang in ihrer beider sanften Schlaf hinübergeführt hatten …, aber eben auch den furchtbaren Albtraum heute früh bewirkten! Sie will über den nicht nachdenken, nicht jetzt in diesen seligen Erinnerungsminuten … Oder doch? Oder nur ein klein wenig? Denn tatsächlich und sehr real in der Welt ist der große Konkurrenzdruck der Menschen untereinander, die Konkurrenz über die besten Glücks- und Ausgangsbedingungen nicht nur bei der Selbstverwirklichung in Lebensgestaltung und einem passenden Beruf, sondern auch im Kampf um den geeigneten Partner. Dieser Wettstreit wird, wie sie aus eigener Erfahrung ihrer frühen Zwanzigerjahre als sicher annahm, vornehmlich, zumindest in diesen jungen Jahren, eben doch vor allem über den Sex entschieden, auch wenn die meisten Menschen das entrüstet, aber eben doch ein wenig scheinheilig vonsich weisen, es nicht zugeben, nicht wahrhaben wollen, weil es doch vor allem die Liebe sei, die in ihrer Romantik alles entscheide. Trieb und Liebe sind zu unterscheiden, auch wenn sie letztlich zusammengehören. Das wird oft nicht genau genug gesehen, bzw. Trieb mit Liebe gleichgesetzt oder umgekehrt. Dem puren Trieb ist kaum jemand gewachsen, selbst dann nicht, wenn das Alltagsleben bis in die sog. *Besten Jahre* hinein längst zum realen Albtraum mutiert ist, was es eben oft genug auch gibt ..., er überwölbt alles ... und schlimmstenfalls stehen dann gefühlloser Streit, Seitensprünge oder Scheidung an (meist mit sofortigem Wechsel desParners ...)

Der gerade erlebte Albtraum hatte ihr persönliches Dilemma ins absurde verdichtet und verfremdet. Sie wusste, liebevolle Führung zu brauchen, unbedingt, und Verständnis, und viel viel echte wohlwollende Liebe, dann würde das Glück bei ihr einziehen können ...

***

Urplötzlich, von einer Sekunde zur nächsten, jäh und brutal, mit fürchterlicher Brachialgewalt, verjagt ein nüchternes, glasklares *Sich-voll-bewusst-Werden ihrer Gesamtsituation* den Rausch des eben noch gegenwärtigen romantisch-labilen Augenblicks. Wie weggeblasen der gestrige sorgenfreie Nachmittag samt ihrem als völlig nebensächlich eingestuften Wissen um Harrys Familienstatus und der späteren grandiosen Nacht. Ihre gerade noch unschuldig erinnerten Träume von erfüllter Sehnsucht und Glück schredderten zu Schrott bis zur völligen Auflösung alles Gewesenen und Erlebtem. Die niederschmetternde Fratze einer wie mit brennender Flammenschrift aufleuchtenden Erkenntnis leuchtet auf:

Harry ist unerreichbar für mich, verloren für immer und ewig.
Er ist verheiratet und hat Familie mit zwei Kindern.

Mit zu Eis gefrorenen Gesichtszügen löst sie ihren träumenden Blick von diesem geliebten Mann, wendet sich in abgrundtiefer Enttäuschung ab, kann nicht trauern, geschweige denn weinen. Die erbarmungslos grausame Unabänderlichkeit der Misere, in der sie steckt, wird ihr jäh in ihrer ganzen brutalen Tragweite bewusst, zerschlägt ohne Hemmung ihre im ersten Erwachen noch so erfüllten Liebesfreuden bis zur Unkenntlichkeit.

Sie hat keine Chance. Natürlich hätte sie eine: Harrys Familie zerstören, reinbrechen in seine Ehe mit der brav-biederen Rosi, sich ihn zu krallen und sie mitsamt den beiden Kindern sonst wohin zu schicken. Irgendwann waren ihr diese destruktiven Gedanken schon mal durch den Kopf gefahren, und sie hatte sie auch damals schon als völlig indiskutabel verworfen. Auf solcher Basis ein unbeschwertes Ehe-, später gar Familienleben aufbauen, eine Normalbeziehung im unschuldigen, unbelasteten Glück, so wie es ihr vorschwebte? Unmöglich! Das ewige Damoklesschwert würde über ihr, über ihnen kreisen! Es war einfach nicht möglich! Harry bliebe Vater zweier Kinder mit nicht unerheblichen zeitlichen und finanziellen Verpflichtungen, eine unglückliche, sicherlich hasserfüllte verstoßene Ehefrau würde ihm und ihr das Leben schwer machen können, und überhaupt, ob Harry bei all seiner Liebe zu ihr auch bereit wäre, seine Familie aufzugeben, stünde in den Sternen – so warm, wenn auch nur kurz, wie er gestern über sie geredet hatte? Eher nein. Wohl würde er einen überheroischen Kampf der Entscheidung mit sich ausfechten müssen, aber am Ende würde er wohl bei seiner Familie bleiben. Und wollte sie, Algena, überhaupt eine solche nur „bedingte" Liebe, eine aus zweiter Hand, weil die erste ja woanders sanktioniert und voll etabliert war? Nein, klares nein! Höchstens wenn der Mann bereits geschieden war, und möglichst noch keine Kinder hat … Isabelle hatte sie gewarnt, in verheiratete Männer keinesfalls Gefühle zu investieren. Im Allgemeinen gewinnt letztlich eben doch die bestehende Ehefrau. Stimmt. Aber bei Harry? Da waren starke Gefühle da, *bevor* er verheiratet war …, nämlich für sie, Algena. Aber dann hat er Rosi geheiratet, hat bewiesen, dass auch andere Frauen sein Herz öffnen können … Und *ihre* einstige Liebe? Die galt nichts mehr, durfte nichts mehr gelten. Und die vergangene Nacht?? Algena fröstelt, eiskalt wird es in ihr: Sie hat versagt, auf der ganzen Linie. Hat ein sich feierlich gegebenes glasklares Versprechen gebrochen. Absolut unverzeihlich!

Und wenn sie damals nicht Philipp kennengelernt hätte …? Dann doch Harry?? Reinste Spekulation, Utopie, irreales *was-wäre-wenn* … Die einstige Trennung von Harry war damals verständlich und nötig, aus heutiger Perspektive aber eine vorschnelle, eine Fehlentscheidung. Immer wieder, und jetzt ganz besonders, spukte und spukt dieses Thema in ihrem Kopf herum … *„was-wäre-gewesen, wenn…?"* Wie eine Art permanenter Albtraum eines einst grenzenlosen Versäumnisses am helllichten Tag, in dem sie stets wiederkehrend ihre damalige studentische Aufmüpfigkeit bereut und verflucht! Müßige Gedanken. Warum bekommt sie das alles einfach nicht aus ihrem Schädel heraus?

Ja, Philipp hatte, lange nach der Trennung von Harry, als einziger Mann Harry das Wasser reichen können und sie war glücklich mit ihm gewesen, – aber es hatte sich alles als Makulatur erwiesen. Jetzt fühlt sie sich zurückgeworfen in eine Lebensphase, die's nicht mehr gibt, als ob sie noch mal neu anfangen müsste. Und das geht nicht. Man kann das Leben nicht zurückdrehen. Harry war der wichtigste Bezugspunkt ihrer damaligen Jahre und ist es heute nachdem sie wieder Single ist immer noch, besser gesagt: Wieder. Aber heute ist Harry vergeben …

Und seit Philipps Tod? Ja natürlich, etliche Männer hatte sie kennengelernt …, ehrliche Liebe? Kaum. Gute Unterhaltung manchmal, oft wurde sie eingeladen, ausgeführt, alles zumeist nur mehr oder weniger geschickte Vorwände fürs allgegenwärtige männliche Verlangen … Keiner war dabei, für den sie sich *vorbehaltlos* hätte auf Dauer entflammen können, – aber es hat auch keiner sich wirklich nachhaltig und ausdauernd Mühe gegeben, vor allem auch bittere Rückschläge verkraftend, die nötige Geduld mit ihr aufbringend. Nie gings in den Beziehungen weit genug „in die Tiefe". Es gelang den Männern nicht, sie nachhaltig zu „erobern", ihr *die* Liebe in genau der Art zu schenken, die sie sich immer erträumt hatte. Da versagten alle. Nur die hätte sie erwidern können … Warum eigentlich? Sie ist ausnehmend hübsch, belesen, interessiert, wie ihr immer wieder bedeutet wurde … Waren es Verhaltensfehler, war sie zu wählerisch oder stieß sie gar *Es-ernst-Meinende* unbedacht, gar vorsätzlich, vor den Kopf?

Bei diesen Gedanken verzweifelt sie erneut an sich wie so oft schon in den vergangenen zwei…drei Jahren, zweifelt an ihrer Fähigkeit, ihr Lebensglück zu finden. Weil es sich partout nicht einstellen will … Wie oft hatte sie sich schon gesagt, dass es *„so"* nicht weitergehen dürfe. Vergeblich: Der Einzige, dem sie wirklich nachtrauert, ist Harry …, verloren für sie – für immer.

Harry kommt nicht in Frage. Wie oft muss sie sich das denn noch einbläuen? Sie weiß seit Langem von der immensen inneren Gewalt, die sie sich mit diesem Verzicht antun muss, verdonnert dazu ist, sich anzutun und sich so irre schwer damit tut. Die vergangene Nacht mit Harry hat ihr die endgültigen Grenzen ihrer Möglichkeiten, sich selbst zu konditionieren, aufgezeigt.

Alle ihre Sehnsüchte, alle Männer, die sie künftig noch kennenlernen würde, müssten sich unweigerlich an diesem einen messen lassen. Und würden wohl alle durchfallen. Absolut alle. Davon ist sie jetzt überzeugt, daran gibts nicht mehr den geringsten Zweifel.

Ja natürlich, möglich wäre ein Liebesleben mit ihm im Untergrund, sozusagen für die Umwelt unsichtbar. Für Harry die heimliche Zweitfrau spielen, die er immer wieder aufsucht? Stets warten zu müssen, bis sich für den Herrn wieder mal eine Gelegenheit ergibt und darüber hinaus immer Gefahr laufen, dass das Verhältnis auffliegen könnte mit all den irren Konsequenzen für alle Beteiligten? Nein, das will sie nicht, keinesfalls. Vor allem wenn er *„nach ihrem Stündchen"* wieder gehen müsste, zurück in sein heiles Familienleben, – und sie in totalem Aufgewühltsein zurückbleiben müsste …, immer und immer wieder. Ausgeschlossen! So lange schon sehnt sie sich nach einer harmonisch-ruhigen, beständigen Ehe. Jetzt hat sie der Glaube daran endgültig verlassen. Es hat eben nicht sollen sein. Sie ist inzwischen überzeugt, dass ein Zusammenleben mit dem *heutigen* Harry möglich wäre – er scheint es mit seiner Rosi zu beweisen.

Und Harry? Der würde wohl nichts dagegen haben (denn er bekäme ja, was er wollte, von Zeit zu Zeit) …, wie wenn sie eine Kurtisane wäre, zu der man gehen könne, *wenns zu Hause langweilig wird, wenn er einen Kick braucht oder es Ärger gibt, oder* … Harry neigte auch früher schon dazu, während ihrer gemeinsamen Zeit sich gelegentlich für andere Mädchen zu interessieren, was zwar zu allermeist schnell wieder in sich zusammenfiel, aber ein nie wirklich endendes Thema bei ihnen war und auch eine gewisse (Neben-)Rolle bei ihrer Trennung gespielt haben mochte. Trotz Verantwortungsbewusstsein für seine Familie würde er diese Neigung, da war sie sich sicher, bedenkenlos fortführen und jetzt eben mit ihr ausleben wollen, weil er weiß, wie abgöttisch sie ihn liebt. Nein, nein, nein, auch mit Harry will sie das nicht. Nicht die Nebenfrau für schnellen aufregenden Sex spielen. Kommt nicht in Frage.

Ein unfassbarer Gedanke macht sich plötzlich in ihr breit. Würde sie damit denn nicht exakt Lauras Rolle spielen, die einst das Liebchen ihres Ehemannes war und mit ihm eine jahrelange Parallelexistenz aufrechterhalten hatte – und sie, Algena, das blauäugige Dummchen war, das absolut nichts bemerkte …?

Und jetzt würde dieses vermeintliche Dummchen das großartige Dauer-Liebchen von Harry spielen und mit ihm auch eine Parallelexistenz … Oh Gott!!! … Und das neue Dummchen? Wäre die einfältige Rosi …, aber das könnte sie nie-und-nimmer moralisch vertreten (Laura hatte es gekonnt …). Unglaublich.

Welch fatale Ähnlichkeit der Causa *Laura-Philipp* mit der *Algena-Harry*. Der fundamentale Unterschied: Sie ist nicht Laura, nicht die kaltschnäuzige Laura, die ihre Gefühle nach Gusto und Bedarf ein- und ausschalten konnte und deshalb die Chuzpe aufbrachte mit *ihrem* Philipp, dem Mann ihrer Freundin, immer nur auf Zeit zufrieden und sogar glücklich zu sein und ohne Hemmung und ohne Zukunftsvisionen gemeinsame geheime Freuden auszuleben.

Sie dagegen braucht Liebe und Zuwendung, Sicherheit und einen festen, vor allem alleinigen Partner und und und. Niemals würde sie mit Harry so wie Laura mit Philipp handeln können.

Weshalb diese gefühlsmäßige finale Enge ohne Ausweg ist: Glasklar weiß sie: Es gibt keinerlei Chancen, keinen Ausweg mehr.

„Es ist aus, vorbei. Endgültig! Ich muss es tun! So will ich nicht mehr leben. Es gibt keine andere Lösung mehr, Algena! So hat das Leben keinen Sinn mehr für mich", resigniert sie in totaler Verzweiflung.

***

Leise erhebt sich Algena von der Bettkante, legt die Zudecke sorgfältig zurück, wirft einen liebevoll besorgten Blick auf den schlafenden Geliebten, greift sich ihren weißen Morgenmantel, schleicht langsam auf Zehenspitzen hinaus in den Flur und ins Wohnzimmer, schlüpft erst dort, um ihn nicht mit Geräuschen zu stören, in den Mantel hinein, umschlingt mit ihm ihren nackten Körper, zieht die Gürtelschlaufen fest und setzt sich auf die Couch und schlägt die Hände vors Gesicht.

Wie benommen fühlt sie sich von dem Orkan all der Gedanken, von den frustrierenden Erkenntnisblitzen, die sie treffen. Sie nimmt ihre Umgebung, ihr helles sonnendurchflutetes Wohnzimmer nur schemenhaft wahr …, sieht den großen Strauß roter Rosen auf dem Couchtisch im morgendlichen Sonnenlicht prangen und ringt um Fassung. Ihr Blick fällt auf das große Konterfei Philipps – und auf das aufgeschlagene Modemagazin nur etwa zwei Handbreit daneben. Laura, der sein Herz gehört hatte, nicht ihr, Algena. Sie spielte nur die hübsche Attrappe, gleichsam seine Edel-Haushälterin, mit der er „Tisch und Bett" teilte …, fungierend als Feigenblatt des Etabliertseins hier in dieser Wohnung. Bittere Erinnerungen. Hier hatten sie zusammengelebt, gelacht in unbeschwerten Stunden, Sex miteinander gehabt, aber wo er bei all dem innerlich mit seinen Gedanken weilte, weiß sie nicht …, schlimmstenfalls und wahrscheinlich mehr bei der hemmungsloseren Laura, bei ihrer besten Freundin, damals … Er war der Schuft, der Untreue, dem eine nicht genügte, dem *sie* nicht genügte! Er war es. Was konnte Laura dafür, ein außergewöhnlich hübsches Model zu sein? Nichts! Was konnte er dafür, dass er zu ihr flog? Alles, denn er hatte alles gehabt –

480

sie, Algena, ebenfalls eine ausnehmend schöne und gebildete Frau, aber ihm, dem Don Juan, hatte sie nicht genügt. Was hatte er ihr alles versprochen: Er wolle sie auf Händen tragen, seine Königin sei sie, behauptete er steif und fest (und falsch), und ihr wolle er huldigen …, bis eine bessere kam …, der er verfiel! Wer war schuld? Philipp, ihr Mann, der längst tot war, – aber hier lebt er – auf dem Konterfei. Auf dem Bild und mit seinem gewinnenden Blick lebt er sein ganzes falsches Wesen aus, sie erinnert sich, er hatte sie angesehen, es war in der Toskana, ein lauer Nachmittag und sie hatte dieses denkwürdige Foto geschossen und es sogar durchgesetzt, gegen seinen (ersten) Willen, dass es gerahmt wurde … Und jetzt? Lachte diese männliche Kreatur sie an, aus zufriedenem Herzen, seine Falschheit bestens verbergend. Oh, umbringen könnte sie ihn heute …, umbringen???

Algena wird es kalt ums Herz, eiskalt. Ihre Lippen zittern, als ob sie diesen Vorstellungen widersprechen wollen, die unbewusst schon seit Längerem in ihr wabern, aber sich jetzt in ihren Gedanken zwingend breit machen. Der Revolver! Jetzt ist seine Zeit gekommen. Hatte sich ihm nie entledigt, ihn nie inkognito weggeworfen, weil eine legale Verwertung nicht möglich war. Aber jetzt, jetzt schlägt seine Stunde, die endgültige Stunde, das Finale. Jetzt, jetzt darf, soll und muss es passieren! Glasklar leuchtet ihr weiterer Weg.

Langsam zieht sie die untere Schublade des hellen Sideboards heraus, auf dem das Bild steht, schiebt einige Papiere, Akten und sonstiges sorgsam-bedächtig zur Seite, öffnet den Deckel des flachen Kastens, sieht die sanft in Samt eingebettete, todbringende Waffe liegen, die ihr wie ein sich selbst erfüllen wollendes Menetekel vorkommt. Ehrfürchtig fingert sie sie heraus, dreht, wendet und wiegt sie in ihrer Hand, alles geradezu liebevoll, erinnert sich kurz, wie sie vor längerer Zeit zu ihr gekommen war, besieht sich dieses furchterregende Instrument genauer. Ihr Herz zieht sich zusammen, als sie sich voll bewusst wird, dass das jetzt kein Spiel mehr ist. Fahlheit ergießt sich über ihr Gesicht. Eine tiefe innere Erregung bahnt sich den Weg in ihre Gedanken: Ob sie wohl funktionieren würde? Hat sie nie erproben können. Es würde *Russisch Roulette* werden …

Gerade als sie die Sicherung löst, erscheint Harry, noch reichlich verschlafen, aber mit entrückt-seligem Blick nach den nächtlichen Liebesstunden, nur mit seiner schwarzen Boxershort bekleidet, unter der geöffneten Wohnzimmertür. Der Ansatz eines Guten-Morgen-Grußes bleibt ihm jedoch buchstäblich im Hals stecken, als er Algena mit einem Revolver herumhantieren sieht – reißt die Augen auf und ist umgehend hellwach, erstarrend. Was soll denn das? Woher hat sie denn den? Am Sideboard war die unterste Schublade halb herausgezogen. Papiere bedecken zu einem Drittel eine aufgeklappte Holzschatulle.

„Algena", ruft er voller Entsetzen, kann nicht glauben, was er sieht, „Algena, was hast du da, woher hast du diesen Revolver, um Gottes Willen, spiel nicht rum damit!" Bestürzt erkennt er, dass Algenas Gesichtsfarbe eine glanzlose Bleiche angenommen hat, die so gar nicht zu ihr passt. Die langen brünetten Haare hängen ihr ungekämmt zottig-verwildert ins Gesicht. Sie scheint unter Schock zu stehen. Aber warum denn, fragt er sich entgeistert. Nach dieser wunderbaren Nacht?

Er will auf sie zugehen, aber schon nach dem ersten Schritt faucht sie ihn an, außer sich:

„Bleib!!! Keinen Schritt weiter, Harry!"

„Um aller Himmel willen, Algena, leg das Schießeisen weg, ich bitte dich!"

Dass Algena schon nicht mehr voll zurechnungsfähig, jedenfalls nicht mehr Herrin ihres Tuns zu sein scheint, erkennt Harry jetzt mit einem Blick.

„Algena!!" Harry starrt auf die Waffe. „Mit so was spielt man nicht, wo hast du diese Pistole her?" Harry zittert vor Angst, will erneut auf sie zugehen.

Algena tritt einen Schritt zurück, hebt den gestreckten Arm und richtet die Waffe auf ihn.

„Bleib!", herrscht sie ihn mit überschlagender Stimme an, „das ist einzig und allein meine Sache, kapiert?"

„Algena, nicht! Nicht! Was tust du da?" Harry kann nicht glauben, was er sieht, dass er sich einer Entfesselten gegenüber in höchster Gefahr befindet und sich eigentlich blitzartig auf den Boden werfen müsste, aber er ist wie paralysiert, geradezu bewegungsunfähig.

„Ich tue, was ich tun muss", schnarrt Algena in völlig verändertem Tonfall, hebt die Waffe ein wenig an, die drohende Mündung deutet jetzt über Harry hinweg.

Harry ist unschlüssig, weiß nicht was er denken, wie er handeln soll in dieser brandgefährlichen Situation. Er versteht überhaupt nicht, was hier vorgeht. „Algena, komm, was soll denn das hier, das ist doch wirklich kein Spiel, leg den Schießprügel endlich weg, an so einem sonnigen wunderschönen Morgen." Er macht eine versöhnliche Geste und will erneut auf sie zugehen.

„Wirst du wohl stehen bleiben?" Die Waffe senkt sich wieder in Richtung Harry. Algena hat inzwischen ihren Zeigefinger um den Abzug gelegt.

Urplötzlich dreht sie sich Richtung Sideboard mit der offenen untersten Schublade. Die Mündung der Waffe richtet sich auf das Bild Philipps und verharrt dort.

Wohl denn, raunt ein wildes Verlangen tief in ihrer Brust, *so räche dich an ihm, meinem Liebsten, Einstigen, Verflossenen, dessen äußerliches Banner Edelmut, Lebenstüchtigkeit und Gentleman-like trug, dessen Triebe aber in niedrigsten Tiefen hausten, dort, wo Treue ein unbekanntes Fremdwort war.* Wild entschlossen ist sie: Fort mit dem Bild, mit dieser Niedertracht, Rache für verlogene Gefühle, absurd gewordene Träume von einer besseren Zeit. Es muss vollbracht werden, um ihres Seelenfriedens willen. Jetzt will sie es allen zeigen, dass sie liebt, geliebt hat – und nur die Gemeinheit dieser beider Menschen sie um ihren Verstand gebracht hat. Jetzt ist die Stunde gekommen, sie ist da: *Jetzt oder nie,* entscheidet sie. Jetzt wird sie es tun – mit abgeschalteten Gefühlen ...

Harry folgt entgeistert diesem Schauspiel, er ist nicht mehr in unmittelbarer Gefahr, aber versteht überhaupt nicht, was da vorsichgeht, was sie vorhat.

„Algena, komm zu mir, komm ..., ich ..., ich liebe dich doch ..."

In hilfloser Geste hebt er erneut die Arme, breitet sie aus, um sie, wenn sie denn zu ihm käme, aufzunehmen. Algena wirft ihm nur einen kurzen versteinerten Blick zu, ist mit ihren Gedanken längst bei Philipps Bild, starrt es wild an.

Mit völlig überdrehter Stimme brüllt sie:

„Du elender untreuer Schuft, du Verführer, du erbärmlicher Sexbolzen, du niederträchtiges Schwein, du …, ich werds dir heimzahlen, mich jahrelang auf übelste Weise, ohne die geringsten Gewissensbisse hintergangen zu haben!" …

Algena ringt hörbar nach Luft.

„Nie wieder wirst du mich betrügen, du verfluchter Mistkerl …, nie! – nie! – nie mehr!"

Während dieser Worte zieht sie den Abzughahn durch, einmal und gleich noch ein zweites Mal. Zwei gewaltige Knaller erschüttern den Raum, die Rückschläge lassen zweimal ihren Arm kurz zurückschnellen, der Revolver raucht leicht aus dem Mündungsrohr. Das Bild kracht, von den Patronen wuchtig getroffen, nach hinten weg und rutscht auf dem Sideboard bis es an der Wand anstößt. Das Glas war schon beim ersten Schuss in tausend Scherben geplatzt, die in Splittern wie die Kugeln eines Schrapnellgeschosses durch den nahen Raum spritzten.

Ohne zögern dreht sie sich weiter in Richtung der über Eck frei aufgestellten Modezeitschrift, dessen Titelblatt Laura im hocheleganten pastellblauen Herbstmantel ziert, mit obszön erotischem Blick jeden Betrachter verwirren wollend. „… und du gleich mit!", schreit sie. Schon richtete sich die Revolvermündung auf die Frau.

„Du Miststück, mit dir hat er gevögelt und mich jahrelang betrogen. Du hast ihn natürlich nicht abgehalten, weil Ehrgefühl ein Fremdwort für dich ist, du hast nur deinen Spaß, deinen Kick gesucht, es war dir wurscht, dass er der Ehemann deiner besten Freundin war, du gottserbärmliches Weib, du windige Schlampe!"

Mit überschlagender Stimme die Titelfigur des Magazins anbrüllend, feuert sie erneut, diesmal nur einmal. Das Journal kippt langsamer nach hinten weg als das Standbild, weil das Projektil mühelos den halben Zentimeter Papier durchschlägt, auf der Titelseite nur ein kreisrundes Loch hinterlassend etwas seitlich auf Höhe der Brust des Fotos, und sich in die Wand

bohrt. Die durchschossenen hinteren letzten Seiten waren nur leicht ange-
fetzt.

Harry, starr vor Schreck, inzwischen zwei Schritte weiter, jetzt neben
der Couch stehend, folgt entgeistert den ihm völlig unverständlichen Handlungen Algenas.

Algena schreit: „Es ist alles aus! Aus ists, Harry, Schluss der Vorstellung, ich will dieses Lumpenpack nicht mehr sehen, nie nie nie mehr, verstehst du das, nein kannst es nicht verstehen, du hast ja gar keine Ahnung!"

Harry ist wie vor den Kopf gestoßen, er begreift gar nichts mehr, nur so
viel, als Algenas Verzweiflung viel viel tiefer reichen musste, als er ahnt.
Er hört hier das erste Mal davon, dass Philipp Algena offenbar massiv und
fortgesetzt betrogen hatte. Niemandem, auch Isabelle nicht, hatte sie davon
je ein Wort erzählt, als ob es keiner wissen sollte.

„Algena, das hab ich nicht gewusst, das tut mir so leid für dich, auch
jetzt noch, bitte glaub mir."

"Keiner hats gewusst, es reichte mir, dass ich es weiß, und jetzt hab ich
mich gerächt, Harry …". Algena setzt plötzlich ein verschlagenes Gesicht
auf, die Bleiche ihrer Wangen und den fahlen Blick noch steigernd, „und
außerdem bist du ja drauf und dran, deine Rosi in ganz der gleichen Art und
Weise mit mir zu betrügen, hab ich recht, he? Ist dir das schon mal in deinem Quadratschädel klar geworden?"

Algena schaut ihn wild auffordernd an, erneut mit der Waffe in der Hand
herumfuchtelnd. „Aber das wird jetzt eh egal sein, keine Rolle mehr spielen, die Entscheidung ist gefallen, Harry!"

„Algena, was redest du denn da für Unsinn? Was für eine Entscheidung?
Versteh ich nicht! Algena …, ich liebe dich, ich liebe dich, ich bitte dich,
mir zu glauben, ich liebe dich mehr als du dir vorstellen kannst, ich will
dein Allerbestes!"

Harry ist den Tränen nahe. Was will diese Frau? Blitzartig jagen Gedanken durch seinen Kopf. Ja, er hat mir ihr geschlafen, ein rauschendes Sex-
fest gefeiert, weil er sie so innig liebt und weil er weiß, dass sie ihn auch
liebt und ihm zugleich die Tatsache seines Seitensprungs als solchen kaum
zu schaffen macht, weil Rosi im Grunde nur ein Betriebsunfall gewesen

war, besser gesagt, er heiraten musste, weil ein Kind unterwegs war, und die beiden konservativen Familien deshalb darauf drangen und jetzt das Zweite Rosis sehnlichster Wunsch gewesen war. Sein innerstes Herz schlägt aber nach wie vor für Algena … Die Schizophrenie seiner ungebändigten Zuneigung zu Algena und dem Verheiratetsein mit einer anderen belastet ihn seit Langem. Es liegt wie ein dunkler Schatten auf seinem Leben. Seit sie Witwe geworden war, seit ihrer damaligen Geburtstagseinladung, als er sie erstmals nach vielen Jahren wiedergesehen hatte, hat er eine Zeit lang versucht, sie wieder aus seinem Kopf zu verbannen, um sie dann, als ihm das partout nicht gelang, in gelegentlichen Telefonaten seine latente Zuneigung immer wieder spüren lassen. Und sehr subtil zwischen den Worten erkannte er Algenas unbedingte innere, nur mühsam in Schach gehaltene Sehnsucht nach ihm. Dass sie ausgesprochen konservativ dachte, wusste er seit Langem, aber so kompromisslos ihre Liebe zu ihm äußerlich verleugnen zu können? Hatte er nicht erwartet und ihr auch nicht so recht zugetraut und deshalb immer wieder mit Telefonaten versucht, ihre asketisch selbstauferlegte Abstinenz zu ihm aufzubrechen. Die Liebe geht eben manchmal höchst sonderbare, verschlungene Wege.

„Lieben, lieben, du und lieben, und das „Allerbeste wollen"…, Quatsch! Denk lieber an deine Rosi, die solltest du lieben …, spar dir dein lächerliches Gewäsch …, weißt du, was das Allerbeste für mich gewesen wäre, wenn du denn schon so besorgt um mich bist? Nein, du weißt es nicht, nichts weißt du! Mich in Ruhe lassen, wäre es gewesen! Du weißt so gut wie ich, dass wir uns, seit du Familie hast, nicht – nie! – mehr hätten begegnen dürfen!"

Algenas Stimme schnappt über: „Und überhaupt …", Harry nachäffend: „Hahaha", – „... *mehr als du dir vorstellen kannst??* Quatsch! Ist dir eigentlich klar, was du da rausposaunst, hä? Benutzt hast du mich, jawohl, meine Schwäche für dich schamlos ausgenutzt hast du. Ich weiß genau, was du dir seit Langem insgeheim wünschst: Deine Intimfreundin, deine Sex-Gespielin für deinen Kick sollte ich dir wohl sein, wie? – Neben deiner ehrbaren Familie fürs Äußere, stimmts? Deshalb hast du mich die letzten Jahre mit nichtigem Firlefanz immer wieder am Telefon angemacht, um so, als

Vorwand, Kontakt mit mir zu halten. Unglaublich! Ich will nicht zweite Geige spielen, die man hervorholt, wenn man sie braucht, und wieder in der Rumpelkammer verschwinden lässt, wenn die rechtmäßige Familie den Ton angibt. Ich will das nicht, Harry."

Algena durchbohrt ihn geradezu mit ihrem Blick.

„Du bist wie mein treuloser Philipp, der sich auch irgendwann eine Gespielin zugelegt hat. Habt ihr verdammten Männer denn gar kein Ehrgefühl im Bauch? Und irgendwann wirst auch du mich satthaben, mich ausrangieren wie abgelatschte Schuhe und dir eine andere zulegen. Ich will das alles nicht, Harry. Will so ein Leben nicht führen."

Algena hat den Revolver sinken lassen, macht mit ihm aber stets eindeutig abwehrende Andeutungen, sobald Harry auch nur ansatzweise erkennen lässt, sich ihr nähern zu wollen.

Algena ringt nach Worten,

„… Und leid täte ich dir? Dass ich nicht lache! Und wem tut Rosi leid, wenn sie betrogen wird, sprich? Hast du da überhaupt mal einen Gedanken darauf verschwendet? Sicher nicht! Und jetzt rumschwadronieren, von Liebe faseln, vorgeben, mich zu lieben".

Harry ist total verunsichert. „Nein, nein, du missverstehst mich, Algena, ich wollte doch nur …"

„Was wolltest du doch nur…??? Natürlich, mich ficken, ja was denn sonst? Alles andere ist doch uninteressant …, deshalb hält man sich doch eine Geliebte, nicht wahr? Geh heim zu deiner Rosi, noch jetzt und hier und auf der Stelle. Die kannst du ficken, dort gehörst du hin, nirgendwo anders, oder??"

Algenas Stimme hat schon lange ihre sanfte weibliche Färbung restlos verloren, wirft mit obszönen Ausdrücken nur so um sich.

Geradezu fassungslos jammert Harry in weinerlichem Ton:

„Nein, Algena! ... Algena, so hab ich das doch nicht gemeint, versteh mich doch, ich wollte nur sagen …"

„Nicht gemeint? Lächerlich! Ich kann mir vorstellen, was du zu deiner Entschuldigung sagen wolltest, weiß es geradezu … Kennen uns so lange / haben so viel miteinander erlebt / können uns aufeinander verlassen / und wer weiß, was die Zukunft bringt und und und … Alles blödsinnig-über-holtes Geschwätz von vorgestern, interessiert nicht mehr. Was interessiert, ist, dass du letzte Nacht endlich mit mir schlafen konntest – war schon lange dein latenter Wunsch, oder? – stundenlang deinen Sex an mir ausleben durf-test und mir versichertest, so wie nie zuvor mit einer anderen Frau … – ja, und ich bekenne, deinen Körper stundenlang genossen zu haben, ebenfalls wie nie den eines anderen Mannes zuvor …"

Algena holt tief Atem. Sie zittert vor Anspannung. Ihr Körper vibriert.

„Harry!!!!!" Algena brüllt außer sich: „Das war unrecht, Harry. Unrecht war das, verstehst du? Du hast in dieser Nacht total vergessen, dass du ver-heiratet bist, und ich wollte total vergessen, dass du verheiratet bist … Es gibt keine Zukunft für uns! Keine, verstehst du, KEI-NE!"

Algena schreit es in den Raum hinaus, in voller Verzweiflung, in diesem Augenblick den allerletzten Rest an überlegtem Handeln beiseiteschiebend.

„Und wenns eine gäbe, dann will ich eine solche nicht, mit fremden Kin-dern und geschieden und Unterhalt und Verpflichtungen und bösen Blicken deiner Rosi und all die Verwicklungen und Vergiftungen, überhaupt, das ganze Gerede allüberall, die tausend Erklärungen in der Verwandtschaft … Warum geht das alles ums Verrecken nicht in deinen verdammten, kleinka-rierten Hühnerschädel rein?"

Algena atmet schwer und setzt theatralisch hinzu:

„Und weißt du, was ich dir jetzt verkünde? Es gibt nur einen Ausweg aus dieser finalen Sackgasse: Den Tod! Einen anderen gibt es nicht mehr."

Diese Worte lassen Harry augenblicklich schreckensbleich werden. Was Algena ihm da an Anwürfen vor die Füße knallt, ist nicht zu fassen. Er spürt, keinen Einfluss mehr auf sie zu haben, keinerlei einvernehmliches miteinander Sprechen, wie wenn sie verschiedene Sprachen verwendeten. Und doch, er muss es einfach versuchen, immer wieder.

„Algena, lass uns vernünftig mit einander reden, leg endlich den Schieß-prügel weg!"

„Vernünftig reden?", blafft Algena zurück, „Ich rede die ganze Zeit ver-nünftig. Es gibt keine vernünftige Lösung für uns, Harry, und ich will auch nicht mehr danach suchen. Ich bin fast krank geworden von der vielen vergeblichen Sucherei. Ich will das alles nicht mehr. Habe in meiner Verzweiflung schon vor Langem ein Foto von dir verbrannt … – ja, verbrannt, du hast richtig gehört! Und wollte dir schreiben, mich nicht mehr telefonisch zu belästigen. Ist leider unterblieben. Jetzt will ich nicht mehr, Harry!!"

Es klingelt draußen an der Korridortür.

Beide lauschen …

Es klingelt ein zweites Mal, länger, es klingt deutlich dringlicher.

Harry macht Anstalten sich umzudrehen, um zur Korridortür zu gehen.

„Du bleibst, verstanden!!!" Algena schwenkt sofort drohend den Revolver zurück auf ihn, Harry erstarrt zur Säule, schweigt angstvoll, starr den Blick auf Algenas Hand mit dem Revolver gerichtet.

„Es ist aus, Harry, aus und vorbei!" Fast flüsternd, in beängstigend abgeklärten Worten stößt sie diese gewaltigen Gedanken heraus. Unheimliche Ruhe breitet sich aus.

„Al--ge—na …!" Unverwandter angstgeweiteter Blick abwechselnd auf die Waffe in ihrer Hand und die wie eingefroren wirkende Figur im weißen Bademantel und den verwilderten Haaren.

Algenas aufgerissene erstarrte Augen fixieren Harry, als wollen sie ihn durchbohren. Leichenblass ihr Gesicht, ihre Brust hebt und senkt sich mächtig, schwer atmend. Mit tödlich langsamer Bedächtigkeit winkelt sie den bisher nahezu ausgestreckten rechten Arm ab und hebt die längst nicht mehr rauchende Waffe empor. Der Ärmel des Morgenmantels fällt zurück, gibt ihren schlanken Arm mit den hübschen feingliedrigen Händen frei, die jetzt unvermittelt mit der tödlichen schwarzen Waffe kontrastieren.

Erneut klingelt es, mehrmals hintereinander, dann Sturm. Dazu eine laute Stimme. „Polizei, öffnen Sie die Tür!". Es wird mit aller Kraft lautstark gegen die Tür getrommelt.

„Algena, was hast du vor???" ... Harry ahnt fürchterliches, schreit Algena außer sich an: „Um Gottes Willen …, nein, tu das nicht! Das darfst du nicht!"

Harrys Herz zieht sich vor Angst zusammen, er weiß nicht, wie er sich verhalten soll …

Algena reagiert nicht mehr, ist urplötzlich völlig in sich gekehrt.

Weiter und weiter beugt sich ihr Arm und gibt mit dem Handgelenk dem kurzen Mündungsrohr des Revolvers eine neue Richtung. Es richtet sich immer deutlicher gegen ihre Schläfe.

„Algena …, nein!!!! NEIN! Was du da machst, ist Wahnsinn, bist du wahnsinnig geworden?"

Harry erkennt augenblicklich mit allergrößtem Entsetzen, was Algena beabsichtigt, vergisst jegliche eigene Gefährdung und landet mit gewaltigem Panthersprung bei ihr, reißt ihr, während zugleich der Knall des gelösten Schusses den Raum erfüllt, den rechten Arm empor, aber es ist um Sekundenbruchteile zu spät, das Projektil hat ihre Schläfe durchschlagen und Algena sackt blutüberströmt in sich zusammen.

Kreidebleich sinkt Harry auf die Knie, hält ihren Kopf mit den weit aufgerissenen Augen in seinem Schoß und beginnt umgehend mit dem Saum ihres weißen Morgenmantels zu versuchen, den Blutstrom an ihrer Schläfe zu stillen.

„Algena …, Algena!!" Er sucht verzweifelt nach einem Lebenszeichen, fixiert ihre Augen, versucht Bewegungen ihrer Lippen zu erkennen, und seien sie noch so minimal. Ihm ist nicht klar, ob sie ihn noch zu erkennen vermag. Hilflos spürt er sie an der plötzlich einsetzenden Schwere ihres Kopfes in die Bewusstlosigkeit hinübergleiten.

Erneutes Sturmklingeln an der Korridortür. „Polizei, machen Sie sofort auf", zugleich klickt ein Schlüssel.

In der Stille des Sonntagmorgens hatte das ältliche Ehepaar Helmstedt, die Mitbewohner im Stockwerk unter ihnen, die plötzliche Schreierei in Frau Marzahns Wohnung mitbekommen und, nachdem kurz darauf innerhalb weniger Sekunden drei Schüsse gefallen waren, umgehend die Polizei gerufen, weil sie annahmen, Frau Marzahn müsse oder könne in Gefahr sein. Ihnen sei seit Längerem schon die unstete und, wie sie sich ausdrückten, „unsolide gewordene" Lebensweise ihrer oben wohnenden Mitbewohnerin aufgefallen, vor allem, dass sie eine längere Zeit oft erst weit nach Mitternacht nach Hause gekommen sei und bisweilen, wenn auch nicht allzuoft, männliche Besuche empfangen habe und sie den Eindruck hätten, dass es sich nicht um einen dauerhaften Freund handeln könne. Wo sie sich in der Stadt „rumgetrieben habe", wie sie es nannten, wüssten sie nicht. Sei ja schließlich Privatsache.

Dass ein Streifenwagen sich so schnell vor Ort einfand, war dem Zufall geschuldet. Helmstedts besaßen seit Langem einen Zweitschlüssel zu dieser Wohnung und hatten ihn den Polizeibeamten übergeben.

Die Tür wird unsanft aufgestoßen und drei Polizisten stürmen mit gezogenen Dienstpistolen in Angriffshaltung über den Korridor ins Wohnzimmer und orientieren sich in Sekundenbruchteilen. Ungeachtet der herzergreifenden Szenerie, die sie vorfinden, aber eben alle Umstände beinhalten könnte, stürzen sich zwei sofort auf Harry, um ihn, den Mann und vermeintlichen Übeltäter, festzuhalten, während der Dritte sich neben Algena niederkniet, umgehend per Handy einen Krankenwagen ordert und zugleich versucht in Erster-Hilfe-Manier Algena auf die Seite zu drehen um, wie schon Harry, mit dem weißen Morgenmantelsaum die Kopfwunde abzudrücken und den Blutstrom zu stillen.

Währenddessen heißen die beiden anderen Harry mit barschen Worten aufzustehen. Sie bugsieren ihn im Polizeigriff unsanft gegen die nächste Wand, legen ihm Handschellen an und tasten seine Schlafshorts nach Waffen ab. Ansonsten war Harry ja unbekleidet.

Das Martinshorn draußen lässt nur wenige Minuten auf sich warten, der Notarzt stellt noch schwache Lebenszeichen fest, weshalb die Sanitäter Algena in Windeseile auf die Pritsche schnallen und in den Rettungswagen hinuntertragen. Mit heulender Sirene fährt der sofort davon.

Harry verfolgt total paralysiert, wortlos das Geschehen rund um ihn, zittert am ganzen Leib, ist willig wie ein kleines Kind, erträgt ergeben die Handschellen, die ihm vorsorglich angelegt worden waren, weil die Beamten nach allererstem Augenschein davon ausgegangen waren, dass er die Frau erschossen haben könnte. Den Revolver heben sie mit Handschuhen auf und stecken ihn in einen Leinenbeutel. Fingerabdrücke gehören zu den wichtigsten Beweismitteln.

Nachdem jede Menge Fotos des dramatischen Ortes geschossen waren und die rudimentäre erste Spurensuche beendet ist (sie entdecken in der halb aufgezogenen Schublade des Sideboards die hölzerne Originalverpackung des Revolvers samt Kurzanleitung, aber leider keine Rechnung), verlassen die drei mitsamt dem Corpus Delicti im Leinenbeutel und Harry, dem sie zuvor gestattet hatten, sich anzukleiden, die Wohnung und das Haus und fahren mit dem weiß-grünen Polizeifahrzeug ab. Die Wohnung lassen sie versiegelt zurück.

Im Lauf des Tages verstirbt Algena im Krankenhaus an ihrer schweren Kopfverletzung.

Die Polizei meldet:
Beziehungsdrama in Solln

Sonntagmorgen, xx. xx. xxxx. Gegen halb neun Uhr kam die fünfunddreißigjährige Algena M. in ihrer Wohnung in Solln durch einen Kopfschuss zu Tode. Dringend der Tat verdächtigt wird der Mann Harry W. gleichen Alters, der zur selben Zeit in ihrer Wohnung weilte und paralysiert aufgefunden worden war. Bei der ersten Vernehmung im Polizeirevier behauptete er steif und fest, die Frau habe in seinem Beisein Selbstmord verübt. An der Waffe wurden von ihm allerdings keinerlei Fingerabdrücke gefunden. Ein Abschiedsbrief wurde nicht gefunden. Die Ermittlungen laufen in mehrere Richtungen, vor allem ob Algena M. womöglich zum Selbstmord gedrängt oder gezwungen wurde. Höchst seltsam fanden die Beamten, dass sowohl auf das Standbild ihres vor etlichen Jahren verunglückten Ehemannes als auch auf ein offenbar aufgeständertes Modejournal in unmittelbarer Nähe geschossen worden war.

Man war sich im Klaren, dass die Motivation völlig im Dunkeln liegt, vor allem die Rolle des Mannes Harry W. Die Ermittlungen werden sich deshalb besonders auf ihn, aber auch auf die Bekanntenkreise beider Beteiligter erstrecken. Weil Harry W. in einer festen Beziehung mit Ehefrau und zwei Kindern lebt, gibt es kaum Fluchtgefahr und der Haftrichter ließ ihn auf freien Fuß mit der Auflage, mit sachdienlichen Aussagen zur Aufklärung des Falles bei beizutragen.

Des Weiteren sei zu klären, wie der Revolver der amerikanischen Marke Smith and Wesson in die Hände von Algena M. gelangt ist. Algena M. ist im Waffenscheinregister nicht eingetragen, also musste die Waffe illegal erworben worden sein. Anhand der Fabrikationsnummer hofft man, den ursprünglichen Händler ausfindig zu machen und den weiteren Weg der Waffe bis zu Algena M. aufzudecken.

Die Ermittlungen dauern an.

Nachwort:

Es ist ein Wagnis besonderer Art, als männlicher Autor über das Schicksal einer Frau zu schreiben. Ob es mir gelungen ist, mich genügend kundig in die Psyche und die Gefühle der Hauptprotagonistin einfühlen zu können, dürften naturgemäß vor allem meine Leserinnen am besten beurteilen können. Deren intuitives Gefühl ist gefragt, ob Denken und Handeln der jungen Hauptdarstellerin in den vielen Szenen einleuchtend sind und „so" abgelaufen sein könnten, auch wenn sich beides von den eigenen Vorstellungen noch so stark unterscheiden mag oder sich manche Szenen hart an der Grenze des Irrealen bewegen.

Frauen werden das Gefühlsleben anderer Frauen wohl am besten verstehen und nachvollziehen können. Was natürlich nicht heißt, dass es auch sehr kundige Leser geben wird! Auch deren Urteil ist gefragt.

Ich bin mir sicher, dass sich „die Geister scheiden" werden und ich als Autor und Erfinder der Geschichte nicht ungeschoren davonkommen werde. Aber als Autor muss man Kritik aushalten, denn man ist ja „überzeugt von seinem Werk", ungeachtet, ob es gut ankommt oder eher verrissen wird.

Ich wünschen jedem Leser, jeder Leserin nur das Allerbeste in ihrem Leben!

Der Autor

Danksagungen:

Meiner Frau Roswitha Mayer-Braun danke ich für die unendliche Geduld, mit der sie über Jahre meine unzähligen Abende am Computer hinnahm.

Meiner Nachbarin Edda Scharfbillig danke ich für ihre kundige und kritische Durchsicht meines Textes und die vielen wertvollen Hinweise auf Fehler und günstigere Formulierungen etc.

Literaturangaben:

Marcel Proust:	*„Auf der Suche nach der verlorenen Zeit"*
Joshua Ferris:	*„Ins Freie"*
Eckhart Tolle:	„Jetzt"
Eva Illouz:	*„Warum Liebe weh tut"*
Alfred de Musset:	*„Bekenntnis eines jungen Zeitgenossen"*
Karl Huysmans:	*„Gegen den Strich"*

Notizen: